Über dieses Buch Der vorliegende Band schließt die dreibändige Kulturgeschichte der Bundesrepublik Deutschland von Hermann Glaser ab. Damit liegt die einzig umfassende Bilanz der kulturellen und kulturpolitischen Entwicklung von 1945 bis heute vor, die als spannende Geschichtsreportage gelesen und als zuverlässiges Handbuch genutzt werden kann.

Der dritte Band beginnt mit der Protestbewegung in den späten sechziger Jahren, die auch zu einer Umwertung des Kulturbegriffs führte, schildert die Wendezeit, in der sich die enttäuschte oder von den politischen Anforderungen befreite Gesellschaft in eine Kultur der Innerlichkeit zurückzog, und beschreibt schließlich die unübersichtlichen, eines eindeutigen Sinnes und übereinstimmend geltender Kriterien entbehrenden kulturellen Aktivitäten von heute, die als postmoderne Befindlichkeit zu bezeichnen durchaus sinnvoll ist und die sich als Mit- und Gegeneinander von Spiel, Provinzialismus, Verweigerung, Zynismus, Dekors, neuen Formen kulturellen Widerstandes und einer umherirrenden Suche nach neuen Ausdrucksformen darstellt.

Mit zuversichtlicher Skepsis gelangt Glaser am Ende seiner Zeitreise durch die Kulturlandschaft der Bundesrepublik zu dem Schluß: »Da die Kulturgeschichte der Bundesrepublik Deutschland von 1945 bis 1989 deutlich macht, daß die neu erworbene Freiheit des Geistes durchaus genutzt wurde, der stete Diskurs nicht durch gesellschaftliche, politische und wirtschaftliche Restauration und Regression abgeblockt werden konnte, ist auch im Hinblick auf die weitere Entwicklung ein gewisser Optimismus angebracht – ein Optimismus, der freilich dann sträflich leichtfertig und leichtsinnig wäre, wenn er sich nicht stets von Nachtgedanken heimgesucht fühlte.«

Der Autor Hermann Glaser, Jahrgang 1928, studierte Germanistik, Anglistik, Geschichte und Philosophie, von 1964 bis 1990 Schul- und Kulturdezernent der Stadt Nürnberg. Seit 1988 Honorarprofessor an der TU Berlin.

Zahlreiche Buchveröffentlichungen, darunter: ›Der Gartenzwerg in der Boutique. Provinzialismus heute‹ (1973), ›Soviel Anfang war nie. Deutscher Geist im 19. Jahrhundert‹ (Fischer Taschenbuch Bd. 5387; vergr.), ›Sigmund Freuds 20. Jahrhundert‹ (Bd. 6395), ›Bundesrepublikanisches Lesebuch. Drei Jahrzehnte geistiger Auseinandersetzung‹ (Bd. 3809), ›Luther – gestern und heute‹ (zus. mit K.-H. Stahl, Bd. 3477; vergr.), ›Spießer-Ideologie‹ (Bd. 4351), ›Maschinenwelt und Alltagsleben. Industriekultur in Deutschland‹ (W. Krüger Verlag, 1981; vergr.) und ›Die Kultur der Wilhelminischen Zeit‹ (S. Fischer Verlag, 1984).

Hermann Glaser
Die Kulturgeschichte
der Bundesrepublik
Deutschland

Band 1
Zwischen Kapitulation
und Währungsreform
1945-1948

Band 2
Zwischen Grundgesetz
und Großer Koalition
1949-1967

Band 3
Zwischen Protest
und Anpassung
1968-1989

Fischer Taschenbuch Verlag

Hermann Glaser
Die Kulturgeschichte der Bundesrepublik Deutschland

Band 3
Zwischen Protest
und Anpassung
1968-1989

Fischer Taschenbuch Verlag

Aktualisierte Ausgabe
Veröffentlicht im Fischer Taschenbuch Verlag GmbH,
Frankfurt am Main, Dezember 1990

Lizenzausgabe mit freundlicher Genehmigung des
Carl Hanser Verlages München Wien
© 1989,1990 Carl Hanser Verlag München Wien
Für das Nachwort der Taschenbuchausgabe:
© 1990 Fischer Taschenbuch Verlag GmbH, Frankfurt am Main
Umschlaggestaltung: Buchholz / Hinsch / Hensinger
Foto: Harald Duwe ›Demonstrationszug‹, 1974,
mit freundlicher Genehmigung von Heilwig Duwe-Ploog
Druck und Bindung: Clausen & Bosse, Leck
Printed in Germany
ISBN 3-596-10529-3 (Einzelband)
ISBN 3-596-10530-7 (Kassette)

Inhalt

Radikalität und Scheinradikalität
Protest

Zwischen Packeis und Wärmestrom
Wendezeit

Ersatzverzauberung

Der Abschied vom Prinzipiellen

Postmoderne

Kulturlandschaft mit Horizonteintrübung

Skandal

Nachwort

Anhang

Einleitung

Die dritte Phase der kulturellen Entwicklung im Nachkriegsdeutschland beginnt mit der Protestbewegung der späten sechziger Jahre und führt in die unmittelbare Gegenwart, die, trotz begründeter Einwände, als Postmoderne zu bezeichnen durchaus sinnvoll ist. Das Jahr 1968 beendet, angekündigt durch ein »Beben im Untergrund«, die Selbstsicherheit und Selbstherrlichkeit der Wirtschaftswunderzeit; den nachfolgenden zwei Jahrzehnten fehlt, zumindest vom heutigen, das heißt zeitnahen Standpunkt aus gesehen, die epochengeschichtliche Konsistenz: Das Verbindende ist das Unverbundene, das Übergreifende besteht in der Aufspaltung, »Wahrheit« erweist sich als Vielfachwahrheit. Die ideelle »Standortklarheit« geht verloren, was als »Beliebigkeit« im besonderen Maße im Bereich der Künste, der Architektur und der Philosophie zutage tritt: Antinomien – Widersprüche, bei denen die Zuordnung von Gültigkeit und Wahrheit schwierig ist; Ambivalenzen – »Doppelwertigkeiten«, die nicht nur irritieren, sondern auch lustvoll erlebt werden; Aporien – Ratlosigkeiten, die keineswegs nur als »Verlegenheit« hingenommen werden, sondern schöpferische Originalität anregen. Die Ablösung der Substanz durch den Reiz wird von denjenigen, die dem unvollendeten Projekt der Aufklärung anhängen, als neue »Unübersichtlichkeit« empfunden; diejenigen, die sich in selbstreferentiellen Subsystemen wohl fühlen, genießen es geradezu, nicht mehr für das Ganze verantwortlich zu sein. Der von dem Philosophen Odo Marquard konstatierten »Inkompetenzkompensationskompetenz« entspricht ein kulturphänomenologischer »Partikularismus«; die Gleichzeitigkeit des Vielfältigen verschafft allen, die bei der »Anstrengung des Begriffs« leicht ermüden, ein individuelles Vergnügen. Pläsier ist Pläsier; das Vorher kümmert so wenig wie das Nachher. »Bewegung« wird bald perhorresziert, bald animiert; Warte- und Wendezeit treten bald als »deutscher Herbst«, in dem kritische Theorie zu Grabe getragen wird, bald als deutscher Frühling, in dem der Abschied vom Prinzipiellen gefeiert wird, in Erscheinung. Vom Standpunkt der Postmoderne aus gesehen, erscheint die Protestbewegung nicht als Anfang der dritten Phase der Nachkriegsentwicklung, sondern als Abschluß vorausgehender Eindimensionalität. Der dann folgende euphorische Pluralismus führt zu einer neuen Farbigkeit; zugleich verliert Wesentliches seine Kontur; »Zielorientierung« gerät aus den Augen. Der Aufstand der Zeichen (die Vorliebe für Inszenierung) richtet sich gegen die Gewichtigkeit, manchmal auch gegen die Schwerfälligkeit von Inhalten; Semiotik verdrängt Semantik. Woher man kommt, wohin man geht, warum man etwas tut – solche Fragen erscheinen zumindest einem Teil der Gesellschaft weniger wichtig als der Kult des Augen-Blicks, in dem man, entlastet von historischer wie antizipatorischer Vernunft, »aufgeht«. Die »Fließstruktur« der Epoche, die sich einem neuen Fin de siècle nähert, wird freilich begrenzt, behindert, auch aufgehalten durch starke Strömungen einer neuen Aufklärung, die »gelernt« hat und in der Dialektik der

Dialektik der Aufklärung, also im Umschlag des Umschlags, die Chance fort-schreitenden Fortschritts sieht.

Da die Kulturgeschichte der Bundesrepublik Deutschland von 1945 bis 1989 deutlich macht, daß die neu erworbene Freiheit des Geistes durchaus genutzt wurde, der stete Diskurs nicht durch gesellschaftliche, politische und wirtschaft-liche Restauration und Regression abgeblockt werden konnte, ist auch in Hin-blick auf die weitere Entwicklung der Republik ein gewisser Optimismus ange-bracht – ein Optimismus, der freilich dann sträflich leichtfertig und leichtsinnig wäre, wenn er sich nicht stets von Nachtgedanken heimgesucht fühlte. Die gravierenden Skandale, die den Weg dieses Staates begleiteten und in den letzten Jahren besonders verdichtet in Erscheinung traten, verstärken die Sorge, daß das demokratische Fundament brüchig werden könnte; eine Zweidrittelgesellschaft etwa würde das Postulat der Sozialstaatlichkeit zerstören.

Ob der Geist noch weht und weiter wehen wird, wie er will? Als die Johns-Hopkins-Universität in Baltimore 1988 eine Reihe Intellektueller zu einer Kon-ferenz über die zeitgenössische geistige Situation der Bundesrepublik versam-melte, charakterisierte Jürgen Habermas die vorwaltende Befindlichkeit mit dem Stichwort »westernization«, eine Mischung aus neuen Nachkriegsimporten und alten Rückimporten. Die große Vielfalt von westlichen Ideen und Impulsen habe dazu geführt, daß die Barrieren zwischen analytischer und kontinentaler Philo-sophie, zwischen Pragmatismus und Funktionalismus, zwischen sprachlicher Analyse und hermeneutischer Phänomenologie, zwischen Hegel, Marx und transzendentaler Philosophie niedergelegt wurden. Im Fehlen geistiger Aus-strahlung könne man eine willkommene Normalisierung sehen, die sich endlich bei einem Volk eingestellt habe, das mit seinen verführerischen irrationalen Ideen von jeher neben Staunen auch Schrecken verbreitet habe. Der tiefste, in vieler Hinsicht befreiende Einschnitt in der Nachkriegsperiode sei die 68er Rebellion gewesen, die die Skepsis der Geisteswissenschaften des 19. Jahrhunderts gegen jegliche Theorie auf radikale Weise überwunden und die Aufklärung zum Dogma erhoben habe. Inzwischen hätten wir gelernt, daß die deutsche Kultur keinen privilegierten Zugang zur Wahrheit darstellt; der ideologischen Unter-scheidung zwischen Kultur und Zivilisation, zwischen Gemeinschaft und Ge-sellschaft sei eine Absage erteilt worden. Wiederaneignung und Fortsetzung humanistischer Tradition, einschließlich der kritischen Einsichten von Marx, Nietzsche und Freud, stellten die wichtigste intellektuelle Leistung der Nach-kriegszeit in Deutschland dar. Fritz Stern bestätigte, daß aus engstirnigen Aka-demikern weltläufige Bürger geworden seien und daß die »westernization of German thought«, die Einbindung in den Westen, viel dazu beigetragen habe.

Hans Magnus Enzensberger kam auf ironische Weise zu einem ähnlichen Ergebnis. Im »German mind« sei das Oberste zuunterst gekehrt worden: Mäßi-gung statt Abenteuer, Langeweile statt Wagnis, Mittelmäßigkeit statt Übertrei-bung; vergessen habe man die geheiligten Begriffe von Autorität, Klasse, Ord-nung, Gehorsam – »nicht aus moralischer Einsicht, sondern aus pragmatischen Gründen, nicht aus noblen Gefühlen, sondern aus schierem Opportunismus«.

Verschwunden sei die bäuerliche Kultur, die Lebensweise der Proletarier, der Stil der Junker und der Ruhr-Barone sowie der Habitus der Bildungsbürger und der militärischen Kaste. Entstanden sei eine alles umfassende Mischung, charakterisiert durch ihr Mittelmaß.

Wesentlich positiver urteilte Hartmut von Hentig: Der deutsche Geist sei eher durch Skepsis als durch Begeisterung, eher durch Ungewißheit als durch missionarischen Eifer, eher durch Handwerklichkeit als durch Originalität, eher durch zuviel als zuwenig Selbsterkenntnis gekennzeichnet. Hentig nannte die deutsche Kultur gesund und entdeckte einen ungewohnten Common sense im Nachkriegsdeutschland. Den Grünen als Erben der 68er Rebellion falle ein großes Verdienst an den Veränderungen zu; ihre Attacken auf das parlamentarische System seien darauf gerichtet, es vor Erosion zu schützen. Für die Öffnung nach außen und für den Dialog hätten zudem eine Reihe von Institutionen gesorgt: zum Beispiel die evangelischen und katholischen Akademien, die Kirchentage, die Volkshochschulen, die subventionierten Theater, Radio und Fernsehen und nicht zuletzt *Die Zeit* (wobei man ein solches Lob wohl auf die »seriöse« deutsche Presse insgesamt ausdehnen sollte).

Die von Marion Gräfin Dönhoff dergestalt referierten Konferenzergebnisse bestätigen impressionistisch-aphoristisch die »verhaltene Zuversicht«, die diese dreibändige Kulturgeschichte der Bundesrepublik Deutschland durchzieht. Das an den Anfang des ersten Bandes gewissermaßen als Leitmotiv gestellte Wort von Thomas Mann (in einer Sendung der BBC am 10. Mai 1945, aus dem amerikanischen Exil an die deutschen Rundfunkhörer gerichtet), daß zwar furchtbarer, schwer zu tilgender Schaden dem deutschen Namen zugefügt und die Macht verspielt worden sei, aber Macht nicht alles bedeute, sie nicht einmal die Hauptsache darstelle: »Deutsch war es einmal und mag es wieder werden, der Macht Achtung, Bewunderung abzugewinnen durch den menschlichen Beitrag, den freien Geist« –, eine solche Hoffnung ist durch die nun über vier Jahrzehnte sich erstreckende kulturelle Entwicklung, trotz aller antidemokratischen Anfechtungen und restaurativen Widerstände, keineswegs widerlegt worden. Freilich hat neue Macht dazu geführt, daß der republikanische (Widerspruchs-)Geist, wie er sich nach 1945 ausbildete, vielfach unerwünscht ist, zumindest bei vielen Machtinhabern, was man jedoch nicht mit Larmoyanz, sondern mit verstärktem Engagement beantworten sollte. Die Eintrübung des republikanischen Horizonts ist allerdings nicht zu übersehen und gibt zu Befürchtungen Anlaß.

Thomas Mann hat schon 1955, im Schiller-Gedenkjahr, am Schluß seiner nacheinander in Stuttgart und Weimar gehaltenen Rede *(Versuch über Schiller)*, eine bittere Bilanz globaler Versäumnisse gezogen, denen auch die Bundesrepublik als wiedererstandener Machtstaat nicht genügend entgegengetreten ist. »Das letzte Halbjahrhundert sah eine Regression des Menschlichen, einen Kulturschwund der unheimlichsten Art, einen Verlust an Bildung, Anstand, Rechtsgefühl, Treu und Glauben, jeder einfachsten Zuverlässigkeit, der beängstigt. Zwei Weltkriege haben, Roheit und Raffgier züchtend, das intellektuelle und moralische Niveau (die beiden gehören zusammen) tief gesenkt und eine Zerrüttung gefördert, die schlechte Gewähr bietet gegen den Sturz in einen dritten, der alles beenden würde. Wut und Angst, abergläubischer Haß, panischer Schrecken und wilde Verfolgungssucht beherrschen eine Menschheit, welcher der kosmische Raum gerade recht ist, strategische Basen darin anzulegen, und die die Sonnenkraft äfft, um Vernichtungswaffen frevlerisch daraus herzustellen.«

Ohne Gehör für Schillers Aufruf zum stillen Bau besserer Begriffe, reinerer Grundsätze, edlerer Sitten, von dem zuletzt alle Verbesserung des gesellschaftlichen Zustandes abhänge, »taumelt eine von Verdummung trunkene, verwahrloste Menschheit unterm Ausschreien technischer und sportlicher Sensationsrekorde ihrem schon gar nicht mehr ungewollten Untergange entgegen«.

Thomas Mann, dem Prinzip Hoffnung folgend, schließt mit einem auch für unsere Zeit und die nächsten Dezennien wegweisenden Optativ: Es gelte, dem Vorbild von Schillers hochherziger Größe zu folgen, die nach einem ewigen Bund des Menschen mit der Erde, seinem mütterlichen Grund, rufe. »Von seinem sanft-gewaltigen Willen gehe durch das Fest seiner Grablegung und Auferstehung etwas in uns ein: von seinem Willen zum Schönen, Wahren und Guten, zur Gesittung, zur inneren Freiheit, zur Kunst, zur Liebe, zum Frieden, zur rettenden Ehrfurcht des Menschen vor sich selbst.«

Dieser dritte Band der Kulturgeschichte der Bundesrepublik Deutschland, 1968 bis 1989, gliedert die Fülle des vielfach nur exemplarisch aufzuzeigenden Materials in fünf Kapitel, deren innere Abfolge ein zeitliches Voraus- wie Zurückgreifen einschließt. Wenn dadurch gelegentlich »Gleichzeitigkeit« vernachlässigt wurde, so war dies die Folge jeweiligen Abwägens zugunsten inhaltlicher Zusammenhänge, oder auch Ausdruck der Absicht, »falsche Kausalitäten« aufzubrechen. Der Terrorismus wird zum Beispiel nicht im chronologisch ersten Kapitel »Protest« beschrieben – in Zusammenhang oder als Folge der 68er Bewegung und ihrer »Radikalität«; vielmehr wird der Extremismus wie der Zynismus der Stadtguerilla dem Begriff »Skandal« subsumiert – republikanische Gesinnung und Gesittung in entscheidendem Maße gefährdend; während die Protestbewegung, indem sie erstarrte gesellschaftliche Strukturen auflockerte, die Stärkung republikanischer Identität ermöglichte.

Das erste Kapitel, »Protest«, verfolgt die Ursprünge der in den 60er Jahren sich herausbildenden »Verweigerung«, die auch zu einer Umwertung des Kunstbegriffs führt. Die »verschonte« Generation, die in der Wirtschaftswunderzeit herangewachsen war, zeigte einen hohen Pegel von Frustrationsaggressivität und verwandelte sich zusehends in eine »ungeratene Generation«. Vor allem die studentische Jugend versuchte, mit nachgeholtem Ungehorsam, den Anpassungsdruck der nivellierten Mittelstandsgesellschaft wie den Konformismus affirmativer Kultur zu durchbrechen. Die Universitätselite, mit dem »Muff von tausend Jahren unter den Talaren«, stand stellvertretend für die repressive Toleranz einer Demokratie, die ihre autoritären Strukturen nur mühsam zu verbergen vermochte. Politische, sprachliche, sexuelle Befreiung gingen Hand in Hand.

Das zweite Kapitel, »Wendezeit«, berichtet vom Scheitern der Protestbewegung (auf hohem Niveau), verursacht zum einen durch die in ihr angelegten und nicht bewältigten Widerspüche, zum anderen durch die unerschütterbare Macht des »Establishment«. Die überwiegende Mehrheit der durch die Protestbewegung geprägten Jugend zog sich vor dem Packeis einer durchrationalisierten, reflexionslosen, dem technologischen Fortschritt verschriebenen und moralische Skrupel gering achtenden Gesellschaft auf die Inseln einer ab- wie ausgegrenzten Innerlichkeitskultur zurück, die, vom Wärmestrom der »Betroffenheitsmystik« umspült, sich als ideale Topoi für den neuen Sozialisationstyp Narziß erwiesen. Im Psychodrom der Gefühlskulte – in Erwartung eines New Age – verlor Aufklärung an Bedeutung.

»Ersatzverzauberung«, Thema des dritten Kapitels, verweist auf die zunehmende Bedeutung von Kultur (gerade auch von Jugendkultur), die das Vakuum der »Wartezeit« mit ihrer Unsicherheit und Orientierungslosigkeit abwechslungsreich auszufüllen vermag, ohne freilich einen nachdrücklichen ästhetischen Paradigmenwechsel einleiten zu können. Der »Farbigkeitsbedarf« einer immer abstrakter und damit auch grauer werdenden technokratisch bestimmten Welt wird abgedeckt; die dabei entwickelten kreativen Qualitäten bejahen zunehmend das Kunstfertige der Kunst, ohne dabei einen eigenen Zeitstil prägen zu können.

Das vierte Kapitel variiert die These, daß die Postmoderne einen neuen Höhepunkt der Dialektik der Aufklärung darstellt: Diese entsteht als Spätfolge der gescheiterten Protestbewegung – auf der Basis eines neuen Egozentrismus, dessen Genußfreudigkeit den direkten Materialismus des Wirtschaftswunderidylls sublimiert. Für einen auf sich selbst zurückbezogenen Kulturbegriff erscheinen die allgemeinen Ideen als »große Erzählungen« relativiert. Die erkenntnisleitende Theorie wird zugunsten sinnlicher Beliebigkeit gering geachtet; Inszenierung wird wichtiger als das »Stück«, um das es eigentlich gehen sollte. Der Rückgang des realutopischen Potentials kennzeichnet eine Kulturlandschaft, der bei aller Vielfalt die transzendierende Kraft abgeht.

Das fünfte Kapitel geht aus von dem veränderten politischen Klima in der Bundesrepublik, das im Skandal sich äußerlich niederschlägt, aber auf tiefgreifende Wandlungsprozesse schließen läßt. Der politische Generationenwechsel suspendiert Urbanität und fördert einen Provinzialismus, der sich vorwiegend telekratisch verbreitet. Der Veränderung des Sozialprofils des Politikers entspricht die Veränderung der Medienwelt, die Mediokrität gleichermaßen bedient wie bewirkt. Staatsbürgerliche Sensibilität verliert sich im Schaum der Show; die »Gnade der späten Geburt« wird instrumentalisiert und einem aufgeklärten bzw. um Aufklärung bemühten Geschichtsverständnis entgegengestellt, der nationale Identitätsbegriff restauriert und die »Unfähigkeit zu trauern« in eine politische Tugend umstilisiert. Das emanzipatorische Potential von Erziehung scheint erschöpft und weitgehend widerstandslos geworden. Dabei ginge es darum, Aufklärung neu zu »beglaubigen«, also Mythos und Ratio, Intuition und Intellekt, Aleatorik und Stringenz, vor allem aber Ökologie und Ökonomie zu versöhnen, die »Selbstmodernisierung der Moderne« zu bewirken. Neben den Skandal eines neuen Historizismus (als Entleerung selbst noch des Historismus) tritt der Skandal der Arbeitslosigkeit. Die Hoffnung auf eine human-compute-risierte Gesellschaft wird heimgesucht von der Angst vor einer schönen neuen Welt, die auf die Antiquiertheit des Menschen zielt. Die Ressource Sinn wird knapp. Welche neue Chance politische Kultur in dieser Republik hat, erweist sich als zentrale Frage.

Wie in den beiden vorausgehenden Bänden wird den Entwicklungssträngen des geistigen Geschehens »erzählend« nachgegangen; auf kritische Analyse wird nicht verzichtet, doch ist die phänomenologische Vermittlung das Hauptanliegen. Angesichts der Materialfülle kann es nicht um Vollständigkeit gehen; aufgezeigt werden Begründungszusammenhänge, verdichtet in Knotenpunkten, von denen aus die kulturelle Vielfalt der Zeit aufgerollt wird. Einerseits bündeln solche Knotenpunkte auf übergreifende Weise, also unabhängig von Spartenzugehörigkeit, die Erscheinungen einzelner Kulturbereiche; andererseits ist das künstlerische Werk, das kulturelle Ereignis auch hinsichtlich seines Stellenwerts innerhalb des jeweiligen Genres bzw. der jeweiligen Gattung zu betrachten. Die Darstellung des Bandes ist somit »doppelwertig«: es finden sich Kapitel, die nach integralen Gesichtspunkten gegliedert und solche, die auf kulturelle Sektoren ausgerichtet sind. Daraus ergeben sich Überlappungen; doch ist eben Wirklichkeit nicht linear zu begreifen, sondern bedarf entsprechender konvergierender Beschreibungen. Wer eine stärker geschichtliche, vielleicht gar chronologische Abfolge erwartet oder wünscht, sei daran erinnert, daß historische Kausalität auch im hier zu betrachtenden kurzen Zeitraum kaum nachzuweisen wäre. Natürlich korrespondieren gewisse kulturelle Erscheinungen mit zeitlich nacheinander ablaufenden politischen Ereignissen; viel charakteristischer ist jedoch nicht die vertikale Schichtung, sondern die horizontale Gleichzeitigkeit. In diesem Sinne begreift sich die Darstellung als Kulturtopographie (wobei selbstverständlich die einzelnen markanten Kulturformationen jeweils auch auf ihren zeitlichen Entstehungsgrund hin sondiert werden).

Eine Kulturgeschichte muß, wenn sie nicht als Sammelband vieler Fachleute, sondern als Zusammenschau eines einzelnen Autors konzipiert ist, auf den Anspruch enzyklopädischer Vollständigkeit verzichten. Um Mißverständnisse vorzubeugen, sei deshalb darauf verwiesen, daß es sich nicht um eine Wirtschafts-, Ideologie-, Gesellschafts- und Politikgeschichte, auch nicht um eine Kunst-, Literatur- und Musikgeschichte handelt; Entwicklungstendenzen stehen im Mittelpunkt. Der Blick der Darstellung ist auf Landschaften, Umbrüche, Verwerfungen, nicht auf einzelne Berge, Wälder, Täler gerichtet. »Vermessungsfehler« sind bei solcher Perspektive nicht zu vermeiden, doch hat sich der Verfasser, wenn auch auswählendes Subjekt, zudem Zeitgenosse der Nachkriegszeit, darum bemüht, die objektiven Materialien sprechen zu lassen. Diese Arbeit war möglich, weil die Fülle der Einzelstudien, die Quantität wie Qualität der Sekundärliteratur insgesamt, der sich der Verfasser mit großer Dankbarkeit verpflichtet fühlt, eine verläßliche Grundlage für einen solchen Versuch bieten. Wichtige Texte werden ausführlich referiert bzw. zitiert, was diesen Band auch als Materialienbuch verwendbar macht.

Das Manuskript wurde im Dezember 1988 abgeschlossen, fünfzig Jahre nach dem »Reichspogrom« vom 9. auf den 10. November 1938. Das Buch erscheint im Frühjahr 1989, vierzig Jahre nach der Verabschiedung des Grundgesetzes der Bundesrepublik Deutschland. Die beiden Gedenktage als »Denktage« machen die Ungeheuerlichkeit des uns auferlegten geschichtlichen »Erbes« wie die ergreifende Chance für einen radikalen Neubeginn deutlich. Der Verfasser dieser drei Bände, fasziniert von der miterlebten und teilweise auch mitgestalteten kulturellen Vielfalt von über vier Jahrzehnten bundesrepublikanischer Entwicklung, sieht letztlich die Schicksalsfrage der Republik darin begründet, ob das Fühlen, Denken und Handeln nach 1945 dem von Theodor W. Adorno formulierten kategorischen Imperativ zeitgeschichtlichen Bewußtseins entspricht: »›Ich denke an Auschwitz‹ muß alle meine Vorstellungen begleiten.« Die Mißachtung dieses Grundsatzes, der für die demokratische, republikanische Identität so wichtig ist (da diese eben ohne Trauerarbeit sich verfehlt), ist im Kulturbereich weniger als in den anderen Bereichen gesellschaftlich-politischer Entwicklung festzustellen. Positiv formuliert: Ohne das Engagement der Literaten und Künstler, Journalisten und Publizisten, insgesamt der Intellektuellen und kulturell Tätigen, wäre die »zweite Schuld«, die im Verdrängen, Verharmlosen und Vergessen des von den Nationalsozialisten bewirkten Zivilisationsbruchs liegt, noch viel größer; der ernsthafte Wille zu einer auf Gerechtigkeit basierenden Sühne fehlte oft genug – in der Frühzeit der Republik dadurch dokumentiert, daß der Kommentator der Nürnberger Rassengesetze (1935), Hans Globke, zum engsten Vertrauten des ersten Bundeskanzlers, Konrad Adenauers, werden konnte. Das »Gnadenfieber« der fünfziger Jahre führte dann dazu, daß die nationalsozialistische »Tätergemeinde« sich weitgehend spurlos in die Nachkriegsgesellschaft verflüchtigen konnte. »Das größte geschichtsbekannte Verbrechen wurde mit dem größten Resozialisationswerk abgeschlossen.« (Jörg Friedrich)

Mit einer Stelle aus den *Minima moralia* von Theodor W. Adorno (»Weit vom Schuß«, Herbst 1944) endet der dritte Band dieser Kulturgeschichte der Bundesrepublik Deutschland; der Text sei auch einleitend zitiert; er antizipiert die Tiefe der Ratlosigkeit im Umgang mit bundesrepublikanischer Kultur, des Umgangs dieser Kultur mit der Geschichte: »Der Gedanke, daß nach diesem Krieg das Leben ›normal‹ weitergehen oder gar die Kultur ›wiederaufgebaut‹ werden könnte – als wäre nicht der Wiederaufbau von Kultur allein schon deren Negation –, ist idiotisch. Millionen Juden sind ermordet worden, und das soll ein Zwischenspiel sein und nicht die Katastrophe selbst? Worauf wartet diese Kultur eigentlich noch? Und selbst wenn Ungezählten Wartezeit bleibt, könnte man sich vorstellen, daß das, was in Europa geschah, keine Konsequenz hat, daß nicht die Quantität der Opfer in eine neue Qualität der gesamten Gesellschaft, die Barbarei, umschlägt? Solange es Zug um Zug weitergeht, ist die Katastrophe perpetuiert. Man muß nur an die Rache für die Ermordeten denken. Werden ebenso viele von den anderen umgebracht, so wird das Grauen zur Einrichtung und das vorkapitalistische Schema der Blutrache, das seit undenklichen Zeiten bloß noch in abgelegenen Gebirgsgegenden waltete, erweitert wieder eingeführt, mit ganzen Nationen als subjektlosem Subjekt. Werden jedoch die Toten nicht gerächt und Gnade geübt, so hat der ungestrafte Faschismus trotz allem seinen Sieg weg, und nachdem er einmal zeigte, wie leicht es geht, wird es an anderen Stellen sich fortsetzen. Die Logik der Geschichte ist so destruktiv wie die Menschen, die sie zeitigt: wo immer die Schwerkraft hintendiert, reproduziert sie das Äquivalent des vergangenen Unheils. Normal ist der Tod.«

Wolf Vostell, Miss America, 1968

Protest

Beben im Untergrund

Auf einem Fest Ende der sechziger Jahre in Berlin – »früh gealterte Dichter vermehrt um ein paar heimlich dichtende Revolutionäre und Studentenfunktionäre« – trifft Lenz auf den Germanisten und Kritiker Neidt, der ihn in ein Gespräch über das Verhältnis der Arbeiterklasse zu den Intellektuellen verwickelt. »Ihr habt«, meint Lenz, »alles, was weniger Privilegierte sich lediglich wünschen, wenn auch nicht alles. Ihr habt schnelle Autos, große Wohnungen, schöne Frauen, solange sie euch betrügen. Und da ihr für diese Vorteile nicht gearbeitet habt, habt ihr mit Recht ein schlechtes Gewissen. Voll Schrecken entdeckt ihr, daß ihr vollkommen überflüssig seid. Diese Entdeckung aber kränkt euch dermaßen, daß ihr schleunigst die wirkliche Bewegung, die eure Privilegien antastet, an euch zu reißen sucht und euch zu ihrem Führer ernennt. Ohne euer eigenes Bild vor euch und eure Klasse hinzustellen, ohne euren Anblick auch nur eine Sekunde lang zu ertragen und euch zu verändern, zimmert ihr euch ein Wunschbild vom Arbeiter zurecht, dessen wichtigste Aufgabe es ist: er darf nicht so sein, wie ihr seid. Da ihr vor Egoismus platzt, muß er vor Solidarität platzen. Da ihr euch vor der Zartheit eurer Hände zu ekeln beginnt, muß er schwielige Fäuste haben, am besten mit einem Schraubschlüssel darin. Da eure Theater sich leeren, soll er von der Kultur überhaupt nichts mehr wissen wollen, auch nicht von seiner eigenen. Da ihr mit euch selbst nichts mehr anfangen könnt, soll er ohne eure Führerschaft völlig verloren sein.«[1]

Lenz, in der gleichnamigen Erzählung von Peter Schneider (der von 1967 bis 1971 aktiv an der Studentenbewegung teilnahm), versucht, den Widerspruch zwischen den Wahrnehmungs- und Lebensweisen der Klassen zumindest privat zu überwinden, indem er eine Liebesbeziehung zu einem Mädchen aus dem Proletariat eingeht. »Doch nicht die Privatheit dieser Beziehung und ihres Scheiterns, sondern ihre Gesellschaftlichkeit gibt der Erzählung ihre Motivation: Es geht um den mißlungenen Versuch eines Brückenschlags zwischen Studenten und Arbeitern, um intellektuelle Askese und mangelnde Sinnlichkeit, um die Erfahrungslosigkeit abstrakter politischer Begrifflichkeit und Theoriebildung.«[2]

Gezeichnet wird in dieser kunstvollen Studie das Psycho- und Soziogramm einer Generation, die sich im eigenen Land fremd fühlt. »An einem Nachmittag ging Lenz durch die Einkaufsstraßen der Stadt . . . Er betrachtete die Auslagen in den Schaufenstern. Er wunderte sich, daß dort immer noch jeden Monat neue Autos, Pelzmäntel, Schuhe, Fernsehgeräte, Abendkleider und Anzüge ausgestellt waren. Es gab immer noch Salonlöwen, die wie vor drei Jahren aus roten

Sportwagen stiegen, immer noch Verkäuferinnen, die bei Bally viel zu teure Schuhe kauften, immer noch James-Bond-Filme, immer noch Leute, die auf das neue VW-Modell mit derselben Ungeduld warteten wie er und seine Freunde auf politische Neuigkeiten. Es kam ihm so vor, als hätten sich die Schaufenster in den letzten zwei Jahren leeren müssen, als müßten die Passanten inzwischen in gleicher Kleidung und mit neuen Wünschen daran vorübergehen.«

In der nivellierten Mittelstandsgesellschaft kam der Wohlstand fast allen Menschen zugute. Die Arbeitslosigkeit war von 1950-1964 von 10,4 Prozent auf 0,08 Prozent gesunken, das Bruttosozialprodukt im gleichen Zeitraum von 98 Milliarden auf 413 Milliarden DM angestiegen (höhere Gesamtwerte erwirtschafteten damals nur die USA und Kanada).[3] Dennoch wuchs die Sorge um den Bestand des Wirtschaftswunders. Mit Hilfe des Begriffs der »formierten Gesellschaft« versuchte der 1963 gewählte Bundeskanzler Ludwig Erhard, seit der Währungsreform den Mythos von Deutschlands Wiederaufbau im wahrsten Sinne des Wortes verkörpernd, den sozial desintegrativen Wirkungen des marktwirtschaftlichen Wettbewerbs entgegenzutreten. Die zunehmend egoistischen Gruppeninteressen müßten überwunden, das Bewußtsein und das Gewissen des einzelnen Menschen geschärft und diesen deutlich gemacht werden, »daß der einzelne nicht für sich allein Vorteile gewinnen kann, sondern nur, wenn es auch dem anderen gutgeht. Alles was dem eigenen Wohl dient, muß seinen Niederschlag in dem Wohl des Ganzen finden«.[4]

1963 hatte Günter Grass in dem Roman *Hundejahre* die Substanzlosigkeit der im praktizierten Materialismus aufgehenden Gesellschaft angeprangert; der Expansion fehle die Konsistenz. »Die freie Marktwirtschaft wird vom Mehlwurm geritten. Von Anfang an war im Vater des Wirtschaftswunders der Wurm drinnen, wundersam wunderwirkend. ›Hört nicht auf den Wurm. Im Wurm ist der Wurm!‹«[5] Die Problematik eines hohen Haushaltsdefizits stellte Erhard bei seiner Wiederwahl zum Bundeskanzler in den Mittelpunkt seiner Regierungserklärung vom 10. November 1965. Die Nachkriegszeit sei nun zu Ende; es sei angebracht, daß das deutsche Volk wieder Maßhalten lerne, den Gürtel enger schnalle und mehr arbeite. Ein Jahr später scheiterte Erhard beim Ausgleich des Haushaltes und trat zurück. Aber nicht nur die Wirtschaftsprobleme (mit einer »lahmenden« Konjunktur) bewirkten seinen Sturz. »Die Republik, die Erhard unter der Losung ›Wohlstand für alle‹ so maßgeblich mitgebaut hatte, entwickelte sich tendenziell nicht mehr so weiter, wie er und mit ihm die Aufbaugeneration es erwartet hatten. Folge des Wohlstandes war nämlich in erster Linie nicht eine Zunahme an individueller Vernunft, an gesellschaftlicher Rationalität und an höherentwickelter Moral, wie es Erhards Credo entsprochen hätte. Vielmehr begann ein unartikuliertes Unbehagen um sich zu greifen, das sich gegen den notwendigen Preis des erworbenen Wohlstands richtete und demgegenüber immer häufiger nach Genuß ohne Anstrengung, ohne Opfer und ohne Reue verlangte.« (Klaus Hildebrand)[6]

Die Intellektuellen der Adenauer- und Erhard-Ära hatten – als Narren am Hof der Restauration – ihr Mißfallen an der Wirtschaftswunderidyllik stets ausdrücklich und nachdrücklich, teils tiefschürfend, teils ironisch-rhetorisch artikuliert, doch war dieses überlagert von einer allgemeinen euphorischen Befindlichkeit, die, in der schönen Plastikwelt gut etabliert, jede Beunruhigung und Verunsicherung mied. Was Theodor W. Adorno für die Sprache der Zeit feststellte, daß sie nämlich als »Jargon der Eigentlichkeit«[7] das Bedenken und Nachdenken perhorresziere, mit Hilfe von Klischees Identitätsverlust kaschiere und mit Hilfe von Metaphern Wirklichkeit usurpiere, kann insgesamt zur Beschreibung des in der Wirtschaftswunderzeit zu besonderer Ausprägung gelangenden affirmativen Mentalitätsmusters herangezogen werden. Herbert Marcuses bereits 1937 erschienene Schrift *Über den affirmativen Charakter der Kultur*, die Ende der sechziger Jahre als Schlüsselwerk für die Entlarvung des bürgerlichen Kulturanspruchs empfunden wurde, benennt als Grundzug eines degenerierten (saturierten) Idealismus die Isolierung von Innerlichkeit; die geistig-seelische Welt werde als ein selbständiges Wertreich von der Zivilisation abgelöst und über sie erhöht. Auf die Not des isolierten Individuums antworte affirmative Kultur mit der allgemeinen Menschlichkeit, auf das leibliche Elend mit der Schönheit der Seele, auf die äußere Knechtschaft mit der inneren Freiheit, auf den brutalen Egoismus mit dem Tugendreich der Pflicht; sie behaupte eine allgemein verpflichtende, unbedingt zu bejahende, ewig bessere, wertvollere Welt, die von der tatsächlichen Welt des alltäglichen Daseinskampfes wesentlich verschieden sei, die aber jedes Individuum »von innen her«, ohne jene Tatsächlichkeiten zu verändern, für sich realisieren könne. »Erst in dieser Kultur gewinnen die kulturellen Tätigkeiten und Gegenstände ihre hoch über den Alltag emporgesteigerte Würde: ihre Rezeption wird zu einem Akt der Feierstunde und der Erhebung.«[8]

Gegen ein solches Kulturverständnis entwickelte sich in den sechziger Jahren, vor allem bei der Jugend, grollendes Unbehagen; es äußerte sich zunächst nicht gesellschaftskritisch-analytisch (wie es dem Bildungsideal aufklärerisch-politischer Erziehung entsprochen hätte), sondern quasi psychosomatisch – als Subkultur bzw. »alternative culture«. Die amerikanische »scene« war für die Mythen des neuen Jugend-Stils, der sich im Underground farbig und chaotisch, aggressiv und narzißhaft entfaltete, von besonderer Bedeutung. *Acid* nannten Rolf Dieter Brinkmann und Ralf Rainer Rygulla ihre im März-Verlag erschienene Anthologie, die als Markstein solchen »Kulturtransfers« bezeichnet werden kann. Sie faßten 1969 zusammen, was in den Jahren zuvor als neue Botschaft mit synästhetischer Sprengkraft den Auflösungsprozeß affirmativer bundesrepublikanischer Kultur eingeleitet hatte. Die Absicht des Buches sei es, so die Herausgeber, ein Gesamtklima vorzustellen, das sich seit dem Auftreten der Beatgeneration Mitte der fünfziger Jahre angedeutet und von der nachfolgenden jüngeren Generation aufgegriffen, modifiziert und weiterentwickelt worden sei.

Den editorisch kühl präsentierten Texten stand die tabu-umstellte bürgerliche Wohlanständigkeit der Wirtschaftswunderzeit fassungslos gegenüber; aber auch die komplementär dazu anzutreffende gestylte Oswald-Kolle-Wohlstandssexualität war schockiert.

». . . OH FINSTERES LÄCHELN OH OH TRÜBES LOCH MACH PLATZ
FÜR DIE LIEBE
So riesengroß wie ein Fick. Gefickter Arm,
gefickter Mund und Arsch. Laß mich salziges Wasser
von deinem Bauch lecken. Laß mich meinen steifen Schwanz
zwischen deine Brüste schieben, unter deinen Arm.
Ich lutsche deine Titten und Ohren. Züngle
deine Klitoris. Träume und liege auf deinem Bauch, schiebe
meine Finger in dein Loch und fühle deinen Arsch,
und du leckst und lutschst meinen
weichen Schwanz, um ihn wieder hart zu machen.
!DAS IST EINE STELLUNG!
Halte meine Eier in deinem Mund und atme über meinem Arsch.
Leck den Saft von meinen Fingern. Hol mir
einen runter. Rieche dich selbst an meinen
Händen und an meinem Schwanz. Ich beiße deinen Arm,
den du unter meinen Hintern
schiebst.
Ich tauche in das Loch, das du da vor
mir öffnest. Fühle deine Fotze sich weit
dehnen.
OH FINSTERES LÄCHELN OH OH TRÜBES LOCH MACH PLATZ
FÜR DIE LIEBE . . .«[9]

Exemplarisch verdeutlicht der Text die den Underground wie die folgende
Protestbewegung bestimmende sexuelle Schrankenlosigkeit; eine Aggressionen
ungeschützt auslebende »Peng«-Mentalität; orgastisch-orgiastisches Bekenntnis
zur Emanzipation des Fleisches (»flesh«), die auch formal die ästhetischen Gat-
tungsgrenzen durchbricht und dabei die Artikulationsformen der Popkunst
(etwa der Comics) nutzt. »Den Hörighaltungs- und Abrichtungscharakter, der in
tradierten Ausdrucksformen steckt wie in jener längst angewöhnten Teilung
zwischen außen und innen, Form und Inhalt, versuchen die ›jungen‹ amerikanischen Autoren hinter sich zu lassen. Sie gehen oft genug davon aus, daß Literatur
Spaß machen muß. Der Lustfeindlichkeit und Unsinnlichkeit, die sich in über-
anstrengter Reflexion darlegt und die besonders häufig dort sich zeigt, wo mit
dialektischer Methode die Spontaneität künstlerischer Tätigkeit manipuliert
werden möchte, wird durch ein Desinteresse begegnet, die ›großen Dinge‹ zu
verarbeiten, zu bearbeiten, zu erklären, umzuinterpretieren etc.«[10]

Im Underground gediehen aber nicht nur die Acid-Mythen, sondern auch die
Mythen floraler, vegetativer Provenienz. Drop-out. Do your own thing. Leave
society as you have known it. Wer »draußen« ist, ist drinnen; wer die Gesellschaft
verläßt, ihren Ritualen und Lügen entflieht, ist »hip«, »in the know« – weiß Bescheid: daß es nämlich jenseits der Repression Hippieland gibt, beautiful and
peaceful, ein künstliches Arkadien, das in anarchischer Ekstase und enthebendem

Euro-Pop-Konzert in München, 1970

Rausch exploriert wird. Nacktheit, oft zerfließend androgyn, wird der Verhüllungsideologie demonstrativ entgegengestellt; der Bürstenhaarschnitt des cleveren, effizienten Kapitalismus mit »Hair« (dekorativer Langhaarigkeit, die Freiheit des Dagegen- und Draußenseins signalisierend) provokativ konfrontiert.

Woodstock wurde zum Topos der Gegenkultur. Mitte August 1969 versammelten sich für drei Tage mehr als eine halbe Million junger Menschen der Jeans- und Turnschuhgeneration auf dem 240 Hektar großen Weidegelände des Milchfarmers Max Yasgur nahe der Ortschaft Bethel im amerikanischen Bundesstaat New York zu dem »größten Rockfestival und der friedlichsten Machtdemonstration der Jugendkultur, die es jemals gegeben hat«. Achtundzwanzig der besten Gruppen und Einzelinterpreten des Rock, darunter Janis Joplin, Santana, The Who und Jimi Hendrix, intonierten das Friedensfest der Blumenkinder.[11]

In einer Analyse der Untergrundkultur meinte 1970 der damals fünfunddreißigjährige Dieter Baacke, Trendsetter für eine auf Empathie beruhende neue Jugendforschung, daß man die Vertreter der »alternative culture« am besten als Rand-Siedler der Gesellschaft, die deren Regeln und Riten fliehen, bezeichnen könne. Zwischen Hippies, Yippies, Beatniks, den Lyrikern der Neuen Linken, verschiedenen Beatbands und Kommunen, Filmemachern und Agitprop-Theatralisten, zwischen jenen Jugendlichen, die einen Ausflug ins vorgestellte

Land der Freiheit machten, und denen (meist älteren), die in ihm blieben und ihm den Stil gäben, der es nach außen kennzeichne, ergebe sich eine große Bandbreite des Aufbegehrens gegen den Ordnungsfetischismus und die doppelte Moral der bürgerlichen Gesellschaft. »Der ›Untergrund‹ möchte das Individuum dem gesellschaftlichen Syndrom total entziehen, weil dieses trotz liberaler Einsprengsel repressiv bleibt. Ja, je deutlicher sich der Untergrund als Gegenkultur artikuliert, desto öfter wendet er sich gerade gegen die liberalen Väter, die wohl als ehrlich, politisch engagiert und idealistisch, aber zugleich als erfolglos, nachgiebig, ja schwach geschildert werden. Hier zeigt sich, daß man am meisten den Kompromiß fürchtet. Daher die Modellfigur des Nonkonformisten, ob er im Geniekult des 18., in der Boheme des 19. oder im Untergrund des 20. Jahrhunderts zutage tritt: es geht um eine Alternative zur Vaterwelt schlechthin.«[12]

Die Kriegsheimkehrer, früheren Flakhelfer und Hitlerjungen hatten ihre »ontologischen Mangelzustände« (Vaterlosigkeit, Sprachlosigkeit, Geschichtslosigkeit) mit einer gewaltigen wie gewaltsamen Anstrengung zu überwinden versucht: indem sie nach 1945, weitgehend allein gelassen, früh gereift, eine aktive Rolle beim Wiederaufbau übernahmen und sich, häufig unter Verzicht auf Trauerarbeit, in praktizierten Materialismus flüchteten. Die Väter waren für die »verlorene« und sich dann verhältnismäßig rasch wiederfindende (»skeptische«) Generation keine Identifikationsfiguren mehr, die eine Lebensform verkörperten, die die Söhne hätten übernehmen oder bekämpfen, an der sie sich hätten abarbeiten können, um eine eigene Kontur zu gewinnen. Der Generationenkonflikt fand gar nicht statt.[13]

»Wenn die Söhne sich auflehnen, sind die Väter gemeint, die Welt, die sie repräsentieren, also eine zumindest äußerlich noch intakte Welt. Nach 1945 aber fanden die jungen Männer in Deutschland nur Trümmer vor. Was die Väter geschaffen hatten, war so ungeheuerlich, daß es jeder Anprangerung spottete. Und die Väter selbst waren keineswegs große Verbrecher, gegen die man sich hätte empören können, sondern erbärmliche Verführte, feige Mitmacher, willige Opfer eines Systems von Irrsinn und Barbarei, das jetzt zusammengebrochen war, aber die Blicke und Federn der Söhne gefesselt hielt, so, als sei dieser Irrsinn, diese Barbarei der Inbegriff des faschistischen Staates und nicht nur sein Phänotyp, vielleicht nur ein literarischer Topos. Daß seine ökonomischen Grundlagen kaum erschüttert waren, sich schnell wieder verfestigten und die ihnen gemäße Gesellschaft formierten, die ›formierte‹, entzog sich den Blicken und Federn derjenigen, die gewissenhaft gegen die Urständ alter Barden und Bürokraten protestierten, entzog sich ihnen gerade dieses Protestes wegen, der nicht, wie man ihnen vorwarf, den Teil für das Ganze nahm, vielmehr umgekehrt: sie blieben am Teil haften. Sie wollten nicht wieder (wie die Intelligenz der zwanziger Jahre, die ihnen ansonsten als Fata Morgana vorschwebte) versäumen, den Anfängen zu wehren, solange noch Zeit ist. Aber sie wehrten ihnen mit Mitteln, die schon vor 1933 versagen mußten, denen der traditionellen liberalen Kritik, die sich gegen den Staat und die politischen Organe kehrt, vielleicht noch gegen den ›Konsumterror‹ anstatt gegen das Ganze.« Karl Markus Michel charakterisierte so, vom Standpunkt der sich formierenden Protestbewegung, in dem von Hans Magnus Enzensberger im Suhrkamp Verlag herausgegebenen *Kursbuch* 4/1966 die »sprachlose Intelligenz« der Wirtschaftswunderzeit. Diese habe sich in ihrem Engagement ablenken lassen: Gefahr für die junge Demokratie sah sie weniger in jenen totalitären Tendenzen, denen der Faschismus nur zum Vorspann diente, im Monopolkapitalismus, den sozialpsychologischen Mechanismen der Steuerung und Anpassung, der Formierung der ganzen Gesellschaft, vielmehr in reaktionären Ideologien und deren Exponenten. »Sie fanden ihren Feind in den alten Nazis und dem alten Kanzler, schufen sich ihren Autoritätskonflikt künstlich, indem sie Adenauer polemisch zum Autokraten stilisierten, bis die Öffentlichkeit daran glaubte, und schwenkten kraft Fixierung an den Gegner auf dessen naives, von den gesellschaftlichen Kräften nur vor sich hergeschobenes politisches Bewußtsein ein: worauf es ankommt, ist die richtige Überzeugung, sind die richtigen Männer, und was haben wir?«[14]

In diesem Sinne, freilich noch wesentlich schärfer – bestimmt vom revolutionären Frühling –, las Hans Magnus Enzensberger der bundesrepublikanischen linken Intelligenz in *Kursbuch* 11/1968 die Leviten: sie habe sich zwar als literarisch fleißig und fruchtbar, doch politisch im tiefsten Sinne unproduktiv erwiesen. In der Hauptsache aus gebrannten Kindern, aus Alt-Sozialdemokraten, Neo-Liberalen und Spät-Jakobinern zusammengesetzt, sei die einzige verbindende theoretische Basis eine unbestimmte Negation, nämlich der Antifaschismus, gewesen. »An das historische Trauma von 1945 blieb diese Intelligenz gebunden, fixiert an spezifisch deutsche Komplexe und Erscheinungen, von der Kollektivschuld bis zur Mauer, unfähig zu einem Internationalismus, der über die Rhetorik der Völkerverständigung hinausgegangen wäre. Moral ging ihr vor Politik. Der Sozialismus, dem sie anhing, blieb nebulös, schon aus Mangel an Kenntnissen; ihre soziologische Bildung war gering, ihre Auseinandersetzung mit dem Kommunismus neurotisch und vordergründig. Pazifismus und Philosemitismus waren vorherrschende Tendenzen; mit wissenschaftlichen, technologischen und ökonomischen Fragen hat sich diese Intelligenz wenig und spät beschäftigt. In politischen Dingen hat sie sich eher reagierend als agierend geltend gemacht. Zu Erfolgen hat sie es, nicht von ungefähr, nur auf einem einzigen Gebiet gebracht: bei der Verteidigung der Meinungsfreiheit, also bei der Vertretung ihrer eigenen Interessen und der Behauptung ihrer eigenen Privilegien – einer sicherlich legitimen, aber schwerlich hinreichenden politischen Aktivität.« Mit der Überheblichkeit des »Spätgeborenen« dekretierte Enzensberger: »Mit ihrem Narrenparadies ist es vorbei, die Zeit der schönen Selbsttäuschungen hat ein Ende.«[15]

Ein größerer Teil der Alt-Sozialdemokraten, Neo-Liberalen und Spät-Jakobiner nahm solche Kritik ernst und schloß sich dem neuen revolutionären Konkretismus, oft genug freilich nur halbherzig, an. Die Welt sollte nicht mehr nur »beredet«, sondern (auf der Straße) verändert werden. (Der 1921 geborene Walter Boehlich zum Beispiel propagierte im *Kursbogen* zum *Kursbuch* 15/1968 ein Autodafé der bürgerlichen Kritik, Literatur und Ästhetik; er gab dann, konsequenterweise, seine etablierte Cheflektorenstelle beim Suhrkamp Verlag auf.)

Die negativen Sozialisationserfahrungen der »Vaterlosen« ließen distanzierende Analyse zugunsten eruptiver Anklage zurücktreten. Bernward Vesper, Sohn des nationalistisch-nationalsozialistisch orientierten Schriftstellers Will Vesper – er lebte mit der späteren Terroristin Gudrun Ensslin zusammen und hatte mit ihr einen Sohn (1971 beging er in einer psychiatrischen Klinik Selbstmord) –, sagt in dem Romanessay *Die Reise* zu einem amerikanischen Freund: »Ich werde ein Buch schreiben. ›The title of the book will be hate.‹ Ich hasse Dubrovnik. Ich hasse Deutschland. Ich hasse dies herumrollende Gemüse. Ich hasse Autos. Ich hasse Straßen. Ich hasse Berlin. Ich hasse Kinder. Ich hasse meinen Vater. Ich hasse alle, die mich zur Sau gemacht haben. Ich hasse meine Lehrer und so weiter.«[16]

Unter den Zerrissen-Vaterlosen erwies sich Rolf Dieter Brinkmann als eine besonders herausragende Figur, die Sturm-und-Drang-Attitüde der Protestbewegung voll auskostend, zugleich tragisch vereinsamt. Er fokussiert die Frustrations- und Aggressionsgefühle einer Generation, die sich vom Wirtschaftswunder mental depraviert fühlte – der Ichstärke beraubt, die aus der artistisch artikulierten Verzweiflung zu einer neuen Identität hätte herausführen können. *In der Grube* hieß die erste veröffentlichte Erzählung Brinkmanns (1962); sie schildert die äußere und innere Vereinsamung eines jungen Mannes, der seine Heimatstadt auf einer Durchreise besucht und dabei auf der Suche nach Reinheit und Unschuld das Scheitern seiner Sehnsucht erlebt. »Der vielsagende Titel signalisiert nicht nur die kleinbürgerliche Enge, das Gefangensein in Trieb und Sprachlosigkeit, sowie das weibliche Geschlecht, er bezeichnet auch die Situation des Schreibenden/des Schreibens (Grube/graphein sind etymologisch verwandt), ein Schweigen zu umkreisen, eine Lücke (ersatzweise) mit Wörtern zu füllen, eine nie verwirklichte Kommunikation im Schreiben selbst als mißlingend zu wiederholen und zugleich nachzuholen.« (Genia Schulz)[17] Wohin des Dichters Blick sich richtet: Zerstörung, Unrat, Müll; die Menschen mit ihren fetten Gesichtern: Fleischsäcke. Die Erkundungen führen immer wieder in Toiletten, die als »Urinhöhlen«, naß und schmutzig, mit verklebten Schüsseln, scharfem und beizendem Geruch, die Gegenwelt zum deodoranten Frischwärts der Warenästhetik darstellen. Nichts hat Bestand; statt dessen Zerstörung, Zerfall, Verwesung. *Erkundungen für die Präzisierung des Gefühls für einen Aufstand: Träume/Aufstände/Gewalt/Morde* lautet der Titel der Sammlung von Brinkmanns Tagebüchern und Notizen, die von versteinertem Leben, grenzenlosem Haß, stinkendem Himmel und verschimmeltem Abendland in expressiv aufgeladenen Texten (mit »Brüllstimme«) handeln. »Ankunft nach langer, öder Autofahrt in einem zugigen, verwahrlosten alten Volkswagenkabriolet mit Reden über die zerfetzte, kaputtgegangene Pop-Zeit Ende der 60er Jahre mit kurzen Röcken und ausstaffierten Uniform-Moden und Musikveranstaltungen und Gesprächen über Sex und Frauen bis zur Erschöpfung abends bzw. spät nachmittags in einer grau-blauen Winterdämmerung in dem nahezu ausgestorbenen Dorf und holten 2 Zentner Brikett beim Lebensmittelhändler, die zwei Mädchen drückten sich zwischen den Regalen und lachten über die Städter, die jetzt zu der Jahreszeit in der Mühle wohnen wollten.« Der Aufbruch der eigenen Generation wird auf seinem parterren Niveau fixiert: Wie hat sie sich ausgedrückt? »Durch blah, blah und Geröhre und Geschluchze in Stereo . . . durch vernietete Hosen, durch zugeschweißte Strumpfhosen und dann Heiße Höschen/SDS/Muff/Rotieren.«[18]

Die große Weigerung

Wohl »proporzioniert« und mit den besten Vorsätzen hatte 1966 die »Große Koalition« mit Kurt Georg Kiesinger als Bundeskanzler und Willy Brandt als Außenminister begonnen, die erstarrten innen- und außenpolitischen Verhältnisse aufzulockern. Kaum ein Kabinett der Nachkriegszeit vereinte in sich so widersprüchliche, zugleich profilierte, politisch potente und in ihrem Sachgebiet kompetente Minister; darunter befanden sich Hermann Höcherl, Käte Strobel, Georg Leber, Bruno Heck, Herbert Wehner, Carlo Schmid, Kai-Uwe von Hassel, Karl Schiller, Hans Katzer, Gerhard Schröder, Hans-Jürgen Wischnewski, Franz Josef Strauß, Gerhard Stoltenberg. Kiesinger selbst war das, »was man im herkömmlichen Sinne – in den sechziger Jahren allerdings zunehmend in Frage gestellt, ja verlacht – einen gebildeten Mann nannte. Diese Feststellung gilt sowohl für seinen bohrenden, grüblerischen Hang, den Sachen auf den Grund zu gehen, wenn er beispielsweise aus einer guten Kenntnis der Schriften Platons und Descartes' heraus über die Dinge nachdachte. Sie bezieht sich aber auch auf jene ihn auszeichnende Vertrautheit mit historischen Fakten und geschichtlichen Zusammenhängen, über die er, nicht zuletzt von Tocquevilles Prognosen dazu angeregt, immer wieder reflektierte. Stets wahrte er dabei jedoch intellektuelles Maß und geistige Disziplin und war in diesem Zusammenhang auch niemals von phantastischer Exaltiertheit oder belangloser Schwärmerei gefährdet.« (Klaus Hildebrand)[19]

Gerade solche »Wohltemperiertheit«, die als routinierte Glätte (ohne konservative Kanten) empfunden wurde – vom vorherrschenden Harmoniestreben aus gesehen gewissermaßen »pflegeleicht« –, mußte die Abneigung einer zunehmend nach Konfrontation drängenden Protestkultur finden. So war es von symbolischer Bedeutung, als die deutsch-französische Journalistin Beate Klarsfeld am 8. November 1968 auf dem CDU-Parteitag in der Berliner Kongreßhalle Bundeskanzler Kiesinger unter Bezug auf dessen Mitgliedschaft in der NSDAP mit dem Ruf »Faschist« ohrfeigte; sie wurde noch am selben Tag zu einem Jahr Gefängnis ohne Bewährung verurteilt. »Die Härte dieses Urteils im Vergleich mit zum Teil geringen Strafen im Auschwitz-Prozeß und das gänzliche Ausbleiben wenigstens politisch-moralischer Reaktionen auf seiten prominenter Politiker mit einer wie immer zu beurteilenden NS-Vergangenheit verschärfte nur den Konflikt und bestärkte vor allem einen Teil der jüngeren Bevölkerung in der Auffassung, daß zumindest Teile der älteren Generation nichts dazugelernt

Harald Duwe, Kiesinger, 1969

hätten und trotz aller Lippenbekenntnisse nicht zu wirklichen Demokraten geworden waren.« (Hermann Korte)[20]

Vor einem solchen Hintergrund waren auch die vehementen Auseinandersetzungen um die seit Anfang der sechziger Jahre geplanten Notstandsgesetze, die die alliierten Vorbehaltsrechte im Krisenfall ablösen und die Souveränität der Bundesrepublik vervollständigen sollten, zu verstehen. Die Kritiker fürchteten, daß die herrschenden Kräfte der Bundesrepublik, von denen viele im Dritten Reich versagt oder gar mit dem Nationalsozialismus verflochten waren, einer wirklich demokratischen Grundeinstellung, die auch in Krisenzeiten Bestand hätte, entbehrten. Die Notstandsgesetze, schrieb Karl Jaspers in *Wohin treibt die Bundesrepublik?* (1966), raubten dem Volk die ihm verbliebenen legitimen, dann aber nicht mehr legalen Mittel des Widerstandes; sie seien ein Instrument der Versklavung.[21]

Der Kampf gegen die Notstandsgesetze erwies sich als ein besonderer Höhepunkt der bürgerschaftlichen Bemühungen in den sechziger Jahren; es ging um die »Befreiung des Menschen aus den Fesseln obrigkeitsstaatlicher und klerikaler Bindungen«, die Verkündung der Menschenrechte und Menschenpflichten, den

Ausbau von Erziehungs-, Bildungs- und Fürsorgeeinrichtungen, die allen Bürgern offenstünden, die »Entfaltung einer freien Wissenschaft, Presse, Literatur und Kunst«. Mit diesen Forderungen plädierte Gerhard Szczesny 1961 für die Gründung einer Humanistischen Union (»Wider die Tendenz zur autoritären Demokratie«), die kurz darauf mit Unterstützung des Psychoanalytikers Alexander Mitscherlich, des hessischen Generalstaatsanwaltes Fritz Bauer und des Soziologen René König verwirklicht wurde.[22]

Mit der Großen Koalition sah sich die neue Demokratie erstmals mit dem Problem einer fehlenden starken Opposition konfrontiert; die Last der parlamentarischen Kontrolle lag nun ganz auf der kleinen FDP (der man die erfolgreiche Übernahme einer solchen Rolle weder quantitativ noch qualitativ zutraute). Bundeskanzler Kiesinger versprach zwar, daß keine Macht und Pfründe zwischen den Partnern geteilt, keine Mißstände vertuscht und die Kräfte des parlamentarischen Lebens nicht durch Aussprachen hinter den Kulissen gelähmt würden; doch hatte man Grund genug, genau dies zu fürchten – vor allem auch, weil die Mehrheit der westdeutschen Bevölkerung politische Konflikte, im besonderen parlamentarischen Streit, wenig schätzte.[23] Bei einer Minderheit jedoch, vorwiegend den Studenten, verstärkte die Gefahr des Verlusts von Opposition das Protestpotential, das sich als alternative Kultur in Form eines allgemeinen Unbehagens seit längerem ausgebildet hatte und sich nun rasch und mit revolutionärem Elan politisierte. Es trat weitgehend ein, was Günter Grass in einem Brief an Willy Brandt, in dem er vor der schwarz-roten Koalition und ihren Folgen warnte, schrieb: »Die allgemeine Anpassung wird endgültig das Verhältnis zu Staat und Gesellschaft bestimmen. Die Jugend unseres Landes jedoch wird sich vom Staat und seiner Verfassung abkehren: sie wird sich nach links und rechts verrennen.«[24]

Das Konzept der »außerparlamentarischen Opposition« (APO), wie es sich vor allem der »Sozialistische Deutsche Studentenbund« (SDS) zu eigen machte, fiel auf fruchtbaren Boden. Die Demonstrationen gegen die Notstandsgesetze und den Deutschlandbesuch Resa Pahlawis, des Schahs von Persien (1967), gegen die Springer-Presse und den Vietnamkrieg der USA ließen die APO in den Augen vieler Radikaldemokraten als eigentliche Vorkämpferin der republikanischen Grundordnung erscheinen. Für die Mehrheit geriet die Republik jedoch durch die Studentenrevolte in äußerste Gefahr – eine Einschätzung, die auf einen wesentlichen Verlust demokratischer (individueller wie kollektiver) Ichstärke schließen ließ. Der für die Adenauer- und Erhard-Zeit konstitutive Slogan »Keine Experimente!« stand im Widerspruch zu der Dynamik der Industriegesellschaft, die zu ihrer Orientierung gerade des Experiments bedarf, da dieses jeweils ein Stück Zukunft konkret im voraus aufzuklären und somit, jenseits von Ideologie, die Verifikation bzw. Falsifikation von Postulaten (Zielprojektionen) ermöglicht. Vor allem Schule und Universität verkümmern, wenn sie auf die Dialektik ihrer Fortentwicklung verzichten und der Reproduktion des »Gehabten« vertrauen. Die nach 1945 entwickelten pädagogischen Reformvorstellungen – bei gleichzeitiger, teilweise sehr scharfer Kritik an den traditionellen Struktu-

Besuch Schah Resa Pahlawis in der Bundesrepublik, 1967 – Empfang auf Schloß Augustusburg

ren (die man mit Recht für die Perversion des Erziehungswesens im Dritten Reich verantwortlich machte) – waren zwar in bestimmten Zirkeln intensiv diskutiert worden, hatten aber kaum zu Veränderungen geführt. Desgleichen blockierte die affirmative Pädagogik, die in den fünfziger und sechziger Jahren sich wieder voll durchsetzte, die Empfehlungen des Deutschen Bildungsrates und seines Nachfolgegremiums, des Deutschen Ausschusses.

1947 hatte Karl Jaspers, neben Karl Barth der herausragendste Protagonist einer Universitätsreform, bei einer Konferenz der Universitätsrektoren der US-Zone davon gesprochen, daß die Universität sich als »Volksuniversität« zu legitimieren und in Zukunft aus dem Geiste sozialer und politischer Verantwortung heraus zu wirken habe; würde sie solchen Auftrag nicht begreifen und verwirklichen, verschwände sie »in der Nivellierung einer bloßen Schule mit nur endlichen Zwecken des Nutzens ohne Kraft der Menschenformung«.[25]

Die Studentenrevolte bewies, daß die Menschenformung im Geiste republikanischer Gesinnung und Gesittung verfehlt worden war – auch wenn die universitären hierarchischen Strukturen eine gewisse Auflockerung erfahren hatten. Die Stimmungslage der politisch sensibilisierten Studenten spiegelte das Thesenpapier, das von dem Sinologiestudenten Erhard Neckermann dem hochschulpolitischen Arbeitskreis des Hamburger SDS im Sommer 1967 vorgelegt

Plakataktion des Sozialistischen Deutschen Studentenbundes gegen Schah Resa Pahlawi, US-Präsident Johnson und den griechischen Junta-Chef Pattakos, 1967

wurde und dem als Motto ein Zitat des Professors Otto Heinrich von der Gablentz vorangestellt war: »Die deutsche Universität ist nicht in einer Krise, sondern in einem völligen Zerfall. Das kann nur noch durch eine Revolution geändert werden.« Das Papier enthielt eine strategische Skizze, die eine »Politik der permanenten Universitätsrevolte« proklamierte, deren Hauptzweck die Herstellung einer neuen Öffentlichkeit mittels »Massenaktionen der Studentenschaft an der Universität Hamburg« sei. Den Beginn der offensiven Phase signalisierte die Störung der Hamburger Rektoratsfeier vom 9. November 1967; die Studenten Detlef Albers und Hinnerk Behlmer trugen das dann weltberühmt gewordene Transparent »Unter den Talaren Muff von tausend Jahren« den in das Auditorium maximum einziehenden Ordinarien voran.[26]

Inzwischen hatte der Funke der Revolte schon auf die Straße übergegriffen – provoziert von Kurzschlußhandlungen des »Systems« (am 2. Juni 1967 erschoß in Berlin der Kriminalbeamte Kurras den Soziologiestudenten Benno Ohnesorg bei einer Demonstration gegen den Schah von Persien). Im Rückblick meinte der damals amtierende Regierende Bürgermeister von Berlin, Heinrich Albertz, der unter dem Eindruck des Ereignisses zurücktrat: »Was uns die Studenten um die Ohren schlugen – die Preisgabe aller Werte des vielberedeten freien Westens in Vietnam und die tatsächliche Situation in Westberlin, die ja nur in einem Brennspiegel die Wirklichkeit in unserem Teil Deutschlands darstellte – es waren schon zwei Ströme, die sich auffraßen und den, der dazwischenstand, dazu. Ich werde die Frage eines amerikanischen Generals am 4. Juni nie vergessen: ›Sollen wir hier Ordnung schaffen?‹ ›Stadtweite Unruhen‹, das war genau das Stichwort, auf das bestimmte Einsatzpläne der Polizei eingerichtet waren – Unruhen freilich, die von Ostberlin angezettelt werden könnten. Und die Öffentliche Meinung glaubte ja an die Steuerung der Demonstrationen von jenseits der Mauer her.«[27]

Die Berliner Ereignisse steigerten die Wut und Militanz zahlreicher Studenten in der gesamten Bundesrepublik, wo sich in mehreren Universitätsstädten Unruhen entwickelten. In Hannover, dem Begräbnisort Ohnesorgs, fand eine Woche nach dessen Tod ein »Widerstandskongreß« (*Bedingungen und Organisation des Widerstandes*) statt, der die rasche Ausbreitung der Bewegung und ihren explosiven Charakter auch für diejenigen deutlich machte, die noch an eine »große Beschwichtigung«[28] glaubten. Jürgen Habermas hielt die zentrale Rede, in der er unter anderem darauf hinwies, daß die studentischen Proteste oft genug zu Bewußtsein brächten, was die offiziellen Instanzen absichtslos oder auch vorsätzlich aus dem politischen Bewußtsein ihrer Bürger aussperrten und vielleicht sogar aus ihrem eigenen verdrängten. »Die Studentenproteste, das ist meine These, haben eine kompensatorische Funktion, weil die in einer Demokratie sonst eingebauten Kontrollmechanismen nicht oder nicht zureichend arbeiten.« Die studentische Protestbewegung als außerparlamentarische Opposition habe ein Stück Wiederherstellung politischer Öffentlichkeit zu leisten; ihr komme eine demokratische Kontrollfunktion zu. »Die demonstrative Gewalt, welche die politische Aufklärung in unserer Situation als in einer nicht-revolutionären Lage allein in Anspruch nehmen darf, ist definiert durch das Ziel der Aufklärung.« Habermas war jedoch auch darüber beunruhigt, daß an die Stelle des demokratischen Diskurses, wobei Demonstrationen die Aufmerksamkeit für Argumente verstärken könnten, Gewalt und Gegengewalt träten. Die Forderung von »Gewalt gegen Sachen« könne leicht zur Gewalt gegen Menschen ausufern; so warnte er vor linkem Faschismus – eine Formulierung, die ihn selbst zum Angriffsziel militanter SDS-Gruppen machte.[29]

Die Protestbewegung, so Habermas in dem Band *Protestbewegung und Hochschulreform* (1969)[30], sei durch drei Intentionen bestimmt:

– Die Parole der Großen Weigerung bezeichne eine verbreitete Einstellung, die die Erfahrung der Unwirksamkeit politischer Opposition in den westlichen Massendemokratien widerspiegele. Diese Erfahrung des absorbierten Widerspruchs sei Ausgangspunkt des Widerstandes; er wolle sich nicht integrieren lassen. Ein alles durchdringendes System der Massenmedien solle an ihm abprallen und sich seiner nicht als Alibi für Scheinliberalität bedienen können. Die neuen Techniken des Protestes richteten sich gegen beliebige Symptome, weil jedes recht sei, um die Ablehnung eines abstrakt erfaßten und nur, wie es scheine, von außen denunzierbaren Ganzen auszudrücken. Die Demonstrationen hätten die Form sinnfälliger Provokation angenommen, die sofort konsumierbare

Kränkungen oder Gegenaggressionen erzeuge. »Der eigentümliche Charakter der Selbstbefriedigung, die der Protest dadurch gewinnt, macht von Kriterien des Erfolges zweckrationalen Handelns unabhängig. Beide Momente verbinden sich auch in dem Bestreben, Gegenwelten zu schaffen: sie sollen gegen die Gefahr der Integration abschirmen und den Protest in eine Lebensform überführen, die davon dispensiert, sich der Wirksamkeit des Protests zu vergewissern. Die dem antisemitischen Sprachgebrauch in aller historischen Unbefangenheit entlehnte Vokabel des ›Mauschelns‹ richtet sich unmittelbar gegen den Stil nichtöffentlichen Verhandelns in repräsentativen Gremien; mittelbar trifft sie jedoch jede kalkulierte Durchsetzung von Interessen.«

– Eine weitere Intention hänge mit der Abwertung der politischen Sphäre als eines Bereichs zweckrationalen Handelns zusammen. Die antiautoritäre Einstellung wehre Leistungsimperative ab; sie richte sich nicht eigentlich gegen bestimmte Persönlichkeitsmerkmale und personale Abhängigkeiten, sondern gegen die objektivierten Zwänge einer »autoritären Leistungsgesellschaft«. Die Disziplinierungen, die in den industriell fortgeschrittenen Gesellschaften dem einzelnen nach wie vor auferlegt würden, hätten nicht mehr den Augenschein einer Ökonomie der Armut für sich; sie müßten sich vielmehr, zumal in den Elternhäusern der aktivsten Studenten, gegen die Evidenz von Überfluß und potentiellem Reichtum behaupten. Nachdem sich im prototypischen Bereich der Sexualität bürgerliche Tugend als ein System überflüssig gewordener Opfer und dysfunktionaler Verdrängung lautlos aufzulösen beginne, gerieten die Werte possessiver Verdinglichung allgemein in den Verdacht, historisch überfällig und damit »repressiv« zu sein. Die Ethik des Leistungswettbewerbs und das Diktat der Berufsarbeit, überhaupt die Antriebe einer auf Statuskonkurrenz gegründeten Gesellschaft, würden zumal in einer sozialen Umgebung fragwürdig, in der die Heranwachsenden weitab von der Produktionssphäre lebten und der Wirklichkeit nur durch die Filterschicht von Konsumentenorientierungen und Massenmedien begegneten. »Gegenüber Formen der bürokratisierten Herrschaft gewinnt das Modell rätedemokratischer Willensbildung an Überzeugungskraft, je mehr die Rechtfertigungen für bestehende Normen auf undurchsichtige Weise mit traditionell eingespielten und der Diskussion entzogenen Positionsvorteilen verbunden sind. An dieser Verfilzung von funktionalen Imperativen mit naturwüchsiger Herrschaft, für die die Organisation der Lehre und Forschung in Universitäten genügend Beispiele liefert, bilden und bestätigen sich der Begriff von Technokratie – und der Haß gegen sie. Freilich mischt sich das berechtigte Mißtrauen gegen technokratische Entwicklungen, die Herrschaftsnormen durch Hinweis auf sogenannte Sachzwänge rechtfertigen, mit übertriebenen Verallgemeinerungen, die in einen Affekt gegen Wissenschaft und Technik als solche umschlagen können.«

– Die Parole der Neuen Unmittelbarkeit (mit einer »eilfertigen Unterordnung theoretischer Arbeit unter ad-hoc-Bedürfnisse der Praxis«) bezeichne eine dritte Intention, die die Bereitschaft, sich an verselbständigte Systeme anzupassen, radikal zugunsten unmittelbarer Befriedigung aufkündige. Dem liege die Erfahrung zugrunde, daß die komplexen Umwege in den Systemen zweckrationalen Handelns die Ziele immer weiter hinausschöben. Die Motive des Handelns würden heute immer mehr an die verallgemeinerten Medien der Verwirklichung beliebiger Ziele gebunden und durch abstrakte Anstrengungen für den Erwerb von Einkommen, freier Zeit, Ansehen, Einfluß usw. verbraucht – und das unter der Kruste einer spezifischen Langeweile. Darauf reagiere nun ein Teil der Studenten mit dem Anspruch, ästhetische Erfahrung, Triebbefriedigung und Expression hier und jetzt zur Geltung zu bringen. »Die Lebensform des Protestes ist durch sinnliche Qualitäten bestimmt; die hippiesken Züge haben sich alsbald von den Zentren der Hippiekultur abgelöst und verbreitet – sie sind nicht bloße Drapierung. Die Kerne der Protestbewegung – in den angelsächsischen Ländern vor allem, aber auch in der Bundesrepublik – sind Subkulturen, die die Vereinzelung der privaten Lernsituation zugunsten solidarischer Gruppenerfahrungen aufheben sollen.«

Hinsichtlich der Herkunft des Protestpotentials meinte Habermas, daß es offensichtlich in bürgerlichen Elternhäusern erzeugt und in den Bildungssystemen bzw. Berufssituationen aktualisiert werde. Zwei Erklärungsversuche böten sich an:

Der erste begreife den neuen Aktivismus als Ausdruck einer »befreiten Generation« (Richard W. Flacks). Die Familienstruktur der aktiven Studenten sei nach dieser These vor allem durch liberale und egalitäre Wertorientierungen bestimmt. Der typische Mittelschichten-Stil scheine in diesen Familien extrem ausgebildet. Zwischen den Eltern bestehe ein balanciertes Verhältnis. Der Protest der Jugendlichen, die aus solchen »progressiven« Elternhäusern stammten, entspringe nicht mehr dem seit Generationen eingeschliffenen Muster des bürgerlichen Autoritätskonfliktes mit einer starken Vaterfigur. Die Kinder identifizierten sich eher mit einer Mutter, die Rücksichtnahme auf andere vorlebe und den Sinn für die Unerträglichkeit von Repressionen schärfe. »Der Aufstand ist daher nicht eine Rebellion gegen die Eltern; es spricht vieles dafür, daß sich die aktiven Jugendlichen gerade für die Intentionen, die ihre Eltern freilich mehr verbal ausgedrückt als praktisch vertreten haben, mit Nachdruck engagieren.« Die zweite Erklärung sehe in den jungen Aktivisten die Vertreter einer »vaterlosen Generation« (Alexander Mitscherlich)[31]; sie treffe vor allem für den Teil der Studenten und die am Rande der Hochschulen angesiedelten Nicht- und Nichtmehr-Studenten zu, die durch kulturelle Entfremdung charakterisiert seien. »Die Wertorientierungen der Eltern sind ebenfalls liberaler als bei den Vergleichsgruppen, drücken aber Unentschiedenheit angesichts eines verselbständigten Pluralismus unvereinbarer Werte aus. In gleicher Richtung verschieben sich die Erziehungstechniken, die zwar permissiv sind, aber Momente der Vernachlässigung enthalten und die für ein Autonomietraining unerläßlichen Einstellungen nicht einschließen. Die Balance in der Elternbeziehung ist so weit gestört, daß bei Koalitionsbildungen zwischen Kindern und einem Elternteil die Mutter bevorzugt ist; sie kann eine betont fürsorgliche Kontrolle übernehmen. Das Identifikationsmodell des Vaters bleibt unscharf, die Internalisierung von Vorbildern und Normen ist eher schwach, und die Ausbildung von Über-Ich-Strukturen wird gehemmt. Trotz dem Schein von Liberalität fördert ein solches Erziehungsmuster nicht die Autonomie der Ich-Organisation. Anstelle der Neuen Sensibilität tritt vielmehr eine neue Insensibilität, die sich gerade in der Unfähigkeit ausdrückt, von den Intentionen des anderen her zu handeln. Ein gewisser Narzißmus geht Hand in Hand mit der unbekümmerten Instrumentalisierung der empfindlichsten Zonen zwischenmenschlichen Umgangs und einer Verletzung kulturell tiefsitzender Tabuierungen – wie etwa der der Integrität des menschlichen Leibes.«

Die »große Weigerung« gegenüber dem Establishment mit seinen Repressionen war verbunden mit großem Engagement für die Idee einer antiautoritären Gesellschaft, die, basisdemokratisch organisiert, irdisches, vor allem auch sinnliches Glück verhieß. Auf der Grundlage von Sigmund Freuds Triebtheorie – freilich im Widerspruch zu dessen Überzeugung, daß Kultur notwendig triebunterdrückend sei – entwickelte Herbert Marcuse, etwa in seiner Studie *Triebstruktur und Gesellschaft*, die »Vorstellung einer Kultur ohne Unterdrückung«.[32] Er setzt an beim soziohistorischen Gehalt der Freudschen Theoreme und löst sie aus ihrer teils von biologistischer Konzeption, teils von neofreudianischer Analyse herrührenden Verdinglichung. Den biologischen Triebschicksalen solche soziologisch-historischer Art beigebend, scheidet er von der triebmodifizierten Unterdrückung eine »zusätzliche Unterdrückung: die durch die soziale Herrschaft notwendig gewordenen Beschränkungen«. Das Realitätsprinzip konkretisiert er dahingehend, daß er es in dessen jeweils aktueller Erscheinung fixiert: im »Leistungsprinzip«. Diesem als geltendem Realitätsprinzip spricht er historischen Charakter, historische Begrenztheit zu. Kraft der damit verbundenen Relativität büßt der Gegensatz von Lust- und Realitätsprinzip seine Starrheit ein, verändert sich die Triebdynamik. Führte das Realitätsprinzip, wie Freud es entwickelte, zu verstärkt unterdrückender Organisation von Sexualität und Destruktionstrieb, und dies zwangsläufig, so ermöglicht das Leistungsprinzip als spezifische historische Form des Realitätsprinzips freie Formen der Trieborganisation, nämlich dann, wenn der historische Prozeß eine Richtung nimmt, die zum Abbau triebbeschränkender sowie -ablenkender Institutionen führt. In solcher Entwicklung entspricht der Abbau der Grundunterdrückung der Verringerung zusätzlicher Unterdrückung. Verliert der, nach Freud, grundsätzliche Konflikt zwischen den durch die beiden widersprüchlichen Prinzipien beherrschten Dimensionen menschlichen Daseins seine Unvermeidbarkeit auch nur teilweise, dann gewinnt das Postulat einer unterdrückungslosen Kultur historische Substanz. Marcuse entwickelt diesen Denkansatz aus Freuds Trieblehre, indem er dessen Ansicht über die historisch erworbene Natur der Triebe fortschreibt zur Hypothese einer Kultur nichtunterdrückenden Charakters. Auf die ihr ursächliche verdrängungsfreie Libidoentwicklung verweisen jene seelischen Kräfte, die sich dem Realitätsprinzip gegenüber Freiräume bewahren, welche als Versprechen künftiger Freiheit neue Seinsperspektiven enthüllen.

Die Phantasie rettet eine dem Menschen wesenseigene Wahrheit gegen die der Wirklichkeit; sie verabsolutiert, frei von vorgefundener Wirklichkeit, deren Überwindung im Akt der Wiederversöhnung von Glück und Vernunft. Mag ein solches Ziel im Universum subjektiver und objektiver Realität der utopistischen Sphäre angehören – über die Phantasie soll und kann es Wirklichkeit erlangen, und zwar als Protest gegen jene Form technischen, materiellen und intellektuellen Fortschritts, der, ein Produkt des Leistungsprinzips, auf Herrschaft gründet (auf Unterordnungsverhältnisse, die von einzelnen mit Macht geschaffen oder aufrechterhalten werden, um einer Minderheit bevorrechtigte Positionen zu sichern). Das Medium, mittels dessen die Phantasie der institutionalisierten Unterdrückung die Befreiung des Menschen gegenüberstellt, das Urbild der Einheit von Lust und Realitätsprinzip vor Augen führt, ist die Kunst. In ihr hebt die Vorstellungskraft die Erinnerung an verfehlte Befreiungsversuche und verratene Menschlichkeit über den Bereich des Intellektuellen hinaus auf die genetisch-historische Ebene; solchermaßen entbirgt das Kunstwerk in der Negation den »archetypischen« Gehalt der Unfreiheit. »Es war Aufgabe der Kunst, seit es überhaupt eine entwickelte Tauschgesellschaft gibt, der immer weiter fortschreitenden institutionellen Umklammerung des Lebens zu opponieren und ihr ein Bild des Menschen als eines freien Subjekts entgegenzuhalten. Im unfreien Zustand aber ist Kunst des Bildes der Freiheit mächtig nur in der Negation der Unfreiheit. Sie spottet des Aufrufs zum Positiven. Das kommandierte Unwillkürliche ist komisch. Funktion der Kunst ist es nicht, ein Zahnrad im Getriebe abzugeben, sondern eines Zustands sich zu erwehren, in dem alles nur für irgend etwas ›funktioniert‹. Unter administrativer Kontrolle, dem Eingriff ranküneerfüllter Zensoren ausgeliefert, wird Kunst gerade durch ihre vollendete Zweckmäßigkeit zwecklos, durch ihre reibungslose Vergesellschaftung gesellschaftlich falsch.« (Theodor W. Adorno)[33]

Für Herbert Marcuse bedeutet die Tatsache, daß die Geltung des Leistungsprinzips historisch notwendig sei und selbst über diese Notwendigkeit hinaus beibehalten werde, nicht die Unmöglichkeit eines anderen Realitätsprinzips mit dann auch einer anderen Form der Kultur. Die Negation des kapitalistischen bzw. spätkapitalistischen Leistungsprinzips erfolgt als Weiterentwicklung bewußter Ratio, als Aufklärung. Auf der höchsten Stufe einer weiterentwickelten Kultur erfährt die Menschheit einen Umschlag ihres Triebschicksals. »Libidinöse Moral« bedeutet Bedürfnisbefriedigung ohne herrschaftsbedingte Triebverdrängung; Wirklichkeit wird zum nichtrepressiven, nichtverdrängenden Realitätsprinzip, das durch freie Beziehungen die gesellschaftliche Organisation des Arbeitsprozesses in einer Weise verändert, die der freien Entwicklung individueller Bedürfnisse Rechnung trägt. Diese prinzipielle Negation der Negation ist keine, die ohne die Errungenschaften des Leistungsprinzips vonstatten gehen könnte; sie ist aber auch keine, die menschliche Existenz nur mit der Arbeitswelt aussöhnte, sie dieser anpaßte. Statt dessen sprengt sie den kulturell-industriellen Seinshorizont, führt sie zur Umwertung aller Werte; sie gestaltet die unfreie Existenz des Homo faber in ihrer Gänze um und verleiht dieser Qualitäten freien

Spiels und jenem solche des Homo ludens. Unter Bezug auf Friedrich Schillers Überlegungen zur ästhetischen Erziehung des Menschen stellt Marcuse fest: »In einer wahrhaft menschlichen Kultur wird das Dasein viel mehr Spiel als Mühe sein, und der Mensch wird in der spielerischen Entfaltung statt im Mangel leben.«

Die gegenwartsrelevante Imaginierung von Weltverbesserung führte zu der studentischen Forderung: »Die Phantasie an die Macht!« Man berief sich dabei auf Ernst Bloch, für den »Vorwegnahmen und Steigerungen, die sich auf Menschen beziehen, sozialutopische und solche der Schönheit, gar Verklärung«, nur im Tagtraum zu Hause sind. »Vorab das revolutionäre Interesse, mit der Kenntnis, wie schlecht die Welt ist, mit der Erkenntnis, wie gut sie als eine andere sein könnte, braucht den Wachtraum der Weltverbesserung, ja es hält ihn ganz und gar unheuristisch, ganz und gar sachgemäß, in seiner Theorie und Praxis fest.«[34]

In seinem Stück *Hölderlin* (1970) läßt Peter Weiss Schiller zu Hölderlin sagen:

> »Eh die Structuren der Gesellschaft
> sich verändern lassen
> muß erst der Mensch
> verändert werden.«

Und in demselben Stück sagt Marx zu Hölderlin:

> »Zwei Wege sind gangbar
> zur Vorbereitung
> grundlegender Veränderungen.
> Der eine Weg ist
> die Analyse der konkreten
> historischen Situation
> Der andre Weg ist
> die visionäre Formung
> tiefster persönlicher Erfahrung.«[35]

Weiss hatte mit seinen Dramen *Die Verfolgung und Ermordung Jean Paul Marats, dargestellt durch die Schauspielgruppe des Hospizes zu Charenton unter Anleitung des Herrn de Sade* (1964), *Die Ermittlung* (1965), *Viet Nam Diskurs* (»Diskurs über die Vorgeschichte und den Verlauf des langandauernden Befreiungskampfes in Viet Nam als Beispiel für die Notwendigkeit des bewaffneten Kampfes der Unterdrückten gegen die Unterdrücker sowie über die Versuche der Vereinigten Staaten von Amerika, die Grundlagen der Revolution zu vernichten«, 1968) die Politisierung der Intelligenz in der Bundesrepublik maßgebend beeinflußt. Geschichtliche Erinnerungsarbeit, Auseinandersetzung mit dem Faschismus, Kapitalismus- und Imperialismuskritik bestimmen den Historie und Mythos-Chiffren verschränkenden »Roman« *Die Ästhetik des Widerstands* (1975 ff.). »Erzählt wird, in Ausschnitten, die Geschichte des europäischen antifaschistischen Widerstands und seiner Opfer, vor allem des proletarischen antifaschistischen Widerstands, zu gutem Teil gelenkt oder unterstützt von der kommunistischen Parteizentrale in Moskau – dargestellt an einigen mithandelnden Personen, Frauen und Männern, an einigen historischen Ereignissen, vielen authentischen Namen, vielen authentischen Fakten, einige allerdings umbenannt, andere erzählend hinzuerfunden, räumlich abgesteckt etwa durch die Städte Berlin, Paris, Barcelona und die spanischen Kriegsschauplätze, Stockholm und wieder Berlin, aber historisch zurückgreifend durch Zitate und Anspielungen bis in die frühe antike Geschichte, andererseits zur miterzählten Vor- und Nachgeschichte der Oktoberrevolution. Am 22. September 1937 beginnt der interne Handlungsgang, in den Tagen, da in Berlin Mussolini durch Hitler zum Staatsbesuch erwartet wird; er endet Dezember 1942 unter den Fleischerhaken-Galgen und der Guillotine in Berlin-Plötzensee, nach Aufdeckung der sogenannten Roten Kapelle, einer vom Osten gesteuerten deutschen Widerstands- und Spionage-Organisation.«[36]

Was Weiss in diesem dreibändigen Opus einer persönlich eingefärbten linksästhetischen Theorie durch seinen fiktiven Erzähler resümierend fordert, wurde von der Protestbewegung auf ihren philosophischen Höhepunkten durchaus eingelöst: »Du mußt lesen, Du mußt dich bilden, Du mußt dich auseinandersetzen mit den Dingen, die auf dich zukommen. Du mußt Stellung ergreifen, Du darfst nicht sitzen und alles nur auf dich zukommen lassen. Du darfst dich vor allen Dingen nicht dem Gedanken hingeben, daß Mächtige über dir sind, die doch alles bestimmen. Das sind die Grundgedanken, und deshalb immer wieder das Thema: Wo, zu welchen Zeiten haben sich Menschen gegen anscheinend unübersteigbare Widerstände hinweggesetzt?«[37]

Karl Marx wurde zum unumstrittenen Vordenker der Protestbewegung; er bot das Begriffsarsenal für die Hoffnung, über die Negation der Negation und mit Hilfe der Aktivierung von Phantasie und Hoffnung die Utopie einer nichtentfremdeten Gesellschaft verwirklichen zu können. Freiheit im Reich der Naturnotwendigkeit bestand für Marx darin, »daß der vergesellschaftete Mensch, die assoziierten Produzenten, diesen ihren Stoffwechsel mit der Natur rationell regeln, unter ihre gemeinschaftliche Kontrolle brächten, statt von ihm als von einer blinden Macht beherrscht zu werden«.[38]

Mit Hilfe von selbstbestimmter Arbeit und Klassenkampf, bei dem die Expropriateure expropriiert werden, wird das »Paradies auf Erden« realisierbar. Dort arbeitet man nicht mehr, dort ist man »tätig« – in Überwindung der bislang zugewiesenen notwendigen entfremdeten Arbeit. Im Zeichen des Kapitalismus wird der Mensch mit Hilfe von Arbeit unterjocht und ausgebeutet; jedem wird ein bestimmter ausschließlicher Kreis von Arbeit aufgedrängt, aus dem er nicht herauskommt. »Er ist Jäger, Fischer oder kritischer Kritiker und muß es bleiben, wenn er nicht die Mittel zum Leben verlieren will – während in der kommunistischen Gesellschaft, wo jeder nicht einen ausschließlichen Kreis der Tätigkeit hat, sondern sich in jedem beliebigen Zweig ausbilden kann, die Gesellschaft die allgemeine Produktion regelt und mir eben dadurch möglich macht, heute dies, morgen jenes zu tun, morgens zu jagen, nachmittags zu fischen, abends Viehzucht zu treiben, nach dem Essen zu kritisieren, wie ich gerade Lust habe; ohne je Jäger, Fischer, Hirt oder Kritiker zu werden.«[39] Mit Marx war die Protestbewegung der Meinung, daß das »Zusammenfallen des Änderns der Umstände und der menschlichen Tätigkeit oder Selbstveränderung« nur als revolutionäre Praxis gefaßt und rationell verstanden werden könne. Dem Anspruch auf eine Praxis, die revolutionär ist und vernünftig zugleich, verband sich die Forderung auf eine Erziehung zu kultureller Demokratie – wobei die Bedeutung des Spiels als einer besonderen Qualität des Humanen für Aufklärung und Emanzipation hoch eingeschätzt wurde. Aleatorik lag auch den studentischen Protestformen, soweit sie sich zum Prinzip des gewaltlosen Widerstands[40] bekannten, zugrunde.

Regelverletzung

Die Funktion der Provokation sollte es sein, Normen, Regulationen, Attitüden, Tabus, Stereotype »besinnungslos« gewordener etablierter Ordnung in Denken und Handeln (repressive Strukturen) aufzubrechen, um auf diese Weise den Boden für die intentionale Aktion vorzubereiten. Unter dem Einfluß des zunächst im Bereich der Kunst entwickelten Happenings ergab sich ein umfangreiches Repertoire von Protestformen, unter anderem Go-in, Teach-in, Sit-in, Love-in – Ausdruck einer Ästhetik des Widerstands, die freilich nur deshalb möglich war, weil sich die demokratischen Institutionen, allerdings vorwiegend aus Verunsicherung, als reichlich tolerant erwiesen. Der Schock, unterstützt von »unordentlicher« Kleidung, skandierendem Sprechchor, obszönem und fäkalischem Jargon (mit »Scheiße« als Entreebillett in den linken Underground) brach verhältnismäßig rasch Systemzwänge und Mechanismen auf, wobei freilich die Repräsentanten struktureller Gewalt und repressiver Toleranz häufig die barsche »Befragung« (»Hinterfragung«) ihrer Autorität auf Kompetenz hin als Psychoterror empfanden. Die Auseinandersetzung wollte sich nicht mehr mit Sonntagsworten begnügen, sondern forderte Erfolgsmeldungen. Für Jürgen Habermas drangen die neuen Techniken der begrenzten Regelverletzungen in die Nischen des bürokratisierten Herrschaftsapparats ein; sie erzielten mit relativ geringem Aufwand überproportionale Wirkungen, weil sie auf Störstellen komplexer und darum anfälliger Kommunikationsnetze gerichtet waren. Der »Trick« der Popkultur, ins Halbbewußtsein abgeglittene Alltagsbilder in Größe, Farbe oder Kontur zu übertreiben, zu verdoppeln bzw. zu multiplizieren und sie damit ins volle Bewußtsein zurückzuholen, charakterisierte auch die Demonstrationstechniken, die auf diese Weise Statussymbole der Lächerlichkeit preisgaben. Aufgezeigt wurde etwa, daß die Reden des Establishments aus dem offiziellen Sprachschutt nur immer wieder neu zusammengebastelt wurden, daß die Ideale aufgeblasene Popanze waren, die man mit einem Nadelstich der Vernunft ihrer

Luft berauben konnte. Die durch provokante Demonstrationstechniken bewirkte Politisierung der Öffentlichkeit verfehlte freilich das Ingangsetzen von tiefergreifenden Lernprozessen. Die auf dem projektierten langen Marsch durch die Institutionen rasch enttäuschte revolutionäre Ungeduld schlug in Frustrationsaggressivität um; die Gewalt gegen Sachen pervertierte die spielerischsublimen Formen des Protests. Welche Gefahren damit entstanden, hat Hartmut von Hentig bereits auf dem »Nürnberger Gespräch« 1968, das dem Thema *Opposition in der Bundesrepublik* gewidmet war, ausgesprochen: »Die Möglichkeiten der Etablierten lassen sich auf Grund früherer Erfahrungen abschätzen und stehen vor allem in keinem prinzipiellen Widerspruch zu ihren Absichten. Die der protestierenden Schüler und Studenten münden in einer Gesellschaftsfeindlichkeit, die ihrem ursprünglichen Ansatz widerspricht. Sie gehen auf die Straße, um eine von den zwei Möglichkeiten zu erzwingen: die anderen müssen zurückweichen oder zurückschlagen. Und das gelingt unfehlbar, weil die Gesellschaft nichts anderes gelernt hat! In beiden Fällen beweist sie, daß sie im Unrecht ist, und in beiden Fällen muß sie darin verharren. Denn das kann die Jugendlichen von daher nicht mehr belehren, wie falsch, hohl, kurzlebig eine Macht ist, die darin besteht, daß man Polizisten, Lehrer, Professoren, Bürgermeister auf die Probe ihrer Nerven stellt – darin, daß man ihre Hemmungen strapaziert, bis ihre ›wahre‹, die gewalttätige, die ›faschistische‹ Natur zum Vorschein kommt. Es war heilsam für unsere Gesellschaft zu erfahren, daß sie so liberal, so tolerant, so gewaltlos nicht ist, wie sie es sich seit zwanzig Jahren mangels Herausforderung einbildet. Nein, sie ist nicht tolerant! Aber dann: wer von uns ist es? Die Provokationstheorie der Jugendlichen beruht auf einer falschen Anthropologie. Es ist eben leider gar nichts damit gewonnen, wenn man die ›öffentliche Ordnung stört, um ihre Inhumanität zu beweisen‹ (Rechtsanwalt Mahler). Wir müssen froh sein über jedes bißchen Hemmung, das sich über unsere Natur legt, dankbar für die Umstände, die den wahren repressiven Charakter nicht hervorund in Aktion treten lassen.«[41]

Die Infantilisierung des Protests war Teil triebdynamischer Abreaktion. »Die radikalen Protestformen der Jugendlichen und die Formen, in denen sie ablaufen, stellen sich in der hier gegebenen sozialpsychologischen Ableitung zunächst dar als kollektive Ansammlung individueller Ausbrüche aus den verschiedenen ökonomischen Repressionszwängen und psychischen Anpassungszwängen.« (Reimut Reiche)[42] Sie übernahmen geradezu Orgasmusfunktion; rhythmisch skandierte man sich in die Klimax, bis der Triebstau durch verbale oder brachiale Abreaktion gelöst werden konnte. Der Zustand der Enthemmung war für die Söhne und Töchter aus gutem Hause zudem »hilfreich«, wenn sie – rigoristisch die anerzogenen und weiterwirkenden Hemmungen überwindend – mit affektiver Motorik zur Regelverletzung ansetzten. Die Demonstrationsmethoden ritualisierten pubertilen Trotz; der Erfolg wiederum bewirkte weitere Regression. »Derjenige, der sich der aus der Protestpsychologie von Jugendlichen stammenden Technik nicht als Erwachsener, nämlich im Bewußtsein ihres virtuellen Charakters bedient, der sich vielmehr wie das Kind selber ernst nimmt, verfällt

Schlußkundgebung des Ostermarsches in München unter der Parole »Frieden, Sicherheit und Demokratie«, 1970

damit einem Infantilismus.« (Jürgen Habermas)[43] Am Hof der Scheinrevolutionäre siedelten sich zudem Harlekine an, die gerade deshalb, weil sie Laszivität inszenierten, von der Bourgeoisie mit einer gewissen Haßliebe gehätschelt wurden. Revolutionärer Elan verbrauchte sich im Spektakel.

Das Phänomen Fritz Teufel war hier besonders aufschlußreich. Ende 1966 hatte er, zusammen mit Dieter Kunzelmann und Rainer Langhans, die »Kommune 1« (K1) in der alsbald demolierten Berliner Dachwohnung des nach Amerika gereisten Schriftstellers Uwe Johnson gegründet; sie wurde zum Markenzeichen »einer bis dahin unvorstellbaren politischen Clownerie sowie einer die bürgerliche Phantasie stark anregenden sexuellen Enthemmung.«[44]

Die »direkte« Nacktheit avancierte in der Wohlstandsgesellschaft, die im Rahmen ihres Ventilsitten-Kodex Enthüllung goutierte, zum aufreizenden Element eines revolutionären Fixierspiels; Redakteure, Schauspielerinnen und Schauspieler, Künstler, Intellektuelle, Revolutionäre jeglicher Provenienz begannen sich auszuziehen; im »unwiederbringlichen Sog ineinanderwirkender Verwertungsprozesse« wurden die »geistig durchtrainierten Provokateure der kapitalistischen Mediengesellschaft zu deren abhängigen Zulieferern«.[45]

Fritz Teufel und seine Kommunarden, wie die revolutionären Clowns allerorten, praktizierten eine Lebensweise, die von der im Sekundärtugendsystem

41

eingeschliffenen Gesellschaft (ausgerichtet auf Ordnung und Sauberkeit, Anpassung und Jasagertum) verabscheut, zugleich aber, tiefenpsychologisch gesehen, als Befreiung ersehnt wurde. Spott auf die Justiz (wenn es der Gerechtigkeit diene, wolle er durchaus aufstehen, meinte Teufel bei einem Gerichtsverfahren), Pornographie, Unsauberkeit, vor allem aber Gruppensex (wobei Langhans freilich mit seiner Freundin, dem Fotomodell Uschi Obermeier, bald wieder auf den Stand des monogamen Liebespaares »zurückfiel«) – inmitten gravitätischer Ernsthaftigkeit verschafften die Revoluzzer-Clowns der Gesellschaft erheblichen Lustgewinn. Als Berliner Studenten im August 1967 die Freilassung Fritz Teufels aus der Haft mit einem Happening auf dem Kurfürstendamm begrüßten, gaben sie das Motto aus: »Man muß den Teufel feiern, solange er los ist.« Mit dem romantischen Hang zur »Unsauberkeit«[46] und den in den revolutionären Redefluß eingelagerten pornographischen und fäkalischen Vokabeln versuchte man, sich dem Glamourglanz der Warenästhetik und dem »hygienischen Leistungsdruck« zu entziehen. Der Sauberkeitswahn der Bourgeoisie wurde mit revolutionären Brunftschreien bedacht; man wollte endlich »Mensch« (»allzumenschlich«) sein. Viele Publikationen, linke Traktätchenliteratur wie Buchreihen in Großverlagen, boten die Couch für solche Befreiungsversuche. Die Zeitschrift *konkret* machte einen Teil ihres Geschäfts damit, daß sie die Kombination von Politik und Sexualität, Sozialkritik und Pornographie reichhaltig narrativ aufarbeitete und farbig bebilderte. Im Stil eines alternativen Herrenmagazins befriedigte sie auf diese Weise sowohl die bourgeoisen Voyeurinteressen wie das linksromantische Prostitutionsbedürfnis. (Der Abdruck von Reimut Reiches Werk *Sexualität und Klassenkampf* etwa, die Arbeit eines linksradikalen Moralisten, wurde mit den üblichen Pin-up-Girls illustriert, was die Dialektik des Protests als Teil der Dialektik der Aufklärung auswies.)[47]

Die APO-Sprache erschloß einer Gesellschaft, die weitgehend durch den »Jargon der Eigentlichkeit«[48] geprägt war, neue Sprach- und damit auch Denkdimensionen. Die Tatsache, daß in den ersten Hälfte des 20. Jahrhunderts der marxistisch-ökonomische und der freudianisch-psychologische Wort- und Begriffsbereich aus der Bildungsbürgersprache verdrängt blieb, hatte fatale Auswirkungen gehabt. Auch nach 1945 war die Spracherziehung, nicht zuletzt aufgrund der Dominanz des sprachideologisch ausgerichteten *Grimmschen Wörterbuchs,* in organizistischen Kategorien befangen geblieben. Durch Wörterbuch und Lesebuch, Singbuch und Geschichtsbuch wurden systemstabilisierende Schlüsselworte oktroyiert, die die Gesellschaft zum pseudoidyllischen Asyl stilisierten. Im »Wurzeldeutsch« äußerte sich das Unheil, als wäre es das Heil. Dialektik fand innerhalb des Muttersprachgeraunes keine Möglichkeit zur Entfaltung. Der »Jargon der Eigentlichkeit« (»Wurlitzer Orgel des Geistes . . . Verpackung als Botschaft . . . Tremolo der Ergriffenheit«) bestätigte sprachlich die bestehenden Verhältnisse, an denen zu rütteln der im affirmativen Wortschatz Erzogene nicht fähig war.

Die neuentdeckte Sprache der Dialektik wurde demgegenüber zum Stoßkeil, mit dem die etablierten Klischees, Stereotype und Ideologeme aufgebrochen werden konnten. Die Neuartigkeit der Formulierungen und die in diesen Formulierungen ausgedrückten neuen Gedanken verlebendigten den demokratischen Diskurs. Betulicher Oberflächendiktion, aber auch witzelndem Feuilletonismus wurde der Stuck abgeklopft. Die APO-Sprache entwickelte eine Methodik des Infragestellens, die den harmonisierenden Nebel unverbindlicher Floskeln brutal, aber ehrlich aufzuklären vermochte. In und mit der Negation, einem Konstituens von Dialektik, wurden Wort- und Begriffsbereiche aktiviert, die zu lange dem deutschen Bewußtsein entzogen gewesen waren oder lediglich im esoterisch-wissenschaftlichen Bereich eine begrenzte Ausstrahlungskraft gehabt hatten: das Begriffsarsenal des marxistischen Sozialismus wie des Sozialismus überhaupt und der Psychoanalyse. Analytische Vernunft, vor allem das Denken und »Sprechen« der »Frankfurter Schule« wie auch anderer kritischer Wissenschaftspositionen (etwa der orthodox-marxistischen Schule um den Marburger Politologen Wolfgang Abendroth) dominierte.

Max Horkheimer und Theodor W. Adorno hatten nach der Rückkehr aus der Emigration mit der Wiedergründung des »Instituts für Sozialforschung« zunehmend an Einfluß, vor allem auf die linksliberale akademische Jugend gewonnen. Die verbale Euphorie der Protestbewegung wäre ohne die »kritische Theorie« nicht möglich gewesen; sie vermittelte das Glücksgefühl, den Manipulationen des Systems nicht mehr ausgeliefert zu sein, sondern diese mit Hilfe einer Universalkritik »in den Griff« zu bekommen. »Das waren schöne Zeiten, damals. Da war die Welt noch in Ordnung. Da lag man, 20 Jahre alt, halbnackt im Freibad, ließ sich von der Sonne bescheinen, rauchte Peter Stuyvesant, schaute die Mädchen an, las – und wußte ohne jede Anfechtung durch einen Zweifel, daß die Welt vollkommen in Unordnung ist.«[49] So Michael Rutschky in seinen *Erinnerungen an die Gesellschaftskritik* unter Bezug auf Adornos *Minima moralia*, einem Kultbuch der damaligen Zeit, in dem es unter anderem hieß: »*Herr Doktor, das ist schön von Euch* – Es gibt nichts Harmloses mehr. Die kleinen Freuden, die Äußerungen des Lebens, die von der Verantwortung des Gedankens ausgenommen scheinen, haben nicht nur ein Moment der trotzigen Albernheit, des hartherzigen sich blind Machens, sondern treten unmittelbar in den Dienst ihres äußersten Gegensatzes. Noch der Baum, der blüht, lügt in dem Augenblick, in welchem man sein Blühen ohne den Schatten des Entsetzens wahrnimmt; noch das unschuldige Wie schön wird zur Ausrede für die Schmach des Daseins, das anders ist, und es ist keine Schönheit und kein Trost mehr außer in dem Blick, der aufs Grauen geht, ihm standhält und im ungemilderten Bewußtsein der Negativität die Möglichkeit des Besseren festhält. Mißtrauen ist geraten gegenüber allem Unbefangenen, Legeren, gegenüber allem sich Gehenlassen, das Nachgiebigkeit gegen die Übermacht des Existierenden einschließt.«[50]

Als die protestierende Jugend sich die kritische Theorie aneignete (freilich oft nur epigonenhaft im Jargon der kritischen Theorie argumentierte) und damit ein geistiges Instrument zur Bewältigung von Komplexität in der Hand zu haben glaubte – in dieser Phase der bundesrepublikanischen Entwicklung war die

Einheit der »Frankfurter Schule«, soweit sie überhaupt je bestanden hatte, nicht mehr gegeben. Angesichts der Restauration in den fünfziger Jahren war es Max Horkheimer als geschicktem Organisator vor allem darum gegangen, die institutionelle Selbständigkeit zu sichern. »Er wurde Dekan und Rektor, mit zunehmender Tendenz zum ›Repräsentanten‹, während seine theoretisch-kritische Originalität nachließ.« Die umfangreiche und fundierte Darstellung der »Frankfurter Schule« (ihrer Geschichte, theoretischen Entwicklung und politischen Bedeutung) durch Rolf Wiggershaus[51] macht deutlich, daß die ewige Angst Horkheimers, seine radikalen »Jugendsünden« könnten ihn unter Marxismus-Verdacht bringen und damit könnte dem Institut der Geldhahn zugedreht werden, sich so verselbständigt hatte, daß über die bloße Sicherung der finanziellen Voraussetzungen allmählich der eigentliche Zweck der Institutsarbeit in den Hintergrund getreten war.[52]

Das Institut für Marxismus war 1924 von dem Millionärssohn Felix Weil gegründet worden, mit der Hoffnung, es eines Tages einem siegreichen deutschen Rätestaat übergeben zu können. Bedeutende Denker wie Walter Benjamin, Erich Fromm, Leo Löwenthal, Herbert Marcuse, Franz Neumann, Theodor W. Adorno bildeten das geistige Potential, das vor allem in der *Zeitschrift für Sozialforschung* zur Wirkung kam. Nach der Rückkehr des Instituts aus dem amerikanischen Exil hatte Horkheimer, so berichtet Jürgen Habermas in einem Interview, große Angst, »daß wir an die Kiste gehen, in der ein komplettes Exemplar der Zeitschrift im Keller des Instituts lag«. Was schon in der Weimarer Republik deutlich wurde, wiederholte sich in der Wirtschaftswunderzeit: Vor lauter Anstrengung, seine abspenstige Identität zu wahren, wurde das Institut in ebenjene Mechanismen verstrickt, mit denen »repressive Toleranz« Anpassung an »unwahre Wirklichkeit« bewirkt. Das im Ansatz und über lange Jahre stringent antibürgerliche Institut verbürgerlichte. Die revoltierende Jugend kritisierte, daß die Mentoren der kritischen Theorie sich selbst im »Hotel Abgrund« einquartiert hatten. Bürgerliche Kritik am proletarischen Kampf sei eine logische Unmöglichkeit – was Horkheimer so dreißig Jahre zuvor formuliert hatte, wurde ihm nun entgegengehalten. Die Linke reklamierte eine Praxis, die Adorno nach wie vor für irreal hielt. »Das Verzweifelte, daß die Praxis, auf die es ankäme, verstellt ist, gewährt paradox die Atempause zum Denken, die nicht zu nutzen praktischer Frevel wäre« – eine solche Ermutigung zum Denken statt zum Handeln rief Unmut bei denjenigen hervor, die das Heil nicht mehr im Interpretieren von Welt, sondern in ihrer Veränderung sahen. Von selbst würde das Nichtidentische keine Anstrengung machen, zum Identischen zu werden.

Als am 31. Januar 1969 die Besetzung des Instituts drohte, ließen die drei Leiter, neben Adorno Ludwig von Friedeburg und Rudolf Gunzert, die Polizei kommen; diese nahm einige Studenten fest, darunter den Adorno-Doktoranden und SDS-Führer Hans-Jürgen Krahl. Bald darauf wurden Adornos Vorlesungen gestört, u. a. durch Studentinnen, die im Hörsaal einen Striptease veranstalteten. In einem *Spiegel*-Gespräch meinte Adorno, der gegenüber der außerparlamentarischen Opposition zwischen Sympathie und Abneigung schwankte, daß er in seinen Schriften niemals ein Modell für irgendwelche Handlungen und zu irgendwelchen Aktionen gegeben hätte.[53] Er starb wenig später, verletzt von den studentischen Anfeindungen, die er als einen Rückfall ins Unaufgeklärte empfand, betroffen von den Angriffen einer breiten Öffentlichkeit, die ihn der geistigen Urheberschaft an der eskalierenden Gewalt bezichtigte.

Horkheimer zog sich ins Tessin zurück, immer mehr ergriffen von Schopenhauerschem Pessimismus, um eine Annäherung an die Theologie bemüht. In einer Notiz des konservativ gewordenen Philosophen, *Gegen den Linksradikalismus*, heißt es: »Die Attacke gegen den Kapitalismus heute hat die Reflexion auf die Gefahr des Totalitären in doppeltem Sinn mit aufzunehmen. Ebenso wie der Tendenz zum Faschismus in kapitalistischen Staaten muß sie des Umschlags linksradikaler Opposition in terroristischen Totalitarismus bewußt sein. Eben davon konnte zur Zeit von Marx und Engels nicht gesprochen werden. Heute schließt ernste Resistenz gegen gesellschaftliches Unrecht notwendig die Bewahrung der freiheitlichen Züge bürgerlicher Ordnung mit ein, die nicht verschwinden, sondern im Gegenteil auf alle Einzelnen übergehen sollen.«[54]

Als einer der ersten hatte Jean Améry erkannt, daß die neue Sprache der Dialektik in einen »Jargon der Dialektik« – mit signalhaft einschnappenden Worten – zu pervertieren drohte und sich damit strukturell dem »Jargon der Eigentlichkeit« anzunähern begann. Die Notwendigkeit der Negation und des Infragestellens wurde nicht mehr reflexiv auch auf die eigene Position bezogen, vielmehr die erworbene (erarbeitete) Artikulationsebene und -weise verabsolutiert und damit ideologisiert. Der »Jargon der Dialektik« sollte dem Freund-Feind-Schema dienen und nichtgenehmen Diskurs abwürgen helfen. Linke Sprache hatte die faschistoiden Wesenszüge im anderen, im Establishment, zu entlarven und die eigene Gruppe als »verschworene Gemeinschaft« zu formieren. Améry wandte sich jedoch nicht nur gegen die Epigonen der kritischen Theorie; er fand zum Beispiel auch Theodor W. Adornos Opus magnum *Negative Dialektik* (1966) von Jargon durchzogen – von »Expressionen violenter Anti-Banalität, in denen sich schließlich Sprache und Denken so sehr auflösen, daß der Leser am Ende dasteht wie Peer Gynt mit der Zwiebel«. Der »Jargon der Dialektik«, sosehr er sich auch als fortschrittlich verstand, lief am Ende Gefahr, reaktionär zu werden. »Abgesehen von dem, jedem authentischen Denken innewohnenden Element des Zweideutigen und Spielerischen; abgesehen auch von der anziehenden, weil mit Kontradiktionen jonglierenden und darum allerwegen amüsant auftretenden dialektischen Manier, die zur Manieriertheit auszuarten eine kongenitale Bereitschaft zeigt; abgesehen schließlich von allen logistischen Einwänden, die sich rechtens vorbringen lassen gegen dialektisches Verfahren – es droht der Dialektik, nachdem sie erst in den Jargon ihrer selbst abglitt, die Gefahr, zum Verständigungsmittel einer sich als Elite achtenden Schicht zu werden, die das, was zu verteidigen sie sich anschickt, hoffnungslos kompromittiert.«[55]

Daß die APO-Sprache eine besondere Durchschlagskraft erhielt, lag auch an einigen Protagonisten der Protestbewegung, die als rhetorische Naturtalente die »Vollziehung der Aktualität« betrieben – mit Hilfe des »Mund-Werks« die

Rudi Dutschke auf dem Internationalen Vietnam-Kongreß im Auditorium Maximum der Technischen Universität Berlin, 1968

Idee einer besseren, wertvolleren Welt vom Kopf auf die Füße zu stellen trachteten. Unter den wortstarken jungen Linken erwies sich Rudi Dutschke als die größte Rednerbegabung. Rudolf Augstein meinte, in Deutschland nach 1945 sei eine solche nur noch bei Franz Josef Strauß und Herbert Wehner anzutreffen gewesen.

Seinen ersten großen Auftritt hatte der 1940 in Luckenwalde (Mark Brandenburg) geborene Dutschke, der nach dem Mauerbau 1961 in West-Berlin blieb und Soziologie studierte, als er im September 1966 auf der SDS-Delegierten-Konferenz das Engagement der Amerikaner in Vietnam anprangerte. »Wie Peitschenschläge fahren seine Thesen auf das Auditorium nieder ... Unter schwarzen Brauen blickt er finster drein, die Haarsträhnen fallen ihm in die Stirn, der schmächtige Körper scheint zu beben, sobald das Temperament mit ihm durchgeht.« (*Die Zeit*)[56]

Trotz der in seinen Reden oft anzutreffenden Umständlichkeit, schlug er alle in Bann. Dieses Wunder, meint Harald Wieser, müsse damit zusammenhängen, daß er nicht nur mit dem Mund sprach; vor den Mikrophonen schien er mit all seinen Sinnen, sogar mit seinen buschigen Augenbrauen unter der Baskenmütze, zu sprechen. Er habe einen neuen Ton in die vom glatten Politiker-Statement ruinierte Rhetorik gebracht. »Es war ein glaubwürdiger Ton, und er wäre glaubwürdig selbst noch gewesen, wenn Rudi die sofortige Revolution in Regensburg oder Paderborn gefordert hätte.«[57]

Der »Jargon der Dialektik« war jedoch Dutschkes Sprechen von Anfang an immanent. Was ein Vertreter der nachfolgenden Studentengeneration (Bernd Ulrich, Jahrgang 1960) beim späteren Hören der Dutschke-Reden empfand, war auch seinen damaligen Kritikern nicht verborgen geblieben: »Abstrakt, das hatte ich erwartet, aber autoritär, so über die Maßen autoritär, das hat mich denn doch überrascht. So hatte ich mir Thälmann vorgestellt, aber nicht die sich antiautoritär nennende Bewegung.«[58]

Die revolutionäre Karriere des Rudi Dutschke fand ein jähes Ende, als ihn am 11. April 1968 der Gelegenheitsarbeiter und gescheiterte Fremdenlegionär Josef Bachmann (ein Einzeltäter, aber angestachelt von der hetzenden Springer-Presse) bei einem Attentat schwer verletzte; Dutschke starb an den Spätfolgen des Kopfschusses Weihnachten 1979.

Mit Hilfe der »großen Weigerung« glaubte man, verkrustete Machtstrukturen aufknacken und »Charaktermasken« mitsamt der sie tragenden gesellschaftlichen »Agenturen« abservieren zu können. Der Faschismusvorwurf wurde pauschal gegen all diejenigen erhoben, die das Establishment als Väter, Lehrer, Professoren, Politiker vertraten und somit als natürliche Feinde basis- bzw. rätedemokratischer Erneuerung anzusehen waren. »Die ganz persönlichen Erfahrungen der nach dem Kriege aufgewachsenen jungen Leute mit ihren Eltern, Lehrern und Chefs speisten die Dynamik des Aufruhrs. Die Herrschenden in ihrem alltäglichen Leben und die in der großen Politik erlebten sie als identisch – als Verschwörer des Schweigens über die Nazizeit. ›'68 – das war eine Art von Erbschaftsverweigerung‹, sagt der Mediziner Peter Jessen, Jahrgang '44, der auf den Demos jener Jahre in Heidelberg zum erstenmal gefühlt hat, daß er lebendig ist: ›Irgendwie wußte ich, wenn ich das Haus übernehme, das sie uns vermachen wollen, dann bin ich pleite fürs Leben.«[59]

Im so festgefügt erscheinenden Bau der Wirtschaftswunderwelt wurde der Mangel an moralischer Statik entdeckt. Den Wiederaufbau des Bildungswesens, vor allem der Universitäten, empfand man als restaurativ-reaktionäre Konstruktion. Symptomatisch waren die in dieser Zeit sich häufenden, (moderat) aufbegehrenden Abiturreden, von denen diejenige der Schülerin Karin Storch besonderes Aufsehen erregte.[60] Ausgehend vom Tod Benno Ohnesorgs forderte sie eine »Erziehung zum Ungehorsam« als Aufgabe einer demokratischen Schule. »Ruhe war die erste Pflicht der Untertanen, Unruhe kennzeichnet den Demokraten – ständige Unruhe und Bewegung, nicht aber Aufruhr und Revolte. Demokratie bewußt machen, heißt, junge Menschen dazu zu erziehen, kritisch, skeptisch, nüchtern und ungehorsam zu sein. Die Schule soll sie zur Wahrheit

erziehen, zur Kritik, zur Offenheit und zum Ungehorsam.« Die meisten pädagogischen »Antworten« verblieben im Bereich des Sekundärtugendsystems. Wo
offener Dialog notwendig gewesen wäre, rekurrierte die offizielle Pädagogik auf
eine affirmative Anthropologie mit einem Streukranz semantischer Vagheiten
und hohler Pathosformeln. »Arbeiten wir so an uns, daß in uns eine bessere,
gesündere und schönere Generation heranwächst! . . . Die Jugend stecke sich
ihre Ziele, statt mit Hallo Zäune umzuwerfen! . . . Wollen wir nicht, Idealisten
unter der Jugend und bei den Lehrern, zusammen eintreten für die Erziehung
zum sokratischen Gehorsam dem Guten gegenüber, zu der Uneigennützigkeit,
die er voraussetzt und zum Freimut und zu dem in Gefahren erprobbaren Mut,
den er erfordert?«

»Ich wurde«, berichtete Karin Storch, »mit dieser Rede zur Zensur befohlen.
Denn ›Das haben wir immer schon so gemacht‹ hieß es und ›Der Herr Stadtrat
kommt‹. Ich schäme mich: Ich habe gehorcht. – Aber ich hatte einen hoffnungsvollen Trost: der Lehrer, zu dem ich dann zur ›Zensur‹ ging, der dachte darüber
genauso wie ich. Das hier zu sagen, soll mein Dank an meine Lehrer sein!«

Nach dem Willen der Protestbewegung sollte die autoritäre Schule ersetzt
werden durch eine Schule, die gesellschaftliche Konflikte nicht verdecke, sondern als Lebensform begreife. Der Lernprozeß hatte nicht nur in der Schule,
sondern auch *an* der Schule stattzufinden, d. h. die Schule selbst war nach
gesellschaftlichen Leitzielen zu organisieren. Die Vorstellungen von einer demokratischen (demokratisierten) Schule implizierten Transparenz und Kompetenz,
Kommunikation und Partizipation. Lernen war mit Aktion zu verknüpfen, vor
allem von Sanktionen zu befreien, auf Gratifikationen hin zu strukturieren.
Staatsbürgerliche Haltung als Erziehungsziel wandte sich gegen Untertanengesinnung, Hierarchie und Autorität. Von den Curricula erwartete man, daß sie neu
durchdacht, aktualisiert und auf Basisbedürfnisse ausgerichtet würden. Damit
die Schule nicht Mittelschicht-Institution bliebe, erstrebte man neue Organisationsformen, z. B. Vorschule, Tagesschule, Gesamtschule, mit horizontaler wie
vertikaler Mobilität; Binnendifferenzierung, Teamarbeit und Stützkurse schienen ein Höchstmaß an individuellen Lernhilfen zu ermöglichen. Der universitäre
Forderungskatalog reichte von einer gründlichen Reform der Studieninhalte
über die Abschaffung der Ordinarienuniversität zugunsten einer paritätisch
geregelten Mitbestimmung (von Professoren, wissenschaftlichen Mitarbeitern,
Studenten und nichtwissenschaftlichem Personal) bis hin zum politischen Man-
dat der Gruppen an der Universität. Nicht nur den Muff unter den Talaren,
sondern auch die braune Einfärbung, vor allem bei den geisteswissenschaftlichen
Disziplinen, wollte man eliminieren.

Zu Beginn des Jahres 1967 faßte der AStA der Freien Universität Berlin – einer
Hochschule, die ein besonderer Schwerpunkt der Protestbewegung war – die
studentischen Vorschläge zur Neuordnung wie folgt zusammen:

»1. Die Hochschule muß das Recht erhalten, die vom Staat gewährleisteten
finanziellen Mittel unabhängig zu verwalten und über ihre Verwendung zu
entscheiden. Anzustreben ist also eine Einheit von akademischer und wirtschaft-

licher Verwaltung. Die berechtigten Interessen der staatlichen Verwaltung an einer sinnvollen Nutzung der Mittel können am besten berücksichtigt werden, wenn die Entscheidungsstruktur innerhalb der Hochschule eine demokratische Entscheidung über die Ausgabe der Mittel gewährleistet und wenn zusätzlich das Kuratorium der Universität über Bedarf und Verwendung der Mittel mitentscheidet. Im Kuratorium ist wie seither die Öffentlichkeit vertreten.

2. Um eine verantwortungsvolle Verwaltung der öffentlichen Mittel innerhalb der Hochschule zu garantieren und um bessere wissenschaftliche Arbeitsbedingungen zu schaffen, müssen alle Personengruppen innerhalb der Hochschule gemäß ihrer differenzierten Funktion in Lehre, Forschung und Ausbildung beteiligt werden.

Zu diesem Zweck muß das Lehrstuhlprinzip, das die patriarchalische Macht der Ordinarien noch heute garantiert, wegfallen. Fachprofessoren müssen in Abteilungen zusammenarbeiten und in interfakultativen Instituten Grenzgebiete pflegen.

3. Um die Teilnahme der Studierenden zu verbessern, müssen die Studiengänge neu gegliedert werden, neue Formen der Arbeit in kleinen Gruppen müssen an die Stelle einer Auslese durch Zwischenprüfung oder Seminar-Eingangsprüfungen treten. Um die damit umrissenen Ziele einer Hochschulreform wirksam diskutieren, in die Praxis umsetzen und in der wissenschaftlichen Arbeit garantieren zu können, muß als wichtigste Voraussetzung die Hochschule neu organisiert werden.«[61]

Wirft man aus heutiger Sicht einen Blick auf die damaligen Ansätze, so kann man mit Hermann Korte feststellen, daß die Blütenträume, durch Bildungsreform und eine gesellschaftskritische Pädagogik eine neue Gesellschaft zu formen und die Praxis des Unterrichts als Praxis der gesellschaftlichen Veränderungen zu verstehen, nicht lange währten. Nachdem sich die Institutionen der Bildung allmählich von ihrem ersten Schrecken erholt hatten und der Überraschungseffekt dahin war, kam es zu entsprechenden Reaktionen. »Selbstgeschaffene Freiräume wurden wieder eingeengt, das ganze Instrumentarium von Schulaufsicht und Professorenallmacht genutzt, um Vorwärtsbewegungen zu stoppen. Zwar gelang es nicht, zum Status quo zu Mitte der sechziger Jahre zurückzukehren, aber die Utopien eines freien und selbstbestimmten Lernens wurden dann doch im Regelwerk der Kulturhoheit der Länder und der Autonomie der Universität und ihrer Fakultäten kleingemahlen.«[62]

Die antiautoritäre Grundbefindlichkeit der Protestbewegung artikulierte sich im Bereich politischer bzw. sozioökonomischer Analyse als Antifaschismus, Antiimperialismus und Antikapitalismus. Die Bemühungen bzw. Versäumnisse, die nationalsozialistische Vergangenheit in den fünfziger und sechziger Jahren zu »bewältigen«, nannte Wolfgang Fritz Haug »hilflosen Antifaschismus«. Das gleichnamige Buch (1967) war entstanden aus einer kritischen Analyse von »Ringvorlesungen und Vorträgen, die zwischen 1964 und 1966 als Antwort auf die immer massiver geltend gemachten Fragen der Studenten zum Thema ›Deutsche Universitäten und Nationalsozialismus‹ gehalten worden waren«. Dabei ergab sich, daß die ökonomischen Voraussetzungen des Nationalsozialismus kaum je Erwähnung fanden. Horkheimers Diktum in *Die Juden in Europa* (1938): »Wer aber vom Kapitalismus nicht reden will, sollte auch vom Faschismus schweigen«, blieb unbeachtet. »In einem der Vorträge fiel das Wort ›Kapital‹ ein einziges Mal, als der Redner, ein Philosophieprofessor, sagte, Hitler habe es meisterhaft verstanden, ›mit dem Kapital der deutschen Seele zu wuchern‹. Das ist bezeichnend gewesen.«[63]

Die Protestbewegung wollte die überall anzutreffenden Tabus beim Umgang mit dem Dritten Reich aufbrechen; sie drängte auf eine radikale Auseinandersetzung, verband freilich solche Bemühung mit einem allgemeinen Faschismusbegriff, der die Trennschärfe hinsichtlich der speziell deutschen Schuld vermissen ließ. Im Rückblick hat Hermann Lübbe das ausgeprägte faschismus-theoretische Interesse der damaligen Jahre dahingehend interpretiert, daß es die »ideologie-politische Funktion einer Delegitimierung des gesellschaftspolitischen Systems der Bundesrepublik« erfüllt habe.[64] Demgegenüber verteidigte er das Verfahren, mit dem seine eigene Generation nach 1945 den Nationalsozialismus »bearbeitet« hatte und das er treffend mit dem Begriff »kommunikatives Beschweigen« umschrieb. In Verhältnissen nichtsymmetrischer Diskretion (nämlich zwischen Opfern und Tätern) sei es bis zur Revolte weniger wichtig gewesen, woher einer komme, als wohin er zu gehen willens sei. Solche »Vergeßlichkeit«, die sich vor allem auch in der Nachlässigkeit bei der Verfolgung nationalsozialistischer Verbrechen auswirkte, wollte die Protestgeneration nicht zulassen. Wenn ein Mentor der Protestbewegung, nämlich Theodor W. Adorno, schon 1959 angesichts eines neu aufkeimenden Antisemitismus erklärt hatte, er »betrachte das Nachleben des Nationalsozialismus in der Demokratie als potentiell bedrohlicher denn das Nachleben faschistischer Tendenzen gegen die Demokratie«, und wenn ein prominenter Studentenführer (Rudi Dutschke) mehr noch als die atemberaubenden Wahlerfolge der NPD in der zweiten Hälfte der sechziger Jahre den »Faschismus in der Struktur« der die Bundesrepublik beherrschenden Gesellschaft anklagte, »dann geschah dies eher aus Sorge um diese Republik denn aus antidemokratischer Zerstörungsneigung«.[65]

Der amerikanische Mythos war verblaßt. Der Wohlstand, den in der Trümmerzeit etwa die Care-Pakete signalisiert hatten, war für die Bundesrepublik zur Selbstverständlichkeit geworden. Die Leistung des Marshallplans für den Wiederaufbau Europas, vor allem auch der Bundesrepublik, fand bei der aufbegehrenden Jugend keine Beachtung mehr. Zugleich hatten die »Erkundungsfahrten« in die USA als Land der unbegrenzten Möglichkeiten (in dem die Zukunft schon begonnen hatte) in zunehmendem Maße die Widersprüche und Schattenseiten einer hochindustrialisierten Gesellschaft erkennen lassen[66]; dazu kam der militante Antikommunismus der McCarthy-Ära in den fünfziger Jahren und dann das Eingreifen in Vietnam. Der amerikanische Underground lieferte selbst die Argumente und Verhaltensweisen, mit denen man sich vom westlichen Kapitalismus absetzte. Die Zeit, da John F. Kennedy mit seinem, später als fragwürdig erkannten Charisma auch die deutsche Bevölkerung, vor allem junge

Menschen, in seinen Bann schlug – mit dem Höhepunkt der Kundgebung auf dem Platz vor dem Schöneberger Rathaus in West-Berlin (»Ich bin ein Berliner«), 1963 –, lag weit zurück. Seine Ermordung kurz darauf und die Attentate auf den schwarzen Bürgerrechtskämpfer Martin Luther King hatten das Bild der amerikanischen Demokratie, das von einer beflissenen Pädagogik seit den Tagen der Reeducation-Politik verschönt dargeboten worden war, verdunkelt. Der tödliche Anschlag auf das Leben Robert (Bobby) Kennedys (1968) war gleichermaßen tiefgreifend, weil er unter den drei Männern, die eine Chance hatten, die Präsidentschaftswahl der USA zu gewinnen, glaubwürdig entschlossen war, sich für die vielen Millionen Unterprivilegierter, im besonderen in der schwarzen Bevölkerung, zu engagieren und den Krieg in Vietnam rasch zu beenden. »Wir konnten in keinem Politiker mehr einen Funken Hoffnung sehen . . . Mit dem Tod von King und Kennedy war die Chance für eine Erneuerung der amerikanischen Politik dahin.« So Todd Gitlin, damals ein führender Vertreter des amerikanischen SDS (»Students for a Democratic Society«).[67]

Die Einmischung der USA in Vietnam, die seit 1963 unter dem amerikanischen Präsidenten Lyndon B. Johnson stetig eskalierte – 1967 betrug die US-Truppenstärke 400 000, das Militärbudget für Vietnam 24 Milliarden Dollar –, erwies sich als »Projektionsfeld« des vorwiegend studentischen Antiimperialismus, wobei der Führer der vietnamesischen Kommunisten, der Staatschef Nordvietnams, Ho Chi-minh, der fünfzig Jahre gegen die Invasoren seines Landes gekämpft hatte, zur großen Symbolfigur des Protests wurde. Nachdem bereits im Dezember 1965 zweihundert westdeutsche Schriftsteller und Professoren zur Beendigung des Krieges in Vietnam aufgefordert hatten, verstärkte sich das Engagement der Künstler und Intellektuellen, zumal die Amerikaner mit immer brutaleren Methoden den Krieg zu gewinnen trachteten; (am 16. März 1968 zerstörten amerikanische Soldaten das südvietnamesische Dorf My Lai und brachten nahezu alle Bewohner um).

Die Rolle Vietnams als Katalysator der internationalen Protestbewegung manifestierte der internationale Vietnam-Kongreß, der Mitte Februar 1968 in West-Berlin stattfand. Vom SDS organisiert und von elf sozialistischen und trotzkistischen Organisationen aus Frankreich, Italien, Holland, Großbritannien und anderen Ländern veranstaltet, solidarisierten sich die Teilnehmer für den Frieden in Vietnam und für den Sieg der vietnamesischen Revolution, beflügelt von Grußadressen westeuropäischer Intellektueller (Bertrand Russell, Jean-Paul Sartre, Ernst Bloch, Helmut Gollwitzer, Herbert Marcuse, Michelangelo Antonioni, Pier Paolo Pasolini, Giorgio Strehler, Hans Werner Henze, Luigi Nono, Alberto Moravia, Peter Weiss u. a.).[68] Der 1921 geborene, seit 1938 als Emigrant in London lebende Dichter und Schriftsteller Erich Fried, seit seinem Gedichtband *und VIETNAM und* (1966) in ganz besonderem Maße der lyrische Leitartikler der Protestbewegung, schrieb, daß in Vietnam das Herz von Deutschland schlage:

»Vietnam ist Deutschland
sein Schicksal ist unser Schicksal
Die Bomben für seine Freiheit
sind Bomben für unsere Freiheit.«[69]

»In Vietnam werden auch wir tagtäglich zerschlagen, und das ist nicht ein Bild und ist keine Phrase«, meinte Rudi Dutschke auf dem Kongreß, der mit einem großen Demonstrationszug abgeschlossen wurde. Der Marsch durch die Straßen und die »bürgerliche« Gegenkundgebung manifestierten die immer stärker werdende Konfrontation der Protestbewegung mit dem übrigen Teil der Bevölkerung:

»Die adretten jungen Frauen auf dem Olivaer Platz am Kurfürstendamm sind trotz der schwierigen Nachkriegsjahre mit Liebe und Sorgfalt erzogen worden. Sie können studieren. Sie leben, von ihren Altersgenossen jenseits der Mauer beneidet, im ›freiesten Staat, den es je auf deutschem Boden gab‹, wie ihre Professoren an der Freien Universität ihnen immer wieder beteuern. Ginge es mit rechten Dingen zu, dann müßten die jungen Frauen die Freude ihrer Eltern und der Stolz ihrer Professoren sein. Aber was machen sie?

Sie sitzen rittlings auf den Schultern ihrer jungen Männer und schwenken in herausfordernder Manier befremdliche rotblaue Fahnen mit einem Fünfzack-Stern in der Mitte. Ja, sie schwenken die Rebellenfahne des Vietcong, der amerikanische Soldaten tötet, über der vieltausendköpfigen Flut ihrer Mitdemonstranten, inmitten des schwankenden Waldes von Bannern und Transparenten, von Che Guevaras und Rosa Luxemburgs.

Wie eine Woge braust ein gewaltig sich steigernder Chorus durch die Menge: ›Wir sind eine kleine RADIKALE MINDERHEIT!‹ An den Häuserfronten bricht sich knallend der Schrei: ›Ho Ho Ho Tschi-minh!‹ Mehr als 12 000 junge Demonstranten ziehen über den Kurfürstendamm, um dann in Richtung Deutsche Oper abzubiegen, wo am 2. Juni des Vorjahres der Student Benno Ohnesorg von einem Polizisten erschossen worden ist.

Viele in dem Protestzug haben einander untergehakt. Immer wieder traben die führenden Gruppen im Geschwindschritt und mit entsprechend beschleunigten Sprechchören los, die anderen hintendrein, so daß der Zug sich auseinander- und wieder zusammenzieht wie ein riesiges Akkordeon. Unbekümmert um den kalten grauen Februartag strahlen die Demonstranten für den ›Sieg der vietnamesischen Revolution‹ einen fröhlichen, aufgekratzten Trotz aus. ›Bürger, laßt das Gaffen sein, kommt herunter, reiht euch ein!‹ rufen sie an den Häuserfassaden hinauf. Aber den Berlinern kommt es vor, als sei die Tet-Offensive nun auch in die Frontstadt des freien Westens eingebrochen.«[70]

Auf der Kundgebung »für Freiheit und Frieden«, zu der – als Reaktion auf den Vietnam-Kongreß an der Freien Universität – der Berliner Senat aufgerufen hatte, stellte der Vorsitzende der Jungsozialisten des Landesverbandes Berlin als »Sprecher der jungen Generation« fest: »Unsere politische Haltung ist eindeutig. Wer unter Ho-Tschi-minh-Bildern, unter der Losung ›Schafft zwei, drei . . . viele

Vietnams« demonstriert, der meint das Gegenteil von Frieden und Freiheit. Wir sind für den Frieden in Vietnam, aber für einen politischen Frieden, nicht für den militärischen Sieg des Vietkong. Unser Bekenntnis zum Frieden ist unteilbar. Deshalb dürfen wir nicht zulassen, daß verantwortungslose Extremisten Frieden und Freiheit sagen, um damit ihren Feldzug gegen unseren demokratischen Rechtsstaat und die parlamentarische Demokratie tarnen zu können.«[71]

Folgen der Belesenheit

Die von Peter Weiss geforderte und für die Protestbewegung charakteristische »Belesenheit« führte zu einer Flut von theoretischen und gesellschaftskritischen Abhandlungen, wobei die hektographierte (»graue«) Literatur sowie Manifeste, Flugblätter, Wandzeitungen einen großen Anteil hatten. Es entstand eine Reihe von Klein- und Kleinstverlagen, vielfach orientiert an den Erzeugnissen der subversiven amerikanischen »underground press«; sie widmeten sich der Veröffentlichung experimenteller Literatur und Kunst, literarischer und wissenschaftlicher Raritäten, oft genug im Raubdruck, und politischer Theorie wie Polemik. Sie bezogen ihre Motivation aus einem zum kapitalistischen Verlagswesen im Gegensatz stehenden alternativen Selbstverständnis: Zwar wollten auch sie mit der Ware Buch Geld verdienen, zwar folgten auch sie unterschiedlich durchkalkulierten Marketing-Strategien, doch stand bei ihnen der Gebrauchswert des Buchs über seinem Tauschwert; ihre Arbeit diente »zuvörderst dem Bemühen, Ideen, Konzepte, Phantasien, Anregungen unters lesende und denkende Volk zu bringen«.[72]

Linke Autoren veranstalteten 1968 eine Gegen-Buchmesse; sie konstituierten sich als Literaturproduzenten, als »politische Vertretung aller sozialistischen Gruppen und berufsspezifischen Sektionen aus dem Bereich der Literaturproduktion«. Im Organisationsstatut (1970) wurde als Aufgabe der Literaturproduzenten die Analyse der gesamtgesellschaftlichen Entwicklung, ihre Auswirkung auf den Bereich der Literaturproduktion und deren Stellenwert im System des Kapitalismus festgelegt. »Daraus ist eine sozialistische Strategie im Klassenkampf zu erarbeiten. Ziel ist die Aufhebung der branchen- und sektionsspezifischen Organisationsformen.«[73] Beim »Verlag der Autoren« (einer der ersten Verlagsgründungen im Zeichen des politischen Aufbruchs) waren die dort verlegten Schriftsteller zugleich die Gesellschafter.

Belesenheit, viel mehr als persönliche Erfahrung, bestimmte die revolutionäre »Ahnengalerie« bzw. »Vorbilder-Sammlung«. Die aus dem Schrifttum abstrahierten Kunstfiguren wurden in geistigen Exerzitien verinnerlicht und ritualistisch bzw. liturgisch, auch modisch (Mao-Look, Che Gueveras Baskenmütze mit rotem Stern in der Mitte) vermittelt.

Rosa Luxemburg etwa stand für einen affektiv unterlegten »wissenschaftlichen Sozialismus«, der sich gegen den Reformkurs der Sozialdemokratie in seiner historischen wie aktuellen Ausprägung wandte (»Wer hat uns verraten? Sozialdemokraten!«). Schon November 1961 war auf Drängen Herbert Wehners und Waldemar von Knoeringens eine Unvereinbarkeitserklärung der Mitgliedschaft in der SPD und im Sozialistischen Deutschen Studentenbund (SDS) beschlossen worden. Als der Parteivorstand im Mai 1988 den Beschluß als gegenstandslos erklärte, hieß es rückblickend: »Die Versuche des SDS, klassische Theoriestücke der früheren Arbeiter-, Frauen- und Jugendbewegung wiederzubeleben und die Ideen eines demokratischen Marxismus (beispielweise in der Ausformung der Frankfurter Schule) für die praktische Politik wirksam zu machen, finden in der heutigen gesellschaftlichen Situation mehr Verständnis als in den sechziger Jahren . . . Die Tatsache, daß für fast ein Jahrzehnt die ›Neue Linke‹ und ein demokratischer, kritischer Marxismus in der SPD kaum eine Wirkungsmöglichkeit fanden, hat die Partei wichtiger ideeller Anregungen beraubt, eine ganze Generation kritischer junger Intellektueller der SPD entfremdet und die Entwicklung antisozialdemokratischer, teilweise antidemokratischer Strömungen links von der SPD begünstigt.«[74]

Der argentinische Arzt Ernesto Che Guevara wurde für die außerparlamentarische Opposition zum revolutionären Vorbild, da er an der Seite Fidel Castros am kubanischen Befreiungskampf teilgenommen und dann, nach seinem Zerwürfnis mit den orthodoxen Kommunisten und auch Castro, ab 1965 in Bolivien den Guerillakampf gegen den Neokolonialismus der Industrienationen, vor allem der USA, organisiert hatte; dort wurde er 1967 nach der Festnahme von der Armee ermordet. »Che's ›Schaffen wir zwei, drei, viele Vietnam‹ wird von der Studentenbewegung begeistert aufgegriffen, wird Anlaß zum Lernprozeß und steht – ebenso wie ›Che lebt‹ – an vielen Wänden geschrieben. Ohne Kenntnis der Hintergründe wird die Parole zunächst nicht selten als Kriegsverherrlichung gesehen. Gemeint ist jedoch die objektive Möglichkeit eines zweiten, dritten . . . Vietnam in Lateinamerika, Asien oder Afrika: die Vervielfältigung des Mutes, der Ausdauer und revolutionären Menschlichkeit des vietnamesischen Befreiungskampfes.«[75]

Die Verdammten dieser Erde hieß das von der Protestbewegung rezipierte antikoloniale Manifest des 1925 auf Martinique geborenen schwarzen Arztes Frantz Fanon, der sich der Algerischen Befreiungsfront gegen Frankreich angeschlossen hatte; er starb 1961 in den USA, wo vor allem die Bewegung der »Schwarzen Panther« ihn als einen der ihren reklamierte. Im *Kursbuch* 2/1965 wurde erstmals in deutscher Übersetzung ein umfangreiches Kapitel veröffentlicht. Europa habe ganze Jahrhunderte lang im Namen seines »angeblichen geistigen Abenteuers« fast die ganze Menschheit erstickt; es schwanke heute zwischen atomarer und geistiger Auflösung hin und her. Es habe endgültig ausgespielt; etwas anderes müsse gefunden werden. Die kolonisierten Menschen, Sklaven der Moderne, seien ungeduldig. Sie wüßten, daß allein »Tollwut« sie der Unterdrückung entziehen könne. Eine neue Art von Beziehungen sei in der Welt entstanden: Die unterentwickelten Völker sprengten ihre Ketten, und dies gelinge ihnen. Die Völker beschlössen, sich durch Gewalt auszudrücken.[76]

Im Maoismus sah die Protestbewegung eine kreativ-revolutionäre Überwindung kommunistischer Orthodoxie und Stereotypie am Werk. Die *Worte des Vorsitzenden Mao Tse-tungs* waren gewissermaßen die »rote Bibel« der westdeutschen Linken.[77] Der Vorspruch von Lin Biao: »Studiert die Werke des Vorsitzenden Mao Tse-tung, hört auf seine Worte und handelt nach seinen Weisungen«, wurde als Verpflichtung empfunden. »Eine Revolution ist kein Gastmahl, kein Aufsatzschreiben, kein Bildermalen oder Deckchensticken; sie kann nicht so fein, so gemächlich und zartfühlend, so maßvoll, gesittet, höflich, zurückhaltend und großherzig durchgeführt werden. Die Revolution ist ein Aufstand, ein Gewalttakt, durch den eine Klasse eine andere Klasse stürzt.« Das revolutionäre »Anforderungsprofil« war damit gegeben. Im Sinne Maos begriff die protestierende Jugend sich als Garant einer besseren Zukunft: »Ihr jungen Menschen, frisch und aufstrebend, seid das erblühende Leben, gleichsam die Sonne um acht oder um neun Uhr morgens. Unsere Hoffnungen ruhen auf euch.« Die Entwicklung bestätigte jedoch auch einen anderen Ausspruch Maos: daß nämlich vielen Jugendlichen die Erfahrung im politischen und gesellschaftlichen Leben fehle und sie nicht fähig seien, einen richtigen Vergleich zwischen der alten und der neuen Gesellschaft zu ziehen. Auf deutsche Verhältnisse bezogen bedeutete dies, daß die APO nur eine kleine isolierte Gruppe bildete; das bürgerliche Lager, mehr oder weniger identisch mit der nivellierten Mittelstandsgesellschaft, zeigte zwar Zeichen der Verunsicherung (was jedoch nur die Lebensformen und Verhaltensweisen betraf), war aber hinsichtlich der Herrschaftsverhältnisse wenig tangiert. Die Arbeiterschaft, weitgehend der Mittelstandsgesellschaft angehörend, stand abseits. Ein Teil der Intellektuellen zeigte Sympathien; angesichts zunehmender Gewalt verbreiteten sich jedoch Ernüchterung und Enttäuschung. Nach Hauke Brunkhorst wurde das Jahr 1967 zur »Stunde der Intellektuellen«. Eine sehr deutsche Tradition gehe definitiv zu Ende: die Reduktion der modernen Intellektuellenrolle auf einen subkutanen und halblegalen Status und die Externalisierung des soziokulturellen Orts der Intellektuellen im hegemonialen Gefüge der herrschenden Kultur. »Die Studentenrevolte ist eine soziale Protestbewegung, in der egalitäre Intellektuelle mit beweglichen Massen kommunizieren.«[78] Den Aktivisten von 1967 und 1968 sei es gelungen, das »kommunikative Beschweigen« der Nazivergangenheit breitenwirksam zu stören und die verdrängte Erinnerung an Auschwitz ins Kollektivbewußtsein zurückzurufen.

Im Verbund mit dem Erfolg eines aufklärerischen Antifaschismus wurde das Bewußtsein von der Notwendigkeit des Antiimperialismus und Antikolonialismus geschaffen bzw. gestärkt. »Aus den antiimperialistischen Komitees, Zirkeln und Gruppen (darunter vielen kirchlichen) hat sich seither eine der breitesten neuen sozialen Bewegungen formiert. Wenngleich diese oft genug in sektiererische Haltungen abgerutscht ist und bisweilen einem unerträglichen, völlig verselbständigten Gewaltmythos unterliegt, ist der ›Internationalismus‹ gleichwohl eine der Botschaften der sechziger Jahre, an denen es unter keinesfalls gelinderten Gewaltverhältnissen in den Nord-Süd-Beziehungen festzuhalten gilt.« (Claus Leggewie)[79]

Die große Weigerung, deren politische Stoßrichtung mit Antiparlamentarismus zugunsten von Rätedemokratie, mit Antifaschismus als Bekenntnis zu republikanischer Radikalität, mit Antikapitalismus (auf gerechte Güterverteilung zielend) und mit Antiimperialismus im Sinne der Gerechtigkeit gegenüber der Dritten Welt zu beschreiben ist – diese große Weigerung gegenüber etablierter Politik bedeutete im privat-kulturellen Bereich die Abkehr von Leistungsimperativen und das Bekenntnis zu einer sinnlichen Qualität des Lebens. Antiautoritäre Erziehung, »lokalisiert« z. B. in Kinderläden mit Gruppentherapie, bekannte sich zu früher sexueller Aufklärung, zur Freiheit bei der Befriedigung libidinöser Bedürfnisse, lehnte Strafen ab und förderte Lernprozesse, die an den Bedürfnissen der Kinder orientiert waren; das Fundament für eine repressionsfreie Gesellschaft sollte so gelegt werden. Durch die kollektive Organisation der Kindererziehung wie überhaupt des kollektiven Zusammenlebens (Wohngemeinschaften) hoffte man zudem, die politische Mitwirkung der Frau bei gesellschaftlichen und politischen Prozessen zu erleichtern.

Bei der 23. Delegiertenkonferenz des »Sozialistischen Deutschen Studentenbundes«, September 1968 in Frankfurt, meinte Helke Sander, als Vertreterin des Aktionrates zur Befreiung der Frauen, daß Frauen mit Kindern in der Gesellschaft besonders unterprivilegiert seien. Sie könnten erst wieder über sich nachdenken, wenn die Kinder sie nicht dauernd an die Versagungen der Gesellschaft erinnerten. Die politischen Frauen hätten ein Interesse entwickelt, ihre Kinder nicht mehr nach dem Leistungsprinzip zu erziehen. Die »Kinderläden« würden Ausgangspunkt für tiefgreifende Veränderung in der Pädagogik sein. »Die Kinder, die jetzt in unseren Läden sind, werden sich nicht mehr in die gewöhnlichen Schulen einfügen. Die Eltern dieser Kinder werden die bestehenden Schulen nicht mehr hinnehmen. Durch die breite Basis, die wir den Läden geben wollen, versuchen wir eine breite Basis für den Konflikt an den Volksschulen zu schaffen. Dieser Konflikt wird Wirkungen haben, die sich zeigen bei den Kindern und Eltern, die nicht durch unsere Läden gegangen sind. Wir müssen dann verhindern, daß Kinder ausgebildet werden, um das zu lernen, was eine kapitalistische Gesellschaft ihnen zu lernen erlaubt.«[80]

Die kapitalistische Gesellschaft wurde auch dafür verantwortlich gemacht, daß die Familienstruktur nach wie vor patriarchalisch sei; der Mann habe die Rolle des Ausbeuters inne, so müsse man den Klassenkampf in die Ehe tragen. Die gesellschaftliche Unterdrückung der Frau könne man freilich nicht individuell lösen; das Konkurrenzverhältnis zwischen Mann und Frau sei nur durch die Umwandlung der Produktions- und damit der Machtverhältnisse aufzuheben.

Die linken Frauen fanden freilich bald heraus, daß sich der theoretische Überbau, mit dem die Genossen ihren Orgasmuskult abdeckten, wenig vom bürgerlichen Männlichkeitswahn unterschied. Nach wie vor erwarte man, daß die Frauen das Maul nicht aufmachten. »wenn wir es doch aufmachen, kommt nichts raus. wenn wir es auflassen, wird es uns gestopft: mit kleinbürgerlichen schwänzen, sozialistischem bumszwang, sozialistischen kindern, liebe, sozialistischer geworfenheit, schwulst, sozialistischer potenter geilheit, sozialistischem intellektuellem pathos, sozialistischen lebenshilfen, revolutionärem gefummel, sexualrevolutionären argumenten; gesamtgesellschaftlichem orgasmus, sozialistischem emanzipationsgeseich, GELABER!

wenn's uns mal hochkommt, folgt: sozialistisches schulterklopfen, väterliche betulichkeit; dann werden wir ernst genommen, dann sind wir wundersam, erstaunlich, wir werden gelobt, dann dürfen wir an den stammtisch, dann sind wir identisch; dann tippen wir, verteilen flugblätter, malen wandzeitungen, lecken briefmarken: wir werden theoretisch angeturnt!«[81]

Das zitierte Flugblatt – symptomatisch für das erste Aufbegehren linker Frauen gegenüber linker Unterdrückung – schließt mit der Aufforderung, die dann in die APO-Spruchweisheiten einging: »Befreit die sozialistischen Eminenzen von ihren bürgerlichen Schwänzen!«

Wider die Warenästhetik

Ernst Schröder als »Faust« im Berliner Schiller-Theater; ein andächtiges Publikum, den geflügelten Worten lauschend; dann bricht bei einem bestimmten Stichwort der skandierte Sprechchor der anwesenden Studenten los: »Was geht uns Goethe an, was geht uns Johnson an!« Hunderte von Flugblättern flattern ins »abendgekleidete Parkett«: »Ihr seht seelenruhig zu, wie in Vietnam gemordet wird, und versichert euch hier noch eurer faustischen Großartigkeit. Schluß mit dieser Kultur-Heuchelei!« Die Vorstellung wird abgebrochen.[82]

Die Szene ist symptomatisch für den mit der Protestbewegung einhergehenden Aufstand gegen affirmative Ästhetik und bildungsbürgerlichen Kulturkonsum. Mit der ideologischen Auslieferung des Daseins an die Ökonomie des Kapitalismus, der via Kultur das Individuum auf einen Bereich verweist, wo schließlich alles sei oder gut werde, soll Schluß gemacht werden. (In der Oper transzendiere der Bürger zum Menschen, meinte Theodor W. Adorno.) Der jugendliche Protest wendet sich gegen die »Krawattenkultur«, wobei Rollkragenpullover und Jeans bei Künstlern und Intellektuellen zur Gegenmode avancieren; gegen das Baedeker-Bewußtsein, den Festival-Snobismus, insgesamt gegen das in der Wirtschaftswunderwelt ritualisierte und vermarktete Kulturleben, für das Erbauung und Muße unverbindlich bleiben. Das Karussell des kulturellen Jahrmarkts werde von Heuchlern betrieben, deren gesellschaftliches Engagement lediglich aufgesetzt sei. Wenn diese ein Stückchen Wegs mit einer Arbeiterdemonstration gingen, eine entrüstete Unterschrift leisteten, eine Plauderei über hungernde Entwicklungsländer veranstalteten, glaubten sie bereits, ihr Scherflein für die Armen beigesteuert zu haben. Man schreibt links, diniert aber rechts. Die Frage, was man denken soll, wird wie die Frage, was man anziehen soll, behandelt. Solchem opportunistischen Zirkus wird ein »höheres Bewußtsein« von Kunst entgegengestellt, das Karlheinz Stockhausen in einem

Brief an die Jugend mit einem persönlichen Erlebnis erläuterte: »Die üblichen Gründe des Geldverdienens, Sich-am-Leben-Erhaltens, der Befriedigung gewachsener Ansprüche sind ja nur faule Ausreden. Ich bin in Indien auf einer Landstraße zwischen Agra und Jaipur einem Musiker begegnet, der auf einem kleinen, selbstgebauten Streichinstrument für mich spielte und dazu sang. Es war einer der ganz wenigen wunderbaren Musiker, die mir im Leben begegnet sind. Er besaß buchstäblich nichts; und als ich ihn fragte, ob er mir nicht sein Instrument verkaufen könnte für zwanzig Dollar – eine Summe, die er in vielen Jahren nicht verdienen kann (er bekommt, wie mir der indische Fahrer übersetzte, wenn es hoch kommt, so etwas wie zehn Pfennig an einem Tag von Passanten oder in den Dörfern für sein Spielen geschenkt) –, schaute er mich fassungslos an, und Tränen liefen ihm die Wangen herunter, und er schüttelte den Kopf. Ich schämte mich zu Tode.«[83] Dieses Beispiel macht einerseits deutlich, mit welch innerer Beteiligung hier ein Künstler – stellvertretend für Tendenzen des jugendlichen Protests – versucht, das Verhältnis zur Kunst aus seiner Unverbindlichkeit herauszuführen, um ihm eine neue »existentielle« Dimension zu erschließen; andererseits zeigt der anekdotenhaft verpackte Appell zur Verinnerlichung einen modischen Zug, der Rilkes affirmatives Wort, daß Armut ein großer Glanz von innen sei, neu »modelliert«.

Für Jürgen Habermas hat die Entwicklung der bürgerlichen Gesellschaft in der Massendemokratie einen Zerfall der literarischen Öffentlichkeit bewirkt, die durch den pseudo-öffentlichen oder schein-privaten Bereich des Kulturkonsums ersetzt wurde. Aus dem kulturräsonierenden Publikum sei ein kulturkonsumierendes geworden. Das liberal-kapitalistische Kommunikationssystem habe zwar den Zugang zu den Kulturgütern nicht nur ökonomisch durch Verbilligung, sondern auch psychologisch erleichtert, doch erwerbe Massenkultur sich ihren zweifelhaften Namen eben dadurch, daß ihr erweiterter Umsatz durch Anpassung an die Entspannungs- und Unterhaltungsbedürfnisse von Verbrauchergruppen mit relativ niedrigem Bildungsstand erzielt werde, anstatt umgekehrt das erweiterte Publikum zu einer in ihrer Substanz unversehrten Kultur heranzubilden. Der Resonanzboden einer zum öffentlichen Gebrauch des Verstandes erzogenen Bildungsschicht sei zersprungen; das Publikum in Minderheiten von nichtöffentlich räsonierenden Spezialisten und in die große Masse von öffentlich rezipierenden Konsumenten gespalten, womit es überhaupt die spezifische Kommunikationsform eines Publikums einbüße.[84] Die Kommerzialisierung der Kulturgüter habe es mit sich gebracht, daß die kulturellen Inhalte und Gehalte entsublimiert, zur Massenbasis epigonalisiert, also leicht konsumierbar gemacht würden. Die Ausrichtung nach dem Profit bedeute Kulturzerstörung – zumal die Mehrheit aufgrund ihres Bildungsstandes sich den Zugang zur unverfälschten Kultur nicht beschaffen könne. Die Verdummung sei gewinnbringend, da sie eine hohe Nachfrage nach Kultursurrogaten erzeuge.

Daneben etablieren sich musisch-ästhetische Eliten, die sich durch die kulturindifferente Masse in ihrer Isolierung (»splendid isolation«) und in ihrem Leisure-class-Snobismus bestärkt fühlen. Schon in der *Dialektik der Aufklärung* (1947, also vor dem Anbruch des »Fernseh-Zeitalters«)[85] haben Max Horkheimer und Theodor W. Adorno der Kulturindustrie vorgeworfen, daß sie Aufklärung als Massenbetrug betreibe: Die Wahrheit, daß sie nichts sei als Geschäft, verwende sie als Ideologie, die den Schund legitimiere, den sie vorsätzlich herstelle. »Immerwährend betrügt die Kulturindustrie ihre Konsumenten um das, was sie immerwährend verspricht. Der Wechsel auf die Lust, den Handlung und Aufmachung ausstellen, wird endlos prolongiert: hämisch bedeutet das Versprechen, in dem die Schau eigentlich nur besteht, daß es zur Sache nicht kommt, daß der Gast an der Lektüre der Menükarte sein Genügen finden soll.« Der Begierde, die all die glanzvollen Namen und Bilder reizen, werde zuletzt bloß die Anpreisung des grauen Alltags serviert, dem sie entrinnen wollte. In der Kulturindustrie sei das Individuum illusionär nicht bloß wegen der Standardisierung ihrer Produktionsweise; es werde nur soweit geduldet, wie seine rückhaltlose Identität mit dem Allgemeinen außer Frage stehe. Das Individuelle reduziere sich auf die Fähigkeit des Allgemeinen, das Zufällige so ohne Rest zu stempeln, daß es als dasselbe festgehalten werden könne. »Alle sind frei, zu tanzen und sich zu vergnügen, wie sie, seit der geschichtlichen Neutralisierung der Religion, frei sind, in eine der zahllosen Sekten einzutreten.« Aber die Freiheit in der Wahl der Ideologie, die stets den wirtschaftlichen Zwang zurückstrahle, erweise sich in allen Sparten als die Freiheit zum Immergleichen. »Die intimsten Reaktionen der Menschen sind ihnen selbst gegenüber so vollkommen verdinglicht, daß die Idee des ihnen Eigentümlichen nur in äußerster Abstraktheit noch fortbesteht: personality bedeutet ihnen kaum mehr etwas anderes als blendend weiße Zähne und Freiheit von Achselschweiß und Emotionen. Das ist der Triumph der Reklame in der Kulturindustrie, die zwanghafte Mimesis der Konsumenten an die zugleich durchschauten Kulturwaren.«

Die Sensibilität für die Phänomene des Alltags – selbst an den Schulen begannen fortschrittliche Lehrer sich mit »Textsorten«, z. B. Reklameanzeigen, kritisch auseinanderzusetzen –, vor allem aber die »marxistisch auf Kiel gelegte«, mit roten Segeln ausgestattete Hoffnung, durch Analyse die Verhältnisse ändern zu können, machten »Warenästhetik« zu einem heuristischen Schlüsselbegriff. Er systematisierte, was vorher in einer Reihe von Theorien, vor allem in den politischen Diskussionen unter Studenten und Schülern, im Begründungszusammenhang von Manipulation und Repression erörtert worden war. »Manipulation bezeichnet die nichtterroristische Lenkung des Bewußtseins und Verhaltens der Massen durch sprachliche und ästhetische Mittel. Wenn von etwas gesagt wird, es sei ›repressiv‹, soll ohne weitere Analyse angedeutet werden, dieses etwa stehe im allgemeinen Zusammenhang von Herrschaft, Unterdrückung und Ausbeutung, und zwar als ein Moment und stabilisierendes Mittel dieses Zusammenhangs. Nun kann von manipulierten Bedürfnissen und ihrer repressiven Befriedigung gesprochen werden. Die Begriffe ›Konsumterror‹ oder gar ›Konsumfaschismus‹ steigern hilflos diese Aussage noch einmal. Solche Begriffe werden in der Isolation geprägt, die sie widerspiegeln und mit dem korrumpierten Bewußtseinsstand der unansprechbaren Umgebung begründen. Solche Begriffe werden ferner, wie an der Entwicklung der Studentenbewegung deutlich ablesbar, über Klassenschranken hinweg gesagt, die man nicht zu durchbrechen vermochte. In ihrer Radikalität sind solche Begriffe daher resigniert.«[86]

Es war vor allem das Verdienst von Wolfgang Fritz Haug, den kritischen Jargon über Fragen der Warenästhetik zu einer Theorie der Warenästhetik weiterentwickelt zu haben – den Zusammenhang der Produktion und Propagierung von Waren einerseits und von Bewußtsein und den Bedürfnissen der Menschen andererseits aufzeigend.

Die Warenästhetik fragt nicht nach dem Gebrauchswert und nicht nach der Personalität. Geweckt wird die Begehrlichkeit auf das neue Produkt, auf den hygienisierten Partner (der den »all plastic people« zugehört). Das Gefühl muß vorherrschen, daß man auf dem Markt das jeweils Neueste erhält. Dementsprechend werden die Sehnsüchte präsentiert: Reinheit als Persilweiß, Zärtlichkeit als Cremebad, Aufbruch als Porsche-Karosserie. Glück bietet sich dar als Zahnpaste; Versuchung als Cognac; Schönheit als Lippenstift; Intimität als Deodorant; Charme als Haarwasser. Angesichts der synästhetischen Inszenierung stellt sich nicht die Frage nach der Wahrheit. Was »dahinter«steckt, interessiert nicht; die Accessoires sind schon das Eigentliche. Wie Karl Marx einmal bemerkt, werfen die Waren Liebesblicke nach den möglichen Käufern; die Reize der Warenästhetik sind Liebesreize.

Die durch Worte, Bilder, Farben, durch Layout und Typographie geweckte Begehrlichkeit ist auf Schönheit und Sinnlichkeit, auf Sonne und Amore ausgerichtet. Die Reklame versucht, die Ware zum Liebesobjekt zu machen, in Form fetischistischer Bindung. Mit der magischen Kraft der Bilder wird die brachliegende Libido angezogen. Die Innenwelt materialisiert sich in der Außenwelt der Werbung, und umgekehrt entlehnen die menschlichen Beziehungen ihre Ausprägung den Waren. Die ontologische Lehre der Liebesbeziehungen hüllt sich in den Schein, in den sich auch die Waren hüllen. Zwei Herzen, die sich suchen, suchen sich so, wie Verkäufer und Käufer sich suchen. Angeboten werden Rothändle-, Stuyvesant- und Reyno-Typen, beliebig auswechselbar mit Typen der Parfum-, Sekt- oder Bekleidungsindustrie. Außenwelt und Innenwelt erweisen sich als eine Mischung von Feten, Flirts, Wassersport, Tanz und Zärtlichkeiten; der Charaktercode ist ein sportlich eingefärbter Spätidealismus.

Der bunte »Geist« der Ware: Der abgelöste Schein, die selbständig gewordene Oberfläche verdichtet sich zu Bild-Figurationen, zu Mythen. Als Außenwelt der Innenwelt machen sich die Reklame-Mythen selbständig und prägen dann wieder die (individuelle wie kollektive) Innenwelt. Nach Roland Barthes ist der Mythos eine Aussage, ein Mitteilungssystem, eine Botschaft; er sei kein Objekt, kein Begriff, keine Idee, sondern eine Weise des Bedeutens; Form. Der Mythos würde nicht durch das Objekt seiner Botschaft definiert, sondern durch die Art und Weise, wie er diese ausspricht. Die Materialien der mythischen Aussage (Sprache, Fotografie, Plakat, Gemälde, Ritus) reduzierten sich – so verschieden sie auch zunächst sein mögen – auf die reine Funktion des Bedeutens. Begriff und Bild werden voneinander getrennt, die Oberfläche macht sich selbständig. Barthes spricht deshalb vom sekundären semiologischen System des Mythos; er sei eine Metasprache, eine zweite Sprache, die sich auf die erste beziehe.[87]

In dem von Renate Matthaei 1970 herausgegebenen Buch *Trivialmythen* bezeichnet Urs Widmer Mythen als starre, auf weniges reduzierte Abziehbilder von dem, was wir Wirklichkeit nennen. »Der Mythos ist eindimensional und unreflektiert, er zeigt nur seine schöne Oberfläche. Er ist statisch, er ist unpolitisch, er gilt jetzt, seine historische Entwicklung (das, was dahinter steckt) kümmert mich nicht. Er will von Veränderung nichts wissen, er hält am Status quo fest. Er ist reaktionär, und das ist das einzige, was irgendwie politisch an ihm aussieht. Auch aus dem politischsten Mythos ist alles Politische herausfiltriert, er wird dann ganz lieb, und jeder kann ihn verstehen. In einen richtig guten Mythos kann man sich verlieben, und Liebe macht blind. Che reitet heldenhaft durch die Urwälder und trotzt der Übermacht der Unterdrücker: ein Old Shatterhand der Revolution. Der Mythos konzentriert die Wirklichkeit auf ein paar leichtverständliche Elemente . . . Der Mythos gehört nicht einem einzelnen, er gehört vielen.«[88]

Der Schein, so Wolfgang Fritz Haug, auf den man hereinfalle, sei wie ein Spiegel, in dem die Sehnsucht sich erblicke und für objektiv halte. Wo dem Menschen in der monokapitalistischen Gesellschaft aus der Warenwelt eine Totalität von werbendem und unterhaltendem Schein entgegenkomme, geschehe, bei allem abscheulichen Betrug, etwas Merkwürdiges, in seiner Dynamik viel zu wenig Beachtetes. »Es drängen sich nämlich an die Menschen unabsehbare Reihen von Bildern heran, die wie Spiegel sein wollen, einfühlsam, auf den Grund blickend, Geheimnisse an die Oberfläche holend und dort ausbreitend.« In diesen Bildern würden den Menschen fortwährend unbefriedigte Seiten ihres Wesens aufgeschlagen. Der Schein diene sich an, als künde er die Befriedigung an, er lese einem die Wünsche von den Augen ab, bringe sie ans Licht auf der Oberfläche der Ware. »Indem der Schein, in dem die Waren einherkommen, die Menschen ausdeutet, versieht er sie mit einer Sprache zur Ausdeutung ihrer selbst und der Welt. Eine andere als die von den Waren gelieferte, steht schon bald nicht mehr zur Verfügung.«[89]

Ein Lehrstück zu dieser These, zugleich die Gleichzeitigkeit kulminierender Warenästhetik und kulminierender Kritik an ihr verdeutlichend, stellte das medientechnische Experiment dar, das der Springer-Konzern im Jahre 1968 startete: Er warf die Zeitschrift *Jasmin* auf den Markt, die in Kürze eine Auflage von 1,6 Millionen Exemplaren erreichte. Für viele Kritiker wurde *Jasmin* zum negativen Symbol der Schamlosigkeit, mit der die Vermarktung des Bewußtseins im Spätkapitalismus betrieben wurde. Das Blatt war als Mixtum compositum männlicher und weiblicher Sehnsüchte angelegt: »Lernen Sie durch Jasmin die Männer besser kennen! Lernen Sie die Frauen besser kennen!« Es bewirkte schon vom Namen her Assoziationen, deren Umsetzung in parfümierte Stofflichkeit (in Bilder und Stories, Kochrezepte und Werbegags) den Massenerfolg garantierte: weiß-keusche Reinheit und feudal-erogene Libertinage, süß-duftende Mädchenblüte und kleinstädtisch-biederes Gartenglück, jet-romantisches Fernweh und kuschelige Zweisamkeit, Schöner-wohnen-Glanz und ein Geruch aus Filmmutters Suppentopf.

Neodadaismus

Die Aversion gegenüber dem Musealen und Akademischen erwies sich als ein hervorstechender Zug des Protests gegenüber affirmativer Kultur. Die in der Geistesgeschichte immer wieder anzutreffende Tendenz, die bestehende Ästhetik wegen ihrer erstarrten Formen zu zerschlagen, trat wieder in Erscheinung – vergleichbar etwa der Zertrümmerungsabsicht des Dadaismus, der gleichzeitig den Versuch unternahm, die Kulturtrümmer neu zu montieren, die Collage als Provokation der »Sesselkunst« (also der Kunst, die vom Sessel aus konsumiert wird) entgegenzuschleudern. Ein Symptom für den Aufstand gegen die Tradition war die Misere der Kunstakademien. Während ein Großteil der sensibilisierten Studierenden eine objektivierte und transparente Ausbildung forderte, verharrte ein Großteil der Lehrenden auf dem aus dem 19. Jahrhundert übernommenen Wahn, als »Meister« durch schöpferischen Funkenschlag den Schüler zu eigenem genialen Schaffen entfachen zu können. Die Notwendigkeit, Kunstakademie und Kunstschulen zu Zentren gesellschaftsbezogener, gesellschaftsengagierter Ästhetik werden zu lassen, stieß auf den erbitterten Widerstand der »Herrschenden«. Mangelnde Flexibilität der Institutionen führte dazu, daß der Protest immer mehr zum Vandalismus wurde, was zum Einsatz der Polizei oder zur Schließung von Akademien führte. In seiner *Marat-Variante Nr. 327: Über die Bedrohung und Verfolgung der Kunstpädagogik durch die Hexenküchenmeister einer vorgestrigen Kunstideologie unter Anleitung des Herrn Professor Kricke zu Düsseldorf* forderte Diethart Kerbs, der damals schon Material für sein späteres Buch *Das Ende der Höflichkeit* (»Für eine Revision der Anstandserziehung«)[90] sammelte, daß der Künstler sich nicht vornehmlich als Produzent von meisterlich gemalten Bildern, die in die Museen gehängt würden, begreife, sondern vor allem als »Spielverderber oder Spielerfinder, als Ideenproduzent und Regisseur sozialer Interaktionen, als Ästhetikingenieur und Zukunftsforscher und nicht zuletzt als politisches Individuum in der Öffentlichkeit.« Der Künstler müsse mit seinem bildnerischen Denken, das eine Absage an die sogenannte reine und freie Kunst darstelle, den Fortschritt des Bewußtseins fördern: die Erschließung neuer Denk- und Erlebnisdimensionen. Ästhetik erweise sich so als ein wichtiger dynamisierender Faktor der Industriegesellschaft.[91]

Die Neodada-Handlungen der Happening- und Fluxus-Bewegung vertiefte und erweiterte Joseph Beuys, indem er seine künstlerische Tätigkeit in den Bereich der praktischen Politik verlängerte und das gesellschaftspolitische Ideenpotential von 1968 mit den anthroposophischen Vorstellungen Rudolf Steiners, aber auch mit der deutschen Klassik und Romantik im Leitmotiv einer »sozialen Plastik, einer Kunst des sozialen Bauens«, verschmolz.[92] 1971 gründete er die »Organisation für direkte Demokratie durch Volksabstimmung«; ausgehend von der Gleichung »Kunst = Leben, Leben = Kunst« stellte er seine Professur an der Düsseldorfer Kunstakademie unter das Postulat des offenen Zugangs zur Akademie für alle und jedermann, wodurch er den etablierten Lehrbetrieb ad absurdum führte und seines Amtes enthoben wurde.

Beuys' Schüler Jörg Immendorf entwickelte die von ihm mit einem Phantasienamen bedachte LIDL-Kunst als Persiflage des staatlichen Autoritätsgehabes. Am 21. Januar 1968 demonstrierte er vor dem Bonner Bundeshaus mit einem am linken Bein befestigten schwarzrotgold bemalten Holzklotz, um die ideenarme und unschöpferische Politik der damaligen Bundesregierung anzuprangern. Als er am Jahrestag der Klotzaktion (1969) erneut nach Bonn zog, um das LIDL-Jubiläum mit dem Anbau eines LIDL-Raumes an das Bundeshaus zu begehen – die Aktion wurde als eine »Beitragsmöglichkeit zur Arbeit in und an unserer Gesellschaft« vorgestellt –, zerstörte die Polizei das Gebilde aus Papier und Holz innerhalb von drei Minuten.

An die Stelle des Happenings traten bald vielfältige Demonstrationsspektakel, wobei die Aktionskünstler sich gern »Macher« nannten; so z. B. HA Schult, der 1969 gemeinsam mit Günter Sarée die Münchner Schackstraße für einen Tag in ein riesiges Papierabfalldepot verwandelte. Ein Jahr später trat er mit *Biokinetischen Situationen*, wuchernden Algen- und Pilzkulturen, in Erscheinung, um auf diese Weise die Verschwendungswut des Massenkonsums kritisch zu manifestieren. Timm Ulrichs, »Totalkünstler«, gründete in der Schwitters-Stadt Hannover ein Verkaufsbüro für künstlerische Ideen und deklarierte sich selbst zur ästhetischen Ware, die er dem Kunsthandel anbot. »Mit kritischer Vehemenz und lautstarken Sprüchen aus dem Politjargon schossen sich allenthalben junge Rebellen, unterstützt von prominenten Künstlern wie Joseph Beuys, auf die breite Angriffsfläche ein, die eine hermetisch geschlossene, internationale Cliquenwirtschaft zu dieser Zeit im Kunsthandel bot. Man forderte öffentliche Ausstellungsräume für jeden, nicht nur für etablierte und hochbezahlte Kunst, und half sich selbst mit Straßenfesten und freien Alternativkunstmärkten, auf denen konsumkritische Aktionseinlagen, ein buntgeschecktes Gemisch aus Gaudi, Humor und Satire, für Abwechslung sorgten. Junge Kunst scheute sich nicht, mit den 68er Studenten auf die Straße zu gehen und dabei die dadaistische Clownerie und Ironie ebenso wie das Blow-up der Pop Art zur Irritation des Wohlstandsbürgers zu nutzen. Es war eine Zeit, in der man ebenso selbstverständlich mit den grellbunten Spraydosenfarben der Reklameindustrie umzugehen verstand wie mit dem Seziermesser schneidender Gesellschaftskritik; Glamour und Blöße, Aggression und Müllhaldenpoesie lagen für eine kurze Spanne unmittelbar neben- und nicht selten übereinander.« (Karin Thomas)[93]

Der radikale Zweifel der bildenden Künste an sich selbst, in klarer Erkenntnis der Ohnmacht, die Welt aus eigener Kraft verändern zu können,[94] beendet eine Epoche, die zu Beginn der sechziger Jahre schwungvoll-optimistisch eingesetzt hatte, allerdings die Auflösung artistischer Konsistenz bereits in sich trug. Die Pop(ular)-Art, angeregt durch das Werk von Marcel Duchamp (1887-1968) und maßgebend von dem amerikanischem Maler Robert Rauschenberg (geb. 1925) entwickelt, durchbrach künstlerische Esoterik (mit dem Anspruch umfassender Weltdeutung); das unmittelbar Banale fand in der Collage ein geeignetes Ausdrucksmedium.[95] Mit Hilfe von durch Gewöhnung unbeachteten standardisierten Dingen und der banalen visuellen Wirklichkeit des Alltäglichen sollte ein Gegenbild montiert werden, das der Simultaneität des modernen Lebens entsprach und »aus ihm die überraschenden, erhellenden oder das wache beobachtende Auge reizenden Aspekte hervorholte«. Die verwirrende Inflation der Bilder wie ihre schockierende Gleichzeitigkeit (etwa im Aushang eines modernen Zeitungskiosks mit den Titelseiten der Illustrierten, die wahllos die Katastrophen, politischen Ereignisse, Sex, Kunst, Sport und Mord gleichzeitig herausschreien), im Verein mit dem Lärm der Reklame und den Empfindungen des Menschen, der von der Warenästhetik zu jeder Zeit und allerorten bedrängt wird, war Material für das künstlerisch-synthetische Arrangement. Mit Übertreibung wurde die moderne Kitschwelt bloßgestellt; zugleich zeigte man sich von deren disparater farbiger Oberflächlichkeit fasziniert. Roy Lichtensteins Comic-Adaptationen, Andy Warhols Superstars und Tom Wesselmanns Nudes »boten sich als künstlerische Pendants zur neonüberstrahlten Konsumwelt eines Wohlstandsalltags eher an, als die still gewordenen Abstrakten zu Hause«.[96] Diese versuchten ihre »strukturelle Strenge« zu popularisieren, indem sie eine plakative »Farbgeometrie« entwickelten (Günter Fruhtrunk, Thomas Lenk, Karl Georg Pfahler) und, wie etwa Otto Herbert Hajek mit seinen großräumigen Plastiken, die großstädtische Umwelt mit »Farbwegen« erschlossen. Analog zu solcher urbanen Emblematik als Orientierungshilfe inmitten wuchernder Massenzivilisation versuchte die Op-Art (»art visuelle«) mit Hilfe optischer Effekte, Augentäuschungen, unvorhergesehener Umdeutungen »das Feld unserer optischen Erfahrungsmöglichkeiten mit der Akribie des Ingenieurs« zu untersuchen, zugleich aber auch das Material so zu arrangieren, daß daraus ein ästhetischer Genuß zu gewinnen war.[97]

Auf der Suche nach neuen Figurationen wurden vorgeprägte Sehweisen in Frage gestellt; beispielhaft Günther Ueckers *Benageltes Klavier*, Joseph Beuys' nicht mehr »besitzbarer« Stuhl, beide 1963. »›Das Alltägliche wird zum Alptraum‹. Deshalb wird es in der Zerstörung gebannt, seiner alltäglichen Funktion entfremdet – ironischer Fetisch, der denen, die sich die ›Ausdrucksformen unseres Lebens‹ bequem ersitzen wollen, das Ruhekissen verweigert. Eine Lehre für gutgläubige Politiker, die mit der Kunst zu Tüchtigkeit und Leistungsfähigkeit erziehen wollen. Die Zeit der Verweigerung beginnt.«[98] In diese Phase der Auflösung des affirmativen Menschenbildes fallen Horst Antes' gnomhafte Kopffüßlergestalten, Emil Schumachers archaische Figuren und Landschaften, Horst Janssens und Hans Bellmers zerrissene Gesichts- und Körperformen, Sigmar Polkes Rasterbilder, Bernhard Schultzes neosurrealistische Objektkunst. So unterschiedlich die Artikulationsweisen waren, als gemeinsamer Nenner erwies sich die Unzufriedenheit mit künstlerischer Formalität, die ungeeignet schien, die amorphe, diffuse, ambivalente Wirklichkeit zu spiegeln – eine Welt ohne Konsistenz. Bei der Münchner Gruppe »Spur« paarte sich der »existentielle Aufschrei gegen die Einengung des Individuums durch Konsumzwänge und Konventionen mit einer kritisch-satirischen Rebellion gegen die sozialen und politischen Mißstände der Wirtschaftswunderideologie sowie mit dem Entwurf einer zweckentbundenen gesellschaftlichen Freiheit.«[99]

Bei der ersten Einzelausstellung von Georg Baselitz (1963) konfiszierte die Staatsanwaltschaft die Gemälde *Der nackte Mann* und *Die große Nacht im Eimer* wegen Obszönität, was ein bezeichnendes Licht auf die Spießigkeit und Prüderie jener Jahre wirft. »Während man erste Sex-Shops einrichtete, belegte man gleichzeitig ein erotisches Gemälde wie ›Die große Nacht im Eimer‹ mit dem Bannstrahl des Pornographie-Verdikts, obwohl die Onaniedarstellung des Bildes sich als Metapher für Obsessionen der Einsamkeit, der Entfremdung und des Überdrusses an der Konsumgesellschaft auswies.«[100]

> ». . . – Unsere Natur ist nicht der Westerwald,
>   sondern die second hand- und ready
>   made-Natur unserer technischen
>   Zivilisation.
>   – Nichts ist ordinär, gemein und
>   abscheulich genug, um nicht ein edles
>   Motiv abzugeben.
>   – Wir lehnen es ab, eine
>   gesinnungshomogene Clique von Snobs
>   und Spekulanten mit Sensationen und
>   Gags zu füttern.
>   – Wir arbeiten nicht mit Spielzeugpistolen.
>   Unsere Kunst ist kein Ausflug ins Disney-
>   Land.
>   – Wir revolutionieren nicht die Kunst. Wir
>   revolutionieren die Optik.
>   – Die Kunst interessiert uns einen feuchten
>   Dreck. Wir überlassen sie jenen, die sich
>   durch pressure groups und Kunstmanager
>   korrumpieren lassen . . .«[101]

Die Stimmungslage der rebellierenden Kunst Ende der sechziger Jahre hatte bereits das erste *QUIBB-Manifest* (1963) auf extreme Weise vorweggenommen; es war u. a. verfaßt von Hans Peter Alvermann, der nach dem Vorbild der Tableaus von Edward Kienholz mit seinen Objekt-Collagen (z. B. *Sauber. Illustration zu einem Song von Wolf Biermann, der von einem netten, fetten Vater handelt,* 1966) auf mentale Deformationen und politische Mißstände hinzuweisen suchte, dann aber als überzeugter Marxist seine künstlerische Betätigung aufgab, um sich ganz der direkten politischen Aktion zu widmen; die herrschende Kunst sei die Kunst der Herrschenden und damit für die Mehrheit der Beherrschten ohne Interesse.

Auf dem langen Marsch durch die Institutionen – mit dem Ziel, die Kunstakademien und Museen in Weltveränderungsinstitute zu verwandeln, mit »aktueller Kunst« als Instrument im politischen Kampf – wurden die revoltierenden Studenten und Künstler von der »Kunst als Kunst« bald wieder eingeholt. Unterschwelliges Pathos, geheime Romantik, neue metaphysische Sehnsucht, die man glaubte verabschiedet zu haben, ziehen bald wieder durch die Hintertür ins Bewußtsein der Künstler ein. Im Rückblick konstatiert Karl Ruhrberg, daß der Sturm und Drang der sechziger Jahre bereits in den Siebzigern von quälenden Gefühlen der Machtlosigkeit zersetzt, dahin sei. Die Kunst der achtziger Jahre sei, aller »Wildheit« der Neoexpressionisten und Neomystiker zum Trotz, erneut nostalgisch, retrospektiv und affirmativ geworden. »Wenn ein Großmaler wie Gerhard Richter, der 1963 mit ironischer Aggressivität gemeinsam mit Sigmar Polke den ›Kapitalistischen Realismus‹ kreierte, heute sagt, Günter Grass hätte lieber ein gutes Buch mehr schreiben sollen als sich politisch zu engagieren; wenn Georg Baselitz auf den Spuren von Ernst Ludwig Kirchner, der den moralischen Impuls seiner frühen Jahre später als ›Jugendeselei‹ bezeichnete, seine eindrucksvoll-aufmüpfigen Bilder aus den Jahren der beiden ›Pandämonium‹-Pamphlete als ›Pubertätsschlamm‹ abqualifiziert, so sehen wir, wohin der Abschied vom Jahrzehnt der schönen Täuschungen in gesellschaftlicher Hinsicht schließlich geführt hat.«[102]

Ein Film ist ein Film ist ein Film

Der antizivilisatorische Affekt der Kulturrevolution führte im Bereich des Films zur radikalen Absage an technische Perfektion. Die Formel »Ein Film ist ein Film ist ein Film« wandte sich gegen die »falschen, glatten und geölten Filme«; »wir ziehen ihnen den rauhen und holprigen, dafür aber lebendigen vor. Wir wollen keine rosa Filme – wir wollen sie in der Farbe von Blut«, hieß es im *Ersten Manifest* der »New American Cinema Group«, deren ästhetischer Aktionismus bald auf die Bundesrepublik übergriff. Der Film wurde begriffen als Lebensform, die »direkt« und auch mit obszöner Brutalität kulinarischen Filmkonsum verhindern sollte. Das Bekenntnis zur Kunstlosigkeit ermöglichte freilich auch extensiven künstlerischen Dilettantismus, der durch Überheblichkeit kaschiert wurde. »Sie freuen sich, daß es sich bewegt, daß man es schneller und langsamer machen kann, daß man die Welt aus den seltsamsten Winkeln anschauen kann. Ohne Logik und Notwendigkeit setzen sie hintereinander alle Mittel ein, die ihnen die moderne Technik zur Verfügung stellt. Einen Streifen über einen freundlichen Ausflug halten sie für ein Filmwerk, eine Kameraprobe für ein Experiment. Wenn sie ihre Freundinnen nackt filmen, glauben sie für die sexuelle

Freiheit zu kämpfen, einen primitiv gefilmten primitiven Beischlaf halten sie für einen Beitrag zur Weltrevolution. Von einer langweiligen Aufnahme irgendeiner Demonstration mit Losungen und Reden erwarten sie, daß sie mindestens ein paar Regierungen stürzen wird. – Vieles kann man den jungen Autoren verzeihen: die technische Naivität (die sich auch als überholtes Raffinement ausdrückt), die Berauschung durch die Technik, sogar die narzißtische Selbstberauschung, die dazu führt, daß sich die Autoren in ihren Filmen haufenweise mit und ohne Bekleidung zeigen. Nicht zu verzeihen ist der erschreckende Mangel an Gedanken. Wenn jemand schon in seinem ersten Film nichts zu sagen hat, was wird er weiter machen?« So Gabriel Laub in einem Bericht über die 15. Westdeutschen Kurzfilmtage in Oberhausen 1969 (*Siebzig Stunden Filmstrapazen*).[103]

Mit dem *Oberhausener Manifest* 1962 war der »alte Film« für tot erklärt worden: »wir glauben an den neuen«.[104] Nun geriet bereits der neue Film in die Schußlinie einer Kritik, die eben in jeder Artistik und Ästhetik Repression, zumindest repressive Toleranz am Werk sah. Hatten die Oberhausener zu Beginn der sechziger Jahre ihre Aufgabe darin gesehen, dem inhaltlich verlogenen Kino der Wirtschaftswunderzeit realistische Inhalte entgegenzusetzen und die künstlerisch stagnierenden kapitalistischen Produktionsmethoden aufzulockern, so ging es dem Apo-Film um Antiästhetik, der ein großes Mißtrauen gegenüber Komposition und Narration (die doch für das Gewinnen der Massen so wichtig gewesen wäre) zugrunde lag. Auf sublime Weise kam Alexander Kluges Film *Die Artisten in der Zirkuskuppel: ratlos* (1968) dieser antiästhetischen Tendenz entgegen. Die Geschichte wurde nicht in der üblichen Erzählmanier dargestellt, sondern in ihren Signifikanten protokolliert. Der Film, so Kluge, stelle sich im Kopf des Zuschauers zusammen, sei nicht ein Kunstwerk, das auf der Leinwand für sich lebe. »Der Film muß deswegen mit den Assoziationen arbeiten, die . . . vom Autor im Zuschauer ausgelöst werden . . . Das fordert eine indirekte Methode, bei der das, was nachher im Kopf vorgestellt werden soll, niemals direkt abgebildet wird.«[105]

Kluges Film markierte den Konvergenzbereich zwischen den beiden Lagern: Auf der einen Seite die zunehmend routiniert gewordene Oberhausener Generation, ihre Vorläufer und Nachläufer, die gegen »Papas Kino« angetreten waren, aber – wie es Volker Schlöndorff einmal formulierte – immer noch für Papas Kino Filme machten, »wie zu einer Zeit, als Papa noch jung war«.[106] Auf der anderen Seite die Generation nach Oberhausen, die jedem »Filmbetrieb« abschwor (wegen ihrer 16-mm-Formate konnte sie gar nicht in die Kinos kommen); häufig handelte es sich um einen Aufguß amerikanischer Off- und Off-Off-Mixtur. Andy Warhol bestimmte die »scene«; in *Sleep* (1963) wird ein älterer Mann sechs Stunden lang aus ein und derselben Perspektive beim Schlafen abgefilmt; *Fuck* (1968) verarbeitet ironisch-pointierte pornographische Obsessionen.[107] »Mit Ausnahme von Hellmuth Costards Skandalon (gegen das Filmgesetz) ›Besonders wertvoll‹ (1968) haben die anderen kurzen Filme, etwa von Werner Nekes (›Kelek‹, 1968), Peter Nestler (›Das Ruhrgebiet‹, 1967), Thomas Struck (›Der warme Punkt‹, 1968), Hannes Fuchs (›Film 68‹, gedreht 1969) oder

Adolf Winkelmann (›Selbstschüsse‹, 1968), mit ihrer lakonischen Intensität zu ihrer Zeit kaum etwas bewegt. Von den über hundert meist amateurhaft arbeitenden Filmemachern des ›anderen Kinos‹ finden nur Hellmuth Costard als Experimentator und Werner Nekes als Vertreter des absoluten Films auch in den siebziger Jahren noch Gehör. Alle übrigen Vertreter der postmodernen Avantgarde Ende der sechziger Jahre waren hinter ihren eigenen Anspruch zurückgefallen ... Außer den inzwischen kanonisierten Filmen des Neuen deutschen Films, den im Kino nicht erfolgreichen Streifen des ›anderen Kinos‹ und Filmen der erwähnten Außenseiter sind in jenen Jahren Filme entstanden, die sich nicht in all die genannten Kategorien einordnen und die sich an den Arbeiten von Kluge, Schlöndorff, Schaaf, Straub, Fassbinder messen lassen: Will Trempers ›Die endlose Nacht‹ (1963), Rainer Erlers ›Seelenwanderung‹ (1962), Wolfgang Staudtes Satire aufs Spießbürgertum ›Herrenpartie‹ (1964), Michael Pfleghars ›Die Tote von Beverley Hills‹ (1964), Peter Lilienthals ›Abschied‹ (1966). Lilienthals Filme – die er für das Fernsehen drehte, weil das Kino die Stoffe für subversiv hielt – sind Geschichten von unheldischen Menschen, ›die sich nicht äußern können, die stumm vor dem schrecklichen Geschehen stehen‹ (Lilienthal). 1968 dreht May Spils ihren ersten, auf Anhieb publikumswirksamen Film ›Zur Sache Schätzchen‹ (1968). Diese Arbeit wurde als Ausdruck des Lebensgefühls einer ganzen Generation empfunden.« (Hilmar Hoffmann)[108]

Gerade der Erfolg dieses Films (mit Uschi Glas, Werner Enke und Henry van Lyck) macht deutlich, wie gering die Resonanz der Antiästhetik selbst bei einem künstlerisch sensiblen Publikum war. Die Absicht des Films, die Masse der biederen, braven Konformisten bloßzustellen, ist in eine zwar witzige, aber harmlose Story umgesetzt. In der Schwabinger Boheme gerät Martin, der einen Einbruch beobachtet hat und diesen bei der Polizei meldet, selbst in Verdacht. Seine Freundin Barbara ermöglicht durch einen Striptease auf dem Polizeirevier die Flucht des Verhafteten. Als er schließlich doch verhaftet wird, verletzt er den Polizisten durch einen Streifschuß. »Die Regisseurin hat es verstanden, die skurrile Anomalität ihrer Protagonisten so stilsicher zum Prinzip zu machen, daß die scheinbar normale Welt sich davor immer wieder entlarvt.«[109]

Überzeugender entwickelte der junge Rainer Werner Fassbinder seine filmischen Sujets, wobei er die erzählenden Elemente wieder stark in den Vordergrund schob. »Ich fand, daß eine einfache Handlung nötig ist, um das zu sagen, was ich sagen will.«[110]

Er wie fast alle seine Mitarbeiter und Darsteller (u. a. Hanna Schygulla, Ingrid Caven, Peer Raben, Kurt Raab) kamen vom Münchner Action-Theater, das Anfang 1968 zum »Antiteater« wurde. Dem ersten Spielfilm *Liebe ist kälter als der Tod* (1969) folgten in drei Jahren mehr als ein Dutzend Spiel- oder Fernsehfilme; sie handeln von Gelegenheitskriminellen und ärmlichem Vorstadtmilieu. In *Katzelmacher* (1969) geht es um die psychische Situation von Gastarbeitern in der Bundesrepublik, die unter dem faschistischen Fremdenhaß deutscher Kleinbürger leiden. – *Warum läuft Herr R. Amok?* (1969) ist ein Film »über die Zwänge des Alltags, über das Versagen der Gesellschaft, über die Gleichgültigkeit der Mit-

Hanna Schygulla, Ulli Lommel und Rainer Werner Fassbinder in dem Film »Liebe ist kälter als der Tod«, 1969

menschen – und über die schrecklichen Abgründe im Menschen«.[111] (Ein technischer Zeichner erschlägt in Frustrationsaggressivität seine Frau, deren Freundin und sein Kind. Am nächsten Tag, pünktlich zum Dienst erschienen, erhängt er sich in der Toilette seines Büros.)

Man hat Fassbinder einen »Anarchisten der Phantasie« genannt. Mit brutaler Direktheit und Intensität hat er seine Phantasien und Obsessionen formuliert. »Sichtbar wird eine Ästhetik des Engagements, die schnell und unmittelbar reagiert, ›radikale Empfindungen‹ nicht unterdrückt. Die Anarchie der Phantasie sollte sich frei entfalten, nicht erstickt werden in ideologischen Legitimationen oder ästhetischen Dogmen. Fassbinder hatte keine Hemmungen, Meinungen zu revidieren, früheren Äußerungen zu widersprechen, alte Fehler einzugestehen und neue zu machen. Solche Direktheit und Ehrlichkeit, die Weigerung, ständig auf der Hut zu sein und sich abzusichern, mußten in dieser Gesellschaft mißverstanden werden und Mißtrauen wecken. Die Proteste von Homosexuellen (gegen ›Faustrecht der Freiheit‹), der Vorwurf des Antisemitismus (›Der Müll, die Stadt und der Tod‹) erweisen sich bei nüchterner Prüfung als haltlos, belegen aber zugleich, daß Fassbinder in Tabuzonen einbrach.« (Michael Töteberg)[112] Als Autodidakt hat er, den »Regeln« der Filmkunst spottend, in verzehrender Leidenschaft, korrespondierend mit der Rücksichtslosigkeit seiner egozentrischen Lebensführung, das Genre Film aufgebrochen und das Kino mit einer Ästhetik der Antiästhetik bereichert.

Literatur als Ersatzbefriedigung

Protestiert wird gegen die traditionellen Formen der Literatur, des Literaturkonsums sowie der Literaturkritik; der »harmlose« und zweckfreie Umgang mit der sogenannten schönen Literatur wird entlarvt als Versuch, von der Wirklichkeit (den gesellschaftlichen und politischen Problemen) mit Hilfe von »Interpretationsideologien« abzulenken. In der Germanistik etwa, mit ihrer wissenschaftlich verbrämten Deutschtümelei und ihrer Verfallenheit ans Völkische und Konservative, gebärde Unheil sich als heile Welt. Zwischen elitärem Anspruch in »Hofmannsthal-Deutsch« und der gesellschaftspolitischen Aufgabe, etwa Deutschlehrer auszubilden, die den Deutschunterricht als wichtigstes Kommunikationsfach und nicht als affirmative Muße-Beschäftigung verstehen, bestehe eine skandalöse Diskrepanz. 1967 forderten junge Germanisten in einer Resolution die »Politisierung der Germanistik«; das hieß Reflexion ihres Selbstverständnisses in kritisch-rationaler Auseinandersetzung mit außeruniversitären Anforderungen. Solange die Literaturgeschichte das literarische Werk abhebe von seiner möglichen Wirkung in Zeit und Gesellschaft und lediglich als Beleg für den Katalog ewiger Werte verwende, werde die Literatur um ihren menschlichen Ansatz gebracht, und erweise sich jede Wissenschaftsmethode als inhuman. »Sie wird als Apologetin der spätbürgerlichen Gesellschaft, die darauf verzichtet hat, soziale Gleichheit und die Befreiung des Menschen zu vertreten, in die Krise der Gesellschaft mit hineingezogen werden.«[113]

Was dergestalt gegen die Interpretation von Literatur vorgebracht wurde, bestimmte auch die Attacke gegen die Literatur selbst: sie sei tot oder im Sterben; Leiche, Fetisch, Ware. Niemand außer den Fachleuten würde unsere Literatur vermissen; sie existiere nicht mehr.

Da es darauf ankomme, die Welt zu verändern, statt sie zu interpretieren, wurde der Literatur auch dort, wo sie engagiert war, der Vorwurf gemacht, die Praxis, auf die es ankäme, zu verstellen. »Ich persönlich, der ich mich sehr für politische Aktion interessiere, glaube, daß ein Gedicht vielleicht das ungeeignetste Instrument für politische Aktion ist«, meinte Peter Hamm in einer Absage ans Ästhetische; »mir ist der lieber, der die Zeitung, und zwar die ersten drei Seiten, genau liest, als einer, der genau in der literarischen Entwicklung Bescheid weiß und lyrische Techniken variiert.«[114] Kultur sei Kompensation, ein Mittel, mit dem man der Provokation durch die Realität ausweiche. Wer nicht handeln könne, mache Kunst; sie sei a priori Ersatzbefriedigung und versöhne mit der unversöhnlichsten Realität.[115] Somit vertrage sich Kunst mit jeglicher Barbarei bestens, denn Kunst sei ein Rauschmittel im Sinne Sigmund Freuds, nach dem die Rauschmittel der Künste unter Umständen die Schuld daran trügen, »daß große Energiebeträge, die zur Verbesserung des menschlichen Loses verwendet werden könnten, nutzlos verlorengehen«. Die Kunst könne niemals politisch werden, ohne sich zu vernichten, ohne gegen ihr eigenes Wesen zu verstoßen, ohne abzudanken. Der repressive Charakter unserer Gesellschaft bewirke, daß diese permanent auf Ersatzbefriedigungen angewiesen sei, auf Rauschmittel aller Art. Wer solche Rauschmittel produziere (wobei auch »engagierte Kunst« nur scheinbar gegen diese Gesellschaft revoltiere), könne dadurch einen relativ hohen Stellenwert in der gesellschaftlichen Hierarchie erreichen. Obwohl der Künstler kein Eigentümer an Produktionsmitteln sei, sondern nur Scheinprodu-zent, damit freilich auch Produzent des ideologischen Scheins, gehöre er den-noch zu dem, was man heute Establishment nenne. Die einzige Möglichkeit des Künstlers, die Herrschaft, die er selbst mit repräsentiere, zu desavouieren, bestehe darin, den gesellschaftlichen Stellenwert, den er mit der Produktion von Rauschmitteln erlangt habe, für jene zu nutzen, denen, weil sie das Bildungspri-vileg nicht genossen hätten, noch nicht einmal die Rauschmittel der Künste zur Verfügung stünden; das hieße, der Künstler müsse sich zum Beispiel mit der sogenannten »Straße« solidarisieren, auf der allein heute der Rest des gesell-schaftlichen Bewußtseins sich zu artikulieren versuche. Hans Magnus Enzens-berger verkörpere besonders eindrucksvoll diese revolutionäre Kehre: Er habe die lyrische Produktion aufgegeben, er sei von einer amerikanischen Universität, wo er ein Stipendium erhalten habe, nach Kuba übergesiedelt, in ein Land also, das für die USA in grotesker Vertauschung der realen Macht- und Größenver-hältnisse noch immer Staatsfeind Nummer eins sei. Während Enzensberger früher selbst mit seinem Lyrismus der affirmativen Gesellschaft gedient habe, würde er nun der affirmativen Kultur den Rücken kehren oder ihr in den Rücken fallen. Seit er die Produktion eingestellt habe »und sich jenen zugesellt hat, die ihn vielleicht gar nicht zu ›würdigen‹ wissen, hat Enzensberger mehr getan, als ein Dichter tun kann«.

Zusammen mit der Literatur wird der Rezensent, der im feuilletonistischen Establishment arbeitet und damit das Geschäft der herrschenden Gruppen be-sorge, zum Abschuß freigegeben. Auch hier hat Peter Hamm die entscheidenden Angriffe formuliert (*Der Großkritiker. Literaturkritik als Anachronismus*): Den »Großkritiker« beseele das aristokratische Standesbewußtsein des »Erkennen-den«, eine unerschütterliche Geistgläubigkeit. Gerade diese unerschütterliche Geistgläubigkeit zeige das grundsätzliche Dilemma des Großkritikers: »Nir-gends nämlich läßt sich leichter die etablierte Literaturkritik als reaktionär und anachronistisch decouvrieren, als an ihrer ungebrochenen Geist- und Kultur-gläubigkeit, als an ihrem ›Niveau‹-Begriff. Natürlich führt sich diese Kritik auch schon permanent durch ihre groteske Phraseologie ad absurdum; strotzt es doch in den Rezensionen unserer Großkritiker von Klischees, deren Wiedergabe wie ein besonders heimtückischer Akt wirken müßte. Doch liegt es auf der Hand, daß dieser Klischeesalat überhaupt nur möglich ist, weil dem Großkritiker der Kulturbereich noch immer festlich gedeckt und reichlich beladen scheint. Der

Großkritiker zweifelt zwar am Stil eines Buches oder an seinem Inhalt, er zweifelt an seiner Tiefe oder an seiner Breite, aber er kommt nie auf die Idee, an der Literatur selbst, das heißt an unserer Kultur, zu zweifeln, die jene bedient.«[116] Gerade das geglückte Gedicht, die geglückte Geschichte machten sich verdächtig, wenn es ihnen »glückt«, Unmenschlichem in edler Form »gerecht« zu werden (wobei dieser Widerspruch sich nicht aufheben lasse); solche Fragen beschäftigten den Großkritiker nicht, denn er rufe weiterhin nach der »Gnade des großen Gedichts«, nach dem »durch Kunst erfüllten Sinn«, nach den »runden, stimmigen Figuren und Charakteren«. In der Kunst wenigstens soll, wenn es nach ihm geht, die Welt heil sein. In der Kunst wenigstens soll Ordnung herrschen, das heißt der »reine Ausdruck«. Der Großkritiker betreibe kulinarische Kritik; er »rette« Werte, deren Liquidation fortgeschrittene Kunst eben besorge.

Den zwar antibürgerlichen, aber reformpolitisch engagierten Künstlern und Literaten wurde unterstellt, daß sie von dem Begriff »Bürgerlichkeit« nichts verstünden, daß sie diesen Begriff aus seinem Klassenzusammenhang gelöst hätten. Sie wurden als Reaktionäre, als Stabilisatoren der bestehenden Klassenverhältnisse bezeichnet. Günter Grass nannte man einen »Aktienbesitzer«, der mit geschwätziger Geschäftigkeit die APO in ein Diskussionsghetto verweisen wolle, »aus dem es dann tatsächlich nur noch den Ausweg in irgendeine SPD« gebe.[117] In Abgrenzung von der »littérature pure«, die sich aus der wirklichen in eine esoterisch-ästhetische Welt zurückzog (ein Weg, wie ihn etwa Helmut Heißenbüttel mit den literarischen Spielformen seiner *Textbücher* ging), trat Grass als hervorragendster Vertreter der »littérature engagée« in Erscheinung. 1965 rief er zur Wahl der SPD auf: »Ich rat Euch, Es-Pe-De zu wählen!« Bei den von ihm mitinitiierten Wählerinitiativen für die SPD wirkten – neben Künstlern und Publizisten – auch Gabriele Wohmann, Bernward Vesper, Heinrich Böll, Siegfried Lenz und Peter Härtling mit. Grass betonte, bei allem Engagement, die prinzipielle Unaufhebbarkeit des Widerspruchs von Poesie und Politik, Literatur und Gesellschaft – etwa in seiner Rede *Vom mangelnden Selbstvertrauen schreibender Hofnarren unter Berücksichtigung nicht vorhandener Höfe* auf der Tagung der »Gruppe 47« in Princeton, 1966. Damit widersprach er der politischen Parteilichkeit, zu der sich Peter Weiss bekannte (»Die Richtlinien des Sozialismus enthalten für mich die gültige Wahrheit«).[118] Weiss wiederum kritisierte die antiautoritäre Linke, daß sie sich nicht zu einer eindeutigen Parteinahme für den Sozialismus entschließe; man müsse Farbe bekennen und das Spiel mit Vorbehalten und ständigen persönlichen Rückzugssicherungen aufgeben. »Auf wessen Seite stellen wir uns? Diese Frage richte ich an Hans Magnus Enzensberger. Stehen wir auf der Seite derer, deren Kräfte heute einem Verschleiß bis zur Vernichtung ausgesetzt werden (so wie die Wehrlosen in den faschistischen Konzentrationslagern), denen die Güter und Ausbildungsmöglichkeiten, die uns zur Verfügung stehen, versagt sind, die von ihren Beherrschern zersplittert und gegeneinander aufgehetzt werden, denen die Ruhe zum wohlgewählten Ausdruck fehlt und die ihr aufgespeichertes Unglück in gewaltsamen Ausbrüchen entladen, oder stehen

Günter Grass, Selbstporträt II, 1972

wir auf der Seite derer, die diese Ausbrüche Pöbelrevolten nennen, oder Terroristentaten, und die zur Besonnenheit raten, weil sie die geltende Ordnung nicht gefährdet sehen wollen?«[119]

Enzensberger antwortete, Peter Weiss werde seit einigen Monaten nicht satt zu versichern, er habe sich entschieden; was aber aus dieser Entscheidung folge, darüber verbleibe er im unklaren. Zwar teile er mit, daß der Klassenkampf keine veraltete Sache sei, die größten Klassenunterschiede auch bei uns weiter bestünden und wir uns alle in einem sozialistischen Kampf befänden. Solche Nachrichten würden allenfalls den Bundesverband der Deutschen Industrie aufhorchen lassen; wem sollten sie neu sein; wer sonst wollte sie bestreiten. Denke Weiss an eine Zusammenarbeit mit den Gewerkschaften oder wolle er sich auf die Deutsche Friedensunion stützen? Habe die Kampagne für die Abrüstung seine Sympathien? Halte er Wahlreden für ein brauchbares Mittel, um seine Politik durchzusetzen? Genügten Presse-Verlautbarungen, Bulletins, »Arbeitspunkte« für Schriftsteller? Oder solle der politische Generalstreik ausgerufen werden? Plane er für die Bundesrepublik eine Revolution? Weiss wisse keine Antworten; er habe weder ein Programm noch eine Strategie vorzuschlagen. Eine politische Entscheidung, die keine präzisen Ziele kenne, bleibe leer; eine politische Entscheidung ohne präzise Strategie bleibe blind. »Es ist nicht jedermanns Sache, mit Bekenntnissen um sich zu schmeißen. Da Peter Weiss und andere mich auffordern, Farbe zu bekennen, so erwidere ich: Die diversen Seelen in ihrer und in meiner Brust sind weltpolitisch nicht von Interesse. Die Moralische Aufrüstung von links kann mir gestohlen bleiben. Ich bin kein Idealist. Bekenntnissen ziehe ich Argumente vor. Zweifel sind mir lieber als Sentiments. Revolutionäres

73

Geschwätz ist mir verhaßt. Widerspruchsfreie Weltbilder brauche ich nicht. Im Zweifelsfall entscheidet die Wirklichkeit.«[120]

Das Psycho- und Soziogramm engagierter Literatur in den sechziger Jahren tritt mit dem Triptychon Grass – Weiss – Enzensberger auf signifikante Weise zutage; zu »besichtigen« sind:

– der die realen Gegebenheiten und Möglichkeiten pragmatisch einschätzende, sich des Widerspruchs von Geist und Politik, Denken und Handeln wohl bewußte, sich aber zur »Dreckarbeit der Reform« entschließende Dichter und Schriftsteller;

– der ideologisch-stringent auf Klassenkampf und Weltrevolution setzende, die »Ästhetik des Widerstands« historisch fundierende, Faschismus und Kapitalismus als Einheit begreifende Dichter und Schriftsteller;

– der analytisch-souveräne, einen revolutionären Synkretismus bejahende, die Einseitigkeit des Handelns befürchtende, die »kritische Theorie« skeptisch akzeptierende, insgesamt spielerische, zu immer neuen Ufern aufbrechende Dichter und Schriftsteller.

Die politische Landschaft, wie sie sich Günter Grass 1967 darbot (in dem Gedichtband *Ausgefragt*), lag »seitlich Adenau«, »zwischen Galen und Frings«; »Schuld und Forstwirtschaft« wüchsen nach, »Schonungen« gäben dem Land »Enge und Hoffnung, / damit Nutzholz und eine neue Generation / schon morgen vergißt, / wie verschuldet, wie abgeholzt / Schwarzwälder waren«. Insgesamt: »Altfränkische Wolken über dem Heideggerland«.[121] Durch dieses Land, in dem der Gedanke nicht flügge werde, reiste Grass auch im Wahlkampfjahr 1969 und sprach auf über hundert Veranstaltungen für die »Espede«. »Zurück in Berlin bleiben die Frau und vier Kinder und wundern sich, daß der Mann und Vater nur noch übers Wochenende zu Hause ist. Die Fragen der Kinder kommen in der Eile zu kurz. Im Tagebuch wird das Versäumte nachgeholt. Ein Vater, als Schriftsteller schon lange berühmt, versucht zu erklären, weshalb er den Ruhm in die Politik mitnimmt und dort als Begrüßgustav beschäftigt. Das ist, wie jede deutsche Geschichte, eine Geschichte mit Vergangenheit . . . Ein Schriftsteller, Kinder, ist jemand, der gegen die verstreichende Zeit schreibt.«[122]

Die Generation von »Coca-Cola und Karl Marx« – Söhne und Töchter eines schaffensfrohen, aber besinnungsarmen liberalen Bürgertums – bereiteten sich inzwischen auf den Ausstieg aus dem Ausstieg vor. Da sie sowieso meist nur links geschrieben und rechts diniert hatten, gelang ihr der leise Rückzug ins Establishment (bei den Universitäten über Karrieremarxismus) verhältnismäßig rasch. Hans Magnus Enzensberger, inzwischen wieder dichtend, resümierte:

»Den ganz echten Revolutionär
finden Sie heute auf Seite 30
der Unterhaltungsbeilage

Der ganz echte Revolutionär
kann über den Kommunismus
nur noch mitleidig lächeln

Der ganz echte Revolutionär
steht irgendwo ganz weit links von Mao
vor der Fernsehkamera

Der ganz echte Revolutionär
bekämpft das System
mit knallharten Interviews

Der ganz echte Revolutionär
ist volltransistorisiert
selbstklebend und pflegeleicht

Der ganz echte Revolutionär
kriegt das Maul nicht zu
Er ist ungeheuer gefährlich

Er ist unser Lieblingsclown«[123]

Emanzipiertes Theater

Die Emanzipation des Theaters sollte über Aktionismus erfolgen: der Zuschauer aus seiner Passivität erlöst und der Schauspieler aus den Machtstrukturen des Theaterbetriebs befreit werden. Das Theater sei in Routine steckengeblieben; es gehe kein wirklicher Anstoß von den Inszenierungen aus, die sich mit selbstgefälliger Perfektion nur an eine ganz bestimmte Schicht, ans Bildungsbürgertum wendeten. Das »Krawattentheater« habe den Kontakt zur Jugend, vor allem zur politisch sensibilisierten Jugend verloren. In den Foyers der Musentempel (Freizeitkirchen, Seelenbadeanstalten) lustwandle die Leisure-class; hinter den Kulissen walteten autoritäre Machtstrukturen, in denen der Schauspieler dem Regisseur und dieser dem Intendanten ausgeliefert sei.

Als Gegenmodell wurde von homogenen Gruppen (Truppen) gestaltetes Theater auf der Straße, das Straßentheater, gefordert; zumindest sollte durch Inszenierungsstil und Stückauswahl das Publikum politisch aktiviert werden. Schauspieler und Publikum wären in ein gegenseitiges Rückkoppelungsverhältnis zu bringen, das die Entfremdung, wie sie die Bühnenrampe bedinge, aufhebe.

Das revoltierende, aktionistische Theater brachte zur komplexen dramatischen Anschauung, was der politische Radikalismus diagnostizierte. Der Kommerzialismus und die fortschreitende Verplanung in der Industriegesellschaft sollten zerschlagen werden, indem man das Theater zum Forum politisch-aufklärerischer Öffentlichkeitsarbeit mache. »Aus der Negation der bestehenden Verhältnisse ergibt sich für uns als Konsequenz die Konstituierung eines Gegenmodells. Wir gehen dabei von der Voraussetzung aus, daß neues Theater nur von emanzipierten, nicht von unterdrückten oder durch ihr Amt autoritären Individuen hergestellt werden kann. Damit ist ein Theaterkollektiv gefordert, das den Versuch unternimmt, antiautoritär zusammenzuarbeiten und zusammenzuleben ... Die Öffentlichkeitsarbeit des Kollektivs beschränkt sich nicht auf das Abfassen und Aufführen von Theaterstücken, sondern muß Flugblattkampagnen, Zeitungsarbeit, Straßendiskussionen, direkte politische Aktionen usw. mit einschließen. Aus der Erkenntnis der Möglichkeit, repressive Strukturen aufzulösen, ergeben sich Inhalt und Aussage der Produktionen des Kollektivs.«[124]

Wie sehr das bürgerliche Theater auch die Arbeiterschaft korrumpiert habe, glaubte die protestierende Linke im besonderen am Beispiel der »Ruhrfestspiele Recklinghausen« erkennen zu können. Die Arbeiterschaft unterscheide sich hier nicht vom bürgerlichen Publikum bei Volksbühnen-Aufführungen mittlerer Stadttheater. Hier wie dort dominiere unverbindlicher Kulturkonsum. Die Frauen, aufgeputzt in silbrig glitzernden Kleidern, die Männer in dunklen Anzügen: alle machten ernste Gesichter. »Die zu Konsumenten degradierten Arbeitnehmer, die hier erscheinen, werden mit den Kulturwerten der Bourgeoisie berieselt, damit sie sich weiter unterdrücken lassen. Bürgerliche Ideologie wird vom DGB mit Vereinsrabatt verkauft: Bildung als Besitz.«[125]

»Nacktheit« als sinnlich vermittelte Entblößung affirmativer Kultur wurde zu einem dominanten Regieeinfall fortschrittlicher Theaterarbeit. »Nacktheit auf dem Theater – sittlich oder obszön?« fragte der polnische Theaterexperimentator Jerzy Grotowski, der mit seinen theoretischen Ausführungen (vor allem in dem Buch *Für ein armes Theater*[126] und mit seiner praktischen Regiearbeit großen Einfluß ausübte. Entblößung bedeute, alles, was zu unserer Verteidigung da sei, preiszugeben; auf alles zu verzichten, was uns verhülle; sei mithin das Gegenteil von Sichverbergen. Körperliche Nacktheit, als Element einer auf die Totalität von Offenheit zielenden Kunst, bekunde das Bestreben, alles Künstliche abzulegen, Vertrauen zu empfinden, rein zu sein: Ich bin so, wie ich bin. »Man kann sagen, daß diese Reinheit oder das Streben nach Reinheit, nach Vertrauen, nach der Möglichkeit, so zu sein, wie wir sind, sich enthüllt, möglich wird, sich rechtfertigt, selbst danach verlangt, sich zu entäußern. Nichts zu verhüllen. Ich glaube, daß ich auch hier vielleicht das Wort Entwaffnung zutrifft, das ich während vieler Jahre in bezug auf die Kunst des Schauspielers gebraucht habe ... Jede Uniformität, jede Hülle ablehnen, sich enthüllen, sich fast der eigenen Haut entledigen. Darin liegt etwas, was uns eine totale Hingabe abverlangt. Wenn wir bewaffnet sind, können wir nicht aufrichtig sein, denn wer bewaffnet ist, versteckt sich hinter den Waffen. Wollen wir entwaffnet sein, ist es unabdinglich, all das aufzugeben, was nicht unlösbar zu unserem eigenen Wesen gehört. In diesem Sinne habe ich das Wort Enthüllung gebraucht. Ohne Entwaffnung, ohne Enthüllung ist die Aufrichtigkeit nicht vollkommen. Und wenn ich Enthüllung sage, dann schließe ich alle Bedeutungen des Wortes mit ein. Auch körperlich, in jeder Beziehung. Auf diesem Wege der Entwaffnung, der Aufgabe aller Verkleidungen, aller Schleier und aller Masken, wird der Schauspieler auf dem Wege zur Totalität sehr weit kommen. Hier liegt die Grundlage, und sie ist rein.«[127]

Grotowski fürchtete freilich auch – und die inflationäre Verwendung von Nacktheit beim Polit-Happening und auf dem Theater gab ihm recht –, daß daraus eine Masche werden könne, mit dem alleinigen Ziel des Épater-le-bourgeois. »Ich fühle mich wie jemand, der für eine Sache gekämpft hat und dann plötzlich erkennt, daß sie vollkommen entstellt wurde.«

Das »Living Theatre«, 1951 von Julian Beck und Judith Malina in New York gegründet, entzog sich Repressionen in den USA und kam 1964 nach Berlin. In der Akademie der Künste wurde *The Brig* von Kenneth Brown, im Arrestbunker einer Einheit amerikanischer Marineinfanterie spielend, aufgeführt. Die Entwürdigung des Menschen – nach dem Strafreglement: nicht miteinander sprechen, immer im Laufschritt sich bewegen, sich nie hinsetzen, nie ohne Befehl sich rühren, nach Ausführung eines Befehls neben der Pritsche stehen, nie die auf den Boden gezogenen weißen Linien ohne Erlaubnis überschreiten usw. – wurde in zweistündiger Hetzjagd und Tortur »direkt« vorgeführt. »Diese Inszenierung, die in viele Städte Westeuropas kam, gehört zum Härtesten, was jemals auf der Bühne zu sehen gewesen ist.« Anfang 1967 fand das »wilde Ensemble«, damals 32 Personen, nach langer Suche im In- und Ausland in Krefeld vorübergehend Unterkunft.[128]

Der Kampf der amerikanischen Alternativ- bzw. Subkultur gegen den Vietnamkrieg und die damit verknüpfte Politisierung des Theaters wurde in der Bundesrepublik leidenschaftlich rezipiert, zumal Rolf Hochhuths Papst-Stück *Der Stellvertreter* (1963) und Heinar Kipphardts *In der Sache J. Robert Oppenheimer* (1964) erfolgreich den Boden für das aktuelle Zeitstück bereitet hatten. (1967 bezichtigte Hochhuth in seinem Stück *Soldaten. Nekrolog auf Genf* Churchill, durch ein Attentat 1944 den ihm unbequem gewordenen Führer der polnischen Exilregierung in London, Sikorski, beseitigt zu haben. *Guerillas*, 1970, schilderte den Versuch eines amerikanischen Senators, den in den USA herrschenden zweihundert Millionärs-Familien durch einen Staatsstreich die Macht zu entreißen, um die in der Verfassung vorgeschriebene demokratische Staatsform auch in der Praxis zu verwirklichen.)[129]

Die »neue Welle« der gewissermaßen durch den Beat- und Rockrhythmus intonierten, in sprachlicher und inhaltlicher »Entblößungsdirektheit« agierenden Stücke trat exemplarisch mit Megan Terrys Gebrauchsstück *Vietrock* zutage. Der »Bericht über den Krieg eines Volkes«, das aus Identitätsverlust und in Kollektivneurose die Flucht nach vorn (in den Vietnamkrieg) antritt, wurde – und das machte das Stück auch in der Bundesrepublik so erfolgreich – als Gesamtabrechnung mit der kapitalistisch-imperialistischen, auf Tabus, Repression und Triebunterdrückung basierenden Gesellschaftsordnung empfunden. Terrys »politischer Revue«, einer »Pantomime mit Wortgesprudel«, Partitur für choreographische und musikalische Schocks, liegt der Gedanke zugrunde, daß der prüde

Das Living Theatre mit »Paradise now« in der Berliner Akademie der Künste, 1969

Moralkodex puritanischer Herkunft zwar eine Erotisierung des Daseins im Sinne des Slogans »Make love not war!« (sozusagen eine Kurzfassung von Sigmund Freuds *Massenpsychologie und Ich-Analyse*) verhindert, daß aber die restriktiven Normen nicht mehr so stark seien, um den Ausbruch des triebdynamischen Staus vereiteln zu können. Der Vietrock-Staat – wobei die USA nur ein Beispiel für eine allgemeine Tendenz abgeben – entwickelt sich so zu einem erheblichen Teil aus dem ständig ansteigenden sexuellen Potential, das der Personalität nicht integriert wird und in seiner Isolierung den aus der Technik übernommenen funktionalistischen und perfektionistischen Wahnvorstellungen verfällt (von denen sich protestierende Minderheiten abzusetzen versuchen, indem sie inmitten steriler Perversität orgiastische LSD-Paradiese sich zu schaffen suchen). Sieht man von solchen die Wirklichkeit fliehenden statt sie umgestaltenden Minoritäten ab – die nationale Mehrheit »überwindet« moralische Frustration und sensualistische Täuschung durch aggressive Abreaktion, etwa nach dem Motto: »Make war not love – make love in war!«, wobei Blutrausch und Sadismus das »Unbehagen in der Kultur« als Attitüde mit übernehmen: ein Zynismus, den die technisierte Kriegführung von heute besonders fördert. Der aus geistig-seelischer und physiologischer Konfusion aufsteigende Aktionismus ist somit Ausdruck einer unbewältigten Zivilisation; die Regression ins Anarchische ist der Höhepunkt einer Manipulation durch die »Herrschenden«, die sich freilich dadurch auch eventuell den Ast absägen, auf dem sie sitzen. »Vietrock«, der

»Tanz aus Wut, Haß, Aggression, Fanatismus, Sadismus«, bestimmt freilich ebenso die »Entwicklungsländer« mit ihren durch die Industrialisierung bewirkten triebdynamischen Anpassungskrisen; der dabei zur Abreaktion drängende Triebstau ist um so größer, je rascher und je unvorbereiteter diese Umstellung erfolgt bzw. je stärker sich der Gegendruck tradierter Kultur erweist. Krieg bzw. Gewaltsamkeit à la Vietrock, terroristische Anarchie, sadistischer Blutrausch, haßerfüllte Zerstörungswut werden zum gemeinsamen Nenner, in dem sich die aus der Zivilisation und Kultur Flüchtenden mit denjenigen treffen, die auf dem Weg in diese industrielle Kultur ihre Identität nicht finden bzw. noch nicht gefunden haben, aber auch nicht mehr voll und ganz – nach der Loslösung von den traditionellen Normen – im rigorosen Gitternetz autoritärer oder patriarchalischer Ideologie eingefangen zu halten sind. Den Kollektivneurosen und -psychosen, Traumata und Perversionen ist auf beiden Seiten die technische und teilweise auch schon die atomare Vernichtungskraft »zuhanden«.

»Schuß für Schuß. Zielscheibe. Zielscheibe. Knacke die Nüsse. Verspritze das Blut. Verschütte das Blut. Zeige die Liebe. Verkleckere Blut. Der Tod. Der Tod schifft sich ein. Granaten. Blast. Gewehrkugeln. Blast. Bajonette. Blast. Messer. Gott. Schneiden. Liebe. Schlitze den Hals auf. Lege den Kopf hin. Scheißkopf. Bewegung. Hol das Blei raus. Arschloch. Weiber. Huren. Hebt den Rock hoch. Hüften. Busen wackeln. Den Weg zum Sieg entlang. Blasen. Wackelt. Blasen. Wackelt mit dem Arsch. Blast euch mit Luft auf und tragt den Hintern zum Sieg. Kratzt den Schorf ab. Kratz dich. Kratze. Krätze. Kratzen. Kratzt. Kein Punkt. Ein Punkt. Das ist der Zeitpunkt. Irgendwo. Es gibt einen Punkt, wo alle Punkte auf den Kopf eines Engels treffen. Es muß nach Überschall klingen. Super fahren. Kerosin. Punkt . . .« – so faßt Megan Terry die »Pornographie des Todes« und die »Napalm-Gesinnung« zivilisatorischer bzw. anarchischer Abreaktion – den kollektiven Amoklauf der Welt einem totalen Abgrund zu – in einer der das Stück prägenden Assoziationsreihen zusammen.[130]

Das Theater der sechziger Jahre stand unter starkem Einfluß der französischen Dramatik, und hier wiederum vor allem Arthur Adamovs (*Paolo Paoli*, 1966; *Le printemps 71*, 1968; *Off limits*, 1969), der das »Theater des Absurden« zum politisch engagierten Theater weiterentwickelte. Die Vergeblichkeit allgemeiner existentieller Sinnsuche – im Mittelpunkt etwa von Samuel Becketts *Warten auf Godot* (1953) – wurde nun auf seine sozialen und gesellschaftlichen Ursachen hin befragt. »Adamov distanziert sich seit Mitte der fünfziger Jahre allmählich von seinem frühen Theater und ging mehr und mehr dazu über, die gesellschaftlichen Bedingungen menschlichen Unglücks dramatisch zu gestalten. Der Autor glaubt nun nicht mehr, die Not der ›conditio humana‹ als unabänderliche und unheilbare Schicksalhaftigkeit ansehen zu müssen, sondern ist mehr und mehr von ihrer gesellschaftlichen Bedingtheit überzeugt. Das führt ihn zugleich zu einer veränderten Auffassung von der Funktion des Theaters, dessen Aufgabe er unmittelbar darin sieht, dem Zuschauer im Bühnenspiel politische Unterdrückung und soziale Ungerechtigkeit vor Augen zu führen. Adamov will sein Theater von nun an der Demystifizierung der ungerechten Machenschaften der herrschenden Klasse und der Denunziation des kapitalistischen Gesellschaftssystems als des eigentlichen Verursachers menschlicher Not widmen.« (Wilfried Floeck)[131]

Als durch Biographie und Habitus exzentrischer »Entblößungsdramatiker« par excellence wurde Fernando Arrabal gefeiert (*Der Architekt und der Kaiser von Assyrien*, 1967; *Garten der Lüste*, 1969; *Und sie legten den Blumen Handschellen an*, 1969). Kritisch vermerkte Georg Hensel zu dem Versuch des Dichters, durch die Zurschaustellung von Wollust, Sadismus und Leiden – im Sinne von Antonin Artauds »Theater der Grausamkeit« – Katharsis (eine »Therapie der Seele«) zu bewirken: »Arrabal hat die Schrecken seines Unterbewußtseins zu Schauerfiguren in einer öffentlichen Geisterbahn verarbeitet: das Publikum wird auf eine verwirrende Fahrt durchs Dunkel gejagt, wo es in den Kurven bei aufblitzendem Licht von heulenden Ungetümen erschreckt wird. Jedes neue Stück Arrabals ist seine alte Geisterbahn, in der nur die Horrorkomplexe in neuer Reihenfolge arrangiert sind. Wer ein Stück von Arrabal besucht, ist auf voraussehbare Schrecken abonniert, und obwohl er weiß, daß die Scheusale auch in Arrabals Geisterbahn vermutlich aus Pappmaché bestehen, kann er von ihnen doch verstört, geschockt und zu ziemlich ergebnislosem Nachdenken gebracht werden.«[132]

Für die Protestbewegung vermischten sich immer mehr die Konturen von Aktionstheater, Antitheater, Happening, Demonstration, Veranstaltungsstörung, Sitzstreik, Besetzung. Die Gestaltung von Teach-ins und Sit-ins in den Universitäten, aber auch die Dramaturgie von tumultuösen Podiumsgesprächen in überfüllten Arenen näherten sich dem revolutionären Gesamtkunstwerk, »komponiert« nach den Regeln der Agitationskunst. Unter Bezug auf die Mai-Unruhen in Paris 1968 meinte Judith Malina (einst Schülerin Erwin Piscators in dessen »New Yorker Workshop«): »Ich glaube, daß Piscators Idee vom politischen Theater sich in der Besetzung des Théâtre de l'Odéon durch Studenten während der Mai-Revolution vollendet hat . . . Es war ja beinahe ein Wunder: Tagelang ist im Theater politisch diskutiert worden. Alles ging ohne Autoritäten und Formalitäten vor sich. Niemand war Regisseur, niemand Schauspieler. Die Studenten fanden ganz einfach: das Beste, was man aus einem Theater machen kann, ist eine Tribüne . . . Überall, wo Studentendemonstrationen in Frankreich stattgefunden haben, ist das Theater als Tribüne benutzt worden. Die Revolution ging dieses Mal von den Universitäten ins Theater und erst dann in die Fabriken.«[133]

1971 freilich trug das Juli-Heft von *Theater heute* mit dem Schwerpunkt »Straßentheater« bereits die Schlagzeile *Ende der Experimente?*. In einem Bericht über die vierte »Experimenta«, einem Forum progressiven Theaters in Frankfurt (von Peter Iden und Karlheinz Braun konzipiert und organisiert), meinte Ernst Wendt: »Wer gekommen war zu schauen, kunstsüchtig, auf theatralische Offenbarungen hoffend, auf Entdeckungen von Autoren und Spielweisen aus, der mußte sich betrogen fühlen. Wer gekommen war zu lernen, der konnte das freudlos tun: zu lernen war vor allem am Mißlingen der allermeisten Stücke und

Aufführungen, am Scheitern einer Konzeption, auf die die Veranstalter Iden und Braun gesetzt hatten; an der Hilflosigkeit und Unsicherheit, mit der alle Beteiligten – Autoren, Regisseure, Schauspieler, Veranstalter, die Kritiker – ihre theatralische Sendung zu formulieren suchten.« Das Ziel experimentellen Theaters (»Gegentheaters«) sei es gewesen, den »Betrieb« zu denunzieren – »als Vorwurf an die Leute, die über die Apparate verfügen; über Produktionsmittel, bei denen doch bereits der pure Versuch, etwas Neues zu machen und über die Grundlagen nachzudenken, die Ausnahme sei«. Abgesehen von Franz Xaver Kroetz und Konrad Bayer hätten sich jedoch Autoren präsentiert, die mit Theater gar nichts im Sinn hätten; oder solche, die so sehr verunsichert seien über die Möglichkeiten des Theaters, daß sie sich in monomanischen szenischen Theater- und Kinoreflexionen einspönnen; schließlich solche, die unterwegs seien, das Theater endgültig zu verlassen und das Theaterspielen nur noch als praktische Sozialarbeit begriffen. Das Resümee, das Wendt zog, war freilich nicht nur für das Antitheater, sondern auch für das etablierte Theater eindeutig negativ: »Wer Erfahrungsberichte über die von Braun und Iden an den Stadttheatern in Gang gesetzten Experimente liest, Beschreibungen der zunehmenden Frustrationen von Schauspielern, auch emanzipationswilligen, und jungen Regisseuren; der in Unlust umschlagenden Enttäuschung von Autoren, die nicht einmal in den Theatern mitarbeiten dürfen und sich am Ende zu Recht betrogen fühlen: der wird nur zu sehr verstehen, daß immer mehr – zunächst noch Einzelne – sich entschließen, Amok gegen ein System von Produktions- und Rezeptionszwängen zu laufen, das, wenn es sich denn so kunstfeindlich äußert, wirklich nur hassenswert erscheint. Und er wird die Haltung derer begreifen, die – es werden langsam mehr und mehr – den Apparaten, die täglich nur Hilflosigkeit gegenüber ihrer eigenen Zukunft und gegenüber zukünftigen Denk- und Spielweisen demonstrieren, schlicht den Rücken kehren und zunächst – wie ›primitiv‹ auch immer – auf eigenes Risiko mit Zielgruppen arbeiten: mit Arbeitern, Lehrlingen, Schülern, Gewerkschaften.«[134]

Aber auch der Versuch, dem Theater ein neues »proletarisches« Publikum (Arbeiter und Lehrlinge) zu erschließen und sich damit vom bildungsbürgerlichen Publikum unabhängig zu machen, scheiterte. Daß die wichtigsten theatralischen Innovationen dieser Zeit nicht wirkungslos blieben, war nicht neuen Zuschauergruppen, sondern der Beweglichkeit, mit der das »bürgerliche Theater« die Krisen überstand, zu danken. Die Arbeit des vom Ulmer Stadttheater kommenden Kurt Hübner und seiner Mannschaft (darunter Peter Zadek, Wilfried Minks, Hans-Peter Doll, Burkhard Mauer) machte Bremen von 1962-1973 zum Topos einer epochalen »theatralischen Sendung«. »Da alle auf der Suche nach einer neuen, nicht vordefinierten Form von Theater waren (einem Theater, das nicht leugnete, Theater zu sein, und das Spaß machte), mußte Raum zum Probieren und Experimentieren gegeben werden. Bremen wurde im Laufe der Jahre fast die einzige Bühne, auf der im großen Volumen nicht experimentiert, sondern neugierig auf Zukunft hin gearbeitet wurde. Das heißt: hier wurde Riskantes nicht in ein Studio gesteckt, sondern mit dem vollen Risiko der

Haupt-Arbeit betrieben, und der persönliche Entfaltungsraum gesichert. Das gilt für Peter Zadek (›Ich bin damals in 17 Richtungen gleichzeitig losgerast‹), auch für Wilfried Minks, der vom Bühnenbildner zum ersten Regisseur wurde, auch für Regisseure wie Peter Stein, für Hans Hollmann, für Rainer Werner Fassbinder, für Klaus Michael Grüber. Sie konnten hier nicht nur ihre Visionen der Stücke inszenieren, die Visionen entstanden hier erst inmitten dieser freien, auf Erfindung angelegten Arbeit. Gerade weil es im Theater kein geschlossenes Konzept, sondern nur die offene, fragende Arbeitsprogrammierung gab, wie man eine neue Sprache des Theaters finden könne, aktivierte diese Arbeit. Sie enthielt ihre eigenen Spannungen und bekam ihre charakteristischen Krisen.

Wenn man auf die Personen sieht, die an ihr teilnehmen oder in ihr sogar erst aufwuchsen, erkennt man die Schlüsselposition dieser Arbeit für das Theater der siebziger Jahre. Außer Peter Zadek, außer Peter Stein (dem hier zum erstenmal Klassikerinszenierungen, ›Kabale und Liebe‹ und ›Tasso‹, gegeben wurden), außer R. W. Fassbinder (den Hübner aus dem Münchner Underground, dem Anti-Theater heraufholte), außer Wilfried Minks und Klaus Michael Grüber (für den Bremen die erste Position in Westdeutschland war), hat Hans Hollmann sich hier (mit der ›Trilogie der schönen Ferienzeit‹) als Regisseur durchgesetzt wie Hans Neuenfels (mit Handkes ›Kaspar‹). Für Michael Hampe, Kai Braak, vor allem für Alfred Kirchner, Rolf Becker, auch für Joachim Preen, Hartmut Gehrke, Johannes Schaaf und Charles Lang war Bremen die Schule der Regie.

Aus Minks Bild-Werkstatt kamen K. E. Hermann (heute Schaubühne), Klaus Geelhaar, Jürgen Rose und Erich Wonder. Edith Clever, Jutta Lampe, Margit Carstensen, Hannelore Hoger, Ute Uellner, Bruno Ganz, Hans Peter Hallwachs, Vadim Glowna, Hubert Kronlachner, Michael König, Helmut Erfurth, Werner Rehm, Fritz Schediwy, Rolf Becker: das sind heute führende Schauspieler aus den elf Jahren Bremer Arbeit.« (Günther Rühle)[135]

Am Bremer Theater wurde in Fortführung von Fritz Kortner, der 1970 starb, die Auseinandersetzung mit den Klassikern neu, angesichts veränderter gesellschaftlicher und politischer Konstellation, gewagt. Peter Stein, der zunächst durch die Inszenierung des *Viet Nam Diskurses* von Peter Weiss an den Münchner Kammerspielen hervorgetreten war und dann in Bremen bei *Kabale und Liebe* mit realistischer Härte Regie führte, brachte März 1969 Goethes *Tasso* auf die Bühne. Unter dem Einfluß von Yaak Karsunke interpretierte er den durch konventionelle Spielweisen verschlossenen Text so, daß hinter der höfischen Konvention die Machtstrukturen und in Tassos Schicksal die Situation des Künstlers in der Hand und unter den Interessen der Mächtigen deutlich wurden. Steins Inszenierung enthielt, trotz ihres hohen ästhetischen Erscheinungsbildes, »eine radikale Kritik am Stück, die sich als Kritik an den Praktiken des Hofes vertiefte. Sie wurde geprägt von der Allergie gegen jede Machtäußerung, die in jenen Jahren das zentrale Thema wurde.«[136] Wilfried Minks, verantwortlich für das Bühnenbild, hatte die von ihm in Bremen entwickelte offene Simultanbühne, auf der alle Spieler die ganze Zeit gegenwärtig sind, für *Tasso* verwandelt. Der Bühnenboden war ausgelegt mit einem Teppich von giftig-grünem Langflorplüsch. Die Kunstwelt von Goethes Garten-Welt wurde betont durch eine hohe, matt spiegelnde Plexiglaswand, hinter der die fünf Menschen von der Wirklichkeit des Lebens ihrer Zeit aseptisch abgeschirmt waren und zugleich wie seltsame Vögel in einem Zoo vorgeführt wurden. Eine lebensgroße Gipsbüste Goethes stand auf der Szene.[137]

Der Tasso des Bruno Ganz personifizierte das an der Macht scheiternde Genie: ein »Zirkusaffe«, der nach gelungenem Dressurakt vom Dompteur aus der Menge getragen wird. Reale Wirkungslosigkeit bleibt konserviert durch ästhetische Glasur; diese verdankt ihre »Haltbarkeit« bürgerlicher Artistik, die sich selbst als »schöner Wahn« denunziert.

Der Theaterbetrieb bestätigte die Kontinuität des Diskontinuierlichen. Die Intendanten gingen und kamen; die hierarchische Struktur von Theater wurde kaum angetastet. Im Jahressonderheft 1971 stellte *Theater heute* zu den neuen Konstellationen – »das deutsche Theater verändert sich« – fest: »Ein Generationswechsel in der Führung der größeren deutschen Theater. In diesem und im nächsten Herbst ziehen sich die Intendanten Barlog, Erfurth, Henrichs, Hering, Hoffmann, Schalla, Schäfer, Stroux zurück; sie bauten zum Teil mehr als zehn, im Falle Schalla 20 Jahre lang, im Falle Barlog gar 25 Jahre lang an der Fundierung dessen, was verachtend das ›System‹ zu nennen wir uns angewöhnt haben: das ›System‹ von Zwängen und Abhängigkeiten und perfektionierten Improvisationen und Verlegenheiten; unreflektiertes Betriebstheater mit gelegentlichen Spitzenleistungen. – Wird das System sich mit den personellen Ablösungen zugleich auch verändern, zersetzen lassen? Oder wird es die neuen Leute, ihre Überlegungen, ihr Veränderungsinteresse einholen, in sich hineinzwingen? ... Ist dem alten, kaputten Zusammenhang von Apparat und Arbeitsweise zu entkommen? Und zwar anders als durch individuellen, machtvollen Entzug? Werden unter den neuen Konstellationen auch die letzten Starregisseure (als Beispiel stehen Hollmann und Noelte) zu der nötigen kontinuierlichen Arbeit kommen? – Daß die jeweilige Selbstverwirklichung Einzelner auf Kosten des Apparats diesen nur bestärkt, dessen Strukturen nur festigt, wird vielen zunehmend bewußt.«[138]

1967 hatte Harry Buckwitz, als er den Intendantenposten in Frankfurt aufgab, gejubelt: »Laßt uns die vorfabrizierten Gedankenmuster einstampfen und Prämien für Eigenwilligkeit und Zivilcourage verteilen! Mißtraut den wohlsubventionierten Domänen! Riskiert ein Bein! Bald wird es wieder um die Sache gehen! Der Profi stirbt! Die Besessenen sind wieder gefragt! Auskunft geben. Präzisieren. Redlich sein. Die Altgewordenen nicht durch Altwerdende ablösen, sondern durch Junge ersetzen. Junge, die das Alte kennen, um es als Basis des Neuen nützen zu können. Junge, die auf der Suche nach Substanz, nicht nach Sensation sind. Junge, die kein Theater machen, sondern es ernst meinen.« Wenige Jahre später war Buckwitz wieder Intendant in Zürich, wo die Verwalter des Schauspielhauses von den Jungen nichts wissen wollten.[139]

Der Drang nach kollektiver Leistung und kollektiver Führung führte vielfach nur zum Streit über Stücke, Spielpläne, Regiekonzeptionen, brachte aber das »Experiment Theater« nicht wirklich voran. Auch die in der Demokratisierung

Maxim Gorkis »Sommergäste« in der Inszenierung von Peter Stein an der Schaubühne in Berlin, 1974

ihres Betriebes am weitesten vorangekommene Frankfurter Bühne – es »regierte« ein Dreier-Direktorium, dem neben Peter Palitzsch ein Regisseur (Hans Neuenfels) und ein Vertreter des Ensembles angehörten – erstarrte im Formalismus; das mit vielen Vorschußlorbeeren bedachte Modell verlor über die Jahre hinweg immer mehr an Wirksamkeit. Den Triumph des »alten Theaters«, jenseits experimenteller Selbstauflösung, zeigte die *Peer Gynt*-Aufführung von Peter Stein (1971) in der »Schaubühne« am Halleschen Ufer in Berlin-Kreuzberg – ein Theater, das von Stein 1970 übernommen und zunächst als Kollektivtheater betrieben wurde. Der Triumph dieser Inszenierung, schrieb der Kritiker Günther Rühle (dies als Befürchtung äußernd), resultiere ganz daraus, daß sie viele Hungergefühle auf volles Theater wieder satt mache; daß sie Figuren ausarbeite, Szenen sich entwickeln lasse, als wären sie Stücke für sich. Der Zuschauer fühle sich fast unter denen, »die da vor uns springen, tanzen, trinken, hochstapeln, sich aus dem Schiffbruch retten und elend werden. Das ganze abgeschaffte illusionistische Verfahren, das uns einst weismachte, bei etwas dabeizusein, erlebte eine grandiose Heimkehr, obwohl die Dramaturgie gerade das zu verhindern gedachte.«[140]

Deutlich werde die Vorliebe des Regisseurs wie der Truppe für theatralische, bildhafte, »großbürgerliche« Bühnenmittel; reproduziert werde, was man eigentlich habe verabschieden wollen. Die Aufführung sei zwar eine Zäsur in der deutschen Theaterarbeit, aber nur in dem Sinne, daß sie zeige, wie ernst, wie verbissen hier Theater wieder als Arbeit begriffen und mittels Arbeit erworben werde. – Indem Stein mit seinem *Peer Gynt* einen Helden des 19. Jahrhunderts zur kulinarischen Besichtigung freigab, führte er das Theater aus den Irritationen der Antitheaterzeit zu sich – faszinierendes Spiel jenseits von Aktion, Happening, Demonstration – zurück.

Nachrufe auf einen Generationenkonflikt

Eine Würdigung des 1922 in Dresden geborenen, 1982 verstorbenen Peter Brückner, Professor der Sozialpsychologie an der Universität Hannover, stellte Hans Mayer unter das Thema *Selbstbefreiung in der normalisierten Welt*.[141] Exemplarisch verkörperte Brückner die Aporien der Protestbewegung; seine Biographie spiegelt revolutionäres Gelingen und Mißlingen, Vorankommen und Scheitern; sie erwies sich als »Nachruf« auf einen Generationenkonflikt, der nicht wirklich ausgetragen wurde, sondern in Anpassung, Opportunismus und Indifferenz »auslief«.

Von Geburt Halbjude, wird Brückner im Dritten Reich Mitglied der NSDAP. In Österreich kommt er als Kriegsgefangener mit dortigen Kommunisten zusammen; er tritt der KPD bei und beginnt in Leipzig ein Studium der Psychologie und Soziologie – zwei Wissenschaften, die für den damaligen Marxismus-Leninismus mit dem Odium bürgerlicher Dekadenz behaftet sind. 1948 siedelt er nach West-Berlin über, studiert dann in Münster und gewinnt Kontakt zum Kreis um Adorno und Mitscherlich. 1957 wird er nach Hannover berufen. Er engagiert sich innerhalb und außerhalb der Hochschule für den studentischen Protest, wird verdächtigt, die »Rote Armee Fraktion« (RAF) unterstützt, Ulrike Meinhof beherbergt zu haben. Die gegen ihn verhängten disziplinarischen Maßnahmen und Suspensionen, die ihn seit 1972 über ein Jahrzehnt vom akademischen Lehramt fernhalten, werden 1982 aufgehoben. Ausgehend von eigenen dramatischen Erfahrungen im Dritten Reich, kreist Brückners Denken zentral um Fragen politischer Kultur und Moral. Wie kann »Zivilcourage an unsicherem Ort« gewonnen, erhalten und angewandt werden? Die gesellschaftlichen Verhältnisse schaffen die Voraussetzungen für Freiheit und Selbstbefreiung; sie müssen entsprechend, d. h. demokratisch-republikanisch gestaltet werden.

In der westdeutschen Nachkriegsgesellschaft wurde Gewalt entschieden und erfolgreich tabuisiert, gerade weil die Deutschen wie keine andere europäische Nation Gewalt in bis dahin unvorstellbarem Ausmaß gegen andere ausgeübt hatten. Auf solcher Verdrängungsbasis entstand in den Westzonen der »Klassenstaat des Bürgertums«, der in den Köpfen der frischgebackenen Gemeinschaft der Demokraten alsbald zum klasseneutralen und klasseübergreifenden friedlichen Sozialstaat mutierte.

Während solche Verschleierungs- und Beschwichtigungsideologie grassierte, gehörte Brückner seit den sechziger Jahren zu den wenigen Intellektuellen dieser

Republik, die den latenten und von Fall zu Fall offenen Gewaltcharakter des bürgerlichen Staates ohne Scheu beim Namen nannten. »Brückner interessierte dabei weniger das schiere Faktum des Vorhandenseins von Gewalt (obwohl er es in den siebziger Jahren am eigenen Leibe zu spüren bekam) als vielmehr die historisch, sozialisationsgeschichtlich und psychologisch entfaltete Frage, warum zumal in Deutschland von Staats wegen ausgeübte Gewalt, und sei's der staatlich organisierte Terror des Nationalsozialismus, bei den Individuen bewußt wie unbewußt stets auf so hohe Akzeptanz stößt, während Gewalt, die nicht vom Staat, sondern ›von unten‹, ›vom Volk‹ ausgeht, in aller Regel als illegitim verworfen und der Täter, der das Gewaltmonopol des Staates zu brechen sich anschickt, zum ›amoralischen Monster‹ (Wolfgang Pohrt) wird.« (Hans-Martin Lohmann)[142]

Die Verabsolutierung der Staatsidee und damit auch der Staatsgewalt im 19. und 20. Jahrhundert fand beim Bürgertum keinen wirksamen Widerstand. Immer wieder kommt es zu »antediluvianischen Reaktionsweisen«: Der »Vernunft des Staates« wird ein blinder Glaube entgegengebracht, die Herrscher genießen einen ungeheueren Vertrauensvorschuß. Weder der Krieg noch der Genozid seien kulturfremd, kulturfrei auf uns gekommen wie von einem fremden Stern; beide seien auch (freilich nicht nur) das Resultat einer in Deutschland seit langem beheimateten Aggressions- und Gewalthemmung gegenüber dem Staat und seinen Organen bzw. ein Ausfluß des hohen Ansehens, das der Staat genieße – ohne daß seine Legitimität hinterfragt werde. Von besonderer Sogkraft erweise sich »Normalität«, das Untertanen-Bedürfnis des Menschen, nicht aufzufallen und sich den »gängigen« Standards, Normen, Tabus und Ideologemen frag-los zu unterwerfen. Das qualitativ »Andere« wird als negative Abweichung registriert; in der Regel ein Fall für Arzt und Polizei; der Querdenker, Außenseiter, Dissident wird ins Abseits abgeschoben. Eingepaßt in Normalität verzichtet auch die aufstrebende Klasse auf Hegemonie (die Diktatur des Proletariats); sie will nicht mehr eine »Wahrheit auf Kosten jeder anderen Wahrheit«. Gefördert wird der Vorgang der Anpassung durch Segregation und Selbstsegregation. Die einen werden als Parias (Juden, Türken, Homosexuelle) ausgegrenzt und entlasten als Sündenböcke die autoritäre Persönlichkeit; die anderen grenzen sich selbst aus, weil sie mit ihrem »Hang zur narzißtischen Feigheit« jeder Auseinandersetzung aus dem Weg gehen. Mit dem Verlust des Klassenbewußtseins wird es immer schwerer, nicht nur die eigene Meinung frei zu äußern, sondern auch eine eigene überhaupt noch zu haben. Demgegenüber sei Zivilcourage das Resultat einer Abweichung, die nicht dem Druck der »realen Normalität«, auch nicht dem der »realen Politik«, erliegt – und dies bis in Wahrnehmung, Sinnlichkeit und Gedanken hinein.

Brückners Plädoyer für die »Zerstörung des Gehorsams« und für »Selbstbefreiung«, die mit der Tradition des Untertanen und der Staatsvergötzung, des unpolitischen Privatsubjekts und der verinnerlichten Gewalt brechen wollen, »schließen an die sansculottischen Ideen von 1793, an Heines Weltbürgertum und an Rimbauds Programm der ›Entregelung aller Sinne‹ ebenso wie Marxens

Kritik der politischen Ökonomie und an Freuds Kritik der bürgerlichen Kultur. Dafür hat Brückner allerdings nicht das Bundesverdienstkreuz erhalten, was nur recht und billig gewesen wäre, sondern Disziplinarverfahren, Haus- und Lehrverbot an der Universität Hannover – wegen mangelnder ›Treue zum Staat‹. Eine sehr deutsche Art, mit dem Denken umzugehen.«[143]

Für Alexander Mitscherlich war das Leiden an Deutschland einerseits durch das übermächtige Vaterimago und das immer wiederkehrende Scheitern der »Aktion Vatermord«, andererseits durch das Fehlen des Vaters, der ganz in Betriebsamkeit und Tätigkeit aufgehe und familienflüchtig werde, bestimmt. Der entindividualisierten »Masse« entspräche auf der Herrschaftsseite das ebenso antlitzlose »System«. Was individualpsychologisch gelte, zeige sich auch gesellschaftspolitisch: man wachse aus den Machtverhältnissen der Kindheit, die an Personen gebunden seien, in die unfaßbaren hinein, unter denen sich unser konformes Arbeitsleben, die Lebensepoche unserer definitiven Charakterbildung abspiele.[144] Mehr noch als die Stichworte von der »Übervater-« und (als Kehrseite der Medaille) »vaterlosen Gesellschaft« beeinflußte Mitscherlichs Diktum von der deutschen »Unfähigkeit zu trauern« (als Voraussetzung des Wirtschaftswunders) das Denken der Protestbewegung. Der Psychoanalytiker und Sozialpsychologe war zudem als Person bei APO-Veranstaltungen, zumindest zeitweise, ein gerngesehener Mentor. Aus seinem Buch *Ein Leben für die Psychoanalyse*, ergreifend autobiographisch bestimmte »Anmerkungen« zur Zeit, spricht die Bedrückung, die der bei Erscheinen des Buches 1980 bereits todkranke Mitscherlich angesichts der Aporien der Protestbewegung empfindet. Die Methoden, die die Studenten angewandt hätten, um die ältere Generation in Bewegung zu bringen, seien zum Teil einfallsreich, lustig und von berechtigtem Zorn, zum Teil freilich von nicht zu entschuldigender Verständnislosigkeit geprägt gewesen. Auch die substantielle Veränderung der Universität sei, trotz vieler Ansätze, aus mangelnder politischer Erfahrung verpufft; ein fachidiotisch verblendetes Gemisch von Mißgunst, Neid und Engherzigkeit habe sich auf beiden Seiten (der Professoren wie Studenten) nach vorne gekämpft. Beide Lager hätten sich, ohne Mittel zur Verständigung zu suchen, aus dem großen Reservoir ihrer so leicht steigerbaren und so wenig steuerbaren Aggressionen und Vorurteile bedient. Was einmal eine seltene Vereinigung von gegensätzlichen Affekten, von Ernst und Lebenslust hätte sein können, verschwand alsbald in bitterböser Feindschaft. Einige schlugen einen Weg ein, der in schrecklicher Konsequenz in die terroristische Szene führte. »Am Lebenslauf von Ulrike Meinhof ist exemplarisch dieser unglückliche, aber zeittypische Ausgang der jugendlichen Protestphase zu beobachten. Jetzt erschöpft sich Protest nicht mehr in auftrumpfender Fäkalsprache, sondern es wird zu Taten geschritten, zunächst noch tastend und ohne ausdrückliche Absicht, Menschen zu gefährden. Das änderte sich aber im Zuge der Radikalisierung. Meinhofs Satz aus dem Jahre 1970 ›Natürlich kann geschossen werden‹ (›natürlich‹ soll heißen, auf Vertreter der bestehenden Ordnung) signalisiert die dann fast irreparabel gewordenen nächsten Schritte, die vor der Tötung von Menschen nicht mehr haltmachen.«[145]

Mitscherlichs Frau, Margarete Mitscherlich, mit ihm seit langem eine »Denk-gemeinschaft« bildend (unter anderem Mitautorin des Buches *Die Unfähigkeit zu trauern*), kommt in ihrem *Nachruf auf einen Generationenkonflikt* zu einem positive-ren Ergebnis. Zwar hätten sich hinter antiautoritären Parolen neue Zwänge und autoritäre Verhaltensweisen verborgen; dennoch seien die fruchtbaren Impulse, die aus der Studentenrevolte hervorgingen, nicht zu übersehen. »Sie zwangen uns dazu, uns des bequemen Wechsels von alten zu neuen Identifikationen bewußt zu werden und Stellung dazu zu nehmen. Auch Konsumzwänge und unkritisches Fortschrittsdenken wurden zwar nicht zum erstenmal, aber doch mit besonderer Schärfe in Frage gestellt. Fragen nach dem Sinn des Lebens, nach Solidarität mit den Unterdrückten und Ausgebeuteten und vieles mehr gerieten in den Mittelpunkt der Diskussion. Aus den Tumulten der damaligen Zeit gingen mittlerweile die ›Grünen‹, die Frauenbewegung und manche Bürgerinitiativen hervor.«[146]

Seit Mitte der achtziger Jahre begannen die damaligen Protagonisten der Revolution und ihre Gegner, die Sympathisanten von einst und deren Warner, Rückblick zu halten – nostalgisch oder analytisch, mehr gelassen als irritiert die Wirrungen, Um- und Aufbrüche, die negativen wie positiven Folgen in einer Vielzahl von Büchern, Zeitschriften- und Zeitungsaufsätzen verarbeitend.[147]

Bei einem Treffen der SDS-Veteranen in Frankfurt – Fortführung des Sympo-siums *Linksintellektueller Aufbruch zwischen »Kulturrevolution« und »kultureller Zer-störung«* an der Freien Universität Berlin 1985 (unterstützt von der Volkswagen-stiftung)[148] – meinte Oskar Negt unter großem Beifall, daß man sich der Tragödie des SDS nicht die Farce seiner Wiederbelebung hinzufügen dürfe. »›Ihr habt‹, rief eine Frau in den Saal, ›eure Spontaneität verloren‹; ein anderer: ›Alles ist weg. Die Revolution als Gewißheit ist weg.‹ ›Eure Bücher, Gedanken und Gesichter sind verschwunden‹, sagte mit trauriger Stimme ein siebenundzwanzigjähriger Münchner. ›Mir reicht's jetzt, ich verschwinde auch‹, das verkündete, angewi-dert und böse, eine frühere SDS-Größe.« Die *Frankfurter Allgemeine Zeitung* kommentierte: »Wer eine Erklärung für die gespenstische, auf Erfüllung und Substanz wartende Lehre dieses Treffens suchte, fand sie in solchen Sätzen. Die Definition der gescheiterten, untergetauchten, vertriebenen und unversöhnli-chen Jakobiner lautet: Weil wir verschwunden sind, ist alles beim alten. Die entgeisterte Feststellung des Veteranentreffens, des Wiedersehens von eingebür-gerten Revolutionären klingt ganz anders: Alles ist verschwunden, aber wir sind noch immer da.«[149] Jürgen Habermas kommentierte: Vom Protest der jungen Linken damals sei immerhin Rita Süßmuth als Frauenministerin übriggeblieben.

Nach Bernd Rabehl, jetzt Professor an der Freien Universität Berlin, neben Rudi Dutschke einer der führenden Theoretiker des SDS, hat dieser nichts Grundlegendes verändert. Man habe höchstens der SPD, für die man immer nur Verachtung zeigte, die jungen Wähler scharenweise zugetrieben. Der SDS sei total überfordert gewesen, habe wenig wirklich durchschaut. Dutschke bei-spielsweise konnte die Rolle des Studentenführers, die ihm die Medien zugewie-sen hatten, überhaupt nicht erfüllen, auch nicht theoretisch: »Die Medien haben ihn gemacht und dadurch getötet.« Im SDS habe es drei Gruppen gegeben: Akademiker, Antiautoritäre und Traditionalisten. Die Antiautoritären seien die eigentlichen »Träger der Revolte« gewesen; spontane, unangepaßte, rebellische junge Leute, denen Verstöße durchaus Spaß machten, die es aber Ernst meinten mit dem Umsturz. »Im Gegensatz zu uns, wir waren nämlich gewitzter, gerissener, auch ein bißchen distanzierter. Wir sind auf den Demos entkommen, kassierten keine Vorstrafen, machten unseren Weg in der Universität. Wir, die Akademiker, waren die Kriegsgewinnler der APO.« Die anderen seien auf ihrem langen Marsch schon früh gestoppt worden; sie liefen gerade dahin, wo es mit der Polizei krachte, kamen ins Gefängnis, schlugen sich auch sonst alle Türen zu: politisch, beruflich, sozial Gescheiterte, verkrachte Existenzen. Manche seien tot, andere verrückt geworden; man kenne doch die Achtundsechziger-Penner in den Universitätsstädten. »Die haben einen richtigen Haß auf uns; es gab eine Menge Opfer.«[150]

Unter den bald liebevoll, bald verachtend von der nachfolgenden Generation »APO-Opas« Genannten konnte Daniel Cohn-Bendit, »Star«-Rebell der Pariser Mai-Unruhen 1968, dann in der Bundesrepublik, vor allem in Frankfurt, medienwirksamer Provokateur, sich sein Image als witziger, fundierter Querdenker besonders gut erhalten. (Der »rote Dany« wurde 1945 als Sohn eines jüdischen Berliner Anwalts, der 1933 nach der Machtübernahme der Nationalsozialisten Deutschland hatte verlassen müssen, geboren; er wuchs in der Bundesrepublik auf und ging nach dem Abitur nach Frankreich, um dort an der Pariser Vorort-Universität Nanterre Soziologie zu studieren.) In seinem Buch *Wir haben sie so geliebt, die Revolution* berichtet Cohn-Bendit über Gespräche, die er mit Vertretern der seinerzeit weltweiten Studentenrevolte in vielen Städten der Welt führte. Da sind die Unpolitischen, die sich am materiellen Erfolg orientieren oder sich auf die narzißtische Pflege ihrer Körperlichkeit zurückgezogen haben. Der radikale Gegentypus dazu ist der »Unverbesserliche«, der immer noch die rote Fahne hochhält. Dann die lernfähigen Mitglieder ehemals militanter Gruppen, die heute im Gefängnis einsitzen oder im Untergrund leben; ferner solche, die sich gern wieder in die bürgerliche Gesellschaft eingliedern würden; schließlich die Aufsteiger innerhalb einer alternativen, inzwischen etablierten Politik (wie etwa Joschka Fischer, der sich in ein paar Jahren vom militanten Sponti zum staatsmännischen Turnschuh-Minister entwickelte).[151]

Cohn-Bendit, inzwischen Realo bei den Grünen, bekennt sich heute zum Parlamentarismus und zur bürgerlichen Demokratie als der einzigen Ordnung, die human sei und soziale Vielfalt zulasse. »Es gibt bei der Demokratie immer ein Restrisiko, es gibt ein Risiko, daß Menschen sich an diese Demokratie nicht halten. Aber ich glaube, nur wenn wir immer diese Utopie vor Augen haben, das Bild einer humanen Demokratie, die bis zum letzten unseren stärksten Feinden die größtmöglichen Menschenrechte garantiert, werden wir die Möglichkeit haben, nicht nur aus der Geschichte zu lernen, sondern wir werden die Möglichkeit haben, eine real existierende Demokratie in diesem euerm Land auch positiv zu entwickeln und zu fördern.«[152]

Die von Bernd Rabehl ausgedrückte Enttäuschung, daß die gescheiterte Revolution das jugendliche Wählerpotential der SPD habe enorm ansteigen lassen, bedeutete – positiv formuliert –, daß die Sozialdemokraten als Garanten einer revitalisierten Demokratie empfunden wurden: bereit und fähig, die Bundesrepublik aus ihrer restaurativen Epoche herauszuführen und erstarrte Verhältnisse zum Tanzen zu bringen.

»Mehr Demokratie wagen!« war das Motto, mit dem Willy Brandt als charismatische Persönlichkeit viele Vertreter der kritischen Linken an sich binden konnte. In seinen »Erinnerungen und Assoziationen« *Die Chance des Gewissens* nennt Horst-Eberhard Richter den früheren Bundeskanzler und Parteivorsitzenden das »unerfüllbare Ich-Ideal«, einen Mann, der helfen konnte, die Vergangenheit zu tragen und die Zukunft zu bewältigen. »Ich trat in die SPD-Wählerinitiative ein, die genaugenommen eine Initiative für Willy Brandt war. Ich empfand es als Geschenk, daß wir in der Bundesrepublik einen herausragenden Politiker mit dieser Biographie und dieser Mentalität hatten, der glaubwürdig genau für die politische Linie stand, die ich, damals zusammen mit vielen anderen, für die Zukunft erhoffte. Nie zuvor hatte ich einen Politiker erlebt, bei dem Charakter und politisches Handeln ähnlich übereinstimmten. Bei ihm wußte man, daß er sagte und machte, wie er war und was er dachte. Wie ein Wunder erschien es, daß jemand mit dieser strukturellen Offenheit und Angreifbarkeit in dem Intrigen- und Rivalitätsdschungel der innenpolitischen Szene so weit nach oben gelangt war.«[153]

Bei den Wahlen zum sechsten Bundestag[154] war zwar die CDU/CSU stärkste Partei geblieben; die SPD übersprang jedoch erstmals die 40-Prozent-Hürde. Mit Hilfe von Walter Scheel, der Erich Mende im Parteivorsitz der FDP, die bei den Wahlen verloren hatte, abgelöst und die Wende von der national- zur linksliberalen Orientierung eingeleitet hatte (was eine Koalition mit den Sozialdemokraten ermöglichte), wurde Willy Brandt am 21. Oktober 1969 vom Bundestag mit 251 bei 249 erforderlichen Stimmen zum Bundeskanzler gewählt. Erstmals seit neununddreißig Jahren stand wieder ein Sozialdemokrat an der Regierungsspitze in Deutschland. Schon einige Monate vorher, am 5. März 1969, hatte die Bundesversammlung den Kandidaten der SPD, Justizminister Gustav Heinemann, mit FDP-Unterstützung (bei einem Stimmenverhältnis von 512:506) zum Nachfolger des Bundespräsidenten Heinrich Lübke gewählt, wodurch der Machtwechsel vorbereitet worden war. Damit habe, so Brandt, Hitler endgültig den Krieg verloren.

In seiner Regierungserklärung vom 28. Oktober kündigte Brandt ein Programm der »inneren Reformen« im Zeichen von »Kontinuität und Erneuerung«, »mehr Demokratie« und der »Fähigkeit zum Wandel« an. Die Sicherheit der Bundesrepublik im Rahmen der NATO und EG, die Einheit der deutschen Nation und ihr Recht auf Selbstbestimmung seien zu wahren; eine völkerrechtliche Anerkennung der DDR komme nicht in Betracht; auch wenn zwei Staaten in Deutschland existierten, so seien sie füreinander doch nicht Ausland. Wirtschaftspolitisch werde »Stabilität ohne Stagnation« erstrebt, also finanzpolitische

Solidität. Innenpolitisch gebühre der Bildungs- und Wissenschaftspolitik Vorrang; das Wahlalter solle herabgesetzt, die Reform des Ehe-, Straf- und Steuerrechts, der Verwaltung, der Bundeswehr und der Gesellschafts- bzw. Sozialpolitik vorangetrieben werden. »Wir stehen nicht am Ende unserer Demokratie, wir fangen erst richtig an.«

Die Regierungserklärung des neuen Bundeskanzlers war, so Wolfgang Jäger, ein Manifest des Neubeginns, des Aufbruchs zu neuen Ufern und »neuen Grenzen«, wie sie John F. Kennedy, den Brandt so bewunderte, für Amerika Anfang der sechziger Jahre aufgezeigt hatte. »Es war die anspruchsvollste und hochfliegendste Regierungserklärung in der Geschichte der Bundesrepublik . . . Brandt erhob zum Regierungsprogramm, was er ein halbes Jahr zuvor in seinem vieldiskutierten Aufsatz ›Die Alternative‹ im Maiheft 1969 der ›Neuen Gesellschaft‹ formuliert hatte: ›Für die CDU/CSU bedeutet Demokratie eine Organisationsform des Staates. Für die SPD bedeutet Demokratie ein Prinzip, das alles gesellschaftliche Sein der Menschen beeinflussen und durchdringen muß.«[155]

Die Wahl Brandts zum Bundeskanzler signalisierte einen tiefgreifenden Bewußtseinswandel. Nicht nur ein Sozialdemokrat war in das wichtigste politische Amt aufgerückt; ein vaterloses, unehelich geborenes Arbeiterkind, ein durch Emigration standhaft dem NS-Regime widerstehender linker Sozialist hatte nach langen Jahren der Diffamierung die für die Stabilisierung und Weiterentwicklung republikanischen Bewußtseins so wichtige Anerkennung gefunden. »Was wäre uns erspart worden«, meinte Günter Grass bereits 1965, »wenn alle Neunzehn- bis Sechsundzwanzigjährigen im Jahre 1933 den politischen Scharfblick und die moralische Verantwortlichkeit eines Willy Brandt bewiesen hätten!«[156]

Brandts politische Leidenschaft, geprägt von großen Vorbildern, weitreichenden Visionen, hoffnungsvollen »Tagträumen«, aber von robustem Ehrgeiz und ausgeprägtem Machtinstinkt, führte zu innen- und außenpolitischen Erfolgen, die auch entsprechende Anerkennung fanden. Ohne ihn wäre die APO auf der Straße geblieben. Die nach einem mißglückten, von der CDU/CSU-Opposition unter Rainer Barzel erstmals in der Geschichte der Bundesrepublik beantragten »konstruktiven Mißtrauensvotum« vorgezogenen Wahlen zum siebten Bundestag (1972) gestalteten sich für Brandt zu einem großen Triumph; die SPD wurde erstmals stärkste Partei. Wie nie zuvor hatten sich Künstler, Publizisten, Schriftsteller parteipolitisch engagiert; für sie wurde er zur Symbolfigur politischer Erneuerung, die Einheit von Macht und Geist, Pragmatik und Moral, Aufklärung und Fortschritt in sich vereinend. Eine große Rolle spielte bei Brandts Ansehen die von ihm zusammen mit Walter Scheel als Außenminister betriebene Öffnung nach Osten, die sich 1970 in zwei Vertragswerken, dem Moskauer und Warschauer Vertrag, niederschlug. Die Verträge standen im Mittelpunkt der politischen Auseinandersetzung, da sie auf den teilweise erbitterten Widerstand der CDU/CSU stießen; sie wurden schließlich 1972 mit den Stimmen der SPD und FDP, bei weitgehender Stimmenthaltung der CDU/CSU, vom Bundestag gebilligt.

Willy Brandt vor dem Denkmal für die Opfer des Warschauer Ghettoaufstandes, 7. Dezember 1970

Bei einem Besuch in Polen im Dezember 1970 hatte sich Brandt vor dem Denkmal im ehemaligen Warschauer Getto niedergekniet: »Er hat mit zeremoniellem Griff die beiden Enden der Kranzschleife zurechtgebogen, obwohl sie kerzengerade waren. Er hat einen Schritt zurück getan auf dem nassen Granit. Er hat einen Augenblick verharrt in der protokollarischen Pose des kranzniederlegenden Staatsmannes. Und ist auf die Knie gefallen, ungestützt, die Hände übereinander, den Kopf geneigt.« (Hermann Schreiber im *Spiegel*)[157] Brandts Kniefall war von großer, ergreifender Bedeutung. Während allenthalben bundesrepublikanisches Bewußtsein auf neue Weltgeltung pochte und konservative Kreise, vor allem die Vertriebenenverbände und die von ihnen beeinflußten Parteikreise, dem Osten gegenüber revisionistische Ansprüche anmeldeten, wurde damit deutlich gemacht, daß die Deutschen eine große moralische Schuld trugen und in Trauerarbeit um Verzeihung zu bitten hätten.

Nach Brandts zweiter Wahl traten jedoch auch seine Schwächen, verstärkt durch Krankheit und die Widersprüche seines Charakters, stärker hervor. Außenpolitisch hochangesehen – 1971 hatte er den Friedensnobelpreis erhalten –, gab es innenpolitische Rückschläge, zumal die Reformabsichten vielfach nicht finanzierbar waren. Es fanden zwar intensive Reform-Diskussionen statt, doch wurden deren Ergebnisse nicht vom Kopf auf die Füße gestellt. »Die parteipolitische

Polarisierung und Ideologisierung fand zum größten Teil ›nur‹ in der politischen Rhetorik statt. Hier spielte sich ein erbitterter Kulturkampf ab, ging es vielfach um die Frage einer ›anderen‹ Republik. Insgesamt sind die kulturellen Auswirkungen der Such- und Experimentierphase der sozial-liberalen Koalition nur schwer abzuschätzen. Auf lange Sicht könnten sie sich aber als einschneidender herausstellen, als die tatsächlichen Reformen es waren.« (Wolfgang Jäger)[158]

Mit Herbert Wehner, dem taktisch versierten, kühlen Rechner und scharfen Kritiker, kam Brandt nicht zurecht. Dazu kam sein »Hang zum Schweigen und Grübeln, zur Niedergeschlagenheit, zum Selbsthader, zum Nachsinnen über die Vergänglichkeit allen Lebens, den eigenen Tod. Der Alkohol. Das ›melancholisch-liebevolle‹ Verhältnis eines Sechzigjährigen zu Frauen.«[159] Für Arnulf Baring, der mit seinem historiographischen Meisterwerk *Machtwechsel. Die Ära Brandt-Scheel*[160] einen neuen Standard der aktuellen politologischen Analyse schuf, war Brandt stets ein Politiker auf der Suche nach Heimat – »eigentlich überall nur als Gast, immer nur wie auf der Durchreise«; tiefer wissend, daß man nirgends bleibt; lebenslang ein Außenseiter, überall ein Fremder. Von seinen »Freunden« gern sprechend, besaß er in Wirklichkeit keine. Das Ende der Ära Brandt kam unerwartet rasch im Mai 1974, wodurch der ursprünglich hoffnungsvolle politische Aufbruch als ein Abgesang (»Nachruf«) auf einen letztlich unbewältigt gebliebenen Generationenkonflikt erschien. In Zusammenhang mit der Guillaume-Affäre – sein persönlicher Referent war als DDR-Spion enttarnt und festgenommen worden – erklärte Brandt seinen Rücktritt. Helmut Schmidt trat seine Nachfolge an. Walter Scheel löste als vierter Bundespräsident Gustav Heinemann ab. Im unterschiedlichen Habitus und Auftreten, vor allem aber im unterschiedlichen Verhältnis der beiden Persönlichkeiten zur Geschichte der Bundesrepublik, stellte auch der Präsidentenwechsel eine scharfe Zensur in der sozial-liberalen Koalition dar. »Gustav Heinemann konnte nie verbergen, daß er der ersten Phase der Geschichte der Bundesrepublik reserviert gegenüberstand. Er hatte ›die einzige nennenswerte Gegenposition zur Politik Konrad Adenauers formuliert‹. In seiner Lebensgeschichte verkörperte er den Bruch mit der Adenauer-Ära, den Konflikt um die außenpolitische Grundorientierung der Bundesrepublik Deutschland und die Auseinandersetzung um die demokratische Ausgestaltung des jungen Staates im Geiste des Grundgesetzes, das er weniger als erfüllten Auftrag denn als Versprechen und Angebot verstand. Den sozialdemokratisch mitgestalteten oder -geprägten Jahren seit 1966 kam daher eine besondere Qualität zu. Heinemanns Nachfolger Scheel dagegen symbolisierte mit seinem Lebensweg als ›Mister Bundesrepublik‹ die ›Erfolgsgeschichte‹ dieses Staates. Scheel war zwar neben Brandt tragender Pfeiler der sozial-liberalen Koalition gewesen; er folgte jedoch der historischen Überhöhung des Bündnisses von Liberalismus und Sozialdemokratie, wie sie von seinen Parteifreunden Flach und Maihofer betrieben wurde, eher zurückhaltend. Ohne die Leistungen der Adenauer-Ära zu schmälern, an denen die FDP schließlich beteiligt war, setzte er den Akzent auf die zeitgemäße Anpassung und Fortentwicklung der Politik der Bundesrepublik und nicht auf eine ›neue Stunde Null‹.« (Wolfgang Jäger)[161]

Klaus Vogelgesang, Lacht zuletzt, 1981

Wendezeit

Der Weg nach innen

Im gleichen Heft des *Kursbuchs* (20/1970), in dem Wolfgang Fritz Haug als ein
führender Theoretiker der Protestbewegung seine *Kritik der Warenästhetik* und
Hans Magnus Enzensberger seinen auf freiheitliche Kommunikation zielenden
Aufsatz *Baukasten zu einer Theorie der Medien*[162] veröffentlichten, schrieb der
damals linksengagierte und der APO nahestehende Schriftsteller Martin Walser
Über die neueste Stimmung im Westen[163]. Auch der Konsum der Meinungen sei
durch Meinungen vorgeformt; Fernsehen, Lesen, Kino: man habe schon vorher
eine Meinung über die Meinung, die man zu sich nehme. Die neueste Stimmung
bestehe nun darin, daß man, z. B. mit Hilfe von Drogen und Musik, einen von
keiner Meinung besetzten Erlebnisbereich suche. Walser zitiert Leslie A. Fiedler
als theoretischen Propheten solchen Aussteigertums: »Die Jungen huldigen der
Bindungslosigkeit und akzeptieren sie als eine der unumgänglichen Folgen des
industriellen Systems, das sie von Arbeit und Pflicht erlöst hat, als Konsequenz
des Wohlfahrtsstaates, der – ob er sich kapitalistisch, sozialistisch oder kommu-
nistisch nennt – Desengagement zur letzten noch möglichen Tugend macht.«
Was in den USA psychedelisch floriere, habe bei uns artifiziellere Ausprägungen.
Das Desengagement führe zur Weigerung, mit Sprache Meinung herzustellen,
und entwickle eine artistische Methode der Reduktion des Ausdrucks auf
Sprachfertigteile, auf Montage, Collage und die Bloßlegung von Sprachstruktu-
ren. Diese Bewegung reiche am sichtbarsten von Helmut Heißenbüttel bis Peter
Handke. Aufgedeckt würden die in Sprachformeln verdinglichten Meinungen.
Oft genug würden die Sprachfertigteile einfach als Spiel- und Reizmaterial
verwendet. Entscheidend für den Verlauf dieser Bloßlegungs-Prozesse sei die
Empfindlichkeit des einzelnen Autors oder auch sein Überdruß. Die Bloßlegung
historischer und streng gesellschaftlicher Bedingungen gehörten freilich nicht
zum »Arbeitsprogramm«. Soziale Notwendigkeiten gelten als überholt. »Wenn
keiner mehr vor deiner Schwelle verhungert, bist du anscheinend fein heraus.
Wenn du leben kannst vom Verkauf deiner abenteuerlichen Selbstbeobachtun-
gen oder persönlichen Sprach-Erlebnisse, hast du keine spürbare gesellschaftliche Funktion mehr. Du wirst immer mehr der Einzige, den es gibt für dich. Die
dadurch entstehende Asozialisierung schärft wiederum deine Empfindlichkeit
für die Gemeinheiten des Meinungsmarktes, steigert deine Verletzlichkeit und
liefert dir immer weiter den Kummer, der wiederum zum Anlaß weiterer Selbst-
erforschung und Sprachprüfungen wird. Eine lange Zeit hindurch hatten
Schriftsteller einen großen Anteil an der Befreiung von der herrschenden Meinung der Religion und der mit der Religion verbündeten Herrschaftsschicht.

Schriftsteller haben mitgearbeitet an der Selbstbefreiung des Bürgertums. Jetzt stimmen sie als bürgerliche Schriftsteller, die sich selbst als nicht bürgerlich verstehen, durch ihre Abstinenz der jeweils herrschenden Meinung – und das ist die Meinung der Herrschenden – zu.« Man »friere«, wenn man zunehmend erlebe, wie die »neueste Stimmung« – bei regelmäßigen Anrufungen Krishnamurtis, Bodhisattvas und anderer Heiliger der schönen und reinen Innerlichkeit, natürlich auch Hermann Hesses – in der Selbstöffnung, statt in der Öffnung zur Welt, aufgehe. Mit besonderer Kritik an Handke, der sich wie R. D. Brinkmann gegen die »totgeborenen SDS-Sätze« und die Unverbindlichkeit revolutionären Geredes gewandt und eine intensive künstlerische Verarbeitung von Lebens- und Welterfahrung gefordert hatte, kommt Walser zu dem Ergebnis: es sei möglich, daß in diesen »neuesten Stimmungen« die Bewußtseinspräparate für die neueste Form des Faschismus fabriziert würden. »Die Hersteller dieser Stimmungen reproduzieren ein persönliches Unglück, das aus ihrer gesellschaftlichen Tradition entsteht. Sie suchen nach Befreiung durch Bewußtseinserweiterung ›nach innen‹. Sie sind besonders fortgeschrittene Produkte einer spätkapitalistischen Gesellschaft amerikanischer Spielart. Sie zeigen, wo dieser Prozeß hin will: zu einer Gesellschaft, in der jeder seine eigene Befreiung auf dem Weg nach innen sucht, mit Hilfe von Drogen, mit Hilfe einer Literatur, die sich auf Mythen und verfälschte Trivialitäten kapriziert, oder auch mit Hilfe einer Literatur, die als Droge die chemische Droge begleitet. Befreiung des Menschen von der Gesellschaft, in der irrsinnig hoffnungslosen Hoffnung, daß da in uns neuro-physiologische Kapazitäten schlummern, die uns für alles gesellschaftliche Ärgernis entschädigen. Eine solche Gesellschaft ist nicht schwer zu haben. In ihr stirbt mit jedem Ausflug ins Innere eine demokratische Möglichkeit ab und die Möglichkeit zum Gegenteil – und das heißt Faschismus – nimmt zu. Jeder lutscht dann an seinem Mythos und hält sich seine Freizeit lang im Inneren auf.«[164] Walser bekundete freilich »linkskritischen Optimismus«: Er glaube nicht an die Stabilität des sogenannten neuen Aufbruchs, wenn er sich nur als Außenseitertum und Selbstbefreiung manifestiere; er täuschte sich.

1971 beendete Walser seinen Roman *Die Gallistl'sche Krankheit* (erschienen 1972): die Geschichte eines Melancholikers, der sein Leiden an der Diskrepanz von Anspruch und Wirklichkeit, Utopie und Alltagsleben zu analysieren und durch den Anschluß an eine oppositionelle Gruppierung zu heilen versucht. »Gallistl sieht sich nach Heilung um. Das Aufschreiben seiner Krankengeschichte war schon ein Anfang. Mit den alten Freunden käme er jetzt nicht weiter. Er sucht andere. Seine neuen Freunde erklären ihm die Praktiken des Kapitalismus, sie geben ihm eine neue Sprache, sie verhelfen ihm zu einem anderen Bewußtsein. Mit ihnen übt er neue Verhaltensweisen, soziale. Er ist süchtig nach Positivem. Immer wieder drohen Rückfälle in die alte Konkurrenz-Mentalität. Es bleibt ein Kampf, d. h. Gallistls Lage bleibt kritisch, aber er ist nicht mehr allein; er arbeitet mit anderen zusammen.«[165]

Walsers wenn auch gedämpfter Optimismus hinsichtlich der gesellschaftlichen Relevanz eines die Konkurrenzmentalität des Spätkapitalismus überwindenden, auf eine neue solidarische Gemeinschaft aufbauenden aufklärerischen Denkens und Handelns erfüllte sich nicht; so beschrieb er in seinen weiteren Romanen und Erzählungen (*Jenseits der Liebe*, 1976; *Ein fliehendes Pferd*, 1978; *Seelenarbeit*, 1979; *Brief an Lord Liszt*, 1982; *Brandung*, 1985) die Misere »kleinbürgerlicher Helden«, die – auf ihr Innenleben zurückgeworfen – soziale Identität verlieren.

Ähnlich erging es der Protestbewegung, die einem narzißtisch orientierten Selbstverwirklichungskult verfiel, der schließlich in postmoderner Beliebigkeit endete.

Die Stadien solcher Entwicklung haben Volker Ludwig und Detlef Michel in ihrem »Theaterstück mit Kabarett« *Eine linke Geschichte* festgehalten – ein witzig-souveräner Rückblick auch auf die eigene Vergangenheit (das von beiden geprägte und von Ludwig geleitete, aus dem »Berliner Reichskabarett« in den sechziger Jahren entstandene »Grips-Theater« in Berlin konnte den Anspruch eines »fortschrittlichen« Kinder- und Jugendtheaters, jenseits affirmativer Ästhetik im Geiste antiautoritärer Pädagogik, »sinnlich« realisieren und über zwei Jahrzehnte hinweg ungeschmälert erhalten). Am Ende der Politrevue ist der ehedem revolutionäre Student Johannes etablierter Universitätsdozent mit Bausparvertrag und gut sortiertem Weinkeller: »Ein Prof hier aus'm Fachbereich kennt'n Weinbauern im Elsaß, der hat ein ganz kleines Weingut, noch 'n richtiger Familienbetrieb – der bringt mir immer welchen mit.« Im Garten, umgeben von Studenten und Studentinnen der neuen Generation, darunter Ulla, die ständig am Telefon hängt, um Beziehungskisten-Probleme zu lösen, erinnern sich Johannes und Lutz, ein Freund aus Revolutionstagen (der nun auf SPD steht), nostalgisch vergangener Zeiten:

»LUTZ: *(zu Johannes)* Also zu dir komm ich ja nicht wieder. Hier kommt man sich ja vor wie der Schnee von gestern. Von vorgestern.

JOHANNES: *(mit Blick auf Ulla, die gerade zurückkommt)* Mir geht's umgekehrt. Kuck sie dir an. Ich meine, die Ulla ist ja noch Gold. Aber ihre Kumpels . . . Die Spießer von morgen. Schlaffis, denkfaul und auf'm Ego-Trip. Nur wenn man ihnen im Examen keine Eins oder Zwei schenkt, kriegen sie plötzlich Schaum vorm Mund.

NELE: *(zu Ulla)* Na?

ULLA: Scheiße. Immer noch besetzt. Soviel gibt's doch gar nicht zu quatschen, wie der quatscht.

LUTZ: *(reckt sich)* Ach, es ist ja alles so maßlos traurig. *(trinkt, rezitiert)*
O daß wir unsere Ururahnen wären
Ein Klümpchen Schleim in einem warmen Moor
BEIDE: Leben und Tod, Befruchten und Gebären
glitten aus unseren stummen Säften vor.
JOHANNES: Ein Algenblatt oder ein Dünenhügel
BEIDE: Vom Wind Geformtes und nach unten schwer.
LUTZ: Schon ein Libellenkopf, ein Möwenflügel
wäre zu weit – und litte schon zu sehr . . .

JOHANNES: *(lächelnd)* Komm, hör auf . . .
ULLA: Starker Spruch. Törnt mich echt an.
JOHANNES: *(zu Lutz)* Siehste, du richtest Unheil an.
KARIN: Tolle Entwicklung. Von Marx zu Gottfried Benn. Ich find das wirklich
nicht witzig. Das ist purer Nihilismus. Erschreckt mich. Wirklich.
LUTZ: Frauen haben keinen Sinn für Ironie. Das macht sie so stark. Und so
süß.«[166]

Die Etepetete-Karin begrüßt das von Johannes routiniert beklagte »totale
Vakuum«, in dem man nun stecke. »Endlich sind die Zwänge weg, der ganze
Krampf, die Doktrinen und Tabus. Du kannst auf einmal wieder frei denken.«
Die ausgeflippte Ronnie bestätigt dies auf ihre Weise: »Genau. Und alles bequat-
schen! Ohne daß einem 'ne andere Fraktion mit 'ner Eisenstange über'n Kopp
haut im Namen des Fortschritts. Mann, habt ihr noch nicht gemerkt? Man kann
wieder miteinander reden! Das ist doch was. Wir haben doch was dazugelernt!
Sogar icke in meinem Knast. Guckt euch doch mal um, wer hier alles sitzt! Der
olle MLer, du als SPD-Wichser, ich als alter Anarcho, die Spontis, diese Super-
frauen da, die bunten grünen Roten und die Nullbockeinbringer. Die Kopftypen
und die Bauchtypen.«[167]
Als man im *Kursbuch* (Juni 1977) auf APO-Zeit und Protestbewegung zurück-
blickte (»Zehn Jahre danach«), wurde im eröffnenden Artikel, der sich der
Situation der neuen Linken in Frankreich und Italien zuwandte, von Edgar
Morin der Ausspruch zitiert: »Seltsam ist, daß alles weitergeht wie vorher und
doch nichts gleich ist.« Der Satz kann auch die kulturelle Befindlichkeit der
sechziger Jahre in der Bundesrepublik charakterisieren. Im selben Heft meinte
Oskar Negt in einem Gespräch mit Harald Wieser – in Widerspruch zu dessen
Feststellung, daß zehn Jahre danach von der Macht der linken Opposition nur
wenig übriggeblieben wäre und die alte Bewegung nicht in der Lage gewesen sei,
ihre eigene Geschichte an die nachrückende Generation weiterzuvermitteln –:
»Die Protestbewegung der Studenten und der Jugendlichen, die sich mit ihren an
die Wurzeln der Probleme gehenden Ansprüchen *quer* zu den durch Restauratio-
nen und Konterrevolutionen geprägten Entwicklungslinien der deutschen Geschichte legte, hat gesellschaftliche Fragestellungen in die Öffentlichkeit gebracht, von denen wir noch heute zehren, selbst *die* linken Gruppen, denen die
eigene Geschichte fremder ist als Ereignisse der zwanziger Jahre. So ist das
Thema einer sozialistischen Demokratie auf die Tagesordnung gesetzt worden,
als einer auf Selbstbestimmung gerichteten Organisationsform des Lebens, die
sich im Kampf gegen Gewalt, Unfreiheit und Ausbeutung positiv definiert. Der
bis dahin verdrängte, ja praktisch überhaupt nicht bewußt gewordene Zusammenhang zwischen Politik und eigenem Leben ist in vielfältiger Weise themati-
siert worden. Wer hat vorher von der Politisierung des Arbeitsplatzes gesprochen? Wer von Bedürfnissen, Erfahrungen und Interessen, die Politik als Moment der Selbstbefreiung konstituieren?«[168]
Die ambivalente Situation der siebziger Jahre, die auf deutliche Weise die

Widersprüche der Modernität und die Krise der Politik in Erscheinung treten ließ, konfrontierte vor allem die Jugend mit der Frage bzw. Herausforderung, ob sie, situiert zwischen Revolte und Resignation, in der Lage sei, alternative Konzeptionen für die zukünftige gesellschaftliche Entwicklung zu entwickeln. Der dafür notwendigen Offenheit und Beweglichkeit stand als Erbschaft der Zeit (der Protestbewegung nämlich) eine sterile »Ableitungslogik« mit hohem Abstraktionsgrad entgegen, die nur langsam und mit großen Mühen durch eine neue Sinnlichkeit abgelöst werden konnte. Hatte die nun »alt« gewordene neue Linke sich auf unumstößliche Vorbilder wie Marx, Engels, Lenin, Trotzki, Mao, auch Stalin berufen und im Sinne verabsolutierter Dogmatik, einschließlich Begriffs- und Wortfetischismus, die Veränderung der Gesellschaft zu bewirken versucht, so artikulierte sich nun spontaneistischer Widerstand gegenüber jener »Deutungsdressur«. Der Widerstand den APO-Opas gegenüber bestand nicht darin, daß man nun nicht mehr revoltieren wollte; doch wehrte man sich dagegen, daß politische Aktionen in Formeln und Schemata gezwängt würden. »Die klare, theoretisch durchgearbeitete Analyse gehört für diese Jungen auf die Seite jener gesellschaftlichen Zwänge, die sie bekämpfen. Sie erleben die Theorie als soziale Kontrolle. So befürchten sie, sie hätten schon verloren, wenn sie alles so klar und so eindeutig ausdrückten, wie die Beobachter es verlangen. Die analysierenden Experten werden als Befriedungstechniker erlebt. Viele rebellische Jugendliche kämpfen nicht nur gegen bürokratische Apparate, sondern auch gegen die Deutungsmaschinen, die nach ihrer Ansicht interpretieren, um zu dressieren. Auf dem Boden genauer Begriffe und durchdachter Langzeitstrategien zu bleiben, heißt für viele jugendliche Protestler, sich jener Ordnung zu unterwerfen, die sie ablehnen. Deshalb lassen sie sich von niemandem annektieren. Der Interpret wird als Eindringling erlebt. Die Jungen spüren, daß mancher Beobachter hinter seiner Deutungswut nur die tiefe Unruhe verbergen will, die jene Revolte in ihm auslöst.« (Jörg Bopp)[169]

Die aphoristische Kürze, mit der man sein Unbehagen und Aufbegehren artikulierte – z. B. in Form von Graffitis mit Hilfe von Spraydosen –, wandte sich sowohl gegen die medienvermittelte Geschwätzigkeit der offiziellen Kultur wie gegen die theoretische Langatmigkeit linker Ideologie: »Legal, illegal, scheißegal« – »Nonsens statt Konsens« – »Lieber lebendig als normal« – »Heute schon gekotzt?« – »Life is Xerox, you are only a copy«. Die Verstärkung der anarchischen Komponente, etwa bei der Tunix-Bewegung und den Hausbesetzern, korrespondierte mit einer gewissen Entpolitisierung. Es ging nicht mehr um die Analyse gesellschaftlicher und politischer Systeme, ihrer Zwänge und deren langfristige Beseitigung, sondern um unmittelbare Einwirkung – um eine »okkasionelle« Protesthaltung. Zum einen wollte man mehr aus dem Bauch heraus denken (im Wärmestrom der Gefühle und Emotionen, auch Aggressionen, sich bewegen), zum anderen nicht eschatalogisch auf die Gesellschaft von morgen vertröstet werden, sondern im augenblicklichen Erfolg Befriedigung erfahren: After action satisfaction. Die Absage ans strukturelle und prinzipielle Denken unterscheidet dabei kaum zwischen regressiven und emanzipatorischen Inhalten;

als entscheidendes Kriterium für die Überwindung des »Unbehagens in der Kultur« erweist sich die Zugehörigkeit zur Ingroup, die nicht nur durch die umgehende Leistungsgesellschaft ausgegrenzt wird, sondern die sich auch selbst libidinös isoliert; beides stabilisiere den Zusammenhalt. In allen größeren Städten der Bundesrepublik und in West-Berlin, so schildern Tilman Fichter und Siegward Lönnendonker die Situation der »Ausgeflippten«, lebten Tausende »anpolitisierter Jugendlicher« in einem freiwilligen Getto: »Der Durchschnitts-Stadtteilindianer wacht in der Wohngemeinschaft auf, kauft sich die Brötchen in der Stadtteilbäckerei um die Ecke, dazu sein Müsli aus dem makrobiotischen Tante-Emma-Laden, liest zum Frühstück Pflasterstrand, Info-BUG, zitty, geht – falls er nicht Zero-work-Anhänger ist – zur Arbeit in einen selbstorganisierten Kleinbetrieb oder in ein ›Alternativprojekt‹, alle fünf Tage hat er Aufsicht in einem Kinderladen, seine Ente läßt er in einer linken Autoreparaturwerkstatt zusammenflicken, abends sieht er sich ›Casablanca‹ im off-Kino an, danach ist er in der Teestube, einer linken Kneipe oder im Musikschuppen zu finden, seine Bettlektüre stammt aus dem Buchladenkollektiv. Ärzte- und Rechtsanwaltskollektive, Beratungsstellen für Frauen, Frauen- und Männergruppen gibt es im Getto. Der gesamte Lebensbereich ist weitgehend abgedeckt . . . Dabei ist die Kommunikation intensiv, verglichen mit der, die durchschnittliche Bundesbürger untereinander pflegen. Mit diesen unterhalten sich die Stadtteilindianer, antiautoritäre Studenten und Spontis nur, wenn sie müssen, bei einer Razzia z. B. mit Polizisten. In West-Berlin und in Frankfurt gibt es Angehörige der Szene, die stolz darauf sind, seit zweieinhalb Jahren kein Wort mit einem von denen, die draußen sind, gewechselt zu haben.«[170]

In seiner sozialpsychologischen Analyse *Von der Studentenrevolte zur Tendenzwende oder der Rückzug ins Private* stellte Johann August Schülein fest, daß, verglichen mit den Jahren 1967 und 1968, es zehn Jahre danach keine einheitliche linke Politik mehr gebe. Die Rechtskräfte dominierten; die Reformeuphorie sei verflogen und politische Scheuklappen aller Art kämen wieder in Mode. Die neue Situation sei durch folgende Merkmale gekennzeichnet:

– Die verstärkte ökonomische Krisenhaftigkeit hat dem Luxus der Selbstreflexion die Basis zumindest teilweise entzogen. Protest als Mode ist verbraucht; zugleich läge der Anpassungsvorsprung nun wieder auf der Seite des Systems. Dem Aufstand der Söhne folge die Rache der Väter; die Berufsverbote seien nur *ein* Beispiel dafür.

– In dem Maße, wie sich das gesellschaftliche Bewußtsein wieder normalisierte, verwandelte sich die hysterische Reaktion der Öffentlichkeit in ein sozial konsistentes und psychisch abgesichertes Stereotyp. Die Studenten wurden zum Standardobjekt von Projektionen, wodurch ihre Praxis zugleich entschärft und aus dem öffentlichen Bewußtsein entfernt werden konnte. Ein neues starres System von Gegenidentifikation sei entstanden.

– Was für die Studentenrevolte Mittel der Emanzipation war, finde sich bereits vermarktet und als Bestandteil der bürgerlichen Öffentlichkeit wieder. Von der Popmusik bis zur sexuellen Emanzipation sei alles, was einmal als

Instrument gegen repressive Verhältnisse entwickelt wurde, zum festen Bestand der Konsumgüterwelt geworden und als solches Teil des oral gefärbten Versorgungssystems, mit dem die neuen Sozialcharaktere an ihre Wirklichkeit gebunden sind.

– Die reale Kluft zwischen Anspruch und Realität, der idealistische Charakter mancher Vorstellungen, habe diejenigen ernüchtert und frustriert, die auf rasche Systemveränderung hofften. Einen solchen schmerzhaften Lernprozeß hätten die meisten nicht ausgehalten; vor allem diejenigen, die seinerzeit auf den fahrenden Zug aufsprangen, seien wieder abgesprungen, als sich herausstellte, daß Politik vor allem Arbeit bedeutet. Andere wurden zynisch und/oder resigniert und zogen sich, soweit es ging, auf ein als problemlos erscheinendes Moratorium meist privater Art zurück.

Der Rückzug ins Private, unter den Bedingungen der Tendenzwende, hat nach Schülein ambivalenten Charakter, er ist auch eine historisch notwendige Konzentration auf die Alltagsprobleme, die bisher politische Praxis behindert und verzerrt haben. »Unter diesem Gesichtspunkt ist die Beschäftigung mit der eigenen Wirklichkeit ein politisch progressiver Vorgang, der langfristig zu einer wesentlichen Voraussetzung politischer Veränderung werden kann. Zudem ist privates Glück (welches heute nur noch selbstreflexiv hergestellt werden kann, weil die traditionellen Glücksklischees zerfallen sind) identitätsstiftend und stabilisierend. Gerade unter den Vorzeichen der Tendenzwende ist es nötig, genügend Fähigkeit zum Überleben zu besitzen, auch psychisch. Der Rückzug ins Private hat deswegen eine wichtige kompensatorische Bedeutung.«[171]

Den Generationskonflikt hatte die Protestbewegung als ein »Beförderungsmittel« für eigene Identitätsfindung und -bildung empfunden. Daß diejenigen, die das Wirtschaftswunder geschaffen hatten, antizipatorischer Vernunft ermangelten, zu keiner gesellschaftlichen Phantasie mehr fähig schienen, auf Repression zurückfielen, hatte das Ichgefühl der revolutionären Jeunesse dorée bestärkt: Man war »anders«. Die nachfolgende Jugendkultur leidet unter der kommunikativen Isolierung; moderne Komplexität wird als bedrohlich empfunden. Das Leben erscheint als Matrize; jede Existenz ist austauschbar, der Entfremdungsprozeß zerstört die affektiven und kognitiven Bezüge.

>>Ich wollte Nähe – und bekam die Flasche
Ich wollte Eltern – und bekam Spielzeug
Ich wollte reden – und bekam ein Buch
Ich wollte lernen – und bekam Zeugnisse
Ich wollte denken – und bekam Wissen
Ich wollte einen Überblick – und bekam einen Einblick
Ich wollte frei sein – und bekam Disziplin
Ich wollte Liebe – und bekam Moral
Ich wollte Arbeit – und bekam einen Job
Ich wollte Glück – und bekam Geld
Ich wollte Freiheit – und bekam ein Auto

Ich wollte einen Sinn – und bekam eine Karriere
Ich wollte Hoffnung – und bekam Angst
Ich wollte ändern – und bekam Mitleid
ICH WOLLTE LEBEN – . . .«[172]

Der »Erfahrungshunger« der vom »Wärmestrom« des Lebens Abgeschnittenen, im »Packeis« der modernen Zivilisation Isolierten bewegt die Kultur der siebziger Jahre, wobei die Topoi, auf die sich die Sehnsüchte nach gelungenem Leben projizieren, dieses oft nur in sehr unzureichender Weise zu lokalisieren vermögen. Anstelle von Systemen will man »Geschichten« erleben; nicht Strukturen deuten, sondern Leben »durchwandern«. Der Erfahrungshunger äußert sich zum Beispiel als »einfacher Stoffhunger«, dem alle Zentralperspektiven zuwider sind, weil sich von ihnen aus die Suchbewegungen als Irrwege klassifizieren lassen, während es doch gerade darauf ankommt, sich in ihnen zu verlieren. »Aber wäre nicht dies zum Beispiel noch genauer zu beschreiben gewesen? Die Reisen, innere wie äußere, zeitliche wie räumliche, die so viele in den siebziger Jahren unternommen haben, Wahrnehmungen jagend, deren Exotismus jede Interpretation verbieten sollte? Abgesehen davon, daß sich auch mit ihnen die ›Suchbewegungen‹, ›Schrecken und Schmerz als Realissimum‹, die ›Utopie der Wahrnehmung‹ exemplifizieren, meine Interpretationen ausmalen ließen – es wäre schon wieder eine *Klasse* von Material, gewissermaßen zentralperspektivisch geordnet, während man sich doch eigentlich, um den Erfahrungshunger zu stillen, auf jede dieser Geschichten einlassen müßte, um zu dem Punkt zu gelangen, wo man ›eine Erfahrung macht‹ – und es kann nicht garantiert werden, daß dieser Zeitpunkt kommt.« (Michael Rutschky)[173]

Immer neue Geschichten voller Unbestimmtheit entwickeln sich in der Kneipe, Ort einer Subkultur, in der man Entfremdung zu überwinden hofft, während man sie zugleich produziert. Als bergender und schützender Raum hält sie eine schwer bestimmbare Mitte zwischen Gruppe und Einsamkeit. »Wer in die Kneipe geht, kann sich einer Gruppe zugehörig fühlen, die sich ad hoc herstellt und nicht näher bestimmt wird, oder er kann sich allein fühlen. Meist aber wird er beides zugleich empfinden.« Die Kneipe ist, so Klaus Laermann[174], zwiespältig in ihrer Erscheinungsweise und Wirkung. Wie andere Institutionen der Subkultur vereinigt sie regressive und emanzipatorische Momente. Sie ist der soziale Ort für Gespräche jenseits terminologischen Leistungsdrucks; doch verfällt in der Kneipe Gespräch leicht zum Gerede, wobei der Jargon das Scheitern von »Beziehung« (auch »Beziehungskisten«) kaschiert.

»Frau: Du, ich hab das nicht drauf, du, ich bring das einfach nicht, ich bring das echt nicht mehr, diese ganze Beziehungsscheiße. Ich flippe da aus.
Mann: Du, ich meine, das kann ich ja verstehen. Aber obwohl mir das alles nicht so wichtig ist, gibt's Momente, da sind mir die Knie echt weich geworden. Auch jetzt noch.
Frau: Quatsch, Mensch! Entweder ist das nur Bumsen, reine Mechanik, oder die

Typen verkrampfen sich gleich und meinen, es sei große Liebe und so. Aber so'n Mittelding . . .
Mann: Ja, so'n einfaches Zusammensein wäre dufte, ohne diese ganzen blöden Ansprüche.
Frau: Du, das glaube ich auch, du, aber wo gibt's das schon. Ich kenne nur Männer, die ficken, ficken und immer nur ficken und immer stupider dabei werden.
Mann: Klar, und ich kenne fast nur Frauen, wo ich durchweg sagen kann, alles Scheiße, wo ich's leid bin, offen zu sprechen.
Frau: Du, das mußt du lernen, damit zurechtzukommen, das ist nun mal so.
Mann: Weißt du, da hab ich keinen Bock zu. –«

Die Nähe, die sich in der Kneipe (beim »Kneipengerede«) herstellen lasse, ermögliche nicht ohne weiteres Annäherung, kann sie gerade erschweren. Je niedriger die Distanzschranken in der Kommunikation sind, desto mehr muß an ihnen festgehalten werden, um die handlungsferne Solidarität gegenseitiger Anerkennung nicht zu gefährden. Jedenfalls gebe die Kneipe jedem die Chance, ohne Angst vor Sanktionen zu Wort zu kommen – und sei es in Form von »Wegwerfsprache«. »Sie befreit ihn von dem bei vielen öffentlichen Diskussionen erworbenen Gefühl, sich ohne ein komplett möbliertes sozialistisches Bewußtsein mit Zentralheizung und Warmwasser zu nichts äußern zu können. Das allein muß nicht unbedingt, aber es kann politisierend wirken. Denn es gibt ihm die Möglichkeit, versuchsweise Positionen einzunehmen, die von der eigenen Erfahrung nicht allzuweit entfernt sind. Und mit der hat es jede gelingende Politisierung zu tun. Auch jeder Gang in die Kneipe ist eine Flucht aus der Sprachlosigkeit. Insofern hat die Kneipe den minimalen Wiedererkennungswert einer verblaßten Utopie.« Für Franz Dröge/ Thomas Krämer-Badoni kompensiert die in der Kneipe verbrachte Freizeit die in der industriellen Arbeitswelt erlittenen Versagungen; sie wird in den siebziger Jahren deshalb so wichtig, weil in ihr – beim Kneipengerede – Erinnerungen an die großen revolutionären Entwürfe hervorgeholt werden (ohne daß man dabei das kleine Glück im Winkel aufgeben muß).

Hatte die Protestbewegung auf globale Denkstrategien gedrängt, so wird in den siebziger Jahren die »Nische« zu einem wichtigen Kulturort, das Öffentliche im Privaten »aufhebend«. Der Erfahrungshunger findet dort Nahrung, ohne zu große Wagnisse eingehen zu müssen. Die Überschaubarkeit der Kneipenkultur reduziert die Gefahr, sich verausgaben zu müssen oder vereinnahmt zu werden. »Die linke Off-Kultur konnte für ein paar Stunden kitten, was sonst getrennt marschierte. Friedlich vereint hockten Gruppen und Grüppchen bei Shit und schalem Kneipenbier und beklatschten die tagespolitischen Parolen, die die Bühnenprogramme der agitierenden Künstler in reichem Maße würzten . . . Agitatoren der verschiedensten Zirkel erhoben die Stimmen und erstachen sich gegenseitig mit messerscharfem Wortgeschütz. Das Fußvolk ging amüsiert und gähnend nach Hause.« (Andi Bauer)[175]
Als Einzelkünstler traten Franz Josef Degenhardt, Hannes Wader, Dieter

Süverkrüp hervor; als Gruppen »Lok Kreuzberg«, »Ton Steine Scherben«, »Floh de Cologne«; die »Elefanten Press Galerie« wurde gegründet; den Kinder- bzw. Jugendtheatern »Rote Grütze« und »Grips« gelang der Durchbruch. Alternative Kommunikationszentren wie die Hamburger »Fabrik«, das Berliner »Tempodrom«, das »Komm« in Nürnberg setzten sich durch. Die alternativen Stadtzeitungen reüssierten (*TIP* und *zitty* in Berlin, *Plärrer* in Nürnberg, *Pflasterstrand* in Frankfurt). Mit »Hammer, Sichel und Gitarre« kündete die kleine Kunst vom großen sozialistischen Aufbruch, der freilich nunmehr vor allem in Form politkulinarischer Lieder, Gedichte und Texte faszinierte.[176]

Wolf Biermann, 1953 aus Hamburg in die DDR übergesiedelt und im November 1976 von dort ausgebürgert – nach einer Konzerttournee in der Bundesrepublik war ihm die Wiedereinreise verweigert worden –, war der beliebteste Liedermacher: das Laute und Leise, Aggressive und Gefühlvolle, Historische und Aktuelle, also die ganze Breite und Tiefe der sozialistischen Gefühlswelt souverän intonierend. Für die von Hans Bender herausgegebene »Anthologie deutscher Gedichte der Gegenwart« *In diesem Lande leben wir* (1978) gab sein Hölderlin-Lied den Titel ab; es fing lyrisch-komprimiert die von vielen Künstlern, Filmemachern und Schriftstellern als »deutscher Herbst« empfundene postrevolutionäre Stimmungslage der späten siebziger Jahre ein:

> »In diesem Lande leben wir
> wie Fremdlinge im eigenen Haus
>> Die eigne Sprache, wie sie uns
>> entgegenschlägt, verstehn wir nicht
>> noch verstehen, was wir sagen
>> die unsre Sprache sprechen
> In diesem Lande leben wir wie Fremdlinge
>
> In diesem Lande leben wir
> wie Fremdlinge im eigenen Haus
>> Durch die zugenagelten Fenster dringt nichts
>> nicht wie gut das ist, wenn draußen regnet
>> noch des Windes übertriebene Nachricht
>> vom Sturm
> In diesem Lande leben wir wie Fremdlinge
>
> In diesem Lande leben wir
> wie Fremdlinge im eigenen Haus
>> Ausgebrannt sind die Öfen der Revolution
>> früherer Feuer Asche liegt uns auf den Lippen
>> kälter, immer kältre Kälten sinken in uns
> Über uns ist hereingebrochen
>> solcher Friede!
>> solcher Friede
>
> Solcher Friede.«[177]

Die entmutigte Republik

An die Stelle des »Prinzips Hoffnung« war das »Prinzip Angst« getreten – angesichts der sich immer mehr perfektionierenden Weltuntergangs-Szenarien. 1972 hatte die UdSSR 2500 strategische Sprengköpfe, 1982 besaß sie 8040. Atomare Zerstörungskraft: 7868 Megatonnen. Die USA hatten 1972 5700 strategische Sprengköpfe, 1982 besaßen sie 9480. Atomare Zerstörungskraft: 3505 Megatonnen. (Eine Megatonne entspricht der Explosivgewalt von einer Million Tonnen TNT. Bei einem Atomangriff bewirkt eine Megatonne, in 2000 Meter Höhe gezündet, im Umkreis von etwa sieben Kilometern Durchmesser totale Zerstörung; im Umkreis von etwa fünfzehn Kilometern den Tod der Hälfte der Bevölkerung; im Umkreis von zwanzig Kilometern etwa 25 Prozent Tote; die im Zweiten Weltkrieg angewandte Zerstörungskraft hatte insgesamt drei Megatonnen betragen.)

Verfinstert war die Zukunft der Menschheit durch den Nord-Süd-Konflikt, beruhend auf der Armut der Dritten Welt. 1981 wären etwa 17 Millionen Kinder, die in den unterentwickelten Ländern verhungerten oder an frühen Krankheiten starben, gerettet worden – wenn man für jedes dieser Kinder im Jahr 230 Mark aufgewendet hätte. Nicht eines dieser vielen Millionen Kinder war zum Beispiel gegen die sechs gefährlichsten Kinderkrankheiten geimpft; dieses Versäumnis kostete allein fünf Millionen Kindern das Leben; Preis der Impfung pro Kind zwölf Mark. »Die Zusammenhänge zwischen Rüstung und Entwicklung liegen weitgehend noch im Dunkeln. Nur langsam wird den Menschen klar, welche Aussichten sich eröffnen könnten, wenn es gelänge, auch nur einen Teil der unproduktiven Ausgaben für Waffen in produktive Aufwendungen für Entwicklungsaufgaben umzulenken. Die jährlichen Rüstungsausgaben nähern sich der Summe von 451 Milliarden US-Dollar (das sind mehr als zwei Milliarden DM pro Tag), während die Ausgaben für staatliche Entwicklungshilfe weniger als 5 Prozent dieser Aufwendungen ausmachen.« (Willy Brandt)[178]

Als drittes Weltproblem, das die Zukunft der Menschheit verfinsterte, traten die Folgen der hemmungslosen Verschwendung von Rohstoffen und Energie, einschließlich der raschen Zerstörung von Umwelt, immer mehr in Erscheinung. 80 Prozent der Rohstoffe würden in 70 bis 80 Jahren erschöpft sein; etwa 200 resistente Gifte, d. h. Stoffe, die sich überhaupt nicht oder nicht innerhalb von 100 Jahren abbauen, gefährdeten die Natur. Eine verdreckte Lufthülle um den Globus, die unkorrigierbar umzukippen drohe; Überfrachtung der Erbanlagen, die zu irreversiblen Mutationen führe. 200 Tierarten seien in Europa ausgerottet, 1000 stünden auf der Aussterbeliste, jedes Jahr verschwinde mindestens eine; bedroht seien 500 000. »Wir erfahren heute, daß die ständige Steigerung der Quantität tatsächlich in eine neue Qualität umschlagen kann: Die Dialektik des Fortschritts macht es möglich, daß aus Wohltat Plage wird. Die immer weiter getriebene Steigerung der Produktivität, die Zusammenfassung immer riesigerer technischer und ökonomischer Potentiale, immer umfassendere Apparate zur Bewältigung der Risiken, die fortschreitende Technisierung aller Lebensbereiche

– all dies schmückt sich mit der Fahne des Fortschritts. Ist es wirklich Fortschritt?« (Johano Strasser)[179]

Einen um sich greifenden Mentalitätswandel diagnostizierte Hartmut von Hentig in seiner Aufsatzsammlung *Die entmutigte Republik*[180]. Viele Bürger hielten es nicht mehr für möglich, daß sich die gemeinsamen Angelegenheiten gemeinsam und öffentlich und dadurch vernünftig regeln ließen. Diese Enttäuschung resultiere aus Erfahrungen, die weniger mit der republikanischen Verfassung als mit den Strukturen der hochentwickelten Industriegesellschaft zu tun hätten. Eine Generation sei herangewachsen, die die politischen Probleme der Welt jeden Abend als offensichtliches moralisches Versagen der Republik am Fernsehen erlebe. »Die Republik, unsere politische Kultur, ist zutiefst entmutigt. Ihre Kennworte sind nicht nur alle negativ, sondern auch fast alle unpersönlich: Contergan und Seveso, Harrisburg und die wöchentliche Öltankerkollision, HeLaBa und Herstatt, die Statistik der Drogenabhängigen, der Verkehrsopfer, der Arbeitslosen, der Krebs- und Kariesbefallenen, der Selbstmörder, der psychisch Kranken; der ›Verfall der öffentlichen Moral‹; der beginnende Zusammenbruch des internationalen Rechtes.«

Während von Hentig den Grund der Entmutigung in objektiven Tatbeständen fundiert sah – die Republik funktioniere nicht mehr, nicht weil die Regierungen ihre Befugnisse mißbrauchten oder ihre Kontrolle nicht ausübten oder eine Verschwörung im Gang sei, sondern weil die »Sachen« zu schwierig geworden seien, weil soviel miteinander zusammenhänge und weil keiner mehr die Wechselwirkungen und Nebenwirkungen überschaue –, während von Hentig also das Problem auf Orientierungsschwierigkeiten des einzelnen inmitten einer komplexen und komplizierten Welt zurückführte, versuchte Johannes Gross, allerdings mehr impressionistisch-feuilletonistisch denn systematisch-analytisch, die »Misere der öffentlichen Gefühle« als dominantes, lediglich »veröffentlichtes« Bewußtsein zu dekuvrieren – ein Bewußtsein, das im Widerspruch zur wahren »Lage der Nation« stehe. Die vorherrschende Überbau-Larmoyanz stelle gewissermaßen ein Aphrodisiakum für die notwendigerweise mit dem Wohlstand einhergehende Erschlaffung dar. Die Therapie, die Gross anbot, formulierte er metaphorisch so, daß die Bürger bereit sein müßten, die Halbmaske, die sie trügen, abzunehmen, damit das wahre Gesicht zum Vorschein komme: »Weniger pausbäckig als das jetzige, aber die Stirn von anderem umwölbt als der bloßen Misere bloßer öffentlicher Gefühle.«[181] Eine derartige Aufforderung zu einer nüchternen Realitätssicht, verbunden mit der Bereitschaft, Probleme offener, gelassener anzugehen, hier vorgetragen von einem Standpunkt, der zumindest von den Linken als rechts bezeichnet wurde, ähnelte in manchem der Therapie, die Hartmut von Hentig anbot. Aufrufe nützten nichts gegen die Tatbestände der Gefährdung (der Republik, der Demokratie, der Humanität); mit Rütlischwur und »Wehret den Anfängen« sei nichts mehr zu machen und schon gar nichts mit den rührigen, in ihrem Pathos abgenutzten Aufrufen von 50, 500, 5000 prominenten und promovierten Dauerunterzeichnern, mit den ebenfalls abgenutzten Effekten politischer Liedersänger oder mit Demonstrationen und Störungen von Demonstrationen. Nicht das Bewußtsein von der Einfachheit helfe, sondern das Bewußtsein von der Komplexität des Problems. Nur wer wenigstens die Sachschwierigkeiten erkenne, könne helfen, die Politik wieder stimmig zu machen. Das Klagen über die Ausbreitung der Bürokratie sei nutzlos und wehleidig, solange wir für jede ungerechte Zensur, die unserem Kind erteilt werde, zum Gericht liefen. Der Protest gegen Rationalisierung im eigenen Betrieb sei unglaubwürdig, wenn wir selber nur noch im Supermarkt einkauften, wo das Scheuerpulver, die Strumpfhose und das Bier einige Pfennige billiger seien – bis die Konkurrenz verschwunden sei. Die Wahrnehmung jedoch, daß man angesichts der sichtbar gemachten Sachschwierigkeiten die letzten zehn enttäuschenden Jahre so gut überstanden habe, könne selbst zur Ermutigung werden. Man solle nicht mehr überrascht und nicht wehleidig sein, wenn der Wohlstand nicht ständig zunehme, die soziale Sicherheit in Zukunft stärker durch persönliche Solidarität als durch staatliche Maßnahmen aufgebracht werden müsse, der Friede zwischen den gesellschaftlichen Gruppen nicht milde fortdauere. Man solle Stärken und Schwächen der politischen Ordnung und Gewohnheiten sehen, bleibende Prinzipien, vereinbarte, aber veränderbare Mittel und veränderliche Aufgaben unterscheiden lernen. Gäbe es Hilfe zu diesem Lernen? Die beste Hilfe liege im Nachdenken über die eigene Erfahrung. Die Politiker, Wissenschaftler und Künstler könnten dazu anleiten; vor allem aber hätte der Bürger dem Bürger selbst zu helfen: »Ihm könnte es helfen, wenn ein anderer Bürger ihm seine eigene Not mit diesen Problemen offenbart: Versuche und Irrtümer, Taten und Versäumnisse, Formulierungen und deren Wandlung oder Auflösung, das Entstehen einer Überzeugung und die Folgen, die sie hat.«

In der entmutigten Republik verstärkte sich der Anpassungsdruck, weil der sogenannte Radikalenerlaß (Beschluß zur Verfassungstreue im öffentlichen Dienst, im Januar 1972 von den Ministerpräsidenten der Bundesländer unter der Leitung von Bundeskanzler Willy Brandt gefaßt) ein Einschüchterungsklima schuf. Anläßlich der Verleihung des Friedenspreises des Deutschen Buchhandels, Oktober 1975, meinte der deutsch-französische Politikwissenschaftler und Publizist Alfred Grosser, daß man die Grundordnung durch Konformismus und Mitläufertum mehr gefährde als durch die Anstellung »unsicherer Kandidaten«. Es sei fatal, wenn man jeden Anwärter auf eine Stelle im öffentlichen Dienst auf Herz und Nieren prüfe, ihn Fragebögen ausfüllen lasse, wenn schon dem Gymnasiasten klargemacht werde, was er zu unterlassen und was er brav zu sagen habe, um später keine Schwierigkeiten zu bekommen.

Der Radikalenerlaß war immerhin in seinen Auswirkungen konkret erkennbar und damit bekämpfbar. Im Rahmen der allgemeinen Tendenzwende wurde die Schere im Kopf zum größeren Problem. Der »vorauseilende Gehorsam« sorgte dafür, daß Querdenken und Widerspruch, vor allem innerhalb der staatlichen Institutionen (etwa bei Lehrerkollegien), zur Ausnahme wurden. In einem »Sprachspiel« (*Ein Kommunikationstraining*) beschrieb Dieter Forte, bekannt geworden durch sein Stück *Martin Luther & Thomas Münzer oder die Einführung der Buchhaltung* (1971), die Anpassungsmechanismen, auf die es nun ankam:

»... Sicher meinen Sie das Gesagte.
Aber sagen Sie nicht das Gemeinte.
Nur so sind Sie sicher, daß Sie das Gesagte meinen.
Sagen Sie nur was Sie sagen.
Sagen Sie nur das was alle sagen.
So sind Sie sicher, daß Sie beide dasselbe sagen.
Auch wenn Sie nicht dasselbe meinen.
Erkennen Sie die wahre Bedeutung der Worte.
Sagen Sie es mit anderen Worten.
Verbergen Sie Ihre Worte durch Ihre Worte ...«[182]

Bei Rundfunk, Fernsehen und der Massenpresse sorgten Moderatoren, Talk-master und Trivialjournalisten dafür, daß mit Hilfe einer »Hallo-Nachbar«-Suada begriffliche Trennschärfe verlorenging. Routinierte Kommunikationslügner versuchten mit schickem Schmus ihrer Klientel die Besinnung zu rauben. Der dabei praktizierte Jargon neuer Eigentlichkeit (das frühere Wurzeldeutsch durch modernistische Platitüden ersetzend) mimte unentwegt die Heiterkeit des Mitmenschlichen, aber auch die Ernsthaftigkeit »echten Anliegens«. Epidemisch breitete er sich im politischen Bereich aus.

Als Zentralfigur des spätkapitalistischen Mentalitätsmusters, das von der Protestbewegung zwar angekratzt, aber nicht wirklich lädiert worden war, entdeckte Thomas Ziehe »Narziß« als neuen Sozialisationstyp (NST)[183]. Dieser sei charakterisiert durch eine geschwächte Funktion des Ich. Solche Reduzierung und ein vom Ich »abgekoppeltes« Ich-Ideal erzeugten einen Mangel an psychostruktureller lebenslanger Konsistenz, die gerade den »Charakter« ausmache.

Im Rahmen der gegebenen gesellschaftlichen Situation, geprägt durch Komplexität und unübersehbare, sich rasch verändernde, häufig bedrohliche Zusammenhänge, seien Eltern sowohl im affektiven wie im kognitiven Bereich verunsichert. Die Beziehung ziele kompensatorisch vor allem darauf, bei den Kindern eine rasche Anpassungsfähigkeit zu bewirken, damit sie »in dieser schwierigen Welt« sich besser zurechtfinden könnten. Die kognitive Einsicht, daß der Leistungsdruck der modernen Industriegesellschaft nur erfüllt werden könne, wenn Kindheit und Jugend möglichst wenig Raum gegeben werde, bestimme zum Beispiel die Schule als Agentur für Sozialchancen fast völlig; solche Denaturierung wirke sich als Störung des seelisch-geistigen Gleichgewichts aus mit der Folge neurotischer Verhaltensweisen.

Die Angst vor dem Versagen und der häufige Mangel an Selbstbestätigungs-möglichkeiten im Arbeitsprozeß führten ferner dazu, daß die affektiven Versagungen hauptsächlich im familiären Rahmen kompensiert würden, da anderweitig emotional befriedigende Kommunikationsbeziehungen in der Gesellschaft zuwenig vorhanden seien. Die Tatsache, daß sich die Individuen im Produktionsprozeß als bloße Anhängsel der technischen Apparaturen und administrativer Zwänge begreifen müßten, führe zu übersteigerten Liebes- und Bestätigungserwartungen im privaten Bereich, die sich im Sozialisationsprozeß auf die Bedürf-

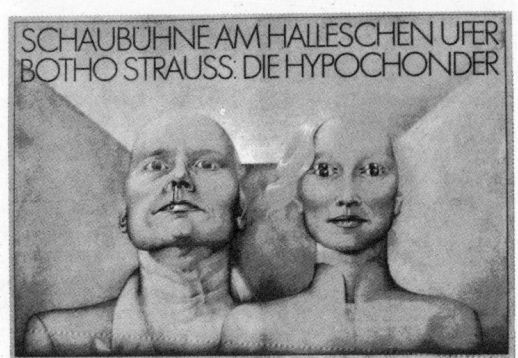

Plakat zu Botho Strauß,
Die Hypochonder, 1973

nisstruktur der Kinder (als den letzten von den Eltern erzeugten und zu ihrer
Verfügung stehenden »Produkten«) übertrügen. Genau dies aber bewirke eine
Überforderung der Kinder und Jugendlichen, die in der Familie die affektiven
Defizite ausgleichen sollten und dann, wenn sie ihren anthropologisch vorgegebenen Weg, nämlich den der Loslösung von Familie und Eltern anträten, als
»undankbar« stigmatisiert würden. Die familiale Dominanz der Mutter, oder
genauer: die aufgrund rollenspezifischer Versagungen verursachte erhöhte Tendenz der Mutter, ihr Kind für die eigene emotionale Stabilisierung zu benutzen,
erfahre eine weitere Verstärkung durch die Wohnsituation; im Zuge der urbanen
Zersiedelungsprozesse sei ein Isolierungstrend zu verzeichnen, da sich die ver-
breitenden Vorstadtsiedlungen immer weiter von den urbanen Zentren abson-
derten, zum anderen aber auch die Kommunikationsmöglichkeiten so erschwert
seien, daß das Kind tagsüber häufig einziger Interaktionspartner der Mutter sei.
»Der von der Mittelschicht favorisierte Erziehungsstil, affektive Zuneigung zum
Kind zu betonen, Aggressionen zu verdrängen und in der Weise verhaltenssteu-
ernd auf das Kind einzuwirken, daß man nichtgebilligtes Verhalten durch Lie-
besentzug sanktioniert, bekommt nun einen erweiterten Stellenwert: Je mehr
dieser Erziehungsstil nämlich durch Eltern praktiziert wird, die auf Grund ihrer
Unsicherheit selbst der affektiven Unterstützung bedürfen, gleichzeitig aber in
ihren sozialen Erfahrungen stark auf den familialen Bereich beschränkt bleiben,
um so mehr läuft er auf eine umfassende Funktionalisierung des Kindes im
Dienste der Versagungsängste der Eltern hinaus.«
    Mutterschwäche als Mutterdominanz habe frühkindlichen Narzißmus zur
Folge, da das Kind so erzogen wird, daß es vor allem abhängig zu bleiben hat.
Das Gefühl der mütterlichen Hilflosigkeit werde auf das Kind projiziert, das es
nun vor allen Gefahren zu schützen gilt. Die Mutter-Kind-Beziehung stelle sich
als Bindungszwang dar; die Ablösung bewirke eine Gefährdung der mütterli-

chen Identität. Was die Rolle des Vaters betrifft, so sei er im Rahmen der (sozioökonomisch bedingten) »vaterlosen Gesellschaft« vorwiegend nicht zu Hause. Die Position des Vaters als Repräsentant von Traditionsweitergabe und kompetenter Autorität könne schon aus diesem Grunde kaum durchgehalten werden. Im Rahmen des alltäglichen Lebenskampfes finde eine konstante Auslaugung von Selbstsicherheit statt, die sich im familialen Umfeld als erziehliche Ermüdung, erziehliche Indifferenz oder, kompensatorisch, als übertriebener Versuch, Autorität zu verkörpern, niederschlage. Viele Psychodramen im familialen Bereich seien darauf zurückzuführen, daß die Kinder eine Mutter suchten, die sie nicht emotional »besetze«, und einen Vater erwarteten, der ihnen als Partner Ratschläge zu geben und Vorschläge zu machen habe – eben Eltern, die als Vorbilder zu agieren vermöchten. Das Vorbildhafte bestünde nicht in einer Präjudizierung des eigenen Weges, sondern in der glaubwürdigen Weitergabe von Erfahrung. Angesichts der bei Erwachsenen häufig anzutreffenden Unzufriedenheit, inneren Spannung, depressiven Stimmung, Lebensunlust und Beziehungsproblematik (man denke nur an die hohe Zahl der geschiedenen Ehen und damit gestörten Familien!), werde das Kind bzw. der Jugendliche auf sich selbst oder die eng begrenzte Gruppe zurückgeworfen; es entstehe eine Mentalität, die von der Gesellschaft (obwohl es sich doch um ihr ureigenstes Produkt handelt) als fremde Kultur, als »Subkultur« erfahren und entsprechend verdrängt, auch bekämpft werde.

Die Peer-group-Ideale mit entsprechenden Erfahrungsdimensionen (»neue« Verhaltensräume, »neues« Verhältnis zur Sexualität, »neuer« Jugendkonsum, »neue« Kommunikationsmuster) konvergierten mit dem neuen Sozialisationstyp Narziß. Kleidung, Stil, Kosmetik, Schmuck, Sprechweise, Musik, Interessen etc.[184] sorgten dafür, daß der Gruppennarzißmus, der sich als sozialer Uterus erweise, stabil bleibe; zugleich schirmten die subkulturellen Attitüden nach außen hin ab. Integration in die »ganze Gesellschaft« gefährde den Narzißmus, hinterlasse angesichts der dominanten Ich-Schwäche ein Vakuum, das schwer auffüllbar sei bzw. den schwierigen Weg der Identitätssuche notwendig mache. Die Gesellschaft jedoch fördere den Abgrenzungsprozeß, indem sie die subkulturellen Äußerlichkeiten als Aggressionen gegen ihr eigenes Selbstverständnis empfinde und damit diese in Gegenreaktion nur um so mehr eingrenze und ihre »Entbindung« verhindere.

Die beim neuen Sozialisationstypus Narziß stark ausgeprägte emotionalaffektive, vielfach als Eigenliebe auftretende Komponente verwies auf den insgesamt anzutreffenden Neopietismus der siebziger Jahre. Innerlichkeit war Fluchtort für die neu-alte romantische Sehnsucht nach heiler Welt. Der Bürde, wie sie Rationalität und Intellektualismus darstellen, wollte man enthoben sein; es lockten das Grüne, Alternative, die Drogenszene, unzählige psychotherapeutische Zirkel, Sekten. Standhalten: der Begriff war gealtert, Regression en vogue. Fluchthelfer, die aus der Welt des globalen Männlichkeitswahns und zwanghaften Fortschrittsoptimismus herausführten, wurden zu Gurus: nicht die Veteranen der Kulturrevolution, sondern Stürmer und Dränger mit einem Irrationalismus, der die ganze Skala zwischen Pietismus und Romantik durchspielte; Spontaneität erwies sich als ein neuer Glanz von innen. Die neuen Signalworte hießen: Natur, Nähe, Geborgenheit, Gefühl, Glück, Spiel, Festlichkeit, Phantasie, musisch, sensibel, still, einfach. Der Rückzug ins Private vollzog sich nicht naiv; er konterkarierte Politik und Gesellschaft. Man war nicht apolitisch, sondern antipolitisch; man verachtete die Politik, empfand es aber als selbstverständlich, daß sie die individuelle Selbstverwirklichung garantierte. Der Kode der neuen Innerlichkeit – leicht erkennbar an warenästhetisch angehauchten Heiratsanzeigen – lautete etwa: gemeinsam, freundlich, nett, heiter, naturliebend, feminin, unabhängig, charmant, glücksfähig, sensitiv, zierlich, zärtlich, sinnlich, emanzipiert. »Mit Dir möchte ich leben, lieben, lachen, unseren Weg zukünftig mit Dir gehen, Geselligkeit pflegen, Kinder haben, zuhause sein, eine Familie haben. So sehen wir die Welt und ihre Menschen um uns herum mit verschiedenen, sehenden Augen, teilen unser Sehen mit, reden uns an, wachsen aneinander, gehen den Berg hinauf.«[185]

Progressive Innerlichkeit lokalisierte sich in der Wohngemeinschaft. In ihr fanden vielfach Menschen zusammen, die in ihrer Erziehung den krankmachenden Materialismus mitbekommen hatten und nun nach den beständigeren Werten des Lebens suchten. Das gemeinsame Wohnen hatte vorwiegend ideelle Gründe; man wünschte sich ein Nest mit Gleichgesinnten. Nachbarschaft wurde begriffen als identische Überzeugung und gleiche Einstellung zum Leben. Die romantische Unstetheit des Lebens, dem smarten Effizienzdenken der Industriegesellschaft entgegengesetzt, setzte gleichzeitig auf Geborgenheit. Freilich stieß solche Sozialisationsromantik oft genug auf eine ganz andere Wirklichkeit; die Folge war dann das WG-Syndrom: Ein größerer Teil der »Wohnzeit« wurde ausgefüllt mit psychodramatischen Auseinandersetzungen, die jedoch meist nicht die Klimax von Ehekrächen erreichten, da es gewissermaßen zu den Voraussetzungen einer WG-Mitgliedschaft gehörte, die introspektiven pietistischen Kommunikationstechniken zu beherrschen. Ein wesentliches Bindeglied war der Jargon, der, zusammen mit der Nonchalance der Lebensart, dafür sorgte, daß »das Leben als Therapie« einigermaßen soziabel ablief; und außerdem war der WG-Insasse mobil; er konnte sich der Last, die zur Kehrseite multiplen Zusammenlebens gehörte, verhältnismäßig rasch entledigen.

Die »zweite Kultur«

Die Alternative, so Helmut Heißenbüttel in einer seiner »Einfachen Geschichten« (*Das Ende der Alternative*), sei eine schöne große Frau gewesen, von üppigen Körperformen, die gern in verwilderten Gärten auf verwitterten Bänken unter Apfelbäumen saß, in deren Laub die Äpfel sich septemberlich röteten. »Sie war eine merkwürdige Frau, und merkwürdig war auch ihr Ende. Nachdem eine Reihe von Versuchen unternommen worden waren, sie zu töten, aber sie scheiterten alle an ihr, prallten sozusagen an ihr ab, erhob sie sich eines Morgens und wanderte davon, dem Meer zu ... Und watete ins Wasser hinaus. Schritt um Schritt verschwand sie in der Tiefe. Es gibt eine Sage, nach der sie, als sie die Weite der Meerestiefe voller Korallen, Fische und Untiere durchwandert hatte, an einem fremden Ufer wieder an Land gestiegen sei. Niemand weiß wo. Vielleicht ist sie auch zu uns zurückgekehrt.«[186]

Solche Romantisierung evoziert die Hoffnungen alternativer Existenzweise: die Sehnsucht nach einem »anderen Leben«, jenseits des Leistungsdrucks; die Orientierung an fernen Utopien; den Vor-Schein utopischer Ideen, die den Aufbruch inspirieren.

Die Alternative, die schöne große Frau, von üppigen Körperformen, ist als gesellschaftsumfassende Utopie entschwunden, aber in handfester Gestalt zurückgekehrt: Die alternative Kultur hat sich im Kleinen und Konkreten »eingerichtet«; sie zeigt ein Kulturverständnis, das begriffen hat, daß angesichts der Grenzen des Wachstums neue Formen der Kreativität entwickelt werden müssen; daß man nicht abhängig sein darf vom »Think-big«, von immer perfekter werdenden Großsystemen. »Small is beautiful«: ein Bescheiden im Überschaubaren. Statt rücksichtsloser Expansion eine neue Freude an der Nische – als eines Ortes des Gleichgewichts, des Ausgleichs, freundlicher Symbiosen. Freilich zeigt alternative Kultur auch kulturpessimistisch unterlegten Egoismus, der nur an sich und die eigene Gruppe denkt; nicht begriffen wird, daß erst die Industriegesellschaft mit ihrem enorm angewachsenen Sozialprodukt soziale Gerechtigkeit ermöglichte; ein sozialer und demokratischer Rechtsstaat läßt sich nicht auf dem Fundament »einfachen Lebens« errichten. Rolf Schneider geht sogar so weit, daß er in der härenen Vision vom einfachen Leben, als der grünen Alternative zum geilen und parasitären Überfluß, einen leise tickenden Faschismus am Werke sieht. Vom Wassertreten über das Sonnenanbeten bis zur Lichtgestalt Adolf Hitler führe geistesgeschichtlich ein kurzer Weg; »es war der nämliche wie von der vegetarischen Siedlungsgemeinschaft zum Kostverächter auf dem Obersalzberg«.[187]

Alternativ sein heißt: gegen die »Fertigkeit« dieser Welt zu rebellieren. Man ist gegen die Symbole und Fakten der Leistungsgesellschaft, gegen den Bau von Kernkraftwerken, gegen das Fällen von Bäumen, gegen den Abbruch von Häusern, gegen den Bau von Autobahnen, gegen den Bau von Fabriken ... Man will Luft zum Atmen, Freiraum, Autonomie und schlägt gegen das los, was anscheinend oder scheinbar diese Freiräume beeinträchtigt.

Bei einer Umfrage 1982 verbanden zwar noch 91 Prozent der Befragten mit dem Begriff »Technik« den Gedanken an Fortschritt; gleichzeitig nannten aber 67 Prozent »Zerstörung der Umwelt« und 56 Prozent »Angst« in diesem Zusammenhang. Der Gedanke an Arbeitslosigkeit wurde in Verbindung mit Technik von 51 Prozent bejaht und von nur 18 Prozent zurückgewiesen. Freiheit im Zusammenhang mit Technik konnten sich nur 22 Prozent vorstellen, 51 Prozent dagegen nicht.[188] Den sozialistischen Ideen ist das grüne Idol, der Traum des Rückzugs auf »natürliche« Lebensbedingungen gefolgt, der Fortschrittseuphorie das »Nein danke«, aber auch die Suche nach neuen Bindungen, ja nach Nestwärme in der Gruppe. Was von Staat und Gesellschaft erwartet wird, ist eine Art Entwicklungshilfe »zur Rückentwicklung«. Innerhalb eines Jahrzehnts veränderte sich die Protestbewegung fundamental.

Von der Ideologie einer kulturrevolutionär gesteuerten egalitären Gesellschaft bis zur Wiederentdeckung des Gefühls, der wärmenden Gruppe, der menschlichen Nähe und der religiösen Bindung – der Ligaturen, wie der Soziologe Ralf Dahrendorf es nennt – wurde ein weiter Weg zurückgelegt. Während in den sechziger Jahren etwa nahezu einhellig die Schließung kleiner Grund- und Hauptschulen als bildungspolitischer Fortschritt gefeiert und die landferne Mittelpunktschule im Namen der Gleichheit und des Rechts auf Bildung gefordert wurde, kam die Dorfschule wieder zu Ansehen. »Was einst als reaktionär belächelt wurde, soll nun zu grünen Ehren kommen. Ein Kreis scheint sich geschlossen zu haben.« (Hans Schuster)[189]

Die Studentenbewegung hatte viel von der Befreiung der Sinnlichkeit gesprochen, dabei aber kein sinnliches Verhältnis zu den Dingen oder gar zur Natur entwickelt. Freude an den Gegenständen wurde als bürgerlicher Ästhetizismus oder Konsumfetischismus abgewertet. Man war ständig in ideologischer Sorge, der kapitalistischen Konsummanipulation zu erliegen. In den siebziger Jahren veränderte sich das Verhältnis zu den Gegenständen; individueller Geschmack wandte sich vor allem Dingen zu, die – jenseits langweiliger Funktionalität – eine Geschichte erzählten (weshalb der Flohmarkt wie die Boutique zu einem wichtigen Erwerbsort wurden). Man ißt und trinkt »bewußt«; aus alternativen Läden, die überall eingerichtet werden, kommen Nahrungsmittel, die ohne Chemikalien angebaut wurden. Es entwickelt sich eine Sehnsucht nach der Freundlichkeit der Erde. »Man will sie nicht beherrschen, weder durch Technik noch durch theoretische Gewalttätigkeit. Eine neue Weltanschauung entsteht: Die Erde ist freigebig und gütig; die Geschichte aber ist undurchdringlich, unberechenbar und grausam; der Fortschritt fordert nur Opfer; die Erde dagegen ist eindeutig, verstehbar, beruhigend und fürsorglich; sie gibt rascher; da weiß jeder, was er hat; sie kommt dem ›wir machen es jetzt‹ entgegen; auf die Gaben der Geschichte muß man lange warten, und wer Pech hat, geht leer aus.« (Jörg Bopp)[190]

Es gilt nicht mehr als Schande, keinen festen Job zu haben, aber auch nicht als Dummheit, auf sozialen Aufstieg und Berufskarriere zu verzichten. Das bürgerliche Ideal der Selbstverwirklichung durch Arbeit verliert seine Anziehungskraft. Von der Arbeit erwartet man vielfach Geld, keine Erfüllung. Andere Tätigkeiten versprechen Befriedigung: Reisen, Musizieren, ökologische und kreative Aktivitäten, Freundschaften, Miteinanderreden. »Die Studentenbewegung hatte das Leistungsprinzip kritisiert, aber die Lebenspraxis der Studentenbewegler ließ es in Geltung. Manch einer machte mit jener Kritik sogar Karriere. Daß Studentenbewegler heute die jugendliche Leistungsverweigerung oft mit besorgtem Kopfwiegen begleiten, zeigt, wie sehr dem Protest damals eine praktische Lebensperspektive mangelte. Es war eine Kritik des Leistungsprinzips ›im Prinzip‹. Aber man kann nicht jahrelang die bürgerliche Leistungsmoral

›entlarven‹, um dann den Jugendlichen, die daraus praktische Konsequenzen für ihr Leben ziehen, vorzuwerfen, sie seien ›schlaff‹ oder gar ›gestört‹. Bei den 15- bis 25jährigen geht eine Saat auf, die 1968 in den Boden gestreut wurde. Nun reagiert mancher Studentenbewegler – dem sich z. B. die Schüler in seinem doch so gut gemeinten Unterricht verweigern – mit der Ratlosigkeit des Zauberlehrlings: ›Die ich rief, die Geister, werd ich nun nicht los.‹«[191]

Im Vergleich mit den Älteren zeige sich eine größere Bereitschaft und Fähigkeit zu »ungepanzerter Begegnung« und offenem Austausch. Die Bedürfnisse nach Verständnis, Wärme und Geborgenheit würden direkter und selbstverständlicher angemeldet. Man versuche, zärtlich miteinander umzugehen; man sei toleranter gegenüber Schwächen und Abweichungen. Menschliche Beziehungen sollen nicht auf Konkurrenz, sondern auf verständnisvolle Gleichheit gegründet werden.

Die Liebesbeziehungen und die Formen ihrer sexuellen Befriedigungen seien selbstverständlicher und vielfältiger geworden; bei vielen Jugendlichen könne man eine Entgrenzung ihrer Sinnlichkeit wahrnehmen; die traditionellen Tabuschwellen verlören ihren Schrecken. »Die Jugendlichen gewinnen ein aufmerksameres und freundlicheres Verhältnis zu ihrem Körper und seinen Ausdrucksmöglichkeiten. Die Körper bewegen sich freier und stehen nicht mehr unter dauerndem genitalen Überdruck. Narzißtische Bedürfnisse werden offener zugelassen und lustvoll ausgelebt. Selbstbefriedigung wird angstfrei genossen und kann eher mit sexuellen Partnerbeziehungen verbunden werden. Die Altersunterschiede werden weniger als Hindernis erfahren. Die heterosexuelle Normierung verliert an Härte. Der Leistungsdruck phallokratischer Befriedigungsformen wird aufgeweicht. Die Geschlechter sind dabei, sich in Aussehen und Kleidung, Empfinden und Verhalten auszugleichen; sie werden androgyner. Die traditionellen Rollenaufteilungen werden nicht mehr als befriedigend erlebt. Kurz: die jugendliche Sexualität gewinnt an polymorphen Ausdrucksmöglichkeiten.«[192] Thomas Ziehe spricht von »kultureller Freisetzung«. Diese bewirke eine Erweiterung dessen, was man für sich erwartet, erträumt, ersehnt; auch wenn es dann im tatsächlichen Leben gar nicht erreicht werden kann. Früher, bis in die Zeit des Zweiten Weltkriegs hinein, war das, was der einzelne von seinem Leben erwartete, im hohen Maße gesellschaftlich vorgedacht, bis in die innere Bildwelt hinein. Der Spielraum zum Abweichen erwies sich als gering. Die Tradition, die soziokulturelle Aura »dekretierte« im weitesten Umfang die Entwicklung des einzelnen wie der Gruppen, Stände und Schichten. Aufgrund der Entwicklung in den letzten drei Jahrzehnten erfolgte eine Ausweitung jugendlicher Wahlmöglichkeiten; zumindest im Kopf könne man ungehindert – ungehindert von Tabus, Normen, Traditionen – alles »durchspielen«. Die Tradition, die früher Lebenswege vorzeichnete, war oft eine sehr schlechte Tradition. Sie unterband die freiheitliche und individuelle Entfaltung; sie hatte aber zugleich eine Entlastungsfunktion. Man wußte, wie man dran war; opponierte man, revoltierte man, hatte man seine klar umrissenen Ziele, seine klar erkennbaren Gegner oder Feinde. Die Auflösung der soziokulturellen Aura, der weit ausgelegten traditionalen Werte, der einbindenden und verbindenden Ligaturen werde kompensiert durch Gummiwände, deren Elastizität oft erstaunlich ist, die aber letztlich Entfaltung wieder auf sich selbst zurückwerfen.

Die Nischen des Alternativ-Privaten bzw. Privat-Alternativen wurden zu Keimzellen und Erprobungsräumen neuer sozialer Bewegungen, die sich, wie die APO, zunächst im außerparlamentarischen Raum entfalteten, dann aber das Wagnis der Politisierung eingingen, an pragmatischem Vorankommen interessiert. Mit der APO teilen sie die Ablehnung der etablierten politischen Strukturen; verlorengegangen ist jedoch die Überzeugung, daß Rationalität die Probleme zu lösen vermag; man vertraut mehr dem Gefühl.

Die bürgerliche Wachstumsgesellschaft hat das Recht auf Glück vorwiegend im Sinne materiellen Wohlstandes verstanden; der Glaube an den technisch-wissenschaftlichen Fortschritt war schier grenzenlos, wobei die mit der Industrialisierung verknüpfte soziale Verelendung zunächst unbeachtet blieb – waren doch diejenigen, die im besonderen darunter litten, von der Herrschaft ausgeschlossen. Heute bewirkt die Konsumgesellschaft Zwänge, die sich als mentale Verelendung auswirken; das Sozialprestige setzt Normen, die, wenn sie nicht erfüllt werden, Frustrationen hervorrufen. Geschichtlich geprägte Strukturen lösen sich auf; Mitmenschlichkeit wird auf das Minimum, das zum Funktionieren des Ganzen nötig ist, reduziert. Gerade diejenigen, die vom sozial-liberalen Konsens Ende der sechziger und Anfang der siebziger Jahre profitierten (nämlich des Versuchs, den Ausbau der Bürgerrechte und die Demokratisierung der Gesellschaft mit Wirtschaftswachstum zu verbinden), ergriff das »Unbehagen in der Kultur« besonders stark. Begünstigt vom Modernitätsschub, wirtschaftlich verhältnismäßig gut abgesichert, engagieren sie sich, durchaus auch zelotisch, für Zivilisationskritik. Dabei ergeben sich Konvergenzen mit konservativen Kreisen. Die Ligaturen (die sozialen, ökonomischen, politischen, kulturellen und moralischen Ordnungssysteme) hat übersteigerter Individualismus perforiert; dialektische, im Diskurs sich herausbildende Solidarität fällt privatistischer Absonderung zum Opfer. Doch stellt der verstärkte Anspruch des einzelnen, sein Schicksal selbst in die Hand nehmen zu können, ein erhebliches Gegengewicht zum Herrschaftsanspruch der Bürokratie und Expertokratie dar, die mit Hilfe der Computerisierung eine »Diktatur der Daten« anstrebt – mit dem Leitbild des gläsernen Menschen, in allem erfaßt und »durchschaubar«, außerdem noch »verkabelt« und so leicht steuerbar.

Experimentelle Politik, welche die Stereotypie des Gewohnten und Gehabten zu durchbrechen und auf neuen Wegen Erfahrungen zu sammeln sucht, hat es schwer, sich durchzusetzen, zumal die Angst, daß man das Erreichte verlieren könne, das Wählerverhalten entscheidend mitbestimmt. Außerdem verstärkt sich die Faszination ideologischer Heilslehren, die von der »Anstrengung des Begriffs« dadurch »entlasten«, daß sie bei besinnungs-loser Gefolgschaft mit Obhut und Beheimatung belohnen. »Wer heute bewahren will, was menschliches Leben zu allen Zeiten lebenswert gemacht hat – von der frischen Luft bis zur Solidarität, von der ungestörten Ruhe bis zu Geselligkeit und Spiel, von der unvergifteten Nahrung bis zum Gefühl, einen Wert für andere zu haben, von der unzersiedelten Landschaft bis zu einer weniger inhumanen Arbeitswelt –, der wird sich nicht verkrampfen dürfen zwischen den Alternativen der Systemveränderung und der Systemerhaltung. Er wird sich einem radikalen Humanismus verschreiben und es den Historikern überlassen, ob und wann die Quantität der Veränderung in eine neue Qualität der Gesellschaft umschlägt.« (Erhard Eppler)[193] Ein solches Plädoyer für die Gleichgewichtsgesellschaft kann auch zur Charakteristik von Robert Jungk herangezogen werden, der den Zielhorizont der neuen sozialen Bewegungen durch sein Denken und Handeln wegweisend entwerfen half.

Unter dem Motto »Si non vis bellum para pacem« (eine Formulierung des Theologen Karl Barth: »Wenn Du den Krieg nicht willst, gestalte den Frieden«) hat Jungk sich um den »Werkzeugkasten der Utopie« bemüht: Phantasie als antizipatorische Vernunft sei innerhalb der politischen Dimension fruchtbar zu machen, damit der Homo humanus eine bessere Zukunft habe.[194] Seit den fünfziger Jahren als Korrespondent, Journalist und Publizist der Zukunft, die schon begonnen hatte, auf der Spur, beteiligt er sich aktiv an der Anti-Atom- und Friedensbewegung; als Wissenschaftler vertritt er eine Futurologie, die durch genaue weltweite Recherchen das Wissen um zu erwartende Entwicklungen mit dem Willen zu einer Zukunft, die nicht in der Extrapolation von Gegenwart bestehen darf, verbindet.

Jungk hat sich stets gegen Pessimismus, Resignation, Lethargie gewandt; Tunix und »no future« waren für ihn, der 1933 in die Emigration ging und beim antifaschistischen Widerstand mitwirkte, Parolen, die er mit visionärem Optimismus zur Seite schob; mit Hilfe »kollektiven Phantasierens« (»Zukunftswerkstätten«) sei eine bessere Welt möglich. Jungk vertraut dabei vor allem auf die neuen sozialen Bewegungen, die großen Kundgebungen und Bürgeraktionen, denen er sein Buch *Menschenbeben. Der Aufstand gegen das Unerträgliche* (1983) widmete. »An die Stelle der Experten tritt das Volk, an die der kalkulierenden Analyse immer mehr eine ethisch motivierte Emotionalität. Denn die Zukunft ist uns mit ihren Chancen, noch mehr aber ihren Gefahren und Risiken so nahe gerückt, daß wir sie nicht mehr Fachleuten und Experten überlassen können: ›Der durch die Bedrohung geweckte Überlebenswille sucht nach Fähigkeiten und Haltungen, die im Kampf gegen den Untergang helfen können.‹ Dazu gehört für Jungk nun ›Güte‹, ›Freundlichkeit‹ sowie ›Vertrauen‹. Worin die Hoffnung bestehen könnte, das war früher offen gelassen; in ›Menschenbeben‹ sagt es der letzte Satz: ›Das ‚Menschenbeben‘ setzt weltweit einen Gesinnungswandel in Bewegung, der uns noch retten könnte.‹« (Dieter Baacke)[195]

Die neuen sozialen Bewegungen setzen auf Glaube, Liebe, Hoffnung. Dies impliziert die Gefahr eines uferlosen Emotionalismus. Die Anhänger der jeweiligen »Bewegung« werden dann weniger mit nachprüfbaren, kontrovers zu diskutierenden Programmen, sondern durch »Betroffenheitskult«, bei dem distanzierende Überlegung zurückgedrängt wird, aktiviert. Selbst vernünftige Angst vor dem Atomkrieg, meint Peter Schneider im *Kursbuch* 74/1983, kann zu einem Instrument der Erpressung werden, mit dem sich die Bedürfnisse gleichschalten lassen. Wenn das Überleben der Spezies auf dem Spiel steht, müsse jedes andere Menschenrecht in die Knie gehen. Es entstehe eine Art Friedens-Frömmigkeit, ein Friedens-Gehorsam, ein leiser, getragener Tonfall, vor dem jede Freiheitsregelung als dümmlich dastehe.»Denn die Drohung der atomaren Katastrophe hat eine unangreifbare Autorität: Vor ihrem Schreckgesicht haben die Widersprüche zu schweigen, die Menschen müssen zusammenrücken, sich an den Händen halten, singen und still sein. Natürlich schafft die Katastrophen-Erwartung auch ein ideales Terrain für Menschheitsretter, Einheitsverkünder, Überlebensphilosophen aller Art. Ihr Wort bezieht sein Gewicht aus zig Millionen Tonnen von Sprengstoff: wer nicht hören will, fliegt in die Luft. Nicht zufällig kehrt in den einschlägigen Texten das Bild von der Arche Noah wieder, von dem *einen* Boot, in dem alle sitzen, dem *einen* Strang, an dem alle ziehen müssen, denn die Katastrophe kennt keine Klassen mehr, nur noch Deutsche.« Dieser Zug ins Totalitäre lasse sich quer durch alle politischen Lager beobachten.[196]

Die neuen sozialen Bewegungen, die insgesamt als »zweite Kultur« bezeichnet werden können, sind nach Joachim Raschke charakterisiert durch:

– Mobilisierung, eine aktive, permanente Suche nach Unterstützung, das ein In-Bewegung-Bleiben jenseits von Institutionalisierung sichert;

– gewisse Kontinuität, wobei die Reichweite der Ziele mit der Dauerhaftigkeit der Bewegung korreliert;

– hohe symbolische Integration: ein Wir-Gefühl, welches das Bewußtsein der Zusammengehörigkeit auf der Grundlage einer Unterscheidung zwischen denen, die »dafür«, und denen, die »dagegen« sind, entwickelt und sich auch in Mode, Umgangsformen, Sprache, Habitus, politischen Symbolen manifestiert;

– geringe Rollenspezifikation, da aufgrund der Überlagerung formeller und informeller Elemente Eliten, Aktive, Sympathisanten sich wenig ausdifferenzieren können;

– Zieleingrenzung: auch wenn ein grundlegenderer sozialer Wandel erstrebt wird, engagiert man sich für sektoralen Fortschritt.[197]

Innerhalb der neuen sozialen Bewegungen, die 1983 – dem Jahr, da der konservative Regierungswechsel durch die Bundestagswahl bestätigt wurde – die größte Mobilisierung erreichten, ergaben sich inhaltlich drei Schwerpunkte: Ökologie, Frauen, Frieden.

Bei der Entstehung der Umwelt-Ökologie-Bewegung spielten im Vorfeld lokale Bürgerinitiativen eine Rolle, die sich Themen wie Energie, Verkehr, Stadtplanung zuwandten, dann aber immer mehr die Interdependenz der Probleme erkannten.

Die Ölkrise von 1973 machte die Grenzen des Wachstums, wie sie vom Club of Rome bereits aufgezeigt worden waren[198], einer breiten Öffentlichkeit bewußt. Die ökologischen Folgeprobleme des industriellen Wachstums und die fortschreitende Zerstörung natürlicher und sozialer Lebensräume, die wachsenden Risiken neuer Großtechnologien und die Verdichtung technokratischer

Kontroll- und Systemzwänge, die von der Protestbewegung kaum erkannt bzw. wenig beachtet worden waren, wurden mit großer kritischer Aufmerksamkeit diskutiert. »In dialektischer Verschränkung von Selbst- und Gesellschaftsveränderung sollte es nun darum gehen, die Bedingungen einer dezentralisierten, ökologisch verträglichen, ›sanften‹ Lebensweise zu schaffen, sei es im praktischen, modellhaften Vorgriff auf die Zukunft oder durch massenhaften Widerstand gegen die ökonomische und politische Fortschreibung des ›harten‹ Entwicklungspfades. Die Bildung ›grüner‹, ›bunter‹ und ›alternativer Listen‹ auf kommunaler und Landesebene, schließlich die Gründung der Bundespartei der GRÜNEN eröffneten dazu neue Handlungsfelder und Durchsetzungsstrategien.«[199] Die außerparlamentarische, auch antiparlamentarische Komponente erweist sich von Anfang an als sehr stark, da die etablierten Parteien CDU/CSU, SPD, FDP lange Zeit wenig Verständnis für die neue Problemlage zeigen – obwohl der CDU-Politiker Herbert Gruhl mit seinem Buch *Ein Planet wird geplündert – Schreckensbilder unserer Politik*[200] bereits 1975 als entschiedener Mahner aufgetreten war (wir lebten von der rücksichtslosen Ausbeutung der Zukunft und überließen den Kindern den Müll und eine kahle Erde); und in der SPD Erhard Eppler die ökologischen Versäumnisse der eigenen Partei angeprangert hatte.[201]

Im Frühsommer 1980 lag nach Schätzungen einer Forschungsgruppe von Rudolf Wildenmann die Obergrenze des Grünen-Potentials bei etwa 15 Prozent der Wahlberechtigten. Das Wählerpotential zeigte einen männlichen Überhang, eine Überpräsentanz Lediger, von Großstadtbewohnern und der Mittel- wie Oberschicht, eine hohe Zahl von Konfessionslosen und eine Mehrheit höheren Bildungsgrades. Die Grünen-Wähler waren also formal besser gebildet, wohnten zu einem erheblichen Teil in Großstädten, darunter vielen Universitätsstädten, in denen sich leichter gegenkulturelle Milieus entwickeln; viele der Grünen-Anhänger verfügten als Schüler, Studenten, Arbeitslose und häufig Unverheiratete über viel disponierbare Zeit.[202] Das politische Mentalitätsmuster zeigte bei fließenden Grenzen ein Gemisch aus linker Kapitalismuskritik und »konservativer« Zivilisationskritik; dazu kamen Theorien eines »dritten Weges« zwischen Kapitalismus und Kommunismus. Auch »braune Ränder« waren nicht zu übersehen. Ist es ein Zufall, fragt Wolfgang Pohrt, wenn die Angst vor Verstrahlung und die Aversion gegen Überfremdung fusionieren, wenn der Wille zur Reinerhaltung der Natur mit dem Willen zur Reinerhaltung des deutschen Volkes sich paart? Lebt im Protest gegen Chemie und Atom die alte paranoische Angst des faschistoiden Zwangscharakters vor Verunreinigung und Verseuchung durch Gift, Schmutz, Keime, Mikroben, Insekten wieder auf? Steckt dahinter auch die wahnhafte Furcht vor Überfremdung, der Abneigung gegen Wissenschaft schlechthin? Im Umfeld des Atomprotests, der ja wahrhaftig rational begründbar ist, zeigt sich die alte deutsche Feindschaft gegen alles Gekünstelte, Unechte, Raffinierte, Artifizielle – »die traditionellen deutschen Ressentiments gegen die welsche Kunst der Verstellung, gegen den welschen kalten Intellekt, gegen Witz und Eleganz, gegen geschminkte Frauen, gegen individuelle Freiheit von sozialer Kontrolle durch Familienbande, Dorfgemeinschaft, Blockwart und Volksge-

Klaus Staeck,
Erstickungstod, 1974

nossen, gegen städtische Umgangsformen und ganz allgemein gegen Urbanität... Warum dürfen bei den Alternativen Vokabeln wie Arbeitsdienst und Lebensraum, die im Munde von Strauß etwa einen mittleren Skandal im linksliberalen Feuilleton produzieren würden, unbeanstandet passieren? Wo bleiben die Ästheten, die alternative Poesie und Prosa als das denunzieren, was sie meistens sind: unerträglicher Kitsch und erbärmlicher Schund, langweiliger als jeder Groschenroman, nicht weniger affirmativ und viel schlechter geschrieben? Wer klärt die Alternativen, die mit ihrer Empfindlichkeit hausieren, darüber auf, daß die ›Träumer aus einem anderen Leben‹ aus logisch zwingenden Gründen keine Träumer, sondern dreiste, unbelehrbar verhärtete Chauvinisten sind, weil sie sich mit dem Reklamekitsch, den Trivialmythen, die sie propagieren, um die einzig mögliche Empfindung, um die Erfahrung nämlich, betrügen, daß wir – Traumurlaub, Traumwagen und Musik zum Träumen haben schließlich ihren Preis – keine Träume, sondern – der Traum knüpft an längst Vergangenes an – in Deutschland nur Alpträume haben können?«[203]

Die Grünen-Gruppierungen schlossen sich landesweit ab 1977 zusammen; die erste bundesweite Vereinigung erfolgte vor den Europawahlen 1979; 1980 kam es zur Gründung einer Bundespartei der Grünen und erstmaligen Teilnahme an den Bundestagswahlen; dem Bundestag gehören die Grünen seit März 1983 (5,6 Prozent, 27 Sitze) an.

Frauen, Frieden, Selbsthilfe

Die Emanzipation der Frau war innerhalb der studentischen Protestbewegung mehr ein theoretisches Postulat als eine praktische Realität, was gerade bei den Studentinnen, die sich an den Aktionen gegen den Autoritarismus und Patriarchalismus der bürgerlichen Gesellschaft beteiligten, große Enttäuschung hervorrief. Die Identitätssuche der Frauen – »die meisten Frauen sind unpolitisch, weil Politik bisher immer einseitig definiert worden ist und ihre Bedürfnisse nie erfaßt wurden«[204] – entwickelte sich somit als neue Bewegung erst Anfang der siebziger Jahre, ausgelöst durch die Selbstbezichtigung »Ich habe abgetrieben« im *Stern* (Juni 1971); 374 zum Teil prominente Frauen bekannten sich öffentlich zur Illegalität ihrer Handlung und forderten die ersatzlose Streichung des § 218. »Mein Bauch gehört mir!« wurde zum Motto vieler Demonstrationen. »Es war eine wahre Explosion. Frauen im ganzen Land schlossen sich zusammen. Unterschriften wurden gesammelt. In Büros, Fabriken, Universitäten, Stadtteilen. Endlich wagten es Frauen, sich die alltäglichen Demütigungen und psychischen Verstümmelungen einzugestehen, die ihnen der § 218 einbrachte . . . Bis dahin hatten die Frauen geschwiegen und – gehandelt. Daß sie dies täglich zu Tausenden heimlich taten, begriffen die isolierten Frauen selbst im vollen Ausmaß erst nach dem Eklat der Selbstbezichtigungskampagne. Vom scheinbar privaten Problem wurde der § 218 nun zum Politikum.« So berichtet Alice Schwarzer, die 1977 die feministische Zeitschrift *Emma* gründete (zehn Jahre später war die Auflage bei 80 000 angelangt).[205]

Die nächste Phase war bestimmt durch die Entwicklung einer feministischen Gegenkultur, die bei ihren Projekten in allen Lebensbereichen ohne Männer auszukommen trachtete. »Frauenprojekte, Frauenkneipen, Frauenbands, Frauenchöre, Frauencafés, Frauentheater, Frauenhäuser – alle organisiert nach dem Motto: Männer nein danke – schossen wie Pilze aus dem Boden. Frauenbewegte Frauen waren in euphorischer Aufbruchstimmung. Ein zentrales Handlungsfeld der Frauenbewegung war die Enttabuisierung weiblicher Sexualität. In Selbsterfahrungs- und Selbsthilfegruppen erkundete frau ihren eigenen Körper, die eigene Sinnlichkeit: Ein eigenes weibliches Körperbewußtsein entwickelte sich. Die Anti-Baby-Pille tat das Ihre zur sexuellen Befreiung eines Großteils der Frauen. Lesbierinnen fanden im Rahmen der Frauenbewegung den Mut, mit ihren Forderungen an die Öffentlichkeit zu treten, und erprobten neue Formen des Zusammenlebens.« (Marie-Luise Weinberger)[206]

Gesellschaftspolitisch ging es der Frau um die Gleichberechtigung am Arbeitsplatz, in der Politik und in der Familie. In der dritten Phase erfuhr die Frauenbewegung zunehmend Unterstützung im öffentlichen Bereich, auch bei den Parteien (besonders den Grünen); doch kam es auch – in Reaktion auf Einseitigkeit und Übersteigerung – zu Rückschlägen. Die Männerfeindlichkeit feministischer Organisationen, die auf absoluter Autonomie beharrten, führte zu deren Isolation; Initiativen und Anstöße, die gesellschaftliche Situation von Frauen zu ändern, gingen heute, so 1983 die Herausgeberin von *Courage*, Sibylle

Plogstedt, eher von traditionellen Frauenverbänden und etablierten Parteien aus denn von feministischen Gruppierungen. Autonome Frauenprojekte kämpften um ihr Überleben, hätten keinerlei Kraft zu zusätzlichen Initiativen; die neuen Lebensformen seien von der Suche nach Sicherheit verdrängt worden: selbst lesbische Frauen suchten Schutz in der Ehe – oder bei homosexuellen Männern.[207]

Frauen gewannen zunehmend Einfluß als Akteurinnen der »Überlebens-Bewegung«, wobei gerade durch Männer, wie etwa den Futurologen Ossip K. Flechtheim, das »Weibliche« auf irrational-romantizistische Weise verherrlicht wurde: »Nicht nur in der Friedensbewegung, auch in pädagogischen Reformgruppen, im Bemühen um Umweltschutz, Gesundheitsläden, Wohngemeinschaften, Lebensmittelkooperativen, Projekten für sanfte Energie und alternative Technik spielen sie eine ungleich größere Rolle als in anderen gesellschaftlichen Bereichen . . . Sie spinnen und weben an einer Zukunft, in der zerrissene Zusammenhänge wiederhergestellt werden, ›typisch‹ männliche Überschreitungen des Verantwortbaren und Erträglichen wieder zurückgenommen werden sollen.«[208]

Demgegenüber stellte bereits 1976 Marielouise Janssen-Jurreit in ihrem für die Frauenbewegung maßgebenden Buch *Sexismus – Über die Abtreibung der Frauenfrage*[209] fest, daß maskuline und feminine Temperamente wie Verhaltensweisen durch die Situation hergestellt würden. Der Feminismus bestreite nicht, daß Frauen und Männer ihre Körperlichkeit anders erlebten; er bestreite jedoch Männern das Recht, daß sie durch die von ihnen beherrschten Sprachregelungen und Medien bestimmten, in welcher Weise die Frauen ihren Körper zu empfinden hätten. Der Feminismus ermutige Frauen, ihre bisher unausgesprochenen Selbstempfindungen unbefangen zu verbalisieren, kommunizierbar zu machen. Die Selbstzeugnisse von Frauen, die Alice Schwarzer in ihrem Buch *Der kleine Unterschied und seine großen Folgen* vorgelegt habe, zeigten eine Differenziertheit von Empfindungen, die etablierten psychologischen Schablonen konkrete weibliche Selbsterfahrung entgegensetzten, wie in der Aussage einer 39jährigen vor dem Scheidungsrichter: »Der letzte Verkehr meines Mannes mit mir war am 26. April, mein letzter mit ihm vor neun Jahren.«

Die Verherrlichung weiblicher Verhaltensweisen, entstanden als Reaktion auf deren Mißachtung durch das Patriarchat, verfiel der Gefahr, eine historische Tatsache in einen anthropologischen Zustand umzuinterpretieren; außerdem fördert sie die »Tyrannei der Intimität«. Richard Sennett benannte damit die sich zunehmend verbreitende Anschauung, Nähe sei ein moralischer Wert an sich. Es dominiere das Bestreben, die Individualität im Erlebnis menschlicher Wärme und in der Nähe zu anderen zu entfalten; es dominiere ein Mythos, dem zufolge sich sämtliche Mißstände der Gesellschaft auf deren Anonymität, Entfremdung, Kälte zurückführen ließen. »Aus diesen drei Momenten erwächst eine Ideologie der Intimität: Soziale Beziehungen jeder Art sind um so realer, glaubhafter und authentischer, je näher sie den inneren psychischen Bedürfnissen der einzelnen kommen. Diese Ideologie der Intimität verwandelt alle politischen Kategorien in psychologische. Sie definiert die Menschenfreundlichkeit einer Gesellschaft ohne

♀EMMA 1982

12 mal EMMA: Januar bis Dezember '82

Jahresband 1982
der Zeitschrift »Emma«

Götter: Menschliche Wärme ist unser Gott.«[210] Der Verlust von »coolness« und Distanzierungsfähigkeit fördere das Entstehen von Narzißmus; die Objektivierung gesellschaftlicher Beziehungen – wobei diese nicht als »verschworene Gemeinschaft«, sondern als funktionales, komplexes System zu definieren seien – werde negativ bewertet, zugunsten affektiver Sozialbindungen, die jedoch nicht in der Lage seien, den Prozeß der Zivilisation via Diskurs voranzubringen. »Es ist nicht leicht, heutzutage von Zivilisiertheit zu sprechen, ohne gleich als Snob oder Reaktionär verdächtigt zu werden . . . Zivilisiertheit ist die Aktivität, die die Menschen voreinander schützt und es ihnen zugleich ermöglicht, an der Gesellschaft anderer Gefallen zu finden. Eine Maske zu tragen gehört zum Wesen von Zivilisiertheit. Masken ermöglichen unverfälschte Geselligkeit, losgelöst von den ungleichen Lebensbedingungen und Gefühlslagen derer, die sie tragen. Zivilisiertheit zielt darauf, die anderen mit der Last des eigenen Selbst zu verschonen.«[211]

Es gibt nicht nur eine Dialektik der Aufklärung, sondern auch eine Dialektik der Emanzipation: Die Befreiung aus dem Zustand der Abhängigkeit, die Verselbständigung, führt zu einer neuen Form von Abhängigkeit und Unselbständigkeit. Die Extraversion der Wirtschaftswunderzeit erfuhr in den »Beziehungskisten« der siebziger und achtziger Jahre ihren Umschlag: nun galt »Rückzug« als das Wesentlichste. Das »Nest« erwies sich dabei – psychotopographisch gesprochen – als »umkippende Nische«: Die im Emanzipationsprozeß entwickelten kommunikativen, sozialen, kreativen Kräfte sublimierten sich nicht aufs Ganze von Gesellschaft hin, sondern regredierten auf pietistisch ausgekostete Zweisamkeit. Ironisch eingefärbt hat Botho Strauß in *Paare, Passanten* eine solche modern-progressive »Familien-Nische«, bei der die »Tyrannei der Intimität« allerdings noch nicht voll ausgebrochen ist, gezeichnet:

»Das Leben der werdenden Mutter im Kreis werdender Mütter, alle solidarisch, im gröbsten verständigt, Schwangerenrat trifft sich dienstags bei Helen, nur der Hausmeister bleibt ein alter mürrischer Einsiedel. Aufgeklärt, blaß, gerade das Rauchen aufgegeben, etwas fettiges Haar, Jeans und T-Shirt und darüber eine folkloristische Strickware, nach immer mehr Aufklärung dürstend (›Literatur‹ nenne sie's kurz und umfassend), am liebsten die permanente Diskussion, um sich vor Glück, Unglück und anderen Unbegreiflichkeiten zu schützen. Helens Mann, Jurist, blond, stark gelichtetes Kopfhaar, Kinnbart, ist im vierten Monat ihrer Schwangerschaft in die SPD eingetreten. Seine Neigung zu skandinavischen Abholmöbeln hat sich bei der Einrichtung ihrer Dreieinhalbzimmer-Wohnung durchgesetzt. Gute moderne Zweierbeziehung. Sie gehen lässig und freundlich miteinander um, ohne Übertreibungen, ohne Flamme. Das ›sogenannte Irrationale‹ wird mit eben dieser Floskel angepackt und unter Kontrolle gehalten. Ihre Einstellung zu Beruf und Pflichten ist, soweit eben möglich, lustbetont. Vieles macht Spaß. Beim Liebemachen machten sie ein Kind.

In dieser offenen Nische voller Miteinander trägt sie ihr Kind aus, und die werdenden Mütter des Bezirks tauschen ihre Erfahrungen und Sorgen, etwas beängstigt jetzt, da sie gebären sollen, aber ein Wissen von den natürlichsten Dingen kaum mehr besitzen. Lauter warme solidarische Nester, schon bei geringster Übereinstimmung, darin die Leute ihr kleines Ganzes hüten, um dem furchtbaren Ganzen, wie es wirklich ist in der Welt, etwas entgegensetzen zu können. Und es ist gut so. Denn für den Einzelnen gibt es ringsum nur den Abgrund (auch den der aggressiven Selbsttäuschung, daß es anders sei). Es bleibt gar nichts übrig, als auch noch den albernsten Schund des Gesellschaftlichen mitzutragen: Vater, Mutter, Tochter gründen eine Eltern-Kind-Gruppe und vernetzen sich mit Kitas und Bereichsräten der Selbsthilfe, mit Eigenbedarfswerkstätten, dem Kneipenplenum und der fahrbaren Stadtteil-Psychotherapie. Und doch: wie möchte man sich immer mehr von diesen Menschen der Stunde, den ganz und gar Heutigen, unterscheiden. Wie wenig könnte es befriedigen, nur und ausschließlich der Typ von heute zu sein. Die Leidenschaft, das Leben selbst braucht Rückgriffe (mehr noch als Antizipation) und sammelt Kräfte aus Reichen, die vergangen sind, aus geschichtlichem Gedächtnis. Doch woher nehmen . . .? Dazugehörig sein in der Fläche der Vernetzung ist an die Stelle der zerschnittenen Wurzeln getreten; das Diachrone, der Vertikalaufbau hängt in der Luft.«[212]

Die durch die Hochtechnologie evozierten Entlastungsbedürfnisse äußerten sich als Wunsch nach mehr Wärme und menschlicher Nähe.[213] Begreift man die moderne Familie (die Kernfamilie mit ihrer romantisierten Häuslichkeit, abgelöst vom »ganzen Haus« und seinen Lebens- wie Produktionsbezügen)[214] als kompensatorischen Fluchtort vor der »kalten«, rationalisierten, industrialisierten Arbeitswelt, so erfährt diese Entwicklung im 19. und 20. Jahrhundert nun – angesichts der Computerisierung – eine weitere Verstärkung. High-Tech, High-Touch. »Hyperrationalität stellt die Radikalisierung eines zentralen Themas der Modernität dar; Hyperindividualismus eine weitere. Hyperindividualismus zieht eine zunehmende Betonung des Individuums gegenüber jedem kollektiven Gefüge nach sich, einschließlich der Familie selbst, welche die historische Matrix der modernen Individuation bildete. In diesem Zusammenhang ist das Aufkommen des Feminismus in der jüngsten Zeit von besonderer Bedeutung. Die einzelne Frau gewinnt nun an Bedeutung gegenüber jedem gemeinschaftlichen Zusammenhang, in dem sie sich befinden mag – eine Neudefinition ihrer Situation, die nicht nur die Gemeinschaft zwischen den Ehepartnern, sondern (weitaus fundamentaler) auch die Mutter-Kind-Dyade entzweit, die, wenn die Anthropologen recht haben, die basalste aller menschlichen Gemeinschaften darstellt. Demgemäß wird die Suche nach individueller Identität, losgelöst von allen gemeinschaftlichen Definitionen, zur zentralen Lebensaufgabe.« (Brigitte Berger/Peter L. Berger)[215]

Die hyperemotionale Aufladung der Zweier-Beziehungen, sei es in der Ehe, als »Beziehungskiste«, als homoerotische Bindung oder in der Liebe zum Kind, führt zu einem auf Ausschließlichkeit pochenden Intimitätsdruck, der, ohne Ventil oder Sublimierung, eine eigene Sprengkraft entwickelt. »Verfluchte Lügenwelt der Beziehungen! Knickt die gesündeste Seele, knickt den gesündesten Trieb . . . So fällt der ganze Körper mit den Verhältnissen auseinander, fallen Seele und Dinge rumpelnd auseinander.« (Botho Strauß)[216]

Was in besonderem Maße ein Thema der Belletristik in den siebziger und achtziger Jahren ist (zum Beispiel in Nicolas Borns Roman *Die erdabgewandte Seite der Geschichte*, Gerhard Roths Roman *Winterreise*, Hannelies Taschaus Roman *Landfriede*, Karin Strucks Erzählung *Trennung*, Peter Handkes Erzählung *Die linkshändige Frau*, in Büchern von Gabriele Wohmann und Martin Walser[217]), das allgemeine »Beziehungselend« nämlich, wird durch die Statistik bestätigt. Zwischen 1971 und 1980 wurden 854 000 Ehen geschieden, was 1 708 000 Partner betraf; in 492 000 Ehen gab es rund 800 000 minderjährige Kinder; in diesen zehn Jahren wurden also rund 2 508 000 Väter, Mütter und Kinder von Familienauflösungen betroffen; nicht mitgezählt sind Familien mit minderjährigen Kindern, in denen eine Elternperson starb. Wie viele Familien in dieser Zeit in mehr oder weniger dauerhafter Trennung lebten, ist unbekannt; viele Paare zogen aus finanziellen Gründen die Trennung einer Scheidung vor. (Im gleichen Zeitraum haben 506 000 geschiedene Männer und 507 000 geschiedene Frauen wieder geheiratet, darunter 217 000 einen geschiedenen Partner.)[218]

Der »materiellen« Sexualisierung in der Wohlstandsära war die ideologische in der Zeit der Protestbewegung gefolgt. Gegenüber dem Männlichkeitswahn verschaffte die Anti-Baby-Pille als neue Form der Geburtenkontrolle der Frau eine zumindest biologische Gleichberechtigung. Mit dem Aufkommen von Aids veränderte sich die triebdynamische Situation erneut, und zwar gravierend. Die »Ventilsitten« der Wohlstandsgesellschaft, vorwiegend Permissivität und Promiskuität, sind zunehmend blockiert; der Pegel der Frustrationsaggressivität zeigt eine rapid ansteigende Tendenz. Die von Herbert Marcuse erhoffte libidinöse Moral, eine die Sinnlichkeit integrierende und nicht ausschließende Sublimierungsfähigkeit, entwickelte sich nicht; statt dessen entstanden sozialpathologische Turbulenzen. Mit Aids greife Thanatos voller Häme in den Austausch der von Eros bewegten Körper ein und schlage eine Schneise der Todesangst. »Die wie über Nacht sich ausbreitende neue Krankheit beherrscht die Schlagzeilen, nicht etwa, was früher Sensation gewesen wäre, die Ankündigung der ›Pille danach‹. Auf dem Diskursfeld über die Sexualität macht die Hoffnung auf ein unbeschwertes Liebesleben der Angst vor dem ›acquired immune deficiency syndrome‹ Platz. Die Betroffenen, deren Zahl dramatisch steigt, sind vom Tod gezeichnet. Ihnen, für die bislang kein Impfstoff bereitsteht, nützt es wenig, wenn man der Frage nachgeht, was den Diskurs über Aids auszeichnet, was die Nichtbetroffenen so betroffen macht. Für die Erkrankten ist Aids primär ein biologisches Problem, aber auch ein psychosoziales, da niemand außerhalb der Gesellschaft stirbt, auch und gerade dann nicht, wenn diese ihn in seinem Sterben isoliert. Darüber hinaus ist Aids aber auch ein sozialer Tatbestand, der nicht nur in dem Maße betroffen macht, wie er uns alle treffen kann. Es ist zu hoffen, daß die Medizin Lösungen für das medizinische Problem findet, doch die Opfer der Krankheit und die Medizin sind im Stich gelassen, wenn die Gesellschaft die soziale Bedeutung von Aids verkennt und sich über ihren Umgang mit ihr nicht klar wird.« (Heinz-Günter Vester)

Aids sei mehr als ein Unfall; die Krankheit markiere das Zusammenfallen von Eros und Thanatos, das Verfallensein an deren Verbindung, aus der sich Eros nur scheinbar gelöst hatte. Das Individuum, das sich durch Eros selbst zu entdecken, zu befreien hoffte, wird im Exzeß dieser archaischen Verbindung geopfert. Aids sei eine tragische Krankheit – für das Individuum, das seinem Exitus entgegensieht, und für das Kollektiv, dem sich die Befreiungsideologie der Sexualität in einen Todesmythos umschmilzt. »Kein Unterschied zwischen Tod und Sexualität. Sexualität und Tod sind nur die Höhepunkte eines Festes, das die Natur mit der unerschöpflichen Vielzahl der Wesen feiert: Beide bedeuten eine grenzenlose Vergeudung, die sich die Natur im Widerspruch zu dem tiefen Wunsch jedes Wesens nach eigener Fortdauer leistet.« (Georges Bataille)[219] Der Tanz auf dem Vulkan erweist sich als zusätzlicher Reiz für isolierte Subjekte, deren Leidensfähigkeit mit ihrer Vergnügungssucht korrespondiert. Wendezeit trägt Endzeit in sich, Gefährdung wirkt als Aphrodisiakum. »New York ist wie immer voller Energie, voller Wahnsinn – ein Leben in der Mitte des Todes«, so der abwechselnd in Berlin und New York lebende Filmemacher Rosa von Praunheim, der in den siebziger Jahren die deutsche »Schwulenbewegung« anführte und die Gefahren von Aids rechtzeitig erkannte. Die Freunde ringsum stürben; Aids sei überall; die Krankheit ruiniere die Theater, die Oper, die Künste, die Modeindustrie. »Aids macht uns bewußt, daß wir nicht unsterblich sind. Aids entlarvt den Jugendkult, der nur gesunde, produktive und kräftige Menschen zuließ, als Absurdität. Das Leben ist kostbarer geworden, zielgerichteter, positiver – weil niemand weiß, wieviel Zeit ihm noch bleibt.«[220] Hubert Fichtes auf achtzehn Bände angelegte, postum erscheinende große *Geschichte der Empfindlichkeit* zieht Bilanz eines leidenschaftlich zerrissenen Lebens. »Als Homosexueller, als Halbjude, als vaterlos aufgewachsenes Kind, als Autodidakt, als Bisexueller, als Gesprächspartner von Nutten und Sadomasochisten, von Schwulen und afroamerikanischen Priestern« (Volker Hage) ist der »verborgene Selbstentblößer« um die halbe Welt gefahren und hat Beobachtungen gemacht, die vor ihm kaum jemand so machte. Fichtes Expeditionen erschließen die Dunkelzonen der Süchte und Sehnsüchte, des alltäglichen und exzeptionellen Masochismus und Sadismus. Die risikoreiche Neugierde des Autors, der in die Milieus seiner Entdeckungsreisen selbst verflochten war – er starb, 51jährig, nach furchtbarem Leiden 1986 in Hamburg –, seine existentielle Versenkung in ethnologische, mystagogische und sozialpathologische Phänomene wie Probleme ließen ein Gesamtwerk entstehen, das dem »schwarzen Pläsier« der Zeit im Zeichen apokalyptischer Gefährdung gewidmet ist.[221]

Horst-Eberhard Richter hat darauf hingewiesen, daß dem pathologischen Phänomen Aids das pathologische Phänomen massenhafter hysterisch-phobischer Reaktionen des Publikums gegenüberstehe; wie keine andere Krankheit entfache Aids im Umfeld panische Ängste, Fluchtimpulse, nicht selten auch Abscheu und feindselige Gefühle. Aids treffe eine Gesellschaft, die durch andere Traumata – Umweltzerstörung, atomare Bedrohung – bereits unter erhöhtem Angstdruck lebe; die Viruskrankheit offenbare eine latente Unheimlichkeitsstimmung und versammle gleichzeitig alle paranoiden Projektionen auf sich. »Aids läßt uns an dem Grundkonzept zweifeln, nach dem wir unseren Halt in einer Welt suchen, in der sich die meisten nicht länger von einem fürsorglichen Gott beschützt fühlen. Darauf bauend, uns gegen alles, was auch immer uns bedroht, in einem expansiven Fortschritt schützen zu können, erleben wir hier eine katastrophale Niederlage. Keine andere Massenerkrankung versetzt uns in ähnliche absolute Wehrlosigkeit gegenüber dem Tod. Keine andere widerlegt so massiv unsere Größenidee von einer prinzipiell machbaren Unversehrbarkeit. Gespenstisch ist an Aids zumal, daß es wie eine Strafe für unseren mächtigsten Lebenstrieb, die Sexualität, erscheint. Sah es so aus, als sei diesem Trieb nach langer kultureller Unterdrückung endlich eine freiere Entfaltung gesichert, so rührt Aids uralte Ängste wieder auf.«[222]

Der durch Aids-Angst bewirkte Triebstau in der HWG-Gesellschaft (die nun nurmehr mit hohem Risiko »*h*äufig *w*echselnden *G*eschlechtsverkehr« praktizieren kann) wird Wut gegen diejenigen hervorrufen, von denen man annimmt, daß sie für die Misere verantwortlich sind. »Unbehagen in der Kultur« drängt zum Ressentiment. »Es ist das Szenario, das dem gewohnten militaristischen Schema folgt, ein schicksalhaftes Ungemach in eine entlastende Sündenbockstrategie zu verwandeln. Kann man schon dem Virus selbst nichts anhaben, so sollen sich zumindest seine Träger gefallen lassen, ›unschädlich‹ gemacht zu werden. Nicht erst, was dieser Ansatz praktisch erreicht, sondern allein schon sein emotionaler Entlastungseffekt läßt ihn überzeugend erscheinen. Es ist ein Feind ausgemacht, durch den sich die Angst in eine stabilisierende Wehrbereitschaft verwandeln darf.«[223]

Die »große Verfolgung« kann erneut um sich greifen und damit das rückgängig machen, was die »Sündhaftigkeit des Wohlstandes« immerhin bewirkt hatte: nämlich eine Schwächung des ideologischen Zelotismus. »Make love not war« – aggressive Slogans werden wieder an die Stelle einer solchen Aufforderung treten.

Es mehren sich freilich auch die Stimmen – meist von konservativer Seite –, die in Aids eine List der Vernunft sehen; was appellative Moral nicht erreichte, die Angst werde es bewirken: Sodom und Gomorrha kann puritanisch wiederaufgebaut werden. Das New Age ist ein Zeitalter lustvoller Askese; die moral majority feiert die Rückkehr zu Zucht und Ordnung. Sex sei gefährlich, schlecht, sündig.

Das Fatale ist nicht die Etablierung eines »neubürgerlichen« Tugendsystems, zu dem wieder eheliche Treue gehört – was vor allem den Kindern zugute kommt, die mit dem Zerfall der Familie in besonderem Maße Opfer der Wohlstandssinnlichkeit geworden sind –, das Fatale besteht darin, daß es sich bei der moralischen Rekonstituierung nicht um das Ergebnis gemeinsamen Nachdenkens, also um kommunikative Ethik handelt, sondern Moral gewissermaßen von außen »erpreßt« wird. »Das Paar, das sich zu Monogamie oder gar zu ehelicher Treue entschlossen hat, muß diese Entscheidung nicht mehr als überholt, altmodisch oder gar prüde kritisieren lassen, sondern befindet sich seuchenpolitisch völlig auf der Höhe der Zeit. Die lesbische Liebe entpuppt sich als die sicherste Alternative überhaupt. Der umherschweifende Sexrebell läßt sich vom neuerlich wieder vorhandenen Nervenkitzel eines ›wunderbaren Risikos‹ beflügeln oder vom lange Zeit so schmerzhaft fehlenden Gefühl, etwas Verbotenes zu tun. Die Romantiker können, ohne ausgelacht zu werden, um Aufschub des Vollzugs ersuchen, die unwillige Ehegattin hat endlich ein besseres Argument als die Migräne, und die Sozialhelfer, Pädagogen und Freunde der sexuellen Revolution haben wieder alle Hände voll zu tun, die Sexualität zu loben und zu preisen – jetzt, wo sie endlich wieder bedroht ist.« (Cora Stephan)[224]

Nicht sowjetische oder antiamerikanische Agenten hätten die Friedensbewegung erfunden, ihre Motive, so Carl Friedrich von Weizsäcker, seien ganz einfach die Angst ums Überleben, und zwar die begründete Angst. Zu den Vorläufern der Friedensbewegung der achtziger Jahre gehörte die Opposition gegen die Wiederbewaffnung der Bundesrepublik während der fünfziger Jahre, die Opposition gegen die Atombewaffnung der Bundeswehr sowie die außerparlamentarische Opposition während der sechziger Jahre. Nach der bedingungslosen Kapitulation 1945 hatten sich immer wieder Gruppierungen pazifistischer Art, darunter auch Teile der Arbeiterjugend, unter dem Motto »Nie wieder Krieg!«

Friedensdemonstration in Bonn, Oktober 1981

zusammengefunden – bitter enttäuscht von den Parteien, die die Wiederbewaffnung der Bundesrepublik und deren Integration in das westliche Verteidigungs-
bündnis bejaht hatten. Bereits seit 1960 gab es die Ostermärsche, eine gegen
Atomwaffen gerichtete Aktion. Hier wie bei der Kampagne gegen die Notstandsgesetze und den Demonstrationen gegen den Vietnamkrieg engagierten
sich vor allem die Studenten.

Die Friedensbewegung der achtziger Jahre war eine Reaktion auf die Ver-
schärfung der internationalen Probleme, der Unfähigkeit der Politiker, den
Rüstungswettlauf zwischen Ost und West zu stoppen. »Wo Millionen von
Menschen eine konstruktive Politik des Friedens erhofft hatten, erlebten sie die
sterile Konfrontation der Militärstrategen, die Beschleunigung des nie abgebro-
chenen Rüstungswettlaufs.«[225] Das Spektrum der Friedensbewegung ist weit
gespannt; es umfaßt Parteien, Gewerkschaften, kirchliche Organisationen, vor
allem die neuen sozialen Bewegungen; der Mangel an Konsens, die Gefahr von
Fraktionierung und widersprüchliche Strategiekonzeptionen werden immer
wieder durch phantasievolle Aktionen ausgeglichen. In einer Schrift, die eine
Weltversammlung der Christen für »Gerechtigkeit, Frieden und die Bewahrung
der Schöpfung« fordert, spricht Carl Friedrich von Weizsäcker davon, daß die
Zeit gekommen sei, in der die politische Institution des Krieges überwunden

Volker Schlöndorff, Günter Grass und der Friedensforscher Alfred Mechtersheimer in einer »Friedenskette« vor der Bundeswehrkaserne in Schwäbisch-Gmünd, September 1983

werden müsse und könne. Die von der Friedensforschung geschaffenen sachlichen Grundlagen für das Zusammenleben der Menschen, Völker und Nationen sowie für die Koexistenz der Weltanschauungen und Machtgruppierungen könnten und sollten das tragfähige Fundament für eine »andere Politik« darstellen. Die Gefahr eines Dritten Weltkrieges sei nicht gebannt; die nukleare Abschreckung habe lediglich eine Atempause gewährt; dies sei moralisch problematisch und biete keine permanente Gewißheit. »Sie hat über hundert nichtnukleare Kriege seit 1945 nicht verhindert. Der Frieden kann permanent nicht technisch, sondern nur politisch gesichert werden.«[226]

Die vor allem von Michail Gorbatschow eingeleitete Reform- und Abrüstungspolitik[227] – den missionarischen antikommunistischen Kurs des amerikanischen Präsidenten Ronald Reagan verunsichernd – bedeutet Hoffnung in dieser Richtung und hat dementsprechend die Friedensbewegung der Bundesrepublik in ihren Bemühungen stabilisiert.

Auf die kleineren Fragen des täglichen Lebens, die in ihrer Summierung freilich mit globalen Problemen durchaus konvergieren, versucht die Selbsthilfebewegung (als »Vielfaltsbewegung«, der es um »Politik in erster Person« geht) eine Antwort zu finden. Der Umfang einer solchen Gesellschaftsreform von unten entzieht sich wegen ihres informellen Charakters genaueren Angaben, zumal starke Schwankungen innerhalb des »zweiten Arbeitsmarktes« festzustellen sind. Man spricht von mehr als 40 000 Selbsthilfegruppen, die bei einer Vielzahl von Projekten 300 000 bis 600 000 Menschen beschäftigen. Der Anteil der informellen Wirtschaft wird nach Meinung von Johano Strasser in den kommenden Jahren zunehmen; die Gründe hierfür seien:

– das zunehmende Bedürfnis nach Selbsttätigkeit und selbstbestimmten Arbeiten;

– die Vernachlässigung wichtiger unproduktiver Bereiche durch die offizielle Ökonomie;

– die dramatisch gestiegenen Kosten für die Mehrzahl sozialstaatlicher Dienstleistungen;

– die Verkürzung der Arbeitszeit.[228]

In der Geschichte kann man viele Solidargemeinschaften aufspüren; im Mittelalter etwa die Gilden und Zünfte, die nicht nur wirtschaftliche Zusammenschlüsse, sondern auch von sozialer und kultureller Bedeutung waren; zu Beginn des Jahrhunderts die Produktions- und Verbraucher-Kooperativen, Genossenschaften und Konsumvereine. Für die Gegenwart und Zukunft besteht die Hoffnung, daß durch Stärkung der Selbsthilfebewegung entscheidende Defizite im professionellen Versorgungssystem ausgeglichen werden können, vor allem aber Formen wechselseitiger Hilfe entwickelt werden, die die Betroffenen nicht zum Betreuungsobjekt machen, sondern sie im Rahmen gemeinsamer Bemühungen als Subjekt rehabilitieren.

»Viele Betroffene, die sich in Selbsthilfegruppen engagieren, wissen heute auf dem Spezialgebiet ihrer eigenen Erkrankung (oder auch anderer seelischer oder sozialer Belastungssituationen) weit besser Bescheid als viele Fachleute, mit denen sie zu tun haben. Sie sind informiertere und mündigere Patienten und sie nutzen professionelle Angebote keineswegs seltener, wohl aber selektiver und kritischer als nichtorganisierte. Die Selbsthilfebewegung ist in ihrer sozialen und kulturhistorischen Bedeutung nur zu verstehen im Zusammenhang mit Frauenbewegung und Studentenbewegung, Friedensbewegung und Umweltbewegung, in den USA auch Bürgerrechts- und Verbraucherschutzbewegung. Auf den unterschiedlichsten gesellschaftlichen Gebieten haben die Menschen sich aufgemacht, wieder selber ihre Angelegenheiten in die Hand zu nehmen, sich zu Wort zu melden, Kompetenzen zurückzugewinnen, die im Zuge der gesellschaftlichen Arbeitsteilung und der zunehmenden Spezialisierung an Experten verlorengegangen waren.«[229]

Bei den Selbsthilfegruppen handelt es sich, laut Fritz Vilmar und Brigitte Runge[230], zum einen um private Selbsthilfe (um die Aktivität von Gruppen, deren Mitglieder ausschließlich sich selbst helfen wollen und sich zu diesem Zweck zusammentun), zum anderen um soziale Selbsthilfe (um Aktivitäten von Gruppen, die einen größeren Kreis von Betroffenen unterstützen); das Getto der beschränkten Privatsphäre wird dadurch überwunden.

Ähnlich wie die Alternativ- bzw. Parallelwirtschaft die Einseitigkeit von Großsystemen zu korrigieren sucht, sind die Selbsthilfegruppen um den Abbau der Sozialbürokratien, denen eine humane Binnendifferenzierung abgeht, bemüht. Als Bestimmungsmerkmale der »sozialen Selbsthilfegruppe« gelten:

– Autonomie: Handeln aufgrund selbstbestimmter Vereinigung von Bürgern, nicht veranlaßt und geleitet von einer Organisationszentrale;

– Selbstgestaltung: Handeln als freiwilliges Mitgestalten (nicht nur Mitbestimmen) gesellschaftlicher Tatbestände, sei es als Ergänzung, sei es als Reform von oder als Alternative zu bestehenden Sozialstrukturen;

– Solidarität (Sozialengagement): Handeln nicht nur für sich, sondern auch für andere bzw. für ein größeres Gemeinsames, ein Gemeinwohl, mit dem Ziel einer alternativen Lebensordnung, einer solidarischen statt der bestehenden Herrschaftsgesellschaft;

– Betroffenheit: Handeln in einem überschaubaren, von den Handelnden kompetent mitgestaltbaren gesellschaftlichen Nahbereich in der Lebens- oder Arbeitswelt.

Als weitere Handlungsnormen gelten:

– Graswurzelrevolution: Handeln, um Gesellschaft durch Selbstveränderung und alternative Formen des Zusammenlebens und -arbeitens zu verändern;

– Basisdemokratie: Handeln aufgrund direkt-demokratischer Entscheidungsbildung;

– Kooperationsbereitschaft: Handeln, das die kritische Zusammenarbeit mit kooperationswilliger Verwaltung und mit Verbänden nicht ausschließt (häufig sogar voraussetzt) – vor allem die finanzielle Förderung (Umverteilung von sozialstaatlichen Mitteln) von seiten des Staates;

– Subsidiarität (Dezentralisierung): Handeln, das sozialstaatliche Leistungen nicht zu ersetzen, sondern umzugestalten versucht; durch Abbau zentralistischer Sozial- und Kulturverwaltung, Aufbau dezentraler, autonomer, gesellschaftlicher Selbstorganisation oder Mitarbeit aktiver Bürger.

Die unterschiedlichen Erscheinungsformen der Selbsthilfegruppen werden von Fritz Vilmar und Brigitte Runge fünf Hauptbereichen zugeordnet:

– Arbeitswelt: Initiativen für Arbeitszeitverkürzung, Ökobanken, Arbeitslosenselbsthilfe, selbstorganisierte Ausbildung, selbstverwaltete Betriebe;

– Behinderte und Kranke: Gesundheitsinitiativen, Therapiegruppen, Therapietreffs;

– Diskriminierte: Obdachlosenselbsthilfe, Selbsthilfe für Homosexuelle, Selbsthilfe für Ausländer, Dritte-Welt-Initiativen, Straffälligenhilfe;

– Benachteiligte: Jugendzentren, Kinderläden, Altenselbsthilfe, Selbsthilfe von und für Frauen;

– Freizeit-, Bildungs- und Kulturbereich: selbstorganisierte Freizeit, soziokulturelle Zentren, alternative Öffentlichkeit, freie Schulen, Wissenschaftsläden.

Trotz regressiver Tendenzen, einer Romantik des einfachen Lebens huldigend, affektiver Einseitigkeit und spontaneistischer Wirrungen[231] kann man den neuen sozialen Bewegungen insgesamt bescheinigen, daß sie mit ihren Bemühungen um humaneres Leben das unvollendete Projekt der Aufklärung ein Stück vorangebracht haben. Die Anthropologie einer offenen Gesellschaft ist fundiert in der

Kreativität des aufgeklärten Subjekts, das sich den Systemzwängen entgegenzustellen wagt, getragen von der Überzeugung, daß ohne den Vor-Schein der Idee Wirklichkeit unerlöst bleibt. Die Industriegesellschaft wird nur dann überleben, wenn an die Stelle »mechanistischer« Extrapolation schöpferische Antizipation tritt, wenn mit Phantasie (die sowohl zum Alptraum wie zur Utopie fähig ist) alle alternativen Möglichkeiten durchdacht und kritisch durchgespielt werden. Mit Joseph Huber kann man solche »selbstbezügliche Modernisierung« die »Selbstmodernisierung der Moderne« nennen; der bisherige Systemaufbau im Kontext traditioneller Strukturen wird ersetzt durch einen fortwährenden selbstbezüglichen Umbau im Kontext moderner Strukturen – als Übergang vom ökonomischen Aufbau zum sozialökologischen Umbau.[232]

New Age und Religio

Die den Psychoboom vor allem seit den achtziger Jahren bedienenden und fördernden Bewußtseinserweiterungsprogramme greifen synkretistisch alles auf, was zwischen Erdstrahlen und Astralwelt, Körpersprache und Magnetismus, Telepathie und Astrologie, Karma und Reinkarnation eine ganzheitliche Welt zu suggerieren vermag. Die esoterischen Exerzitien, die sich zu antimodernen (bzw. postmodernen) Kultformen ausweiten, gipfeln in der Vision vom Anbruch eines neuen Zeitalters (New Age). Für die aus religiösen, kulturkritischen, ökologischen Ideen und Heilslehren zusammengesetzte Weltanschauung – mit den USA als besonderem Treibhaus für das transzendentalistische Sektenwesen – gilt das Prinzip rhizomatischer Zusammengehörigkeit. Inmitten von Verflechtung und Vernetzung hat alles seinen angemessenen Platz: das Sinnliche wie Übersinnliche, das Mystische wie Spirituelle, das Dunkle wie Helle, das Böse wie Gute.

Für Fritjof Capra stehen wir heute an der Wende der Gezeiten; dies sei einer Bewegung zu danken, deren Suche nach der verlorenen Ganzheit eine Rekosmisierung der Welt zu bewirken vermag, und das heißt, unter Bezug auf chinesische Weisheit, das Yang-Prinzip (männlich-fordernd, aggressiv, wettbewerbsorientiert, rational, analytisch) zugunsten des Yin-Prinzips (weiblich-bewahrend, empfänglich, kooperativ, intuitiv, nach Synthese strebend) zurückzudrängen. Das Öko-Handeln steht gegen das Ego-Handeln. »Wie sehr unsere Kultur das rationale Denken bevorzugt, wird in knappster Form an der berühmten Feststellung von Descartes deutlich: ›Cogito, ergo sum‹ – ›Ich denke, also bin ich‹. Dieser Satz ermutigte den Menschen der abendländischen Kultur, sich eher mit dem rationalen Verstand als mit seinem ganzen Organismus zu identifizieren . . . Indem wir uns allein auf unseren Verstand verlassen, haben wir vergessen, wie wir mit unserem ganzen Körper zu ›denken‹ vermögen und wie wir ihn als Vermittler von Wissen nutzen können. So haben wir uns von unserer natürlichen Umwelt isoliert und vergessen, wie wir mit einer Vielfalt von Organismen kommunizieren und kooperieren können.« Capras neuer Synkretismus, der Natur- und Geisteswissenschaft, Ost und West, Welt und Psyche zu einer Einheit zusammenzudenken sucht, kritisiert mit Recht den dominanten Einfluß des kartesianisch-newtonschen Denkens. Die Aufteilung der Personalität in Res cogitans und Res extensa hat eine mechanistische Lebens- und Weltanschauung gefördert. Die Unfähigkeit der modernen Gesellschaft, etwa rechtzeitig die Grenzen des Wachstums zu erkennen – weshalb sie rücksichtslos den grünen Planeten an die Grenze des Ruins treibt –, zeigt, daß die in Subsystemen sich ausprägende analytische Vernunft in die Sackgasse führt. Capras Sicht der Wirklichkeit beruht auf der Überzeugung, daß alle Phänomene – physikalische, biologische, psychische, gesellschaftliche, kulturelle – grundsätzlich miteinander verbunden und voneinander abhängig sind. Der »Übergang ins Solarzeitalter« könne auch durch kurzfristige politische Aktivitäten nicht verhindert werden.[233]

Willy Hochkeppel freilich nennt Capras inzwischen zum Kultbuch gewordene ganzheitliche Vision *(Wendezeit)* einen vulgären, vernebelten, predigenden Irrationalismus, dessen Mystik, im literarischen und philosophischen Gewand auftretend, als »Alchimie der Religion« abzutun noch zu milde sei. Wörter wie »anders«, »neu«, »Umdenken«, »Qualität«, »Wende« und immer wieder »Krise« seien Leerformeln, Satzhülsen, freche Äquivokationen und Tautologien, mit denen der Sinnsuchende aus dem philosophischen Tante-Emma-Laden bedient werde. Pseudophilosophischer Populismus grassiere. Capra übersetze, wie alle, die Descartes nicht selbst gelesen hätten, das »Cogito« in Descartes' berühmtem Satz ausschließlich als Denken im Sinne des rational-logischen Kalküls oder dessen, was man heute kognitive Prozesse nennt. »Unter Denken«, schrieb indes Descartes gleich am Beginn seiner *Prinzipien der menschlichen Erkenntnis*, »verstehe ich alles, was derart in uns geschieht, daß wir uns unmittelbar als uns selbst bewußt sind. Deshalb gehört nicht bloß das Einsehen, Wollen, Einbilden, sondern auch das Wahrnehmen zum Denken.« Der »Mechanismus« oder das mechanistische Weltbild von Newton und Descartes, das Capra dem Denken heutiger Wissenschaftler fast aller Disziplinen, aber auch dem normalen Zeitgenossen unterstelle, bei denen es wohl aus einem kollektiven Unbewußten in ihre täglichen Vorstellungen aufsteige – dieses mechanistische Weltbild sei schon seit geraumer Zeit allenthalben außer Kurs. Die hochgradige technische Komplexität, die diffizile Vernetzung und Verflechtung allein der ökonomischen und sozialen Strukturen oder Schichten unserer Lebenswelt würden als so opak, ja geradezu als neue Verzauberung erlebt, daß irrationales Verhalten oft genug die Resonanz darauf sei. In unserer körperversessenen Sportkultur spiele der Verstand nurmehr bei Profis eine entscheidende Rolle, und viele würden allzugern auch noch mit dem ganzen Körper denken, wenn es sich bei diesem »Denken« nicht um eine bloße Metapher handelte. Ansonsten seien die meisten Menschen unserer Zivilisation vom Gebrauch ihres Verstandes ohne Hilfe anderer noch weit entfernt, sonst würden sie nicht millionenfach Bücher etwa von Capra oder Carlos Castaneda und anderer »Nebelwerfer« kaufen. »Am Tiefpunkt des gegenwärtigen Irrationalitätsgefälles sind wir auf jene populäre, autodidaktische und konfuse Variante gestoßen, die, neben den sublimeren Spielarten, am Rückfall in die neuverschuldete Unmündigkeit Anteil hat. Traumwelten werden da kindisch beschworen, kunterbunte Kulissen als Gegenwelten aufgestellt, die ›Wiederverzauberung der Welt‹ herbeigeredet. Aber eine Wiederverzauberung der Welt würde uns, nach dem großen Fressen vom Baum der Erkenntnis (das viele immer noch für sündhaft halten), nur eine Art ›magischen Zirkel‹ bescheren und jene banalen Tricks, mit denen die Castanedas und Capras ihr Publikum düpieren. Dem ewig wiederkehrenden Ruf nach säkularer oder gleich millenarer ›Wende‹, nach dem ›ganz anderen Denken‹, dem Denken ›mit dem ganzen Körper‹ folgt man nur um den Preis, den Kopf, den Verstand darüber zu verlieren.«[234]

Tief sitzt in der hyperrationalisierten technischen Gesellschaft das Verlangen, zumindest in der Freizeit den Geist als Widersacher der Seele zu exorzisieren und so vom unglücklichen Bewußtsein geheilt zu werden. Innerhalb eines magischen Szenariums tummeln sich Sekten, Kulte, Ideologien und Gurus, die das Untheoretische, das Vitale, den Willen oder Trieb, das »Dämonische«[235] in den Mittelpunkt ihrer Proselytenmacherei stellen. Die New-Age-Bewegung konvergiert mit dem Rauschhaften insofern, als sie von einem starken Entrückungsbedürfnis geprägt ist (das bis in die Ver-rücktheit reicht); immerhin ist die emotionale Kraft – Antriebsmotor für die antirationale Fluchtbewegung – auf Aktion und nicht auf Resignation ausgerichtet. Die neue Erweckungsbewegung hält von der Lebensform Pessimismus nichts; sie praktiziert einen fröhlichen Therapeutokratismus, der in einem unkritischen Eklektizismus wurzelt.

Den Psycho-Kult nennt Jörg Bopp »kleine Fluchten in die großen Worte«.[236] Er sei charakterisiert durch eine wachsende messianische Aufladung von Therapie und eine zunehmende Beliebtheit von Therapie-Karrieren. Erlösungswünsche, Erlösungsversprechen und die Neigung, eine Therapie nach der anderen zu durchlaufen, bedingten sich gegenseitig. Großartige Verheißungen seien beliebt. Als Therapieziele würden angeboten: Wege zum wahren Selbst, Ganzheitlichkeit, Lebenssinn, Echtheit, Einheit mit dem Kosmos, Selbstverwirklichung, Neuanfang, Erleuchtung, Wiedergeburt. Die Therapeuten machten sich zum Fürsprecher der »ursprünglichen«, »wahren«, »eigentlichen«, »unabweisbaren« Bedürfnisse der Patienten. Unter dem Motto: »Werde, der du bist« erhielten die Patienten ein üppiges Angebot an »geistiger Führung«. Im Psycho-Kult wollten die Therapeuten Priester und Propheten sein und ihre Patienten erlösen. Ihre Rede von den Therapiezielen gleiche einer Liturgie der großen, guten, dunklen Worte. Die Therapeuten und Patienten verbreiteten um sich eine Aura penetranter Geschwätzigkeit. Die Vielfalt therapeutischer Schulen korrespondiere mit einer Armut der Gedanken, die sich hinter einer ebenso verwaschenen wie dröhnenden Kulturkritik nicht verbergen könne. Die Lebenswahrheit werde den Patienten serviert, anstatt daß er lerne, sie in der Auseinandersetzung mit Philosophie, Religion, Kunst und Wissenschaften eigenständig zu finden. Unter dem Mantel therapeutischer Hilfe werde dem Patienten eingeflüstert, er sei unfähig, sich eines Tages selbst zu bestimmen. »Wenn der Psycho-Kult kritischen Argumenten zugänglich wäre, gäbe es ihn nicht. Heute muß der entschlossene

Gruppenmeditation

Aufklärer beobachten, wie der Psycho-Kult ihm seine Anhänger in den fort-schrittlichen Mittelschichten abspenstig macht. Die ›sunshine-Psychologien und Beglückungspraktiken‹ werden weiter wuchern. Zu groß sind die sozialen Ohn-machtsgefühle, die kindlichen Abhängigkeiten, die Erlösungsträume und Omni-potenzphantasien beim Publikum. Die faden Glücksversprechen der Konsum-gesellschaft finden in den leeren Verheißungen des Psycho-Kults eine Stütze, die verhindern soll, daß der faule Zauber ans Tageslicht kommt und ins Schleudern gerät. Ob dem Psycho-Kult das auf die Dauer gelingt? Jene Therapien künden von einem Leben ohne Gefahr, mit seinem Komfort und seiner Langeweile. Wo Menschen Mühe haben, es bei sich selbst auszuhalten, sind illusionäre Angebote gefragt. Die Bindung an den Schein beruhigt; denn ›Illusionen empfehlen sich uns dadurch, daß sie Unlustgefühle ersparen und uns an ihrer Statt Befriedigun-gen genießen lassen‹ (Sigmund Freud).«

Die Verheißung der New-Age-Bewegung, die alten Gegensätze Leib und Seele, Materie und Geist, Mystik und wissenschaftliche Rationalität könnten endgültig aufgehoben werden, genießen großes Ansehen bei dem ganzheitlich orientierten Teil der Frauenbewegung, und zwar bei jenen Gruppierungen, die in der Frau eine Schlüsselfigur für ein neues kosmisches Zeitalter sehen – wobei matriarchalisch die Frau als Verkörperung humaner Eigenschaften (Sensibilität, Gefühl, Fürsorge, Zuneigung, Mitleid, Kooperation, Geduld, Demut, Einfüh-lungsvermögen, Nächstenliebe, Versöhnlichkeit) empfunden wird. Alle Probleme lösen sich durch die volle Entfaltung verständnisvoller Weiblichkeit. »Oder umgekehrt: die geschlagene, vergewaltigte Frau hat eben nicht intensiv genug auf das Gute im Manne gewirkt.«[237] Als Gebärende und Erziehende hilft die Frau, das neue Zeitalter zu begründen. »In vielen New-Age-Schriften wird die Geburt zu einem mystischen, nur beglückenden Erlebnis für die Frau hochstilisiert, ein Symbol ihres hohen Ranges. So berichtet eine Frau davon als einem ›psychedelischen Hoch ohne Drogen, einer Gipfelerfahrung‹. Rigide werden alle Frauen verurteilt, die sich der sanften, der Hausgeburt verweigern, die ›Bequemlichkeit‹ eines Krankenhauses vorziehen, wo ›betäubte Mütter von betäubten Babys‹ entbunden werden, die dem Schock von grellen Lampen und lauten Geräuschen ausgesetzt, abgenabelt und in Plastikkästen gelegt werden.«[238]

Esoterik überflutet Medizin – als Reaktion auf ihre Verapparatung und auf die Mißachtung der Psychosomatik, die immer noch eine sehr untergeordnete Rolle spielt. Der Patient, der sich, etwa im Krankenhaus, als Objekt behandelt sieht, als Datenträger, bei dem die Anamnese genauso wenig interessiert wie seine mentale Befindlichkeit, greift sehnsüchtig oder auch süchtig nach Verheißungen, die körperliche Selbstbestimmung zu ermöglichen scheinen; selbst der Tod wird als »Biotanz ins Jenseits« zu einem Akt souveräner Ortsbestimmung: »Überschreitet nämlich ein Mensch die Schwelle des Todes und gelangt ins Jenseits, so wird plötzlich das Jenseits für ihn zum Diesseits, weil immer nur der Ort des eigenen Aufenthaltes das Diesseits sein kann.«[239]

Der prometheische Zorn fehlt in der New-Age-Welt; der Mensch bedarf der Revolte nicht, da eben alles »irgendwie« seinen richtigen, d. h. natürlichen Lauf nimmt. Die kantige Dialektik des Leids wird durch Morphogenese abgeschliffen. Alles fließt. »Der Gesunde, Starke treibt ein bißchen länger, reicher und besser im unendlichen Fluß des Lebens. Der Kranke, Schwache aber ist selbst daran schuld, wenn seine Moleküle ins Jenseits tanzen: ›Es kommt auf den Menschen an, ob das Jenseits für ihn Himmel oder Hölle wird.‹ Und diejenigen, die wirklich die Macht in Händen haben, bekommen auch noch eine transzendentale Legitimation frei Haus, denn schließlich hat ›hierarchisches Denken nichts mit Diktatur zu tun‹: Das Gesetz des Karma fordert vielmehr vom einzelnen Menschen die Übernahme der vollen Verantwortung für sein Schicksal, es muß endlich Schluß damit sein, ›die Schuld auf Gesellschaft, Krankheitserreger oder den bösen Zufall zu projizieren‹, sondern wir müssen ›ganz schlicht wieder die Schuld‹ bei uns selbst suchen. Schließlich ist Schicksal in seiner Ganzheit nur verständlich vor dem Hintergrund der Reinkarnation, und deshalb, allen Weltverbesserern sei es gesagt, ist es offenkundig, ›daß nicht allen Menschen in diesem Leben die gleichen Startlöcher zugewiesen werden – und das ist ganz bestimmt nicht Schuld der Gesellschaft‹. Nein, natürlich nicht, es ist unsere ganz individuelle Urschuld. Oben und Unten haben wir uns in der ›Kette unserer Inkarnation‹ selbst eingehandelt: ›Dadurch entstehen ja gerade die Unterschiede in Intelligenz, Reife, Fähigkeiten und so weiter.‹«[240]

In der »Wassermannzeit«, meint Adolf Holl, seien die Pfarrer nicht zu beneiden; wollten sie vom New Age nicht ganz an den Rand gedrängt werden, müßten sie wohl oder übel ein paar Yoga-Kurse besuchen, das tibetanische Totenbuch lesen, über Vollwertkost, Meditation, Esoterik und Biodynamik Bescheid wissen.[241]

Wenn Karma vorwaltet, ist Entmythologisierung nicht mehr gefragt. Eine Theologie, die für den »Kopfmenschen« plädierte und sich gesellschaftlich engagierte, sieht sich mit einer politischen Theologie konfrontiert, die ein neues Benediktinertum, eine »Stadt auf dem Berge« (wie es im Evangelium heißt) anstrebt; so Rudolf Bahro, ehemaliger Marxist aus der DDR, zeitweilig Grüner, vom Kaderfunktionär zum Gottsucher sich wandelnd.[242]

Für Günther Schiwy, als Philosoph und Theologe maßgebend von Teilhard de Chardin beeinflußt, gibt es auf der Suche nach der verlorenen Einheit mit der Natur zwischen New-Age-Spiritualität und neu reflektiertem Christentum keine unüberwindlichen Gegensätze; der »Häresie« des Pantheismus (Alles ist Gott) könnte durch die schon klassische Formel Pan-en-theismus (Alles ist in Gott bzw. Gott ist in allem) begegnet werden. Das neue Symbolverständnis, der mit viel Empathie praktizierte Synkretismus, ermögliche die Einheit der Religion, ohne daß diese vereinheitlicht werden müsse. Angeregt durch die Meditation vor allem östlicher Prägung, wie sie von New-Age-Anhängern propagiert und praktiziert wird, würden auch die Christen ihre eigene Tradition von Meditation und Mystik entdecken und mit östlichen Erfahrungen verbinden. Zumindest auf der Meta-Ebene erfolge so eine Wiederverzauberung der Welt.[243]

Glaube nach der Aufklärung rekonstituiert den religiösen Mythos und löst sich damit von den erreichten Rationalitätsstandards, mit denen, vor allem wenn sie diskursiver Art sind, die Theologie freilich schon immer ihre Schwierigkeiten hatte. Für Johann Baptist Metz bedeutet der Aufklärung eine zweifache Verkürzung der Theologie: zum einen konzentriere sich der Logos der Theologie auf die »Privatsache« Religion und stehe so in Gefahr, die Kontinuität mit der messianischen Sache des Christentums zu verlieren; zum anderen erfolge eine rationalistische Reduktion der Theologie, d. h. eine wachsende Entsinnlichung, ein radikaler Symbol- und Mythenverzicht unter dem kognitiven Überdruck der abstrakten modernen Welt der Wissenschaften. Eine Befreiung der Theologie von der Aufklärung erweist sich freilich, besonders für den Katholizismus, als zweischneidig: Der Einfluß der akademischen Ausbildungstheologie, gelehrt von professionellen Theologen an den von Gesellschaft und Kirche eingerichteten Ausbildungsstätten, geht zurück; es wächst basisgemeindliche Theologiefeindlichkeit und damit der Autonomieanspruch des Religio suchenden Laien; nicht der Gelehrte oder der theologische Meisterdenker steht hier im Vordergrund, sondern der »Theologe als Zeuge, als Beistand und Protokollant jener Praxis der ungeteilten Nachfolge Jesu, der zum Wahrheitskern des Christentums gehört.«[244]

Die Befreiung von Aufklärung soll, so die konservative Theologie, Glaubensfestigkeit stärken; die Zweifel der Vernunft werden zurückgedrängt. Der neue Homo religiosus ist für Fraglosigkeit disponiert; innerhalb hierarchischer und sakramentaler Strukturen soll der einfache Gläubige vor Verunsicherung bewahrt bleiben. Als Hans Küng das Dogma von der Unfehlbarkeit des Papstes bestritt und dessen Revision forderte[245], verlor er den Lehrauftrag als Professor der katholischen Theologie (in Tübingen). Die alte Inquisition sei tot, doch entwickle sich eine neue, meinte Küng; verbrannt werde niemand mehr, aber psychisch und beruflich vernichtet.

Kardinal Joseph Ratzinger, der Präfekt der römischen Glaubenskongregation, erweist sich dabei in besonderem Maße als Propagator der neuen Antimodernisten-Kampagne, als Vollstrecker der katholischen Restauration.»Joseph Ratzinger hat Angst. Und wie der Großinquisitor bei Dostojewski fürchtet er nichts mehr als die Freiheit. Neu-alte Töne aus Rom: Ratzinger erscheint kurialer Machtanspruch wieder als göttliches Privileg; Kritik, gar Widerstand: nicht vorgesehen; ›hartnäckiger Zweifel‹ an einer Glaubenswahrheit: ein ›Verbrechen gegen die Religion und die Einheit der Kirche‹, das gemäß Kanon 751 des ›neuen‹ vatikanischen Kirchenrechts (1983) mit Exkommunikation bestraft wird. Der jetzige effektive Chef des Ex-Sanctum-Officium, der schon vorher in Notre-Dame zu Paris die französische Katechese abgeurteilt, die ökumenischen Vorschläge Karl Rahners und Heinrich Fries' ›Einigung der Kirchen – reale Möglichkeit‹ als theologische Akrobatik abqualifiziert, das Einigungsdokument der offiziellen internationalen anglikanisch-römisch-katholischen Kommission (ARCIC) als unreif schubladisiert und die lateinamerikanischen Bischöfe in Bogotá persönlich korrigiert und indoktriniert hatte, hat nun seine Karten vollends aufgedeckt, hart, wenngleich in moderatem Ton. Vom Glauben ist dabei freilich wenig die Rede, viel aber von der Amtskirche, von Dogmen und Doktrinen und vor allem von ›unkatholischen‹ Abweichlern in Episkopat und Theologie: in geschickter Argumentation doch ein Rundumschlag, der allen Disziplinen und Kontinenten gilt.« (Hans Küng)[246]

Küng engagiert sich für eine Kirche, die nicht durch heilige Herrschaft, sondern durch den Dienst am Menschen geprägt sein müsse; die moderne Kirche zeige vier Perspektiven:

– sie sei nicht vergangenheitsverliebt, sondern ursprungs- und gegenwartsbezogen;

– sie bekenne sich nicht zum patriarchalen, sondern zum partnerschaftlichen Prinzip;

– sie wolle keine konfessionalistische Verengung, sondern eine ökumenische Öffnung;

– es gehe ihr nicht um eurozentrische Überheblichkeit, sondern um universales Engagement.[247]

Die Amtskirche, die Papst Johannes XXIII. bei der feierlichen Eröffnung des Zweiten Vatikanischen Konzils im Oktober 1962 zu einem Sprung vorwärts ermuntert hatte, bewege sich nach rückwärts; nur Hoftheologen würden zur Mitarbeit herangezogen.[248]

Die katholischen Kirchentage, vor allem diejenigen der achtziger Jahre, machten die Kluft zwischen den »zwei Kulturen«, den Anschauungen der Amtskirche und den religiösen Gefühlen der vorwiegend jugendlichen Basis, unübersehbar.

»Auf der einen Seite die traditionelle der Heiligtümer, Wallfahrten und offiziellen Kundgebungen, auf der anderen Seite die alternative, bunte, ›politische‹ Kultur der Jugend.« So die *Süddeutsche Zeitung* über den Katholikentag in Aachen 1986.[249]

Die Evangelischen Kirchentage (eine Institution seit 1949, beginnend mit der »Deutschen Evangelischen Woche« in Hannover) waren bis in die sechziger Jahre hinein vorwiegend konservativ ausgerichtet. In der dann einsetzenden zweiten Periode bezog man die Losungen meist nicht aus der Bibel, sondern aus der Soziologie; diese »Wende zum Pluralismus« war geprägt von der zunehmenden Bereitschaft, »sich der Welt und ihren Problemen ebenso wie den Fragen nach den Grundlagen des eigenen Glaubens immer offener und kritischer zu stellen; sicher zu einem guten Teil mitbestimmt durch den Einfluß des Generalsekretärs Hans Hermann Walz (seit 1954), und von vielen festgemacht vor allem an so kritischen Theologen wie Dorothee Sölle und Heinz Zahrnt. So erklärte Richard von Weizsäcker, der heutige Bundespräsident und Kirchentagspräsident von 1964 bis 1970, auf dem Kölner Kirchentag 1965 (Losung ›In der Freiheit bestehen‹) bei der Zusammenfassung der Kirchentagsergebnisse: ›Wir wollen zunächst von der Welt sprechen, die uns rings umgibt und deren Teil wir sind. Das soll uns helfen, die Aufgaben zu verstehen, die unserer Kirche, unserem geteilten Land und unserer eigenen Gesellschaft zufallen.‹«[250]

Charakteristisch dafür war auch der bei den Kirchentagen ins Zentrum rückende »Markt der Möglichkeiten«, auf dem viele hundert Gruppen und Verbände aus dem kirchlichen und nichtkirchlichen Raum über ihre Aktivitäten informierten und für diese warben. Kritiker bemerkten, daß die faszinierende Buntheit, die sich quantitativ in der Fülle der Veranstaltungen spiegelte, eine Offenheit bekunde, die nicht mehr protestantisch-evangelisch, sondern religiös-synkretistisch bestimmt sei.

Der zunehmende Fundamentalismus bekundet mit seinem Hunger nach einer besseren Welt auf sublime Weise die vor allem in der Jugend anzutreffende New-Age-Befindlichkeit[251], deren Mentalitätsmuster (beharrliche Sanftheit und alternative Stringenz) sich in Jutetaschen, Second-hand-Kleidung, Turnschuhen, T-Shirts und lila Halstüchern als Protest gegen die Raketennachrüstung verdinglichte – das Bild einer zwischen Angst und Hoffnung schwankenden Jugend spiegelnd, die sich eine Lösung komplexer Probleme aus ganzheitlichem Fühlen und Denken erhofft.

Als herausragendste Leitfigur des linken Flügels innerhalb der evangelischen Kirche, zu dem u. a. Helmut Gollwitzer, Heinrich Albertz, Ernst Käsemann gehören, erwies sich Dorothee Sölle – ein christliches Ärgernis in doppeltem Sinne: zum einen, weil sie mit radikalem Mut (manchmal auch mit demagogischer Übertreibung) eine Theologie fürs Diesseits fordert, in der Bergpredigt zum Beispiel nicht nur eine Zusage Gottes für das ewige Leben, sondern eine konkrete Handlungsanweisung für Friedenssicherung sieht; zum anderen, weil sie mehr weltliche als geistliche Themen aufgreift und dabei die von konservativen Kirchenkreisen geforderte »Zurückhaltung« aufgibt. Die ganze westliche

Welt: verödete Zentren der Kultur; die Dritte Welt: »ein Dauer-Auschwitz«. Um Christ oder Christin zu sein, müsse man »ein Stück Ekel vor diesem Kapitalismus empfinden«. Ein Volk ohne Vision gehe zugrunde. »Theologie nach dem ›Tod Gottes‹ wird die Entäußerung Gottes zu beschreiben versuchen. Sie wird sich nicht in Anthropologie ›auflösen‹, wie ihre Gegener meinen; aber sie wird Christologie als Anthropologie betreiben, weil Gott sich zwischen Menschen ereignen kann, in jenem ›das habt ihr mir getan‹. Sie wird in den leer gewordenen Gesichtern atheistischer Angestellter die Zöllnerfreunde Jesu wiedererkennen und deren Verborgenheit als ihre ungelebten, unentdeckten, von der Gesellschaft nicht gefragten Möglichkeiten ansehen. Ihr Thema wird der Mensch sein, der mißverstanden, nämlich seiner Möglichkeiten beraubt ist, wo im Reden über ihn nicht zugleich über Gott gesprochen wird. Man kann von Gott nur im Pefekt reden, wie Hegel, dem Flug der Eule der Minerva nachschauend, es tut. Seine Verborgenheit – der innerste Grund unseres Nihilismus – hält gerade das offen, was wir am meisten von ihm brauchen: seine Zukunft.«[252]

Die Enttheologisierung der in ihrem Erscheinungsbild modernen, sich aber zugleich gegen die instrumentelle Vernunft der Moderne wendenden Gläubigkeit wird auch statistisch-demoskopisch bestätigt. Die Kirche genießt vor allem dann hohes Ansehen, wenn sie sich gesellschaftlich engagiert und »Freiheit für autonomes Wählen bzw. Gestalten und für induktives Erfahren bietet«.

Die aus der Sicht der Bevölkerung ideale Kirche setzt sich für die Armen ein, fördert Gerechtigkeit, vermittelt Geborgenheit, fördert Zusammenleben und Mitmenschlichkeit. »83 Prozent der Bevölkerung wünschen, daß die Kirche Menschen vor Vereinsamung bewahrt; 78 Prozent halten die Pflege von Kranken für eine wesentliche Aufgabe der Kirchen, 70 Prozent weisen den Kirchen die Aufgabe zu, Menschen die Angst vor dem Tod zu nehmen; Kampf gegen Unterdrückung rechnen 69 Prozent der Bevölkerung zu den wichtigen Aufgaben der Kirchen, die Stärkung des Glaubens 68 Prozent, die Verbesserung der Beziehungen zwischen den Generationen 67 Prozent. Zwei Drittel der Bevölkerung möchten, daß sich die Kirchen im Kampf gegen die Armut engagieren und dafür sorgen, daß der Abstand zwischen armen und reichen Nationen geringer wird. Die Kirchen stehen damit auch in der heutigen Gesellschaft keineswegs im Abseits, sondern sind mit außerordentlich hohen Erwartungen konfrontiert.«[253]

Demgegenüber brach die Teilnahme an Gottesdiensten und religiöser Praxis in den Familien erdrutschartig zusammen. 1952 besuchte jeder zweite erwachsene Katholik ziemlich regelmäßig den Gottesdienst, 1963 waren es 55 Prozent, 1968 48 Prozent, 1973 nur noch 35 Prozent; bei den Protestanten verlief die Entwicklung ähnlich, allerdings auf einem von vornherein wesentlich niedrigeren Niveau. Vor allem die junge Generation verließ die Kirchen; jeder zweite regelmäßige Gottesdienst-Besucher ist heute 65 Jahre oder älter; außerdem überwiegen die Frauen.

Die Kirche als Hort fester Normen, die die Freiheit des einzelnen begrenzen, wurde in Frage gestellt; das galt besonders für den Bereich der Sexualmoral. »Noch Mitte der sechziger Jahre verurteilte die Mehrheit der Bevölkerung, auch die Mehrheit der jungen Generation, das Zusammenleben Unverheirateter, schon 1973 war diese Lebensform gesellschaftlich akzeptiert. Genauso einschneidend änderte sich die Bewertung der Ehescheidung, die heute nur noch von 15 Prozent der Bevölkerung und nur von 4 Prozent der jungen Generation rigoros abgelehnt wird. Andere ursprünglich von der Gesellschaft einmütig verurteilte Verhaltensweisen wie Homosexualität, Prostitution oder außereheliche Beziehungen wurden zunehmend toleriert.«[254]

Für Daniel Bell hat sich die Faszination der Moderne erschöpft; alle Versuche der Neuzeit, die traditionelle Religion zum Beispiel durch Rationalismus, Ästhetizismus, Existentialismus, Zivilreligion und politische Ideen zu ersetzen, seien gescheitert.[255] Die neue Religiosität rekurriert auf Mythik und Mystik, ist eingenommen von den Zeichen des Unwahrscheinlichen, vor allem wenn diese eindrucksvoll »inszeniert« sind. Die Phantasie, mit der man das Über- und Unter-, Außen- und Innenweltliche erkundet, ist Teil eines ganzheitlichen Erfahrungshungers, der sich gegen den »Terror der Vernunft« wendet.

Fantasy

Phantasie an die Macht – die Literatur entwickelt eine Vorliebe bzw. Mode, bei der sich die Grenzen zwischen Imagination und Meditation, Unterhaltung und Entrückung verwischen. Kultbücher der Fantasy-Literatur befriedigen in ihrer Polymythie (mit besonderer Vorliebe für urzeitliche und mittelalterliche Stoffe) auch religiöse Bedürfnisse; die lustvolle Erbauung des Lesenden besteht häufig darin, daß er Einblick in eine Welt gewinnt, die als Gegenmodell zu der als unvollkommen empfundenen Realität dargestellt wird. Dabei werden von den Autoren Mythen entweder erfunden oder wiederbelebt bzw. variiert oder paraphrasiert. Auf den Vorwurf, der Fantasy-Boom sei Ausdruck eines neuen Eskapismus, zitiert Carl Amery den Altmeister der »Literatur des Entrinnens«, John Ronald Revel Tolkien (Verfasser u. a. der Trilogie *Herr der Ringe*): »Wer hat eigentlich was gegen Entrinnen? Doch nur die Gefängniswärter!«[256] Der Fantasy-Leser gleiche einem Schamanen, der sich in seinen Träumen spielend in andere, unendlich freie Weltgegenden versetzen könne; neben ihm im kotigen Stroh lägen die Zeitgenossen, die davon nichts hätten. Die klassische »linke« Antwort bestehe darin, die Mauern zu schleifen, die Ketten zu zerbrechen, die Gefängniswärter zu liquidieren. »Ihre Schwäche beruht darauf, daß sie sich auf Aufklärung stützen muß; nämlich Aufklärung darüber, wie die Realität, in der wir zu existieren genötigt sind, tatsächlich ausschaut. Und gerade diese Gewißheit (Realität definieren zu können) ist uns immer mehr abhanden gekommen – und zwar dank der Aufklärung. An ihrem (vorläufigen) Ende steht eben nicht der *Homo totaliter sapiens* – sondern der *Homo*, der von eben dieser Aufklärung, den allermodernsten Wissenschaften darüber belehrt wird, daß er *Demens*, wahnsinnig ist – und zwar schon immer, und zwar gleichzeitig mit dem Auftauchen des Sapiens. Die ganze Fantasy-Tradition der Literatur, von ihren großen romantischen Anfängen (die qualitativ nie wieder erreicht wurden) bis zum ›Butt‹ von Günter Grass, steht auf dem festen Fundament nicht des Anti-, sondern des Extra-Rationalismus –, der nicht nur emotionalen Einsicht, daß wir nur durch die Filter höchst subjektiver Annahmen zu denken, zu sehen und zu rationalisieren imstande sind. Hand in Hand damit geht das fundamentale Mißtrauen gegen eine Welt der ›Meisterdenker‹, die man geradezu als antidemokratisch empfindet – siehe die diesbezüglichen Ansichten und Forderungen von Paul Feyerabend.«[257]

Fantasy mischt Archaik und High-Tech. Im Zeitalter der Mikroelektronik wird Software genauso zum Märchen wie Sage zur Diskette. Die psychedelische Enthebung beruht auf abergläubisch-einfachen wie technisch-raffinierten Rauschmitteln; im Pandämonium aufklärungsüberdrüssiger Gemütszustände haben Hexen und Gespenster ebenso ihren Platz wie die audiovisuellen Phantasmagorien. Der Film *Krieg der Sterne (Star Wars)*, kosmisches Überlebensepos, wurde auch in der Bundesrepublik zu einem Kultereignis.[258] In den Büchern Michael Endes (des»deutschen Tolkien«) kulminierte die literarische Neoromantik: *Momo*, 1973, von Johannes Schaaf verfilmt; *Die unendliche Geschichte*, 1979, von Wolfgang Petersen mit 60 Millionen Mark zu einem Kinospektakel ausgewalzt. In den *Stichworten zur ›Geistigen Situation der Zeit‹* werden von Jürgen Habermas zur Charakterisierung des gegenwärtigen Kulturbetriebs Momente benannt, die auch eine Erklärung für Endes Massenwirkung zu geben vermögen: »Der Zweifel an den Avantgardebewegungen der Moderne, der Abschied von Funktionalismus und Neuer Sachlichkeit, die Abwertung der großen Theorien, die Abkehr vom Universalismus der Aufklärung. Dagegen nun die Wendung zu traditionellen Formen und zum Subjektiven in Erzählung und Roman, die Wendung zum Historismus in Städtebau und Architektur, zum Alltag in der Soziologie, zum Spätexpressionismus im Film, zu neuer Frömmigkeit und Pietismus in der Kirche, zum Narrativen in der Geschichtswissenschaft und zu existentiellen Themen in der Philosophie. Kult der Unmittelbarkeit, Deflationierung der Hochformen, Seelenanarchismus, Feier des Konkreten auf ganzer Linie, Relativismus sogar in der Wissenschaftstheorie und ein Wechsel der Symbolfiguren von Ödipus zu Narziß in der Kulturkritik.«[259] Der Weg nach innen, auf den sich Kunst, Literatur, Wissenschaft und Philosophie in den siebziger Jahren begeben, könnte freilich auch dazu führen, den Sinn und die Sinne für die bereits existierenden Formen der Freiheit zu schärfen.

Momo besiegt die »Zeit-Diebe«, die auf Vertragsbasis den Menschen die Zeit wegnehmen, ohne daß diese zunächst das Ausmaß des Verlusts erkennen – sie werden todkrank, resignieren, versinken in Depression, Sinnleere, Narzißmus oder gar Autismus. Nachdem die Kindheldin den Menschen die gestohlene Zeit zurückgebracht und damit die Gefahr der Sinnleere gebannt hat, stimmt sie unter dem Sternenhimmel ihr Glückslied an: »Sie dachte an die Stimme der Sterne und an die Stunden-Blumen. Und dann begann sie mit klarer Stimme zu singen.«[260] Der kleine Bastian in der *Unendlichen Geschichte*, der sich vor der Schule drückt,

Bastian und der Glücksdrache Fuchur aus der Verfilmung von Michael Endes Roman »Die unendliche Geschichte«, 1983

da er wegen seiner Träumereien dort nur Außenseiter ist, macht sich auf, das bedrohte Reich »Phantásien« zu retten. »›Ja, es ist wahr‹, erwiderte die Kindliche Kaiserin, und ihre goldenen Augen wurden dunkel, ›alle Lügen waren einmal Geschöpfe Phantásiens. Sie sind aus dem gleichen Stoff – aber sie sind unkenntlich geworden und haben ihr wahres Wesen verloren. Doch was Gmork dir sagte, war nur die halbe Wahrheit, wie es von einem Halbwesen nicht anders zu erwarten ist. Es gibt zwei Wege, die Grenze zwischen Phantásien und der Menschenwelt zu überschreiten, einen richtigen und einen falschen. Wenn die Wesen Phantásiens auf diese grausige Art hinübergezerrt werden, so ist es der falsche. Wenn aber Menschenkinder in unsere Welt kommen, so ist es der richtige. Alle, die bei uns waren, haben etwas erfahren, was sie nur hier erfahren konnten und was sie verändert zurückkehren ließ in ihre Welt. Sie waren sehend geworden, weil sie euch in eurer wahren Gestalt gesehen hatten. Darum konnten sie nun auch ihre eigene Welt und ihre Mitmenschen mit anderen Augen sehen. Wo sie vorher nur Alltäglichkeit gefunden hatten, entdeckten sie plötzlich Wunder und Geheimnisse. Deshalb kamen sie gern zu uns nach Phantásien. Und je reicher und blühender unsere Welt dadurch wurde, desto weniger Lügen gab es in der ihren und desto vollkommener war also auch sie. So wie unsere beiden Welten sich gegenseitig zerstören, so können sie sich auch gegenseitig gesund machen.‹«[261]

Zwei heilsgeschichtliche Traditionen werden von Michael Ende in der *Unendlichen Geschichte* verbunden: der Glaube an die messianische Kraft des Kindes und die Überzeugung von der salvatorischen Macht der Poesie. Die zerstörerische Zivilisation kann entmachtet werden, wenn schöpferische Phantasie die Träume wieder »beglaubigt«. Bastian, der in seiner Doppelrolle als Kind und Künstler sowohl über ungebändigte Ursprünglichkeit wie schöpferische Einbildungskraft verfügt, lebt mit der gleichen Intensität in den zwei Welten: in der kaputten Realität, deren Schilderung im Buch kupferrot gedruckt ist, und im Kosmos seiner Wünsche und Träume, der in hoffnungsgrünen Lettern aufscheint. »Er findet das Zauberwort, das Phantásien rettet und er verkörpert die Botschaft von der Erlösung der Welt durch den ›Weg nach innen‹.« (Marieluise Christadler)[262]

Ohne Mythos, meinte Friedrich Nietzsche, gehe jede Kultur ihrer gesunden schöpferischen Naturkraft verlustig; erst ein mit Mythen umstellter Horizont schließe eine ganze Kulturbewegung zur Einheit ab. Das Wagnis der Vernunft jedoch kennt keine Eingrenzung: man ist der Verunsicherung, die man selbst bewirkt, ausgeliefert; »Glaubenssagen« dagegen machen das Terrain, auf dem man sich zu bewegen trachtet, überschaubar; man suggeriert sich Sinn, findet Geborgenheit in der Einheit, regiert in selbstgeschaffenen Phantasien. Mythos löst Angst; das Eintauchen in die Innerlichkeit läßt Wirklichkeit vergessen. Packeis schmilzt im Wärmestrom. »Zeichen der Zeit. Übersinnliches wird zur Realität, die wahrnehmbare Realität zur Nebensache. ›Sinn ist in‹, lautet die passende Modeparole, die den erstrebten Sprung der Menschheit auf eine höhere ›Bewußtseinsstufe‹ zum Trendziel erklärt. Von amerikanischen Wissenschaftlern, Medizinern wie dem Gehirnforscher Karl H. Pribram oder Physikern wie Fritjof Capra in der Tradition Werner Heisenbergs, bis zu Managern in Führungspositionen, von Rentnern bis zu Jungakademikern mit vorgezogener Midlife-crisis reicht das Spektrum derer, denen frischer Glaube außerhalb der traditionellen Religionen neue Hoffnung gibt: die verführerische Hoffnung auf geistige Rettung aus der ›No-future‹-Weltuntergangsstimmung, aber auch eine gefährliche Versuchung: Statt des Prinzips weltlicher Verantwortung lockt die naive Selbstbeschränkung auf transzendentales ›positives Denken‹. Erkenne dich selbst.« (Stefan Endrös)[263]

»Wendezeit« darf jedoch das Realitätsprinzip nicht suspendieren; aus dem Vor-Schein der Ideen wird Illusionismus, wenn deren dialektische Spannung zum So-sein hinwegprojiziert wird. Die kulturelle Bedeutung von Wendezeit läge in ihrer »Aufhebung« – nicht in Statik, sondern in ihrer Dynamik:

> »Man geht meistens viel eher mit der Zeit
> indem man gegen die Zeit geht
> in letzter Zeit ist es allerdings
> vielfach üblich geworden
> gegen die Zeit zu gehen
> so daß das Gegendiezeitgehen zum Schluß
> ein Mitderzeitgehen wieder geworden ist

deshalb gehen manche wieder mit der Zeit
in des Wortes ursprünglichster Bedeutung
um so wiederum auf ihre ganz eigene Art und Weise
gegen die Zeit zu gehen eigentlich
und vor allem um dadurch wiederum viel eher
mit der Zeit gehen zu können.«

(Gert Friedrich Jonke)[264]

Johannes Grützke, Unser Fortschritt ist unaufhörlich, 1973

Ersatzverzauberung

Kultur für alle

Nichts entfache offenbar den nationalen Kulturbetrieb der Deutschen so sehr wie schlechte Zeiten, meinte Christian Schultz-Gerstein, »rasender Kritiker« bei *Zeit* und *Spiegel*, in einem Essay, der mit seinem Titel *Auferstehung der Kultur in Deutschland* an einen Aufsatz von Theodor W. Adorno von 1950 anknüpfte. Das Eigentliche werde wieder entdeckt; angesichts der Orientierungs- und Identitätskrise stürze man sich ins kulturelle Leben. Das Sinndefizit einer Gesellschaft und Ordnung, die aus sich heraus keinen Sinn mehr ergebe, und die ihren Bürgern keine Zukunft, sondern nur noch das nackte Überleben anzubieten habe, diesen Verlust an Selbstlegitimation wettzumachen, sei die politische Aufgabe der Prestigekultur, jener Kultur also, die, um Adorno zu wiederholen, »als isolierter Daseinsbereich, bar einer genauen Bezeichnung zur gesellschaftlichen Wirklichkeit«, dazu tauge, den »Rückfall in die Barbarei« zu vertuschen.[265]

Mit plakativer Einseitigkeit attackierte der 1945 geborene Autor, der sehr unter der Nazi-Vergangenheit seines Vaters litt – im März 1987 wurde er tot in seiner Wohnung aufgefunden –, den nach der Protestphase sich wieder etablierenden, auf »Geschmack«, »Anstand« und »Menschlichkeit« sich berufenden Kulturbetrieb. Gegen diesen und die ihm immanente restaurativ-affirmative Ästhetik wandten sich auch kulturpolitische Bemühungen, die sich parallel oder im Gefolge der 68er-Bewegung entwickelten. Die Kommunen spielten dabei eine wichtige Rolle; schon 1965 hatte ein Arbeitskreis auf der Hauptversammlung des Deutschen Städtetags in Nürnberg ein einigermaßen geschlossenes Konzept zur Kulturpolitik vorgestellt – mit dem Ziel, die Lebensqualität angesichts mentaler Verelendung wesentlich zu verbessern. Das Bewußtsein, daß der Wiederaufbau der Städte sich in eine neue Stadtzerstörung verkehre, verstärkte sich. Anstelle von Urbanität herrsche Unwirtlichkeit. (Alexander Mitscherlich)[266] Die 16. Hauptversammlung des Deutschen Städtetags 1971 stand unter dem Motto: *Rettet unsere Städte jetzt!* Der amerikanische Soziologe John Kenneth Galbraith hielt eine Rede, in der er die fatale Lage der Großstädte anprangerte und als Lösung die »organische Stadt« propagierte. Mit Recht verwies Galbraith auf die Tatsache, daß man in den Vereinigten Staaten Entwicklungen beobachten könne, die meist wenige Jahre später in anderen Teilen der Welt aufträten. – Mit der industriellen Revolution sei die Städteplanung liberalisiert, dezentralisiert, säkularisiert worden. Die Stadt wurde zur Arena der industriellen Entfaltung. Die Bodennutzung vollzog sich nicht mehr, nicht einmal mehr ansatzweise, im Rahmen eines Gesamtplanes; die Architektur ordnete sich nicht länger ganzheitlichen Entwürfen unter. Beider Stellenwert bemaß sich nur noch danach, ob sie der ökonomischen Funktion dienten und welchen wirtschaftlichen Nutzen sie stifteten. Kriterium war nicht mehr Schönheit, sondern Zweckmäßigkeit. Privates Eigentum an Grund und Boden wurde zur Selbstverständlichkeit; ebenso selbstverständlich wurde, daß der Eigentümer seinen Grund in der Weise verwendete, die den höchsten ökonomischen Nutzen erbrachte. Maximaler Profit galt als Maßstab aller Dinge. Wer dieses Prinzip in Frage stellte, hatte sehr bald das Gesetz gegen sich. In den meisten der durch die Industrie bestimmten Städte reichten die gesetzlichen Handhaben nicht einmal aus, die Anlieger vor Belästigungen zu schützen, die sich aus gewinnbringender Tätigkeit ergaben. Erfolg und Ansehen einer Gemeinde waren identisch mit dem Erfolg und Ansehen ihrer Industrie. Als beste Stadt galt diejenige, die am fleißigsten war, am schnellsten wuchs, den größten Zuwachs an Bankabrechnungen und Wagenladungen oder – mit wachsendem sozialem Bewußtsein – in der Entwicklung ihres Arbeitsmarktes vorweisen konnte. Ansprüche an Schönheit wurden nicht gestellt; es kam auf Bürotürme, Fabriken, Mietskasernen an. John Kenneth Galbraith kommt zu dem lapidaren Schluß: »In der ökonomischen Stadt finden wir somit die Ursprünge nahezu aller Probleme, die die moderne urbane Existenz heute kennzeichnen.«[267]

In dem von Olaf Schwencke, Klaus H. Revermann und Alfons Spielhoff 1974 herausgegebenen Band *Plädoyers für eine neue Kulturpolitik* wurde gefordert, daß es die Pflichtaufgabe des Staates sein müsse, die Bürger für den Gebrauch der Freizeit in Freiheit zu »begaben«. Frieden und Wohlstand seien gefährdet, wenn ein Volk nicht genügend Muße habe; vor allem aber, wenn es nicht wisse, was es mit seiner Muße anfangen könne. Hatte zu Beginn der sechziger Jahre Kulturpolitik dazu gedient, dem affirmativen Kulturverständnis wie der Festivalkultur die besten Entfaltungsmöglichkeiten zu gewähren, so überwanden progressive Kulturpolitiker seit Beginn der siebziger Jahre die kulinarisch bestimmte Indolenz; sie stellten einen theoretischen Reisevorrat zusammen, mit dem sie den langen Marsch durch die Dispositionen und Institutionen zu bestehen hofften.[268] Vor allem städtische Kulturdezernenten wagten die Dreckarbeit der Reform; sie wollten nicht warten, bis die globale Gesellschaftsveränderung, an die sowieso nicht mehr viele glaubten, stattgefunden habe. Nach langen Jahren der Diskussion um Schule und Bildung, vor allem des Streites um die Bildungsreform, begann man das »Bürgerrecht Kultur« einzuklagen. Natürlich ergab sich auch hier, angesichts der erstarrten Verhältnisse, die nur sehr langsam zum Tanzen gebracht werden konnten, eine große Diskrepanz zwischen Idee und Wirklichkeit. Viele Kulturpolitiker wollten weg von dem Kulturangebot für die wenigen, und auch den engen Kulturbegriff aufgeben. Auf die Frage, wie denn die Teilhabe aller Bevölkerungsschichten am kulturellen Geschehen möglich sei und organisatorisch realisiert werden könnte, gab es hingegen keine klaren Vorstellungen. Die damalige Unübersichtlichkeit wirkte jedoch nicht lähmend, sondern inspirierend; man begann das Terrain theoretisch zu erkunden und konkrete Reformmodelle zu entwickeln. Die Evangelische Akademie Loccum mit Olaf Schwencke als Studienleiter wurde seit 1970 zu einem Umschlagort des Diskurses. »Manche Streitpartner trafen sich viele Jahre lang regelmäßig im Februar zur Karnevalszeit im protestantischen Loccum wieder, um ein Stück Kommunikationskultur zu praktizieren, bevor es diesen Begriff gab.«[269] 1974 entstand bei einer Klausurtagung in einem Forsthaus bei Frankfurt, zu der auf Initiative von Olaf Schwencke Hilmar Hoffmann, Robert Jungk, Peter Palitzsch, Lothar Romain, Dieter Sauberzweig, Alfons Spielhoff und Hermann Glaser zusammengekommen waren, das Konzept einer kulturpolitischen Gesellschaft, die dann im Juni 1976 im Hamburg-Altonaer Rathaus gegründet wurde und seitdem als Koordinierungsgremium, Informationsstätte und Diskussionsforum für Kulturpolitik dient.[270]

Der Aufschwung der Kulturpolitik korrespondierte mit der Entwicklung der Kulturforschung, die spekulative Phantasie mit einer soliden empirischen Basis versorgte. Neben einer Reihe universitärer Bemühungen, die auch neue Studiengänge für Kultur- und Freizeitpädagogik zur Folge hatten, gewann das private, 1969/70 gegründete und seit 1972 unabhängige Zentrum für Kulturforschung eine Spitzenstellung. Das von Karla Fohrbeck und Andreas J. Wiesand geleitete Institut widmete sich vor allem interdisziplinärer Forschungs-, Publikations-, Dokumentations- und Beratungstätigkeit mit Praxisbezug im Kultur- und Medienbereich; Arbeitsschwerpunkte waren dabei empirische Bestandsaufnahmen zur Situation der Kulturberufe, des Kulturrechts und der kulturellen Infrastruktur wie der Kulturentwicklung auf regionaler und lokaler Ebene, Vergleichsstudien zur Kultur- und Medienpolitik, zur kulturellen Zusammenarbeit in Europa und im Nord-Süd-Verhältnis sowie die materielle Unterstützung beim Aufbau eines unabhängigen Deutschen Kulturrats.[271]

»Kultur hat Konjunktur« – diese Formel, mit der Hilmar Hoffmann sein Buch *Kultur für alle* (1979) einleitete[272], wurde auf vielfältige Weise bestätigt, zumal angesehene Kommunalpolitiker wie Oberbürgermeister Manfred Rommel in Stuttgart oder Oberbürgermeister Walter Wallmann in Frankfurt durch großzügige Projekte – etwa das »Museumsufer« in Frankfurt – die Bedeutung der Kultur für die Stadtentwicklung konkretisierten.

Angesichts verstärkten kulturpolitischen Bewußtseins erhoben sich freilich auch Zweifel, ob eine Kulturpolitik, die für jeden und alle etwas biete, das sich schnell, bunt und »funny« realisieren läßt, und die Organisation repräsentationsfähiger Kulturfestivals und Stadtfeste als Emanzipationsangebot ausgibt, wirklich der Demokratisierung des Ästhetischen diene. Dem Kulturrummel stellte der Kritiker Peter Iden sein »Kunst ist nicht für alle« entgegen und machte damit darauf aufmerksam, daß die Popularisierung der Kunst auch zu ihrer Verharmlosung und beliebigen Instrumentalisierung führen könne.[273]

Ästhetik als Vermittlung lautete der Titel, unter dem Karla Fohrbeck 1977 die »Arbeitsbiographie eines Generalisten«, die Arbeiten von Bazon Brock, herausgab. (Die Schriften 1978 bis 1986 folgten 1987 unter dem Titel *Ästhetik gegen erzwungene Unmittelbarkeit: Die Gottsucherbande*.[274]) Brock, Professor für neuere Ästhetik, »Schaudenker«, »Spezialist fürs Allgemeine«, ist im besonderen Maße eine Leitfigur der siebziger und achtziger Jahre, da er, bald modern, bald prämodern, bald postmodern, zu immer wieder neuen Ufern aufbricht; er erweist sich dadurch als Beweger, macht das Neue verstehbar, sorgt für kreativen »Umsatz«, fungiert als Sinnproduzent. In Ausübung einer Vielzahl von Tätigkeiten, vor allem auch auf dem Gebiet audiovisueller Versinnlichung und Versinnbildlichung, beschreibt er sich als Macher. Die Kunst und Kultur der siebziger und achtziger Jahre erweist sich – um einen Ausdruck von Brock aufzugreifen – insofern als notorisch, als sie nicht wirkungslos das Immerfremde, Immerandere sucht und damit der »Unverdaubarkeit« verfällt, sondern Aneignung praktiziert. Man höre zwar gern, daß Kunst das Nichtnotorische schlechthin sei, das Inkommensurable, Unbrauchbare, prinzipiell Unbeherrschbare; doch solle Kunst besser »notorisch«, verstehbar, vermittlungsfähig sein. Immer noch würden »die Enthüllungs- und Entschleierungserfolge, Kunst als notorisches Kulturgut zu zeigen, mit verzagten Enttäuschungsseufzern begleitet, Enttäuschung darüber, daß Kunst schließlich auch nur verstehbar, nur brauchbar, nur selbstverständlich ist. So ist es schließlich doch der Höhepunkt unserer Aneignung von Kultur, wenn wir eines jener scheinbar inkommensurablen Werke umstandslos angehen mit der Bemerkung: ›Ja, ja, das ist ja wohl selbstverständlich, was der Goethe da sagte.‹«[275]

Die praxisnahen Kulturschaffenden täten etwas Ähnliches wie Striptease-Tänzerinnen, sie enthüllten den Gedanken und ließen ihn sinnlich werden. Für Brock will Kulturvermittlung nicht jedermann zum Künstler machen, wohl aber relativ viele befähigen, die Leistungen der Künstler für die Bewältigung ihrer Lebensanstrengungen zu nutzen. Die Künste werden damit zum »strukturierenden Element für unser Handeln«, für unsere Persönlichkeit, zur »organisierenden Kraft für die Antwort auf die Frage, wie wir leben wollen.«[276] Brock hält die Abgrenzung von Alltag und Kunst ebenso für überholte Ideologie wie die Berührungsangst der marxistischen Kunstdoktrin vor Warenästhetik und dem Phänomen des Kitsches; das »blödsinnige Pathos des Vorbehalts« gegen Bewußtseinsindustrie und Kulturkonsum müsse abgebaut werden, die Zurücknahme der Kultur in den materiellen Lebensprozeß dürfe nicht länger als Sünde wider den Geist betrachtet werden. Es gehe nicht mehr darum, Sehnsüchte wachzuhalten; auf ihre Erfüllung komme es an.

Der aufgeklärte Verbraucher wisse den Warencharakter alles Wirklichen zu suspendieren: durch Besitz, indem er guter Verbraucher ist, Ware konsumiert; er verfügt über Wirklichkeit, indem er sie aufhebt, auffrißt.[277]

Brock teilt nicht die linke Kritik am affirmativen Charakter der Kultur; er vertritt die »Strategie affirmativer Praxis«, die »Revolution des Ja«. Ideologien würden nicht durch ihre Negation zerstört, sondern durch getreue Erfüllung ihrer Maximen; die restlose Befriedigung der in der Werbung geweckten Wünsche nach Schönheit, Gesundheit und Verfügungsfreiheit höbe die Warenästhetik aus den Angeln. »Ein Verfahren von eigenartiger Wirkung. Wo es angewendet wird, schont es die emanzipatorischen Errungenschaften des bürgerlichen Rechtsstaats. Aber Mißstände regt es zu einem schnellen unkontrollierten Wachsen an. Bis sie sich praktisch zu Tode wachsen. Das ist die Revolution des Ja.«[278]

Die Geisteswissenschaften, so Odo Marquard einige Jahre später, das Zeitgefühl postmodernen Kulturbewußtseins zum Ausdruck bringend, könnten sich als Heilmittel gegen den großen Hang zum Nein auswirken, der immer noch die Szene beherrsche; als »Akzeptanzwissenschaften« negierten sie den heutigen Negationskonformismus, das Mitläufertum beim großen Nein zur modernen, zur bürgerlichen Welt. »War die Welt fortschrittsphilosophisch die absolute Nichtkrise, ist die moderne Welt nun verfallsphilosophisch die absolute Krise. Was wir demgegenüber brauchen, ist eine Nichtkrisentheorie der Moderne, die von der Fortschrittstheorie verschieden ist: und genau das ist die Philosophie der Kompensation. Sie erlaubt das unemphatische – auf nüchterne Weise kritikfähige – Ja zur modernen Welt, weil sie zu begreifen vermag: Die moderne Welt ist mehr Nichtkrise als Krise, weil in ihr Störungen kompensiert sind: zum Beispiel der große Trend zur Technifizierung durch den kompensierenden Trend zur Historisierung, der große Trend zur Uniformisierung durch den kompensierenden Trend zur Pluralisierung, der große Trend zur Vernaturwissenschaftlichung und der große Trend zur Ausrufung der alleinseligmachenden Alleingeschichte durch den kompensierenden Trend zu den Geisteswissenschaften.«[279]

Geisteswissenschaften und Ästhetik werden als Therapeutikum »verordnet«; sie lassen die lebensweltlichen Verluste, wie sie durch die von den experimentellen Wissenschaften vorangetriebene Modernisierung bewirkt wurden, vergessen. Die Geisteswissenschaften decken in einer farblos werdenden Welt den lebensweltlichen Farbigkeitsbedarf. Modernisierung wirkt als »Entzauberung« (Max Weber); diese moderne Entzauberung der Welt wird, modern, durch die Ersatzverzauberung des Ästhetischen kompensiert; Geisteswissenschaften und Ästhetik befriedigen, kompensatorisch zur fremd werdenden Welt, das lebensweltliche Vertrautheitsbedürfnis; die Entnatürlichung der Wirklichkeit evoziert das Sentimentalische, z. B. als Sensibilität für Natur und Geschichte. Die Geisteswissenschaften versuchen in einer undurchschaubar und kalt gewordenen Welt dem lebensweltlichen Sinnbedarf zu entsprechen, indem sie frei und hoch schwebende Kulturgebilde erbauen, die Metaphysik ersetzen.[280]

Marquards Thesen sind die Antwort der neoliberalen Philosophie auf den Geist von '68. Damals blühten die Geisteswissenschaften als Erklärungs- und Oppositionswissenschaften; sie halfen, die nationalsozialistische Ideologisierung der Welt zu dekuvrieren und die neue technokratische Glätte des Spätkapitalismus zu durchbrechen; statt dessen walten nun Kompensation und Ersatzverzauberung; die Traditionen sind zerbrochen, aber als Tranquilizer ist Kultur noch zu gebrauchen. »In dieser Funktion jedoch ist sie nichts anderes, als was Theodor W. Adorno damals als ›Kulturindustrie‹ kritisierte: die Banalisierung alles Subtilen – etwa der ›Göttlichen Komödie‹ zum Dante-Püree für alle. Dann ist sie nämlich Nichts für niemanden mehr. Kastriert, planiert, poliert. Kunst als Wirtschaftsfaktor, Alkoholsurrogat und Politikersatz. Kulturindustrie wird als ›Ordnungsfaktor‹ von ihren Verteidigern gepriesen, schrieb Adorno in den sechziger Jahren, sie betrüge die Menschen um die ›Idee eines richtigen Lebens‹. Zwanzig Jahre später dient der Philosoph Marquard das Surrogat als ›Akzeptanzwissenschaft‹ an.« (Mathias Greffrath)[281]

Wartezeit und jugendkulturelle Bricolage

In seinem Buch *Erfahrungshunger* hat Michael Rutschky den Wandel des Bewußtseins in der Zeit nach der Protestbewegung beschrieben; dieses versuchte – auf
Wegen und Irrwegen – sich aus progressiven wie restaurativen Systemzwängen
zu lösen; »Farbigkeit« war gefragt. Man war des »Prinzipiellen« und der Abstraktion müde, wollte nicht das Leben bereden, sondern es »erfassen«. Es ging nicht
um die Gesellschaft der Zukunft, sondern um das gegenwärtige Dasein in seinen
Widersprüchen. Die Utopie der Allgemeinbegriffe – das sei die Hoffnung auf
restlose Theoretisierbarkeit, Verallgemeinerung gewesen: »Jeder meiner Impulse sollte ganz unmittelbar eine allgemeine Wahrheit sagen. Und diese Utopie
hatte eben ihre finstere Rückseite: jeder meiner Impulse ist tatsächlich etwas
Allgemeines, weshalb ich keinen meiner Impulse als meinen eigenen greifen
kann. Das vergesellschaftete Individuum löst sich in ein wimmelndes, bedroh-
liches Reden auf, und das treibt dazu, Selbstverwirklichung, Selbstbestimmung
unterhalb der Sprache zu suchen, in der Wahrnehmung, in der Sinnlichkeit, im
Körper, zur Not in Schrecken und Schmerz.«[282] Die siebziger Jahre hätten sich
als eine Zeit des Nebels, nicht eines kalten, eher eines warmen, erwiesen; man
hoffte, daß er dadurch vertrieben würde, daß sich »etwas« ereigne. Es ging
weniger darum, die Wahrheit zu sagen und den Irrtum zu vermeiden; eher ging
es darum, die Wirklichkeit zu berühren, die sich im Nebel zu verlieren drohte.
Endlich wollte man »Erfahrungen« machen – dabei ist die Frage nach der
Wahrheit ebenso suspendiert wie die nach der Moral.

Ihr BilderLeseBuch über die siebziger Jahre versah die »Elefanten Press« mit
dem Titel *Klamm, Heimlich & Freunde*. Neue Beweglichkeit war zu spüren; ein
Jahrzehnt der gelösten Bindungen brach an. Ehe- und Familienbande, textile
Bande, die Fesseln kleinstädtischer Kulturnorm, die Festlegung des Menschen
auf einen bestimmten Lebensort, einen bestimmten Arbeitsplatz oder eine bestimmte Wohnung lösten sich. Während Wohn- und Lebensgemeinschaften in
verschiedener Form ausprobiert wurden, erwies sich als das eigentliche Leitbild
der »ungebundene Mensch«, ein Nomade auch in der Liebeswelt, beweglich in
Beruf und Behausungen, narzißtisch in Begegnungen und Beziehungen. Es
wuchs die Zahl der »Club«-Urlaube und Kontaktanzeigen. In Hamburg, West-
Berlin und München gab es 1979 zusammen mehr als eine Million Einpersonen-
haushalte. »Etwa zeitgleich griffen die Erosionen der Ehe und des Normalar-
beitsverhältnisses um sich. An die Stelle des herkömmlichen Vollzeit-Arbeitsver-
trags mit gewissen Rechten, die die Trennung erschwerten, sind stundenweise
Arbeiten und befristete Beziehungen getreten, sogar unentgeltliche oder kaum
bezahlte Arbeiten mit Optionen auf künftige Besserstellung. Das freie Kommunizieren und gelegentliche Freigesetztwerden schlug auch in der Organisation
des Privaten durch. Die Welt der Arbeit erforderte ohnehin, daß an die Stelle
langlebiger Hausgemeinschaften aus mehreren Generationen leichter lösliche
Bindungen mit Geburtenplanung traten. Was als ›vollständige Familie‹ bis heute
den Maßstab staatlicher Sozialpolitik bildet, nämlich das Zusammenleben eines

Mannes und einer Frau mit ihren gemeinsamen Kindern, blieb zwar Lebensmodell der Mehrheit, war aber in Wirklichkeit zur Wohnform der Minderheit geworden. Nicht nur, weil man sich häufiger trennte und häufiger neue Familien unter Einschluß der Kinder aus erster Ehe gründete – vor allem verlängerte sich die Lebensphase, in der die Elternpaare ohne ihre Kinder lebten, weil die Kinder früher aus dem Haus gingen und ihnen weniger jüngere Geschwister folgten. Und schließlich fand die Ehe ohne Trauschein mehrheitliches Einverständnis – zumindest als Probezeit vor der Ehe mit Trauschein. Am Ende des Jahrzehnts lebten schon ein Drittel der Dreißigjährigen nicht in einer gesetzlichen Ehe.«[283]

Das moralische Gebot des »Erfahrungshungers« hieß: Wir machen es jetzt! Leistungsdruck; Mühe, Entbehrung, Selbsteinschränkung und Aufschub wurden als Requisiten aus dem Arsenal des bürgerlichen Wohlverhaltens empfunden; Entspanntheit, Lebensfreude, Spontaneität, Ungezwungenheit, Genuß traten an ihre Stelle. »Leben« sollte nicht von den Erwachsenen vorgeprägt sein; deren Röntgenaugen war man in der Diskothek mit ihren unausgeleuchteten Winkeln, dem schummrigen Licht, das Gesichter und Körper verschwimmen läßt, entronnen; sie ist ein Ort, wo man Kontakte aufnehmen, sich wieder zurückziehen, vor sich hinträumen, sich zur Schau stellen, aus geschützter Entfernung alles beobachten kann – ein Ort des Geheimnisses; es fehlen der helle Tag und das kalte Neonlicht, die alles beobachtbar und kontrollierbar machen. »Man hat sich dem pädagogischen Imperialismus der Erwachsenen entzogen, gleichgültig, ob er die Gestalt elterlicher Herrschsucht, erwachsener Anmaßung oder penetranter Verständnisbereitschaft von wohlmeinenden Lehrern angenommen hat. Hier gibt es nicht das Aufklärungspathos fortschrittlicher Didaktik und den aufdringlichen Anspruch ›freier‹ Erziehung, doch immer alles sagen zu dürfen oder zu müssen. Vieles bleibt hier im Halbdunkel. Man bewahrt sein Recht auf Unentschiedenheit, diffuse Gefühle, Schweigen und Selbstverborgenheit. In der Discothek fühlen sich die Jugendlichen vor den Invasionen der Erwachsenen für ein paar Stunden sicher. Und so geraten sie in aufmüpfige Begeisterung, wenn der neue Song der ›Pink Floyd‹ aufgelegt wird: ›We don't need no education, we don't need no thought control, no dark sarcasm in the classroom. Teachers leave the kids alone, hay teacher, leave us kids alone.‹« (Jörg Bopp)[284]

Michael Rutschkys »Sittenbild« der achtziger Jahre, *Wartezeit*, spricht nicht mehr von »Erfahrungshunger«, sondern von Völlegefühl. Wartezeit kann dabei sowohl das Auslaufen einer Bewegung, als auch die Inkubationszeit einer neuen bedeuten. »Diese Sehnsucht; diese Langeweile; diese leeren Zeiten, die irgendwann in andere leere Zeiten übergehen, selbsttätig, während ein feiner Schweißfilm die unbewegten Hände überzieht, die man sich dann immerhin waschen gehen könnte, röche die Seife nicht so, daß einem nach dem Waschen auch noch die Hände abhanden gekommen wären; dieser ziehende Blick aus dem Fenster, wo sich vor einem weißen Hintergrund dunkelgraue Wolkenplacken ganz unterschiedlicher Gestalt eilig nach Südosten bewegen.«

In einem 1922 veröffentlichten Essay von Siegfried Kracauer, *Die Wartenden*, heißt es: »Es gibt gegenwärtig eine große Anzahl von Menschen, die, ohne voneinander zu wissen, doch alle durch ein gemeinsames Los verbunden sind. Jeglichem bestimmten Glaubensbekenntnis entronnen, haben sie sich ihren Teil an den heute allgemein zugänglichen Bildungsschätzen erworben und durchleben im übrigen wachen Sinnes ihre Zeit. Ihre Tage verbringen sie zumeist in der Einsamkeit der großen Städte, diese Gelehrten, Kaufleute, Ärzte, Rechtsanwälte, Studenten und Intellektuellen aller Art; und da sie in Büros sitzen, Klienten empfangen, Verhandlungen führen, die Hörsäle besuchen, vergessen sie wohl häufig über dem Lärm des Getriebes ihr eigentliches inneres Sein und wähnen sich frei von der Last, die sie heimlich beschwert. Wenn sie sich aber dann von der Oberfläche in den Mittelpunkt ihres Wesens zurückziehen, befällt sie eine tiefe Traurigkeit, die dem Wissen um ihr Eingebanntsein in eine bestimmte geistige Situation entwächst und am Ende sämtliche Wesensschichten überwuchert. Es ist das metaphysische Leiden an dem Mangel eines hohen Sinnes in der Welt, an ihrem Dasein im leeren Raum, das diese Menschen zu Schicksalsgefährten macht.«[285] Da werde, so Rutschky, der Arzt oder Rechtsanwalt, Bankkaufmann oder Lehrer, Student oder Arbeitsloser »Um Gottes willen!« ausrufen; man erwarte doch keine neue Offenbarung, nicht irgendeinen Ayatollah! Auch das »Getriebe« als verläßliches Betäubungsmittel stünde nicht mehr zur Verfügung.

Wer hat noch Power, die Wartezeit durchzustehen? Wem soll man vertrauen, wem Gefolgschaft leisten? Wird die Apokalypse jetzt eintreten oder noch auf sich warten lassen? Das Schauen, wie es nur während des Wartens möglich sei, könne, wenn das Angeschaute das Warten vollkommen formuliere, das Warten selbst beenden; eines Ayatollahs bedürfe es nicht. Kracauer meint, das Warten sei die einzig angemessene religiöse Haltung. Höchst mißtrauisch war er auch gegen die Versuche, »die metaphysischen Ordnungsvorstellungen durch geschichtsphilosophische oder sozialwissenschaftliche zu ersetzen – nicht nur die Ayatollahs, *alle* Erziehungswissenschaftler sind unter dem Gesichtspunkt des Ungeschicks zu betrachten. *Watch and wait!* Das Ergebnis ist, daß der Zeitraum sozusagen vor unseren Augen zerfällt. Von einer sinnerfüllten raumzeitlichen Einheit wandelt er sich zu einer Art Treffpunkt für Zufallsbegegnungen – wie etwa der Wartesaal eines Bahnhofes.«[286]

Wartezeit wird mit »Bricolage« ausgefüllt.[287] Der von Claude Lévi-Strauss entwickelte Begriff (wörtlich »Bastelei«) meint eine Verhaltensweise, die aus vorhandenen Systemen Einzelelemente herauszieht und umwidmet. Stil wird mit Mode identisch; »Verbindlichkeiten« werden nicht eingegangen; der Wechsel ist Prinzip. Man kann eigentlich alles »tragen«, wenn es »kleidet«. Das, was den Menschen ausmache, so Dieter Baacke über das Erscheinungsbild der Jugendkulturen nach der Protestbewegung, liege nicht »tief innen«, in der Gesinnung; »vielmehr *Das Tiefste am Menschen ist seine Kleidung*. Die erziehlichen Deutungsmuster für diese Selbstinszenierung sind schnell zur Hand: unreifer Narzißmus, jugendlicher Ethnozentrismus, Provokation mit jugendlicher Triebstärke, Kompensation von Minderwertigkeitskomplexen, Protest gegen Geschlechtsrollen-

In Berlin-Kreuzberg, 1982

stereotype. Das Selbstverständnis dieser manierierten Jugendlichen – und vieler anderer – würde man damit überhaupt nicht treffen. Worin es besteht, ist schon gesagt: Die Deutungen der Kleidung sind ›eigentlicher‹ als die einer sonstwie artikulierten Gesinnung. Die Botschaft bin ich, sie liegt in meiner leibgebundenen Expression und den dafür gewählten Accessoires. Dies ist eine persönliche Innovation, zu der die Deutungskategorien der Erziehung nicht hinreichen. In der Figur dieses Mods zitieren sich Stile, Widersprüche, offenbaren sich Blasphemie und Verachtung, aber auch Leidenschaft und Zärtlichkeit – und ein Stück Geschichtsbewußtsein. Die Tradition des Bohemien wird ebenso aufgegriffen wie die der amerikanischen Beat-Generation (Lawrence Ferlinghetti). Die sozusagen nach außen gestülpte Identitätskonstruktion ›reflektiert‹ dies alles in einem Darstellungsmuster, das kaum geeignet ist, *neue* Konventionen zu setzen. Es haftet vielmehr an dieser einen Person; alle anderen, die sich in gleicher Weise ausstaffieren würden, blieben *Nachahmer*. Sie müssen ihre eigenen Varianten schaffen.«[288]

Bricolage bedeutet Duldsamkeit gegenüber der Welt, Akzeptanz ihrer »Bestände«; Entlastung von theoretisch begründeten Entscheidungen; Reduktion von Komplexität nicht dadurch, daß man sie in Systemen organisiert und strukturiert, sondern indem man das Beobachtbare und Erlebbare in der Schwebe hält und je nach seinen individuellen Bedürfnissen auswählt. In der Wartezeit findet kein anstrengendes Suchen nach Wahrheit statt; Oberflächenreize dienen der Ablenkung; sie werden beliebig (nach Belieben) herangezogen und adaptiert. Ein 21jähriger meint in einem Bericht über seine Kindheit und diejenige seiner 68er-Eltern *(Luise und Benni, die waren ja so progressiv)*: »Ich werd' studieren. Mein Abitur is' gar nich' schlecht. Okay, zur Medizin würd's nich' reichen, aber das is' sowieso nich'. Ich weiß nur nich' genau, was. Ich bin 'n bißchen auf der Schaukel. Einerseits würd' ich gern was mit Menschen machen, Sozialarbeit oder so. Ich glaub', ich hab 'n Draht für Menschen. Andererseits flirt' ich so ein bißchen mit Computers. Für manche ist das der Inbegriff von Kapitalismus, aber das reizt mich ganz schön. Mathe is' mir ja nich' fremd. Ich weiß es noch nich', ich fahr' jetzt Taxi. Ich möcht' erst mal Freiheit.«[289]

Aus der Bricolage von Lebensläufen leitet Matthias Horx das Ende der Alternativen ab; an die Stelle visionärer Entwürfe, utopischer Konzepte – in sich schlüssig und mit konsequentem, auch ideologischem Engagement verfolgt – tritt der »Puzzle-Lebensstil«, nachkämpferisch, postutopisch, der chronische Selbstzweifel in einer Ironie aufhebt, die in der Emphase nur eine Attitüde sieht. Die »Zeitgeistmaschine« erzeuge unablässig von jedem Trend sein Gegenteil: Aus der Computereuphorie ersteht das Hacker-Phänomen, aus der Alternativbewegung die Neonkälte, aus der Neonkälte das New Age. Der »Puzzle-Lebensstil«, dem »Puzzle-Biographien« korrespondieren, signalisiert die verlorene Unschuld der Radikalität. Viele der Utopien seien an ihrer Realisierung gescheitert; weil man sie verwirklichen konnte, war man auch in der Lage zu erkennen, daß sie unbrauchbar, unerträglich, manchmal sogar unmenschlich waren. Die »neuen« jugendlichen Lebensläufe zeigen auf, daß man sich als Person nicht dem Prinzip »opfert«, sondern sich rasch und wendig, aber ohne Identitätsverlust (nämlich im Erwerb eines Plurals von Identitäten, die man sich wie Kleider anzieht), je nach der »neuesten Stimmung im Westen« umorientiert; das kann freilich auch »danebengehen«. »Viele wahre, radikale Geschichten wären zu erzählen. Von Gerd etwa, dem Proletensohn, mit dem ich nachts Farbbeutel an Wände schmiß und der heute Shows im Fernsehen moderiert. Von Lydia, der Lehrerin, die nach Jamaica ging und dieses Jahr, mit einem Rastafari verheiratet, zurückkam. Von Thomas, der in unserem Wohngemeinschaftshaus eine Autowerkstatt betrieb, in der ständig Werkzeug und Geld fehlten – heute dient er dem wohlhabenden Teil der linken Szene in seinem Ledersesselbüro als Vermögensberater. Von Johannes, der meiner Freundin Gisela in einer jener vertrackten ›Beziehungskisten‹ fast das Herz brach, und der heute eine so konsequente Ehe betreibt, wie das meine Eltern niemals fertiggebracht haben. Von Hermann, der aus lauter Angst, so zu werden wie sein Vater (ein Alkoholiker), dem Alkohol verfiel und heute fast nur noch in der Kneipe beim Jammern und Erzählen über vergangene Zeiten anzutreffen ist. Von Lydia, die sich vor zwei Jahren am hellichten Tag in einem Szene-Café das Leben nahm; von Sigi, der fast ein Jahrzehnt im Kinderladen Bezugsperson war, bevor er zum Bhagwan eilte; von

Gregor, dem politische Macht und Vaterschaft als Therapie guttaten (er ist bei den Grünen in Bonn). Von Sylvia, von der ich nie genau wußte, ob ihre Obsession dem bewaffneten Kampf, der Unterstützung der Guerilla-Gefangenen oder in Wirklichkeit ihren eigenen Depressionen und Lebensschwierigkeiten galt – sie bekommt jetzt ihr drittes Kind, hat aber kein Geld und keinen Mann. Von Niclas, der als Straßenmusiker Anti-Bullen-Lieder fiedelte und dann, auf der Suche nach paranormalen Potenzen und Delphinintelligenz, auf eine dreijährige Reise um die Welt ging. Von Geli und Karl, die konsequent das ›ganz andere‹ (in ihrem Fall: das Einfache) suchten, frustrierende Erfahrungen in einem spanischen Freak-Dorf machten und heute im Odenwald leben.

Die Aufzählung müßte nicht aufhören. Es sind lustige, traurige, skurrile Geschichten von Katastrophen, Brüchen und Zusammenbrüchen, aber auch glückliche (und vor allem: lebensintensive) Geschichten voller Glück über entdecktes Neuland. Geschichten, die nicht zu Ende sind. Unsere Geschichten.«[290]

Bei aller Uneinheitlichkeit im Erscheinungsbild der »Puzzle-Generation« ergibt sich als bemerkenswertestes Phänomen der Aufstieg der Yuppies (Young, urban, professional), die, als »Gegenbild« zur Protestgeneration (ihr aber häufig entwachsen), auf feine Lebensart, Geld und Erfolg »abfahren«. »Yuppies lieben die Ausstattung, das Inszenierte: den Circus Roncalli, die Zimmerpalme, ein Feuerwerk von André Heller, den Freischwingersessel, den wildgemusterten Pullover aus dem italienischen Designerhaus. ›Wir wollen das Hemd von Laprotz und die Uhr von Swotz‹, höhnt Udo Lindenberg auf einer LP.«[291]

Am Beispiel von Berlin-Kreuzberg hat Marie-Luise Weinberger den Verfall der Müsli-Kultur und den Aufstieg der Yuppie-Kultur beschrieben.[292] Ehedem: Grobgestricktes aus reiner Schurwolle, lila Latzhosen für sie, facharbeiterblaue für ihn, Gesundheitslatschen, wallende Haare; das Ambiente: abgebeizte Dielen, Kiefernregale, Oma-Sofas und Trödel; die Kneipen waren ungepflegt, manchmal etwas schmuddelig, mit Sperrmüll eingerichtet; ganze Heerscharen von Sozialarbeitern, Städteplanern, Seminarmarxisten, APO-Opas, professionellen und halbprofessionellen Mieterberatern kümmerten sich um den Kiez; diese Therapeutokratie übte sich in einer neuen Form der Beglückungspolitik von oben: randständige Jugendliche sollten integriert, sozial Auffällige gebessert, Punks domestiziert und Häuser kleinräumig saniert werden. Die Müsli-Moderne war eine Antwort auf die Industrialisierung sozialer Beziehungen und auf die Rationalisierung aller Lebensbereiche – eine Utopie der Modernitätsverweigerung als Replik auf die Utopie des Modernen; sie suchte ihr Heil in Verkiezung, Provinzialisierung und Verdörflichung; in ihr tummelten sich Fundamentalisten und Jakobiner, Realpolitiker und Feministen, Radikalaussteiger und Öko-Freaks. Es gab eigene und neue politische Organisationen: Grüne und alternative Parteien mit dezentralen Organisationsformen und radikaler Ausstiegsphilosophie. Diese Müsli-Moderne ist Mitte der achtziger Jahre out und old-fashioned; »in« sind die Aufsteiger, die Hedonisten, die Yuppies und Dinks (double income, no kids). Die kleinen Läden der Off-Designer, wo man/frau individuelle, handgefertigte

Kleidung erwerben kann, schießen wie Pilze aus dem Boden. »Ich kleide mich königlich, damit ich dir den Hof machen kann«, wirbt ein Designer; Jahre zuvor hätte ein solcher Slogan in der Szene Stürme der Entrüstung hervorgerufen – heute ist er chic. Neuer Mann und neue Frau leben meistens als Singles, verdienen überdurchschnittlich gut; sie präferieren postindustrielle und hedonistische Werte, gehen einer Arbeit im white-collar-Bereich des neuen Dienstleistungssektors nach, zu dem sie Zugang aufgrund ihres hohen Bildungsniveaus gefunden haben. Yuppies sind Ingenieure, Journalisten, Informatiker, neue Selbständige, Rechtsanwälte, Soft- und Hardware-Spezialisten, Ärzte, Lehrer; sie arbeiten in den neuen Informationsberufen der Dienstleistungs- und Industriegesellschaft. Die neue Sicht der Dinge: Coolness, High-tech, Lässigkeit, Eleganz, Individualität, Konsum, Ästhetik. Nicht Konsumverzicht ist das Motto, sondern Edelkonsum auf individueller Basis. Die Kleidung kommt vom Designer, der Tisch zum Biedermeiersofa wird aus Plexiglas vom Handwerkskollektiv erstellt. Nicht mehr »Massenproduktion« gibt es in den »life-style-economics«, sondern individualisierte und hochqualitative Produkte und Dienstleistungen. Es sind die Designer, die Edel-Boutiquen, das Ärzte-Kollektiv, der Software-Produzent, der Avantgarde-Friseur, der Gourmet-Shop, die die »life-style-economics« ausmachen.

Ausbildungsort der Yuppies ist die deutsche Universität der achtziger Jahre; sie ist längst zum Fächerpuzzle (zur Bricolage, jenseits einer integralen Idee) zurückgekehrt. »Die antiautoritären Studenten haben sich lange aus der Institution Universität verabschiedet; ihre Kader wurden teils pseudo-proletarisch, teils pseudo-therapeutisch, und der Rest ging sowieso zum Repetitor. Für heutige Studenten ist die Uni keine ›Lebenswelt‹, nichts, worüber es sich aufzuregen lohnt. Draußen geschieht genug. Die zuletzt lachenden Gegner der Studentenrevolte, die Ordinarien, taten ein übriges und verkauften die Hochschulautonomie an außeruniversitäre Seilschaften in Wirtschaft, Parteien und Staat. Jetzt haben sie, die unablässig über ›Niveauverlust‹ und ›Gruppenuniversität‹ klagen, exakt die Alma mater, die sie verdienen und repräsentieren. Für Studenten und Professoren (den akademischen Mittelbau haben Stellenkürzungen und Qualifizierungsoffensiven unterdessen fast aufgerieben) ist die Hochschule nur noch ›Spielbein‹ – eine ›Service-Einrichtung‹, und nichts, was man gegebenenfalls gemeinsam verteidigen muß.« (Claus Leggewie)[293]

Die Gefährdung unserer Hochschulen, so Peter Glotz, liege nicht in einem Niveauverlust der Forschung, sondern im Verlust ihrer Reflexionsfähigkeit, ihrer Neugierde, ihres Selbstbewußtseins. Die anregenden Fragestellungen kämen selten mehr aus Universitäten; versagt hätten diese auch bei der Aufgabe, der jungen Generation Orientierung zu bieten – nicht durch die Vermittlung einer wie auch immer gearteten gemeinsamen Weltanschauung, die mit dem Abtreten eines einheitlichen Akademikerstandes versunken sei, sondern durch die Einübung einer aufs Praktische gerichteten Fragefähigkeit, ohne die weder der Arzt noch der Jurist, weder der Lehrer noch der Volkswirt seine Arbeit vernünftig (das heißt vernunftgemäß) ausüben könne. Das Elend der deutschen

Universität ist ihr Versinken in der »Bodenlosigkeit des Spezialistischen« (Jaspers). Erst waren viele Angehörige der Universitäten dem Nationalsozialismus dienstbar; und schworen sich danach, nie wieder sich mit Politik einzulassen. Später, am Ende der sechziger Jahre, überspülte eine linke Politisierung den ausgetrockneten Boden der Alma mater; die Reform, so notwendig sie war, blieb stecken. »Nun halten sich die meisten Hochschullehrer an ihren Fachqualifikationen fest und verweigern die ›Rückübersetzung von wissenschaftlichen Resultaten in den Horizont der Lebenswelt‹, die Jürgen Habermas schon *vor* der Studentenrevolte gefordert hatte. Das Ergebnis ist grotesk genug: Einerseits stehen wir vor einer Wissensexplosion, die uns zwingen müßte, einen konsensfähigen Dialog über die ›Zukunft der Aufklärung‹ (also zum Beispiel verschiedene Forschungslinien) zu beginnen; die Universität hätte die Chance, zur wichtigsten Institution unserer Gesellschaft zu werden. Andererseits schreckt die ›Scientific Community‹, verstört von ihren historischen Erfahrungen, ängstlich davor zurück, Forschungsprozesse und Forschungsergebnisse mit der Lebenspraxis handelnder Menschen wirklich in Beziehung zu setzen.«[294]

Das Berufsethos vieler Professoren sei verkümmert; aus Großordinarien mit universeller Kompetenz seien qualifizierte Fachlehrer geworden. Man hinterlasse nicht mehr Schüler, sondern Sonderdrucke; man streite sich nicht mehr mit der »Obrigkeit«, sondern seufze über den ungreifbaren Leviathan; man kämpfe nicht für einen allgemein verbindlichen Kanon von Erkenntnissen und Zweifeln, sondern verweise auf die Grenzen der eigenen Kompetenz.

Die Studenten, die sich in Nachfolge der Protestgeneration zunächst als »sanfte Kohorte«[295] erwiesen, orientieren sich zunehmend an okkasionaler, ganz im Augenblick angesiedelter, auf die »Gelegenheit« fixierter Rationalität, zumal antizipatorische Vernunft sich nicht auszahlt. Postmaterielle Werte sind zwar nicht abgeschrieben, doch ist es wichtiger zu avancieren, als sich zu engagieren – wobei der Konkurrenzkampf angesichts zunehmender akademischer Arbeitslosigkeit die Orientierung an funktionalistischer Einseitigkeit verständlich macht.

Quantitativ ergab sich seit der Mitte der sechziger Jahre ein Gründungsboom bei neuen Hochschulen. Neben Fach-, Musik- und Kunsthochschulen nahmen seit 1964 (Bochum) siebzehn Universitäten, sechs Gesamthochschulen und acht weitere Hochschulen ihren Lehrbetrieb auf; seit 1960 ergab sich eine Versechsfachung der Zahl der Studenten. Eine allgemein verbindliche Idee, eine Vorstellung vom Bild der Hochschule, lag diesen Gründungen freilich nicht zugrunde; teilweise handelte es sich um den Versuch, die sozioökonomische Struktur einer Region zu verbessern. »Weil es an Konsens fehlte, konnten die unterschiedlichsten Ziele verfolgt werden, und waren gewaltige Enttäuschungen vorprogrammiert.« (Thomas Ellwein)[296]

Das Ende der Emanzipationspädagogik

Anfang der siebziger Jahre hatte die Emanzipationspädagogik in den hessischen »Rahmenrichtlinien« einen besonderen, wenn auch fragwürdigen Höhepunkt erreicht.[297] Die Lernziele dieser Bildungspläne waren darauf ausgerichtet, die Befähigung zur Selbst- und Mitbestimmung zu fördern; dabei kokettierte man jedoch mit dem Trend außerparlamentarischer Verhaltensweisen; die Schüler wurden z. B. aufgefordert zu prüfen, ob es Situationen gäbe, in denen zur Sicherung oder Verbesserung demokratischer Verhältnisse formaldemokratische Spielregeln und Rechte vorübergehend außer Kraft zu setzen seien. Fatal wirkte sich auch aus, daß man Hochsprache als Herrschaftssprache zurückzudrängen suchte und die Bedeutung der Literatur nur außerhalb ästhetischer und historischer Erfahrungsmöglichkeiten sah. Ralf Dahrendorf meinte damals, daß die Rahmenrichtlinien technisch und gedanklich miserabel gearbeitet seien; daß ein Kultusminister die Schlamperei ihrer Publikation mit seinem Namen decke, erweise sich als ein trauriges Zeugnis für die Disziplin deutscher Bildung. Im Landtagswahlkampf 1974 war die curriculare Bildungsreform ein Hauptthema; die CDU wurde mit 47,3 Prozent die stärkste Partei; die beiden Koalitionspartner SPD und FDP mußten empfindliche Verluste hinnehmen. Der für die Rahmenrichtlinien politisch verantwortliche Kultusminister Ludwig von Friedeburg wurde durch Hans Krollmann ersetzt, der für eine schrittweise Entschärfung der Problematik sorgte.

Die Emanzipationspädagogik wurde insgesamt Opfer einer umfassend angelegten und sich des Beifalls weiter Kreise erfreuenden Diffamierungsstrategie, die vom konservativen Lager aus systematisch angewandt wurde. Der Kampf gegen den Terrorismus war ein willkommenes Instrument, um grundsätzlich kritisches Denken auszuhebeln. Ein trivialisierter (autoritäre Strukturen befürwortender) Carl Schmitt stand Pate, wenn etwa *Schule und wir*, die »Hauszeitschrift des bayerischen Kultusministeriums«, mit emanzipatorischer Erziehung sich auseinandersetzte. Im Dezember 1977, »am Ende eines Jahres, das im Zeichen des Terrors stand«, beschäftigte sich die Zeitschrift mit dem »jugendfrohen Anfang der Tyrannis«.[298] Der Betrachtung war ein Zitat von Platon vorausgestellt:

»Wenn Väter ihre Kinder einfach gewähren und laufen lassen, wie sie wollen . . .

wenn Söhne ihre Eltern weder scheuen noch sich um ihre Worte kümmern . . .

wenn Lehrer vor ihren Schülern zittern, statt sie sicher einen geraden Weg zu führen . . .

wenn es soweit ist, daß sich die Alternden unter die Jungen stellen und ihre Albernheiten und Ungehörigkeiten übersehen oder gar daran teilnehmen, damit sie ja nicht den Anschein erwecken, als seien sie auf Autorität versessen . . .

wenn auf diese Weise die Seele und die Widerstandskraft der Jungen allmählich mürbe werden . . .

wenn sie aufsässig werden und nicht mehr ertragen, daß man ein klein wenig Unterordnung von ihnen verlangt . . .

wenn sie am Ende dann auch die Gesetze verachten . . .
dann ist das der schöne und jugendfrohe Anfang der Tyrannis.«
Ausgehend von der Feststellung, daß unseren Kindern immer mehr Chancen
geboten und ihnen die Wege geebnet würden, das Beste aus ihrem Leben zu
machen, äußerte der Autor die Frage, warum sich denn Zweifel in die Zufrie-
denheit mischten. Man würde mit Dingen konfrontiert, »die nicht in unseren
Kopf wollten.« Roheitsdelikte, kriminelles Verhalten, Raufhändel, Rivalitäten-
streit und kindliche Verschwörerbanden hätte es zwar zu allen Zeiten gegeben;
doch habe sich die Szene entscheidend geändert. Ein Schlagabtausch mit harten Bandagen löse die Lausbubengeschichten vergangener Tage ab. »Mitgehen
lassen, klauen, klemmen, organisieren« – so nenne sich salopp, was in Wirklichkeit ein höchst besorgniserregender Vorgang sei: der explosionsartige »Aufschwung« von Eigentumsdelikten, insbesondere von Kaufhausdiebstählen.
Zwischen der Erwachsenenwelt hier und Parzellen der Jugendwelt dort entwickle sich das Leben bereits so grundverschieden wie auf getrennten Planeten.
Der Transfer der Lebenserfahrung von den Älteren zu den Jüngeren sei empfind-
lich gestört. Die erschreckende Bilanz, daß jeder dritte junge Mann gerichtlich
verurteilt sei, immer mehr Ehen kaputtgingen, die Freude an der Arbeit und die
Lust am Lernen geringer werde, die Vorschriften der Erwachsenen immer
weniger gelten würden, die Autorität der Eltern schwinde, wird vom Verfasser
in »schrecklicher Vereinfachung« der emanzipatorischen Erziehung in die
Schuhe geschoben: »Nach einem Jahrzehnt sehen wir klar, wohin die Pädagogik
des Laufenlassens mitsamt dem aggressiven Feindbild von der Familie, das sie
der Jugend einspiegelte, geführt hat. Die zur Disposition gestellte Disziplin, das
Vermiesen positiver Vorbilder, das Verketzern von Kirche und Staat, die Ver-
spottung von Ehe, Treue und Keuschheit als ›fossile Lebensformen‹, das statt
dessen zum Fortschritt gestempelte schrankenlose Ausleben der Triebe bis hin
zur erlaubten ›Gewalt gegen Sachen‹ – dieses ganze Blendwerk der antiautoritären Erziehungspropaganda – was haben wir damit letztlich gewonnen?
Der versprochene ›neue Mensch‹ wurde nicht hervorgebracht. Im Gegenteil:
die ganze Bewegung hat sich als ein einziges Verlustgeschäft herausgestellt.
Nicht mehr Glück entstand, sondern weniger. Die Demontage der vertrauten
Ordnung und der Abbau der bewährten Lebensstützen schuf eben nicht auto-
matisch mehr Schönheit, mehr Freude im Leben der Jugend. Was zunahm, war
Labilität, Leere, Unsicherheit, Unlust, Unzufriedenheit und neuerdings immer
besorgniserregender: die kriminelle Anfälligkeit.«
Erhebliches öffentliches Echo löste, um ein anderes Beispiel zu geben, der
frühere baden-württembergische Ministerpräsident Hans Filbinger (CDU) aus,
als er auf einer Festrede in Tübingen Theodor W. Adorno, Jürgen Habermas und
die kritische Theorie der Frankfurter Schule in den Zusammenhang mit dem
bundesdeutschen Terrorismus rückte. In einem offenen Brief setzte sich der
Konstanzer Hochschullehrer und Adorno-Schüler Albrecht Wellmer mit Filbin-
gers Äußerungen kritisch auseinander. Filbinger antwortete seinerseits mit einem offenen Brief, in dem er unter anderem an die »systematische, ideologisch

betriebene Auflösung des Vertrauens in die unverzichtbare Bedeutung des Rechtsstaates für die Aufrechterhaltung des öffentlichen Friedens und der inneren Sicherheit«, an der sich alle Vertreter der Frankfurter Schule mit unterschiedlichen Akzenten beteiligt hätten, erinnerte. Filbinger brachte dann ein Zitat aus der *Negativen Dialektik* von Adorno und kommentierte es mit den Worten, daß dies die gleiche Argumentation sei, die bei den Terroristen wiederkehrte, wenn sie den freiheitlichen Rechtsstaat der Bundesrepublik als faschistisch diffamierten.[299]

Ausgehend von solchen und ähnlichen Erfahrungen wie Beobachtungen stellte Urs Jaeggi zu der Frage: »Gefahr von links oder rechts?« 1977 fest: »Das sorgfältig aufgebaute, überdeutliche Feindbild wird stilisiert, mystifiziert. Die Grenze zwischen dem, was an Kritik zugelassen wird, und dem, was verboten, sanktioniert wird, bis hin zur Kriminalisierung, beruht nicht auf sachlicher Einsicht, sondern auf Diffamierung, die nicht nur eine zwar diffuse, aber dezidierte ›Volksmeinung‹ im Hintergrund zu haben glaubt; sie entspricht auch dem konservativen Gedankengut der regierenden und opponierenden Großparteien.«[300]

Selbst die progressive Erziehungswissenschaft revidierte ihren Standpunkt. Klaus Mollenhauer etwa, der die Emanzipation in der Erziehung als die »Befreiung der Subjekte aus Bedingungen, die ihre Rationalität und das mit ihr verbundene gesellschaftliche Handeln beschränkten«[301], im besonderen Maße propagiert hatte, brach mit seiner pädagogischen Vergangenheit und bezeichnete Ideologie und Emanzipation als passé.[302] Das Mißtrauen gegenüber organisierter »gesellschaftsrelevanter« Pädagogik stieg, und zwar nicht nur auf rechter, sondern auch auf linker Seite; gerade dort verbreitete sich unter dem Einfluß spontaneistisch-kreativen Denkens die Einsicht, daß ein stringentes emanzipatorisches Schulsystem die Individualität einenge. Das Kind werde sortiert weitergereicht, entfremdet; Kindheit innerhalb eines sogenannten progressiven Sozialisationsrasters ausgegrenzt. Als Anwalt einer gegenläufigen entschematisierten, um Lebensbezüge bemühten Pädagogik (»community education«) beschrieb Jürgen Zimmer die Fatalität von Verschulung in Form einer »Fallstudie«: »Nina, Berliner Arbeiterkind, beide Eltern im Schichtdienst: Ihr langer Marsch durch die pädagogischen Institutionen beginnt im Alter von acht Wochen in der Liegekrippe einer Kindertagesstätte. Um 6.30 Uhr wird sie gebracht, um 16.30 Uhr wieder abgeholt. Die acht Babys der Gruppe werden vom Frühdienst, vom Spätdienst und in Fällen ›krankheitsbedingter Fehlzeiten‹ von Springkräften versorgt . . . Mit zwölf Monaten wechselt Nina die Unterabteilung, in der Laufkrippe trifft sie neue Kinder aus anderen Gruppen der Liegekrippe und neue Erwachsene. Der Tag: wickeln, essen, schreien, schlafen, auf dem Topf sitzen, baden, spielen. Der Tag findet im Gruppenraum statt – blankgeputztes Linoleum, Bettchen, verschließbare Schränke, Farbtupfer von Plastik- und Holzspielsachen, Tische, Stühle . . .

Nina, drei, kommt in die Kindergartengruppe. Sie trifft auf wenige bekannte und viele neue Gesichter. Um 6.30 Uhr gerät sie in die Sammelphase des

Frühdienstes. Ab 8.00 Uhr beginnt die Kernzeit: gemeinsames Frühstück, Freispiel, Beschäftigungsangebote, Mittagessen, Mittagsschlaf, Freispiel und ein abbröckelndes Ende mit dem Spätdienst, der die Kinder nach und nach den Eltern übergibt. Nina ist kurz nach 16.00 Uhr an der Reihe.

Als Fünfjährige geht Nina täglich nach der Sammelphase in die Vorschulgruppe der Kita zu einer anderen Erzieherin und auch fremden Kindern. Mit sechs kommt sie in die Grundschule ihres Sprengels. Zwei Kinder ihrer Klasse hat sie vorher schon gesehen. Weil Ninas Eltern ihre Arbeitszeit der Schulzeit nicht angleichen können, geht Nina vor und nach der Schule in den Hort. Neben der Klassenlehrerin unterrichten sie zwei Fachlehrer und ein ›Teilungsstundenlehrer‹. Von der vierten Klasse an dominiert der Fachunterricht, kombiniert mit einem Förderunterricht für leistungsschwache Kinder. Nina gewöhnt sich daran, daß im 45-Minuten-Takt Lehrer auftauchen, die teils mit der gesamten Klasse, teils mit Gruppen aus verschiedenen Klassen arbeiten wollen.

Nach sechs Jahren Berliner Grundschulzeit kommt Nina auf ein Mittelstufenzentrum. Jede der vier aus 300 Schülern bestehenden Jahrgangsstufen ist in zehn Züge unterteilt. Von der zweiten Hälfte der siebten Jahrgangsstufe an wird nach Leistungsgruppen differenziert. In der neunten Jahrgangsstufe ist das Differenzierungssystem auf vier Niveaustufen voll entfaltet. Alle 50 Minuten wechselt Nina zusammen mit 1200 Schülern und 100 Lehrern zwischen Kurs-, Kern- und Fachräumen aller Art und findet sich an einem Tag oft in fünf verschiedenen Lerngruppen mit fünf unterschiedlichen Zusammensetzungen von Schülern wieder. Einige von Ninas Fachlehrern unterrichten pro Woche 200 Kinder. Die Namen stehen auf Arbeitsblättern. Hinter den Arbeitsblättern, den Tests, den Umrechnungstabellen von Punkten und Noten verblassen die Lebensläufe. Die Schule dauert bis 16.05 Uhr. Das Verlassen des Schulgeländes in dieser Zeit ist verboten. Freistunden können bei Sozialpädagogen absolviert werden.

Mit dem elften Jahrgang verläßt Nina diese Schule und geht auf die gymnasiale Oberstufe. Ein halbes Jahr lang erlebt sie mit neuen Jugendlichen ein Relikt vergangener Zeiten: die Klasse. Aber dann beginnt das Kurssystem und damit der Abschied von gerade vertraut werdenden Schülern und Lehrern. Nina absolviert in jeweils anderen Gruppierungen die Grund- und Leistungskurse. Nina ist von Lehrern gefördert, über die Klippen gehievt, weitergereicht, zum Abitur gebracht worden. Ihr Studium ist nach ähnlichen Mustern angelegt wie ihre Schulzeit: der Anderthalb-Stunden-Takt der Seminare, die Unverbundenheit der Inhalte, die nur gelegentliche Verknüpfung mit ›Praxis‹.«[303]

Kindheit und Jugend würden durch pädagogische Institutionen in einem Ausmaß verstellt, wie dies vorher nicht bekannt gewesen sei. Diese Entwicklung habe mit einer Flurbereinigung in den fünfziger Jahren begonnen, als die Zwergschulen zugunsten der Schulzentren und Mittelpunktschulen aufgelöst wurden und man ohne Augenmaß dem Hang zur Zentralisierung und Größe nachgab. Damals seien die wichtigen Chancen verspielt worden, die Beziehungen zwischen Schulen und Gemeinden einigermaßen zu erhalten und das Umfeld von Schulen als Lern- und Erfahrungsraum zu nutzen. Die Entwicklung wurde in den sechziger und siebziger Jahren fortgesetzt, als die vorschulischen Einrichtungen ausgebaut, Horte bereitgestellt, Sekundarschulen gegründet, Jugendfreizeitheime eingerichtet und Hochschulen erweitert wurden, als viele Teilreformen Eingangs- und Orientierungsstufen, Förder- und Wahlpflichtkurse brachten. Unter den Pädagogen verschwanden die Generalisten, der dilettierende Dorfschullehrer ebenso wie der Professor für Allgemeine Pädagogik; ersetzt wurden sie durch Spezialisten. Die Reformpädagogen hätten sich nicht besser als die Psychiater verhalten; sie versähen ihre Klientel mit dem Ticket der Unmündigkeit, sonderten sie in Anstalten ab, von denen sie zugleich behaupteten, diese dienten besonders gut der Vorbereitung aufs Leben.

Eine solche Kritik versuchte die Dialektik der Aufklärung im Bildungsbereich – den Umschlag emanzipatorischer Pädagogik in ihr Gegenteil – zu korrigieren; das angestrebte pädagogische Tugendsystem zeigte freilich die gefährliche Tendenz, sich moderner Komplexität dadurch zu entziehen, daß man auf »Nestwärme« regredierte. Eine »Bibel der Verschulung« nannte der frühere Emanzipationspädagoge Horst Rumpf 1985 (im *Kursbuch*) das Gutachten des Deutschen Bildungsrats von 1968: *Begabung und Lernen*. Mit diesem »Rammbock der Bildungsreform«, denkbar unattraktiv geschrieben, wurde der pädagogische Fortschritt wissenschaftlich mit vielen Tausenden von Literaturzitaten, meist angloamerikanischer Herkunft, eingeläutet. »Mit dieser Waffe in der Hand, so schien es, konnte jeder aus dem Feld geschlagen werden, der etwas von der angeborenen Begabung, von dem darauf aufbauenden dreigliedrigen Schulsystem, von der Auslesepraxis der täglichen Schule zu halten geneigt war. Alles das schien pädagogischer Defaitismus, reaktionärer Aberglaube: ›Es ist wissenschaftlich entschieden – Begabung ist kein Schicksal; *wir* können Menschen begaben, es liegt in unserer Hand, in der Hand der Lehrer, der Bildungspolitiker, der Gesellschaft, wieviel Begabte es gibt.‹ Es tönte triumphal, seinerzeit. Etwas von Goldrausch lag in der Luft. Das Goldwort war *Lernen*. Ungeahnte verborgene Energien im Menschenpotential – sie zu entdecken hatte die Wissenschaft angesetzt, und jetzt, 1969, war die große Stunde, da die Bildungspolitik bereit schien, die Ausgrabung dieser verborgenen Schätze in die Wege zu leiten, durch den Aufbau und Ausbau von Schulen, Hochschulen, Vorschuleinrichtungen. Ein Volk von Lernern, das war die Vision. Lifelong.«[304] Kognitives Aufgabenbewältigen sei dabei zu einer abstrakten Kompetenz geworden; die Menschen wurden zu Prothesen von intellektuellen Problemlösungsoperationen. Die Kompetenz löste sich schon begrifflich-theoretisch von Sinnzusammenhängen, von Lebensgeschichte, von Gesellschaft, von Gefühlen, von körperverwurzelten Milieus und Befindlichkeiten ab. Der »missionarischen Pädagogik«, die die Demokratisierung von Gesellschaft, die intensive Auseinandersetzung mit der NS-Vergangenheit, den Abbau autoritärer Traditionen und Strukturen anstrebte, die das Kind und den Jugendlichen mit Hilfe der Vergesellschaftung von Erziehung »begaben« zu können glaubte, folgten die Bildungsskeptiker, die sich zu einer »Antipädagogik« bekannten. 1975 sprach Ekkehard von Braunmühl von der Versklavung des Kindes und nannte das Erziehungsgeschäft ein »gigantisches, mit wissenschaftlicher Akribie aufgebautes und organisiertes Bordell«, in dem man Kinder prostituiere.[305] Im Rückblick auf die emanzipatorische Pädagogik meinte er 1984, daß das, was aufständische junge Leute damals unternommen hätten, um ihre innere Unfreiheit abzuschütteln, seine Berechtigung zwar nicht verliere; »was einige dieser Leute aber mit ihren Kindern anstellten, war Pädagogik, Erziehung, Mißbrauch der elterlichen Macht im schlimmsten Sinne. Ob man seine Kinder zu Kapitalisten erzieht oder zu Antikapitalisten, zu Systemverteidigern oder zu Revolutionären, macht unter dem Gesichtspunkt ihrer inneren Freiheit keinen Unterschied.«[306]

Die Antipädagogik definierte sich als »Freundschaft mit Kindern« in Absage an konservative oder progressive Vereinnahmung; es gehe um Unterstützung und nicht um Erziehung; Kinder seien nicht als defizitäre Wesen zu betrachten, die erst durch Erziehung zu vollwertigen Menschen sich entwickelten; sie seien vielmehr von Geburt an als selbständige, also spontan-autonome Individuen (als Subjekte in ihrem Sosein) anzuerkennen. Eine gewisse Konvergenz mit dem konservativen Slogan »Mut zur Erziehung« ist unverkennbar: Der Glaube an die Machbarkeit des Menschen, der Versuch der Steuerung seines Verhaltens, die Instrumentalisierung der Pädagogik für gesellschaftliche Zwecke hätten den Verzicht auf den pädagogischen Auftrag der Bildung des Menschen zur Folge. »Die Antipädagogik macht bewußt, daß die Pädagogik der Gegenwart die *diskursive Rationalität* verloren hat, die das Erziehungsdenken über lange Zeit auszeichnete. Damit ist ihre pädagogische, in ihrem Ursprung gewiß dem bürgerlichen Denken verpflichtete Denkform gemeint, die ein kategorial geführtes Raisonnement über die Fragen des Erziehens erlaubt. Die pädagogischen Klassiker haben ein semantisches Grundgerüst zur Verfügung gestellt, das eine sachlich ›disziplinierte‹ und zugleich offene Auseinandersetzung mit den Problemen der Pädagogik anregen könnte. Anders formuliert: Das Programm zur Abschaffung der Erziehung macht deutlich, daß es in der pädagogischen Ausbildung auch die Möglichkeit geben muß, sich eine Orientierung darüber anzueignen, was als Grundlinie des pädagogischen Handelns dieses selbst auszeichnet. Das Interesse an der Antipädagogik belegt nämlich, daß eine als Erziehungsphilosophie verfügbare, trotz aller Allgemeinheit gleichwohl lebensnahe und durch den Pädagogen konkretisierbare ›Rationalität‹ oder ›Logik‹ des Handelns vermißt wird, die aufklärend und handlungsleitend wirkt, unverbindliche Beliebigkeit zwar nicht duldet, dennoch der Subjektivität von Kindern und Erwachsenen ihr Recht beläßt.« (Michael Winkler)[307]

Fünfundzwanzig Jahre nach dem *Rahmenplan zur Umgestaltung des deutschen Schulwesens* vom Deutschen Ausschuß für das Erziehungs- und Bildungswesen (1959) meinte Konrad Adam in der *Frankfurter Allgemeinen Zeitung*, daß die seitdem verflossenen Jahre ein »wohlgeplantes Chaos« darstellten:

– Als Ende der siebziger Jahre die Flut der Reformen sich langsam wieder verlief, waren dreißig pädagogische Forschungsinstitutionen damit beschäftigt, Bestehendes zu evaluieren und Zukünftiges zu konzipieren (mit einem Etat von zusammen 140 Millionen DM jährlich); zugleich wurden die Schattenseiten des

pädagogischen Großunternehmens von der Antipädagogik entdeckt und effekt-
voll ausgeleuchtet;

– die Forderung nach fortschreitender Pädagogisierung des Alltags, zusammen mit dem Schlagwort vom »lebenslangen Lernen«, wurde konterkariert mit
dem Ruf nach einer Entschulung der Gesellschaft; Lernverweigerung der Schüler wurde als positives Signal alternativer Wertvorstellungen begriffen;

– Lernzieldenken wurde als eine epochale Erneuerung empfunden; wenige
Jahre später erkannte man in der Vorgabe verbindlicher Lernziele eine jeder
demokratischen Erziehung entgegenstehende Manipulation;

– kompensatorischer Erziehung, lange Zeit von den Reformpädagogen favo-
risiert, trat die Unterschichten-Pädagogik entgegen; sie wollte nicht mehr die
Nachteile nach oben, in Richtung Mittelschicht, ausgleichen, sondern die Werte-
und Normenvorstellung der Arbeiter zur Grundlage des Unterrichts machen;

– daß der Weg zu mehr Chancengleichheit nicht ohne das Leistungsprinzip zu
finden sei, war noch zu Anfang der siebziger Jahre ein wissenschaftlicher Ge-
meinplatz; einige Zeit später wurde das Gegenteil gemeinplatzfähig; schlagartig
kamen viele Pädagogen zu der Einsicht, daß zwischen dem einen und dem
anderen Grundsatz ein regelrechter Widerspruch bestand;

– in zwölfzügigen Schulzentren 2000 und mehr Kinder zu beschulen, galt in
den siebziger Jahren als Ausdruck progressiver Infrastruktur; kurz danach
wurden die Vorzüge der einklassigen Dorfschule, der langjährige Inbegriff
pädagogischer Rückständigkeit, neu entdeckt.[308]

Als die Zeitschrift *die horen* 1981 in einem Schwerpunktheft eine Bilanz der
Wende zog, stellte sie fest, daß die reformpädagogische Situation einer Mond-
landschaft gleiche – mit vielen Kratern, von denen noch einige in Betrieb seien,
aber autistisch vor sich hindampften. Im übrigen: viel Sand im Getriebe der
pädagogischen Organisationsformen, viel Resignation an vorderster Front unter
den Vertretern jedweder Reformen und viel Partikularismus auf der facetten-
artigen Palette der verschiedenen Länder der Bundesrepublik Deutschland. Auf
höchster Ebene werde keine Reform mehr innoviert, die Parteien seien voll
damit beschäftigt, die neuen Ansätze der letzten beiden Jahrzehnte zu relativieren, zu kaschieren und zu eliminieren. Die Reformer kämpften um das Überleben
ihrer kleinen zugelassenen Modellversuche, die im Feld der Politik zunehmend
als ideologieverdächtig diffamiert würden. Der Rückzug auf das dreigliedrige
Schulsystem scheine vorprogrammiert. Die Lehrer hätten sich in ihrer Mehrzahl
mit dem Zustand der Reformunwilligkeit arrangiert: sie seien nur bereit, Veränderungen organisatorisch-funktionell, aber nicht inhaltlich mitzutragen. So blieben die Torsen der Reform, wie Orientierungsstufen und reformierte Oberstufe,
von fleißigen Beamten betriebene Organisationsformen, deren Sinn sich im
simplen Funktionieren selbst befriedige. »Die Schüler haben wenig erfahren über
Selbsterziehung, Verantwortung, Chancenmöglichkeiten durch Kurswahl oder
sinnvolle Lebensplanung und nutzen das für den reifen und mündigen Schüler
geschaffene Oberstufensystem schamlos aus, indem sie auf dem Wege des geringsten Widerstandes die letzten Schuljahre durchlaufen, um nach pragmatischer

Gustav und Elfriede Weise, Aus dem Alltag eines Pädagogenpaars. Aufgezeichnet von Chlodwig Poth, 1988

Abschätzung der Situation nicht nach ihrer Neigung, sondern nach ihrem Nutzen für den guten Notendurchschnitt den Numerus clausus zu unterlaufen ... Die Eltern stehen in ihrer Mehrheit allen Veränderungen in der Schule skeptisch gegenüber. Einerseits wird ihnen das Erkennen der Durchlässigkeit zwischen den Schulformen durch tradierte Bildungsvorstellungen erschwert, andererseits sehen sie in der Integration verschiedener sozialer Schichten gerade für ihr Kind den Nachteil der Vernachlässigung. Nicht durch soziales Lernen, antiautoritäres Unterrichten und Humanisierung der Arbeitswelt Schule, sondern eher durch straffes Pauken und optimale Leistung kann die Schule den Eltern imponieren.«[309]

In einer Besprechung von Hellmut Beckers Buch *Auf dem Weg zur lernenden Gesellschaft*[310] meinte Hartmut von Hentig, daß man sich in der Dynamik des sozialen Prozesses getäuscht habe; man vertraute den Programmen auch dann noch, wenn sie von den falschen Positionen, aus unreifem Munde widertönten.

Das »offenkundige Elend der Pädagogik« beklagt Hentig in seinem Buch *Die Menschen stärken, die Sachen klären*; er plädiert für die »Wiederherstellung der Aufklärung«. Hervorgerufen sei die Misere unter anderem durch das Eindringen des Funktionalismus und schrankenlosen Expansionismus in die Didaktik, durch die Pseudoverwissenschaftlichung der Curricularplanung. »Hochwertbegriffe« der Aufklärung wie »Freiheit« und »Emanzipation« wurden in ihrer Offenheit und Komplexität vereinseitigt und dem (irrationalen) Wunsch nach möglichst vollständiger Machbarkeit, Planung und Fremdsteuerung des heranwachsenden Menschen untergeordnet. Notwendig sei demgegenüber die Aufklärung der Aufklärung, die Freilegung der Prozessualität von Aufklärung als historischem Prozeß sowie ihres Auftrages und ihrer Aufgabe in der Gegenwart. »Der Mensch ist vernunftsfähig und vernunftspflichtig. Er ist nicht einfach – von sich aus, immer und nur – vernünftig.«[311]

Die Ratschläge, die von Hentig gibt – nicht mehr Aufklärung zu geben versuchen, als durch die Umstände bestätigt werden kann . . . die aufklärenden Lösungen selbst finden lassen . . . Anschauungen so wichtig nehmen wie diskursive Erklärung . . . bei alldem fröhlich und freundlich sein . . . –, hat er in der von ihm geleiteten »Laborschule Bielefeld«, die 1974 gegründet wurde, zu verwirklichen versucht[312]: eine Lernoase, von manchen auch als Käseglocke empfunden, die mit der Forderung nach »Schule als Erfahrungsraum« Ernst machte und damit in deutlichem Gegensatz zur »technokratischen Schule« stand, die sich in den achtziger Jahren wieder, u. a. als Erfüllungsgehilfin der Computerisierung[313], voll durchsetzte. Die Laborschule wurde somit (neben einigen anderen »verbliebenen« Modellen[314]) zu einem Relikt aus den vergangenen Tagen der Emanzipationspädagogik, aber auch zu einer »Landmarke« für eine mögliche Neuorientierung. »Vernunft und Mündigkeit, Freiheit, Gleichheit und Solidarität sind in einer Gesellschaft, in der Eigennutz, ungehemmtes Verwertungsinteresse und ruinöse Konkurrenz vorherrschen, immer noch Kampfbegriffe. Für sie mit vermehrten Anstrengungen zu kämpfen, ist eine passende Antwort auf die konservative Wende.« (Hans-Günter Rolff)[315]

Farbigkeitsbedarf

Der Versuch, wichtige Erscheinungsformen künstlerischer Artikulation in den siebziger und achtziger Jahren an exemplarischen Beispielen aufzuzeigen, ergibt eine »Fließ-Struktur«. Verallgemeinernd kann man sagen, daß die Revolution des Ja (oft auch des »Jein«) die Negation der Negation betreibt, also sich von der »emanzipatorischen Verpflichtung« der Protestbewegung löst und diese durch eine »narrative Freude«, auch »narrative Obsession« ersetzt. Nun dichten, tanzen, filmen, spielen, malen sie wieder . . . entlastet von theoretischer Durchdringung, auf »Inszenierung« bedacht. Die Inhalte treten hinter die Form zurück; Redseligkeit, Phantasie und Mythologie erscheinen wichtiger als Gedanken-

Dietmar Ullrich, Zuschauer, 1973

gang, Analyse und Erhellung. Sensationelle »Aufladung« steht neben dekorativer Banalität; der Farbigkeitsbedarf wird aus einem reichen künstlerischen Repertoire bedient; Erfahrungshunger sucht sich gefällige wie übersteigerte Stoffe, die man extensiv durchspielt – um dann an ihnen das Interesse zu verlieren. Wartezeit verbringt man bald in Erwartung des Heils, bald in Erwartung des Unheils, wobei beide Perspektiven durch vielerlei Ablenkung in ihren Konturen verschwimmen. Spielerisches Parlando wechselt mit gravitätischem Ernst; man mäandert von der Enttäuschung über die Moderne zu den Verheißungen der Postmoderne, an vielerlei Windungen und Schleifen einhaltend, rückblickend, abschweifend. Anknüpfend an die These von der Kultur als »Kompensation von realen Sinndefiziten« meint Erhard Schütz, daß die frühere Bedeutungsbeimischung von Ersatz und Provisorium überlagert sei durch den Akzent der Verschonung. Kultur solle gespielt und genossen werden; sie solle nicht belasten und nicht belästigen. »Während ein unmittelbar formulierter Totalitätsanspruch, aufgeklärt, von seiner realen Unerfülltheit und Unerfüllbarkeit hier und jetzt stets wissen muß, während er die Differenz von Weg und Ziel stets offen hält, erhält die Welt im Zustand der Kompensation geradezu den Auftrag, sich tröstend als die beste aller möglichen zu imaginieren, sich heimisch zu fühlen. Für diese Suggestion aber gilt noch mehr, was Paul Virilio über das ›Ganze‹ sagt: ›– das ist der große Bluff der Philosophiegeschichte.‹«[316]
Die Künste stehen da nicht zurück; bald auf sublime, bald auf plakative Weise

werden ausgeglühte Kohlen zu neuen Emotionen, Affektionen, Irritationen
entfacht, wobei begriffliche Trennschärfe dahinschmilzt.

»Freudenfeuer

Kommet zu Hauf Ostern ja
dann alles was morsch ist
Hochauf stieben die Funken
freche Ketzer Engel des Lichts

Psalter und Harfe wacht auf
wir gehen für uns durchs Feuer jeder
mit seinem eigenen Vorrat an Mord

Laßt uns den Lobgesang schüren
solange wir leben sind wir
zum Feuer verurteilt zum
Jüngsten Gericht: Jeden Tag.
Jetzt.«[317]

Die Lyrikerin Ulla Hahn, von dem »Großkritiker« Marcel Reich-Ranicki entdeckt, reüssierte seit Beginn der achtziger Jahre zu einer der meistgeehrten,
meistverkauften Autorinnen der letzten Jahrzehnte. Ihr erster Band *Herz über
Kopf* (1981) wurde in 35 000 Exemplaren, der nachfolgende *Spielende* (1983)
32 000mal gedruckt; das Bändchen *Freudenfeuer* (1985) erhielt eine Auflage von
15 000.[318] Ihre »beherzte und entschiedene Hinwendung zum Privaten und also
auch zum Intimen, zur Gegenwart und also auch zum Alltag« empfand man als
»trostreich«; die Dichterin befriedigte auf moderate Weise seelischen Erfahrungshunger und vermittelte in gefälliger privat-mythischer Art ein Spektrum
von Gefühlen (vor allem Liebeslust und Liebeskummer), bei dem »Extrem-
werte« ausgeklammert waren, dafür aber das »mittlere Feld« um so intensiver
durchvariiert wurde. Die schönen Gedichte der charmanten Autorin, die be-
scheiden-erfolgreich die lyrische Marktlücke im Bereich neuer Subjektivität bzw.
Innerlichkeit entdeckte und schloß – Jörg Drews nannte dies »Selbstbewimmerung« –, setzte die »Revolution des Ja« in zeitgemäßes, leicht ironisches Parlando
um. Ulla Hahns ästhetische Produktionen huldigten dem Libido des aufgeschlos-
senen Lyrik-Freundes, der jedoch nicht durch Experimente schockiert werden
will. »Sie sind nicht ganz warm und nicht ganz kalt, weder schick noch schaurig,
sie verbinden das Alltägliche mit dem Epochalen, das Ketzerische mit dem
Konservativen und halten sich auch im Druckbild an die kleine, auf den ersten
Blick überschaubare Form. Sie handeln von Liebe, nicht von amour fou; von
Willkommen und Abschied, nicht von Wahnsinn und Agonie; vom Unbehagen
am Küchentisch, nicht von den Greueln der Weltgeschichte. Ulla Hahn ist die
taktvolle Bacchantin des Banalen; um die großen lyrischen Themen, die Alp-

Pina Bausch in der Tanzszene »Songs of encounter – Begegnungen«, Akademie der Künste in Berlin, 1971

träume des zwanzigsten Jahrhunderts und den Abgesang des Subjekts tänzelt sie so leichtfüßig herum, daß sie niemandem dabei auf die Füße tritt. In ihren Gedichten gerät nichts außer Kontrolle, es schlägt kein Gefühl, kein Sprachmuster über die Stränge; alles marschiert in schöner Ordnung zum Strophenende hin, zur Pointe, zum effektvollen Aperçu.« (Andreas Kilb)[319]

Die »Tanztheatergeschichten« der Pina Bausch – nicht kleine, sondern »große« Sujets, nicht gefällige Gefühlshows, sondern aufgewühlte Seelendramatik – verdanken ihren beispiellosen Erfolg der perfekten Improvisationsfähigkeit der alternativen Primaballerina; mit ihrer antiritualistischen Körpersprache artikuliert sie eigene Idiosynkrasien und Obsessionen; die Ergebnisse der narzißhaften Introspektion werden so präsentiert, daß inszenatorischer Bluff neopietistischen Trost zu spenden weiß. Zur Charakterisierung des seelischen Erfahrungshungers der Pina Bausch verweist Raimund Hoghe auf ein Gedicht von Else Lasker-

Schüler, das die Themen und Menschen der Stücke – darunter *Fritz* (1974), *Frühlingsopfer (1975)*, *Komm tanz mit mir* (1977), *Kontakthof* (1978), *Arien* und *Keuschheitslegende* (1979), *Walzer* und *Nelken* (1982), *Viktor* (1986) – in poetisch-psychogrammatischer Verdichtung anzusprechen vermag: »Ich will in das Grenzenlose / Zu mir zurück, / Schon blüht die Herbstzeitlose / meiner Seele, / Vielleicht ist's schon zu spät zurück, / O, ich sterbe unter euch / Da ihr mich erstickt mit euch. / Fäden möchte ich um mich ziehen / Wirrwarr endend! Beirrend. / Euch verwirrend, / Zu entfliehn / Meinwärts.«[320]

Das Tanztheater in den siebziger Jahren machte Trauerarbeit über den Emanzipationsrückstand der Frau und den Geschlechterkampf in einer beschädigten Welt (Flirten, Kokettieren, Anmachen, Aufreißen, Vergewaltigen) sinnlich nachvollziehbar. Zugleich entlastet die Bühne, indem sie als Couch fungiert: Die Destruktion wird in der Offenheit des »Aussprechens durch den Bauch« (»Austanzens«) aufgefangen. »Komm tanz mit mir« erweist sich in einem sozialpsychischen bzw. sozialpathologischen Sinne als individuelle wie kollektive Aufforderung, sich, ungehindert von intellektuellen Skrupeln, in seiner »Ganzheit« einzubringen; die Offenlegung »brodelnder Innerlichkeit« mit Zwängen und Süchten, Leidenschaften und Aggressionen vermag zudem Voyeur-Interessen zu befriedigen. Das Tanztheater bzw. moderne Ballett mit starkem Frauenanteil – neben Johann Kresnik und John Neumeier traten vor allem Rosamund Gilmore, Reinhild Hoffmann und Vivienne Newport hervor – hat die Jugend auf seiner Seite; es ist »fortschrittlich und ungeheuer kreativ, gibt sich gesellschaftskritisch und rüttelt an morsch gewordenen Konventionen, engagiert sich für Minderheiten, bekennt sich zur Häßlichkeit und zum Unschönen und tritt mit Vorliebe an Orten auf, die nicht primär als Theater gebaut worden sind. Es ist stolz auf seine Schmuddeligkeit und mokiert sich über technisch-handwerkliche Standards. In unserem politischen Spektrum steht es links – da, wo das Herz ist.«[321] Zugleich aber ist es in seiner Art artistisch-virtuos; es vermittelt gewissermaßen dunkles, esoterisches Pläsier; das Publikum fühlt sich in den tänzerischen Kult-Akt voll einbezogen – auf dem kollektiven Ego-Trip.

Die rhapsodische Begeisterung, die Wim Wenders' Film *Paris Texas* (1985) vor allem auch bei der Kritik fand, markiert einen Höhepunkt von Ersatzverzauberung. In der *Zeit* hieß es, daß *Paris Texas* der vollkommenste Film von Wim Wenders und einer der schönsten überhaupt sei, ein modernes Märchen, erzählt von einem, der sich seine Träume für uns aufgegeben habe. In der *Frankfurter Allgemeinen Zeitung* wurde konstatiert, daß derjenige blind sein müsse bzw. starrköpfig auf seinen Vorurteilen bestehe, der sich in diesen Film nicht wie in einen Sog hineinziehen lasse, einen Traum, »der nichts will, als die Gefühle zu einer einzigen Empfindung zu verdichten, die jener Vorgang im Miteinander von Menschen unausweichlich macht, den man Leben nennt«.[322] Publikum und rezensierende Intellektuelle griffen begierig nach dem Märchen vom Schneewittchen hinter den amerikanischen Bergen: Ein kaputter Typ, der das Sprechen aufgegeben hat und seinen Namen verschweigt, stapft unbeirrt durch die Wüste zurück ins Leben; von einer Highway-Station holt ihn sein Bruder, in dessen

Nastassja Kinski und Harry Dean Stanton in Wim Wenders' Film »Paris, Texas«, 1984

Familie sein Kind inzwischen aufwächst, nach Los Angeles; von dort machen sich Vater und Sohn auf die Suche nach der Mutter, die kein bürgerliches Leben als Hausfrau führen wollte und inzwischen in einer Peep-Show arbeitet; dort kommuniziert das Ehepaar durch Spiegelglas und Sprechanlage. »Ein geniales Bild für zwei Menschen, die nicht mehr zueinander kommen können, obwohl sie sich lieben.« Der Mann nennt der Frau das Hotel, wo sie das Kind finden kann. »Als er von unten sieht, wie sich Mutter und Sohn oben am Fenster umarmen, fährt er unter einem glutroten Himmel zurück auf die Highways. Vielleicht nach Paris, Texas.«[323]

Worum sich Botho Strauß und Peter Handke (dessen »dramatisches Gedicht« *Über die Dörfer* Wenders 1982 in Salzburg inszenierte) in ihren postmodernen Büchern schwärmerisch bemühten, das sei dem Filmemacher Wenders gelungen: nämlich Gegenwart zu reduzieren und zu konzentrieren auf mythische Muster (Reinhard Baumgart). Wie Handke, so Wolfram Schütte, durch dichterische Imagination die Unschuld der Wörter wiedergewinne und zum mythisch-einfachen bzw. homerischen Erzählen zurückfinde, so versuche Wenders durch die reine Form der Fabel, durch Verrätselung psychologischer Motive und eine von partikulären, komplexen Reizen freien Bildlichkeit (gleichweit entfernt vom Bilderzweifel wie vom Action-Fetischismus) das alte Kino-Erzählen zu erneuern.[324] Offensichtlich übersättigt vom Leistungsdruck aufklärerischen Bewußtseins, also müde der Anstrengung des Begriffs, genießt man die sentimental-narrative Kolportage, die keine Anforderungen ans Verständnis stellt, sondern konsumiert werden kann und dabei »irgendwie« Trost spendet – den Trost vor allem, daß die Welt so ist, wie sie ist, und auch nicht anders wäre, wenn sie anders

173

wäre. Nur letzte Mohikaner der Aufklärung, wie etwa Dieter Wellershoff, zeigten Bedenken bei diesem, allerdings technisch hervorragend gefilmten Trivialmythos, dessen sinistre Moral eines Groschenheftes würdig sei (»Bin ich denn verrückt? Oder seid ihr vorübergehend verrückt geworden? Oder war ich in einem anderen Film?«). Am Beispiel gerade der Peep-Show-Szene machte er auf den reaktionären Charakter des Films aufmerksam: Ein von Eifersuchtsangst verrückter Mann versuche, »seine sexualisierte Frau zur Verantwortlichkeit der Mutterschaft zu bekehren, um sich nach diesem Domestikationserfolg beruhigt in ein keusches männliches Nirwana davonzumachen. Er ist nun jedenfalls seine Ängste los. Wie es dem Kind bei dieser Mutter ergehen wird, darüber scheint er sich keine Sorgen zu machen. Die biologische Weltordnung hat er wieder eingerenkt. Wie es mit der moralischen steht, darüber macht er sich keine Gedanken. Und der Film redet seinen Zuschauern auch jede Bedenklichkeit aus.«[325]

Die Entlastung von Bedenklichkeiten kennzeichnet die »Revolution des Ja«; der »Farbigkeitsbedarf« wird vor allem dann abgedeckt, wenn Mystik ins Spiel kommt. Auf diesem Weg ist Wim Wenders, der 1970 seinen ersten Spielfilm als Absolvent der Hochschule für Fernsehen und Film drehte (es folgten unter anderem *Die Angst des Tormanns beim Elfmeter*, 1971; *Alice in den Städten*, 1973; *Falsche Bewegung*, 1975; *Im Lauf der Zeit*, 1976; *Der amerikanische Freund*, 1977; *Der Stand der Dinge*, 1982), konsequent weitergegangen. *Der Himmel über Berlin* (1987) weise ihn, so das zweischneidige Lob von *Newsweek*, als den lyrischsten und melancholischsten unter den deutschen Regisseuren aus, als einen Poeten der Entfremdung und Entwurzelung von überreifer Gespreiztheit.[326] In einem Gespräch mit dem *Spiegel* meinte Wenders, daß das Kino wieder versuchen müsse, dem Menschen dienlich zu sein; »das Kino könnte der Engel sein«.[327] Dementsprechend werden im Film die Engel Damiel und Cassiel (Bruno Ganz und Otto Sander) »eingesetzt«; sie fliegen durch Berlin, lauschen den Gedanken der Menschen und notieren, inspiriert vom Ko-Autor Peter Handke, die Augenblicke wahrer Empfindung: »Nicht gleich ein Kind zeugen. Oder einen Baum pflanzen. Nur Fieber haben. Oder schwarze Finger vom Zeitunglesen. Sich an einer Mahlzeit begeistern. An einer Nackenlinie. An einem Ohr. Lügen, wie gedruckt. Und endlich spüren, wie es sei, unter dem Tisch die Schuhe auszuziehen und die Zehen auszustrecken ... Dinge werden erlebt, voll und ganz, Handlungen sinnlich erkannt: So wird das Unwichtige wichtig, bemerkenswert, wahr. Es sei ein großer Wunsch, der Urwunsch für diesen Film gewesen, sagt Wenders, ›etwas Physisches, etwas Konkretes so deutlich, so spürbar wie nur möglich zu machen. Da ist dieser Engel, der nichts Physisches kennt, der zwar Experte in allen Menschenfragen ist, gleichzeitig aber über keinerlei Erfahrung verfügt, der erfährt plötzlich die Dinge ganz sinnlich. Filme wollen das ja immer: sinnliche Erfahrungen vermitteln, und können es doch so wenig. Über diesen Engel gibt es plötzlich einen Grund, daß einer sagen darf: Diese Tasse Kaffee, es gibt nichts Schöneres. Oder: Jemand leckt an seinem Blut, und es gibt keine größere Freude.‹«[328]

Das Motto von Thomas Bernhards Stück *Der Ignorant und der Wahnsinnige* (1972) ist ein Novalis-Wort: »Das Märchen ist ganz musikalisch«; es kann in ironischer Brechung Bernhards Schaffen insgesamt charakterisieren. Mit »singender« Redseligkeit erzählt der Dichter in seinen Werken, sozusagen seriell, die Geschichte unserer Welt als der schlechtesten aller Welten. Man könne die Welt nur verbessern, wenn man sie abschaffe, meint der *Weltverbesserer* (1978). Vor allem Bernhards neuere Texte wirken so, als wären sie mit Hilfe einer Wiederholungstaste produziert.[329] Das Diktum des Doktors aus *Der Ignorant und der Wahnsinnige* mag für Bernhards Zeitempfinden stehen:

> »Wer die Zeit so stark empfindet
> wie Sie geehrter Herr
> und alles so ernst nimmt
> leidet natürlich
> unter jedem Atemzug
> das ist eine Veranlagung
> die Natur ist dadurch
> eine unerträgliche
> zweifellos sind solche Menschen wie Sie
> zu bedauern«[330]

In dem Roman *Auslöschung*, 1986, heißt es von den Schriftstellern, daß sie zu den widerwärtigsten Leuten gehörten – niedrige, ja gemeine, dumme Menschen, die es zu einem gewissen literarischen Ruhm gebracht hätten; alles an diesen Leuten sei mittelmäßig, kleinbürgerlich und erbärmlich; alles an diesen Leuten stinke nach gemeiner Bosheit und nach der Niedrigkeit des Biedermeierlichen, das sich auch noch am Größenwahn vergriffen habe.[331] Bernhards Erzählungen und Romane – darunter die eindrucksvolle Jugenderinnerungstrilogie *Die Ursache, Der Keller, Der Atem* (1975 ff.) – sowie seine Dramen (etwa *Die Jagdgesellschaft*, 1974; *Der Präsident*, 1975; *Der Weltverbesserer*, 1979) sind Litaneien unersättlichen Weltschmerzes. »Die Zeit war angefüllt mit Unheimlichkeit und Unzurechnungsfähigkeit und mit fortwährender Ungeheuerlichkeit und Unglaublichkeit.«[332] Die »Revolution des Ja« scheint ins Gegenteil verkehrt, doch wird die Negation der Negation der Negation rhetorisch so »verspielt«, daß die schwarze Fantasy gleichgültig macht – das Dunkle dem Hellen gleich-gültig scheint. Obwohl der Autor vorgibt, ständig in Abgründe zu blicken, blufft er über diese mit seinem aufs Makabre gerichteten Erfahrungshunger hinweg; die unentwegt hochtourig laufende, die Monstrosität der Welt fixierende Sprache »egalisiert«; der Weltschmerz verliert seinen Stachel, bleibt stumpf. »Egal ... Ein schönes, ein klares, ein kurzes, einprägsames Wort: *egal* ... Mein besonderes Kennzeichen heute ist die Gleich*gültigkeit*, und es ist das Bewußtsein der Gleich*wertigkeit* alles dessen, das jemals gewesen ist und das ist und das sein wird. Es gibt keine hohen und höheren und höchsten Werte, das hat sich alles erledigt. Die Menschen sind, wie sie sind, und sie sind nicht zu ändern, wie die Gegenstände, die die Menschen gemacht haben und die sie machen und die sie machen werden.«[333]

Das Bedürfnis nach Farbigkeit wird monochromatisch bedient; eine Gesellschaft, die Gedankenarbeit genauso satt hat wie das Frischwärts der Warenästhetik, goutiert schwarz-schwarze Weltsicht. Meinwärts verbindet sich mit Abwärts; der Roman *Auslöschung* betreibt am konsequentesten Ersatzentzauberung (gewissermaßen Ersatzverzauberung mit negativem Vorzeichen): Abrechnung mit dem Topos »Heimat«, den der Erzähler im Roman am Beispiel seines Familiensitzes Wolfsegg (fünf Bibliotheken beherbergend, also abendländische Tradition speichernd) dekuvriert. Arkadien ist Scheinwelt; in Wirklichkeit Provinzhölle, Hochburg des Nationalsozialismus und Katholizismus. Befreiung vollzieht sich als Destruktion. »Wir tragen alle ein Wolfsegg mit uns herum und haben den Willen, es auszulöschen zu unserer Errettung, es, indem wir es aufschreiben wollen, vernichten wollen, auslöschen. Aber wir haben die meiste Zeit nicht die Kraft für eine solche Auslöschung.«[334] Für Bernhard ist Nihilismus Schöpfung; der Dichter wünscht das Unglück, das »herbeigeredet« wird. Die Phantasmagorien der Angst lenken ab von der Malaise der Wirklichkeit; Texte, durch übersteigerte Rhetorik entrealisiert, affirmieren Kunst als Kompensation. »Vernichtungsjubel.«[335]

Für den jungen Dresdner Ralf Winkler war »Käthe Kollwitz ganz wichtig, dieser soziale Kontext, dann wurde der Impressionismus ganz wichtig, und dann kam eben Rembrandt, auch aus einer sehr seltsamen Überlegung heraus: daß die frühbürgerliche Kultur was ganz Wichtiges war.« Vor allem bleibt Picasso, mit dem sich der Maler seit etwa 1956 auseinandersetzt, über die Jahre hinweg ein wesentlicher Orientierungspunkt seines künstlerischen Schaffens. Viermal bewarb sich Winkler an der Kunstakademie und wurde jeweils abgelehnt. Er malte als Autodidakt historisch-expressionistisch (bis 1961); »dann stand ich vor der Entscheidung, entweder den Weg der Heraushebung von Details, die in Richtung Pop-Art gegangen wäre, oder eine abstrahierte Systemdarstellung zu verfolgen. Diese Systemdarstellung ist das Resultat von Abstraktion, Reduktion und Logik.«[336]

Unmittelbar vor dem Mauerbau, August 1961, besuchte Winkler den Maler Georg Kern (Baselitz), der inzwischen aus der DDR in den Westteil Berlins übergesiedelt war. »Ich ging in den Westen mit dem Gefühl, daß diese Geschäftemacher zum baldigen Untergang bestimmt sind und daß ihr Lack und Chrom in Kürze von Wäldern überwuchert werden wird, in denen nur Wildpferde hausen, aber keine Menschen, damals war ich erfüllt von der Wirklichkeit eines zerstörenden Atomkrieges, als eines unausweichlichen ungeheueren Debakels. Bei Schorsch sah ich Raiskij-Übermalungen, so eigenartig schwabblige rosa und braune organische Gebilde und geschichtete Landschaften, Erde, Luft, die Farbe vielleicht zehn Zentimeter dick, etwas zu naturalistisch, wie mir schien; aber es war die Behauptung eines neuen Lebens. Und das war es, was mir vor den Kopf knallte, nämlich das neue Leben war im Westen, etwas abseits zwar, entfernt von dem Bild aus Reklame und meinen eigenen Vorstellungen. Später,

a.r.penck, 1 TI und 8 TI (aus Achtteiliger Serie TI, Kunstharz auf Leinwand 160 × 130 cm), 1981

als die Rolling Stones kamen, da konnte ich zu Kettner sagen: Der neue Mensch wird nicht im Osten, er wird im Westen geboren. Das neue Leben beginnt im Westen. Ich war von dieser Erkenntnis ziemlich schockiert.«[337] Seit 1980 lebt Winkler selbst im Westen, vorzugsweise in London – vom »Osten ausgespuckt, vom Westen noch nicht gefressen«. Als A. R. Penck avancierte er zu einem der erfolgreichsten zeitgenössischen Künstler. Mit dem Künstlernamen greift er, mit seiner Vorliebe für die Strichfiguren der glazialen Höhlenkunst, auf den Leipziger Geographen und Geomorphologen Albrecht Penck (1858–1945) zurück, der durch bedeutende Forschungsarbeiten zur Eiszeit bekannt geworden war und den Penck bereits als Schüler eifrig gelesen hatte. »Schon in seiner Schulzeit hatte sich Penck neben der Malerei mit Literatur, Musik, Tanz, Philosophie, Mathematik, Kybernetik, Physik und Technik beschäftigt und leitete auf der Basis eines fundierten kulturellen Wissens seine individuelle Zeichensprache aus Erkenntnissen der Systemtheorie ab, wobei die einzelnen Zeichen nicht von spezifischen semantischen Alphabeten ausgehen, sondern aus grafischen Elementen verschiedenster Kulturen und Kulturepochen abgeleitet werden. Neben Elementen aus unterschiedlichen Schriftsystemen wie Hieroglyphen, Runen, Buchstaben bedient sich Penck der piktogrammhaften Höhlenmalerei – gerade hier zieht ihn neben der vereinfachenden Reduktion auf kürzelhafte Signale die magische Praxis als Rückverweis auf die Wirklichkeit an –, aber auch mathematischer, geometrischer und technischer Zeichensymbole, denen durch Umformung, Vereinfachung und Veränderung ihre neue Funktion im Signal-Zeichen von Stand-Art, einer Begriffssynthese ›aus Standard und Standarte‹,

177

aus Stand und Art, aus Bestand und Kunst‹, zugewiesen wird.« (Karin Thomas)[338]

Die Erfahrungen mit dem DDR-System haben Pencks Individualismus, der sich in leidenschaftlich bewegten Chiffren-Tafeln (einem Geflecht von Figuren, Symbolen und Signalen) ausdrückt, bestimmt. Die Dialektik der Aufklärung stößt auf den erratisch-archaischen »Block« des Ich, der rätselhaft-zeichenhaft Da-sein setzt.

>> »Am Anfang setzen sie auf
> Aufklärung, Belehrung, dann
> setzen sie auf Festigung, Säuberung,
> Reinhaltung, dann setzen sie auf
> Repräsentation, Würde, Macht,
> dann setzen sie auf Intellektualis-
> mus, Wissenschaft, dann setzen
> sie auf Popularität, Geschäft,
> Ökonomie und Irrationalismus,
> dann setzen sie auf Glauben,
> Diktatur und Ideologie, dann
> setzen sie auf Nichts und auf Ich.«[339]

Pencks künstlerisches Ich faszinieren die Prozesse, die im Innern der Menschenseele und im Kosmos ablaufen. Subjektivität sieht er als objektiven Faktor, weshalb er sich gegen Farbe, Stimmung, Gefühl, Phantasie und Lösung wendet, und für Form, Gestalt, System, Realität, Spannung eintritt.[340] Eine solche Formulierung ist freilich ein semantischer Bluff: Form ist für Penck mit kräftigen Farben verbunden; die Gestaltfigurationen zielen auf mythisch-archaische Stimmung; Bildsystematik entwickelt sich aus einem Gefühlsrhizom; Realität ist ersetzt durch piktographische Phantasie; die Bildspannung impliziert ihre Lösung. Die Hieroglyphik seines Werks kompensiert den Geheimnisverlust, den instrumentelle Vernunft zur Folge hat. Die Sehnsucht nach »Übergang« (Titel eines der wichtigsten Penck-Bilder, 1963) zielt auf die ganzheitliche Überwindung des Dualismus von Gefühl und Verstand, Archaik und Modernität. Die Negation der Negation wird zur Affirmation der Affirmation.

»In dem Zustand der vermittelten Gebrochenheit oder der gebrochenen Vermitteltheit, in dem die Leute heute leben, also wie ich mit dem einen Bein in der Tradition und mit dem anderen in der Moderne, dann ist es klar, daß Archaik kaum zu realisieren ist. Aber es gibt die Arbeit daran und die Entwicklungsrichtung. Aber in der Frage steckte die Behauptung drin, daß die Kunst irgendwie gegen etwas ist. Das ist der Gedanke im Westen. Im Osten ist die Kunst sowieso immer gegen die Macht, weil die Macht das so definiert, also es definiert, daß die Kunst entweder für oder gegen die Macht ist. Die Kunst hat damit überhaupt nichts zu tun. Sie ist nie ein Gegen. Die Künstler können als Personen gegen irgend etwas sein, gegen Religion, Bevormundung oder Fortschritt, aber das hat

mit den Bildern nichts zu tun.« (A. R. Penck)[341] Die »Revolution des Ja«
kompensiert die Grauwelten der rationell-vereinseitigten Moderne; sie transzendiert auf die Farbigkeit von Vielfachwahrheit, auf die Polymythie der Postmoderne.

Schaubühne am Halleschen Ufer, »Winterreise« im Berliner Olympiastadion (Textfragmente aus Hölderlins Roman »Hyperion oder der Eremit in Griechenland«) in der Inszenierung von Klaus Michael Grüber und in der Ausstattung von Antonio Recalcati, 1977

Postmoderne

Inkompetenzkompensationskompetenz

Die Kulturlandschaft Ende der achtziger Jahre bietet sich als Panorama neuer Unübersichtlichkeit dar. Von der Position einer um die Klarheit von Ordnung und Struktur bemühten Aufklärung wird die sich abzeichnende Konfusion und Diffusion als Abbruch des Projekts der Moderne empfunden.

Die »Dialektik der Aufklärung«, die Verkehrung von Aufklärung in ihr Gegenteil, mit dem Instrumentarium der kritischen Theorie eruiert und analysiert, wird – wenn man sich dem »Prinzip Hoffnung« verpflichtet fühlt – jedoch als korrigierbar erachtet. Ist die Moderne auch ein »unvollendetes Projekt« – so der Titel einer Rede, die Jürgen Habermas im September 1980 bei der Entgegennahme des Frankfurter Adorno-Preises gehalten hat –, sie kann durchaus vollendet werden, wenn Aufklärung ihren ursprünglichen Elan zurückgewinnt und, im Kontext der gegebenen geschichtlichen Entwicklung, ihre Prämissen, Konzepte, Methoden, Ziele überprüft. Wenn die Moderne sich aus sich selbst heraus modernisierte (etwa sich nicht mehr am ökonomischen Aufbau, sondern am sozialökologischen Umbau orientierte), gewönne sie die Kompetenz zurück, Unübersichtlichkeit überwinden zu können.

Vom Gegenstandpunkt des Irrationalismus aus erweist sich Unübersichtlichkeit mit ihren Dunkelheiten und Nischen, ihren Mäandern und Verwerfungen als faszinierendes Terrain für mythische Abenteuer, dem eine immer größer werdende Schar von Antidogmatikern, Mystikern, Pragmatikern, »Aleatorikern« und natürlich Gegenaufklärern zustrebt. Diese Gegenmoderne, für die sich die Bezeichnung »Postmoderne« eingebürgert hat, zu orten, ist nicht nur deshalb so schwer, weil sie begrifflicher Eindeutigkeit sich entzieht, sondern weil sie mit ihren Kontras höchst unterschiedliche Kontraste schuf: Gegen die Aufklärung gerichtet, ist sie antiaufklärerisch; gegen die »Dialektik der Aufklärung« gerichtet, stellt sie Aufklärung in Form der Dialektik der Dialektik der Aufklärung wieder her. Die Geometrie der Denksysteme in bizarre Bruchstücke zerbrechend und diese ornamental ausgestaltend, löst sie sich von klassifikatorischer Intention; aber die neue Dunkelheit erweist sich als Clair-obscur, in dem »erhellte« Weltanschauungen komplexe Nuancierungen erfahren. Das Vertrauen in den Mythos regrediert auf vorneuzeitliche, »mittelalterliche« Positionen; Mythos kann aber auch den Vernunftglauben abstützen, als »Mythos der Vernunft« Aufklärung, die sich nicht aus sich selbst heraus zu legitimieren vermag, »beglaubigen«.

Ob Moderne oder Postmoderne sich immer weiter auseinanderentwickeln oder zu einer neuen Synthese zusammenfinden werden, dürfte sich als die große

Frage der kulturellen Entwicklung (in Richtung 21. Jahrhundert) erweisen. Synthese hieße: »Unübersichtliche Übersichtlichkeit«, nämlich Vielfalt in der Einheit; das Bewußtsein von phänomenologischer Überfülle und deren Akzeptanz; die Anstrengung des Begriffs, jedoch als sinnliche Erschließung von Gedankenräumen; die Versöhnung von Logik, Ästhetik, Moral also. Befördert wird solche synthetische Vernunft durch steten Diskurs, der Semiotik genauso ernst nimmt wie Semantik, der also nicht nur den Reiz der Zeichen genießt, sondern sich auch um die Wahrheit der Inhalte bemüht.

Die Konfrontation, die sich zwischen der Moderne und Postmoderne entwickelt, läßt sich auch an »Lebenskonstruktionen« nachweisen – etwa an Odo Marquard und Jürgen Habermas, philosophische »Aufsteiger« aus der Flakhelfer-Generation (Schüler höherer und mittlerer Schulen, die zu Ende des Zweiten Weltkrieges im Alter von 15 bis 17 Jahren klassenweise von der Schulbank weg als Luftwaffenhelfer eingezogen wurden, um »in einer ihren Kräften entsprechenden Weise bei der Luftverteidigung des Vaterlandes mitzuwirken«).[342] In den siebziger und achtziger Jahren erreichen sie den Zenit ihrer Wirksamkeit. In der autobiographischen Einleitung zu seinen philosophischen Studien *Abschied vom Prinzipiellen* bestätigt Odo Marquard unter Bezug auf Helmut Schelsky, daß die Generation, der er als Jahrgang 1928 angehört, in ihrem sozialen Bewußtsein kritischer, skeptischer, mißtrauischer, glaubens- oder wenigstens illusionsloser als alle jungen Generationen vorher gewesen sei. Die Wende zur Skepsis habe nicht das Außergewöhnliche, sondern das Normale bedeutet: »Außergewöhnlich war nur, daß ich mit dieser Wende zur Skepsis unter die Philosophen geriet und dann auch noch bei ihnen blieb. Denn Philosophie als Studium: das bedeutet – damals wie heute – in aller Regel nicht den Beginn einer erfolgreichen Karriere, sondern den Beginn einer persönlichen Tragödie, jedenfalls keinen ›Konkretismus‹.« Marquard kam, »solide ausgebildet einzig in Weltfremdheit (nach Kriegsende und kurzer Kriegsgefangenschaft), retardiert in die geschichtliche Wirklichkeit der skeptischen Generation hinein und schaffte – zusätzlich gebremst durch die akademische Entlastung von den Lebensfristungsnotwendigkeiten des Tages – zunächst nur die eine Hälfte ihres Generationspensums: also nicht den realitätstüchtigen ›Konkretismus‹, sondern *nur* die Skepsis. Just das freilich brachte mich zur Philosophie, und zwar auf dem Weg über die Ersatzbegeisterung an der Kunst – dem Versuch, durch Töne, Bilder, Worte die Wirklichkeit aussehender zu machen als Verlockung zum Lebenbleiben – und ihrer Verführung, sich gerade nicht zu verwirklichen, sondern zu vermöglichen: also über das Ästhetische.«[343]

In seinen biographischen Notizen bemerkt Marquard, bei dem »Ersatzverzauberung« sich als Schlüsselbegriff erweist, daß die kritische Theorie Horkheimers und Adornos wie Herbert Marcuses *Triebstruktur und Gesellschaft* ihn beeindruckt hätten. Der Studentenbewegung Ende der sechziger Jahre, die »nachträglichen Ungehorsam« praktizierte, fühlte er sich verbunden. Während bei Sigmund Freud, in *Totem und Tabu*, die Söhne in der Urhorde, die den Vater ermordet hatten, ihre Tat widerrufen, indem sie die Tötung des Vaterersatzes, des Totems, für unerlaubt erklären, also aus Schuldbewußtsein den getöteten Vater inkorporieren und durch nachträglichen Gehorsam zu versöhnen trachten, vollziehe sich zu Ende der Wirtschaftswunderzeit just das Gegenteil: Die in der nationalsozialistischen Zeit zwischen 1933 und 1945 weitgehend ausgebliebene Revolte gegen den Diktator (den Vater der »vaterlosen Gesellschaft«) wurde stellvertretend nachgeholt durch den Aufstand gegen das, was nach 1945 an die Stelle der Diktatur getreten war; darum wurden nun die »Totems« gerade geschlachtet und aufgegessen und die »Tabus« gerade gebrochen, nach der materiellen Freßwelle kam die ideologische. »Es entstand ein frei flottierender quasimoralischer Revoltierbedarf auf der Suche nach Gelegenheiten, sich zu entladen; er richtete sich – zufolge der Logik der Nachträglichkeit – okkasionell und unwählerisch gegen das, was jetzt da war: gegen Verhältnisse der Bundesrepublik, also demokratische, liberale, bewahrenswerte Verhältnisse.«[344] Der nachträgliche Ungehorsam (von den späten fünfziger zu den frühen siebziger Jahren), als umgekehrter Totemismus, stellte einen nachträglichen Aufstand gegen wirkliche Väter und wirkliche Menschen, in Kompensation zu dem unterlassenen Aufstand gegen das Staatstier Leviathan im Dritten Reich, dar. Vor allem entstand ein Zwang zur sekundären Verähnlichung von heute und damals: Weil das, gegen das die Revolte unterblieb, Faschismus war, sollte nun das, gegen das sie nachgeholt wurde, auch Faschismus sein; es wird durch ein entsprechendes Sortiment an Theorien dazu stilisiert; denn sonst würde der Absurditätsgehalt des nur nachträglichen Ungehorsams allzu flagrant, und es würde allzu deutlich, »daß es gegenwärtig in der Regel ein komfortabler Ungehorsam ist, der den Ungehorsamen wenig kostet. Darum wird die angleichende Negativierung des Vorhandenen – die Technik, in jeder Suppe ein Haar, in jeder Wirklichkeit Entfremdung, in jeder Institution Repression, in jedem Verhältnis Gewalt und Faschismus zu entdecken – zu hoher Kunst entwickelt: notfalls durch ›Verbösung des Guten‹ und ›geborgtes Elend‹ wird es sekundär negativiert.«[345]

Odo Marquard, der sich durch eine solche Analyse von seinem »Mitmachverhalten« in den sechziger Jahren distanziert, nennt seine »Kehre« »Weigerungsverweigerung«, die der Negation der Negation: der Revolution des Ja entspricht. Er verharrte nicht mehr in »entlarvungsartistischer Dauerreflexion«, sondern wurde zu einer Schlüsselfigur philosophischer »Inkompetenzkompensationskompetenz«, womit postmoderne »Spielhaltung« treffend charakterisiert ist. Die Spaltung zwischen Reflexionswelt und Lebenswelt, Erwartungswelt und Erfahrungswelt, Gesinnungswelt und Verantwortungswelt, Reformwelt und Arbeitswelt, Resolutionswelt und Handlungswelt, Empörungswelt und glaubwürdiger Welt – diese Diastase habe zu dem geführt, was man »Tendenzwende« nenne; sie habe eine Verehrlichung der Verhältnisse bewirkt; denn es gäbe das Recht der nächsten Dinge gegenüber den letzten. In solcher Wiederentdeckung des Konkreten, in Abkehr vom Grundsätzlichen (ernüchtert vom »Katzenjammer in bezug auf den Illusionsgehalt des nachträglichen Ungehorsams«), gelangte die nun wirklich skeptisch gewordene »skeptische Generation« auf ihren (postmodernen) Höhepunkt: nämlich den antidogmatischer Beweglichkeit. Die Skeptiker seien nicht diejenigen, die prinzipiell nichts wüßten; sie wüßten nur nichts Prinzipielles; die Skepsis sei nicht die Apotheose der Ratlosigkeit, sondern nur der Abschied vom Prinzipiellen. Verabschiedet wird die prinzipielle Philosophie, nicht aber die unprinzipielle Philosophie: die Skepsis; die prinzipielle Freiheit, aber nicht die wirkliche Freiheit (»die im Plural: die Freiheiten«). »Zu ihnen kommt es durch die Buntheit des Vorgegebenen: dadurch, daß die Vielfalt – die Rivalität, der gleichgewichtige Widerstreit, die Balance – seiner Mächte deren Zugriff auf den Einzelnen neutralisiert oder limitiert.«[346]

Sein philosophisches Genre sei, so Marquard, die Transzendentalbelletristik. Beschrieben wird damit ein euphorischer Schwebezustand, dessen Heiterkeit aus der Einsicht in die Endlichkeit herrührt. Die Rechtfertigungen der prinzipiellen Philosophie – die Rechtfertigung des Prinzipiellen vor dem Faktischen und die Rechtfertigung des Faktischen vor dem Prinzipiellen – kämen entweder zu leer oder zu spät: nämlich als unendliche Antwort an ein endliches Wesen stets erst nach dessen Tod. Falls der transzendentale Hase als Überbringer der prinzipiellen Botschaft wirklich einmal gerannt käme (und dabei nicht von nichts, sondern wirklich von etwas wüßte), läge der endliche Swinegel immer schon da: tot. »Das Prinzipielle ist lang, das Leben kurz; wir können mit dem Leben nicht warten auf die prinzipielle Erlaubnis, es nunmehr anfangen und leben zu dürfen; denn unser Tod ist schneller als das Prinzipielle; das eben erzwingt den Abschied vom Prinzipiellen. Darum muß der endliche Mensch – einstweilen in provisorischer Moral – aber jedenfalls bis zu seinem Tod: ohne prinzipielle Rechtfertigung leben.«[347]

Freiheit sei nicht »monomythisch« (nur auf eine einzige Geschichte ausgerichtet), sondern »polymythisch« – an Buntheit und Vielfalt orientiert. »Wer polymythisch – durch Leben und Erzählen – an vielen Geschichten teilnimmt, hat durch die jeweils eine Geschichte Freiheit von der jeweils anderen et vice versa und durch weitere Interferenzen vielfach überkreuz; wer monomythisch – durch Leben und Erzählen – nur an einer einzigen Geschichte teilnehmen darf und muß, hat diese Freiheit nicht: er ist ganz und gar – sozusagen durch eine monomythische Verstricktseinsgleichschaltung – mit Haut und Haaren von ihr besessen. Wegen dieses Zwangs zur restlosen Identität mit dieser Alleingeschichte verfällt er narrativer Atrophie und gerät in das, was man nennen kann: die Unfreiheit der Identität aus Mangel an Nichtidentität. Den Freiheitsspielraum der Nichtidentitäten, der beim Monomythos fehlt, gewährt hingegen die polymythische Geschichtenvielfalt. Sie ist *Gewaltenteilung*: sie teilt die Gewalt der Geschichte in viele Geschichten; und just dadurch – divide et impera oder divide et fuge, jedenfalls: befreie dich, indem du teilst, d. h. dafür sorgst, daß die Gewalten, die die Geschichten sind, sich beim Zugriff auf dich wechselseitig in Schach halten und so diesen Zugriff limitieren – just dadurch erhält der Mensch die Freiheitschance, eine je eigene Vielfalt zu haben, d. h. ein Einzelner zu sein. Diese Chance hat er nicht, sobald die Gewalt einer einzigen Geschichte ihn ungeteilt beherrscht; dort – beim Monomythos – muß er die Nichtidentitätsverfassung seiner Geschichtenvielfalt vor dieser Monogeschichte auslöschen; er unterwirft sich dem absoluten Alleinmythos im Singular, der keine anderen Mythen neben sich duldet, weil er gebietet: Ich bin deine einzige Geschichte, du sollst keine anderen Geschichten haben neben mir.«[348]

Die postmoderne (antimoderne) »Geschichtenfreudigkeit« impliziert die Überzeugung von den »Vielfachwahrheiten«, die nebeneinanderstehen und hermeneutisch zu erschließen sind. Philosophie, die für sich einen Totalitätsanspruch erhebt, kompensiert damit lediglich ihre Inkompetenz (getrieben von Kompetenz-Nostalgie). Skepsis erkennt freilich auch das Hinfällige philosophischer Inkompetenzkompensationskompetenz; sie weiß, wie fragwürdig der Grund ist, auf dessen »Zuständigkeit« polymythische Weltanschauung sich beruft.

Der philosophische Diskurs der Moderne

Verkörpert Odo Marquard die Position des Transzendentalbelletristen, so Jürgen Habermas die des Transzendentalrigoristen. Mit sonorer, begriffsüberladener Ernsthaftigkeit widersetzt er sich allen Anwandlungen eines offen-narrativen (polymythischen) Denkens. Sein Vernunft-Finalismus ist zwar diskursfreudig – geht aber davon aus, daß sich deshalb nicht das Ziel, a priori erkannt, verändert. Er wieder-holt hegelianische Autorität: über den »Witz« der Dialektik zu lachen ist nicht erlaubt. Aufklärerisch-papale Eindeutigkeit und Folgerichtigkeit verachtet die libidinös besetzte postmoderne Unentschiedenheit. E contrario kann man somit an Habermas die postmoderne »Standortwechselflexibilität« ablesen. Habermas' Denkart wäre freilich unterschätzt, sähe man ihre auf die Objektivation der Phänomene ausgerichtete Vernunftarbeit abgeschottet gegenüber der Faszination des Unprinzipiellen (als dem Farbig-Narrativen). Vor allem aufgrund der Auseinandersetzung mit dem Neostrukturalismus hat Habermas für »Rekontextualisierung« ein gewisses Verständnis gefunden, ohne freilich die Gefahren der »Bricolage«, als subjektive Beliebigkeit bei der Einordnung von »Objekten« und Phänomenen in Begründungszusammenhänge, zu verkennen. So auch seine Gegenposition zu Nietzsche. Dieser hat mit starkem gestisch-demonstrativen Charakter als »Umwerter« gewirkt und Hegels Konzept vom absoluten Geist, der sich ungerührt über den zukunftsoffenen Prozeß der Geschichte und den unversöhnten Charakter der Gegenwart hinwegsetzt, die »plastische Kraft des Lebens« gegenübergestellt. Den Beginn der Postmoderne markierend, habe sich mit Nietzsches Eintritt in den Diskurs der Moderne die Argumentation von Grund auf verändert. »Erst war die Vernunft als versöhnende Selbsterkenntnis, dann als befreiende Aneignung, schließlich als entschädigende Erinnerung konzipiert worden, damit sie als Äquivalent für die vereinigende Macht der Religion auftreten und die Entzweiungen der Moderne aus deren eigenen Antriebskräften überwinden könne. Dreimal ist dieser Versuch, den Vernunftbegriff auf das Programm einer in sich dialektischen Aufklärung zuzuschneiden, mißlungen. In dieser Konstellation hatte Nietzsche nur die Wahl, entweder die subjektzentrierte Vernunft noch einmal einer immanenten Kritik zu unterziehen – oder aber das Programm im ganzen aufzugeben. Nietzsche entscheidet sich für die zweite Alternative – er verzichtet auf eine erneute Revision des Vernunftbegriffs und *verabschiedet* die Dialektik der Aufklärung. Insbesondere die historische Verformung des modernen Bewußtseins, die Überflutung mit beliebigen Inhalten und die Entleerung von allem Wesentlichen läßt ihn daran zweifeln, daß die Moderne ihre Maßstäbe noch aus sich selber schöpfen könnte – ›denn aus uns haben wir Modernen gar nichts‹. Wohl wendet Nietzsche die Denkfigur der Dialektik der Aufklärung noch einmal auf die historische Aufklärung an, aber mit dem Ziel, die Vernunfthülse der Moderne als solche aufzusprengen.«[349]

Nietzsche benutzte die Leiter der historischen Vernunft, um sie am Ende wegzuwerfen und im Mythos, als dem Anderen der Vernunft, Fuß zu fassen. Dabei habe er seine *Geburt der Tragödie* im Sinn, eine mit historisch-philologischen Mitteln durchgeführte Untersuchung, die ihn hinter die alexandrinische und hinter die römisch-christliche Welt in die Anfänge, in die »altgriechische Urwelt des Großen, Natürlichen und Menschlichen« zurückführte. »Auf diesem Wege sollen sich überhaupt die antiquarisch denkenden ›Spätlinge‹ der Moderne in die ›Erstlinge‹ einer postmodernen Zeit verwandeln – ein Programm, das Heidegger in ›Scin und Zeit‹ wieder aufnehmen wird. Für Nietzsche ist die Ausgangssituation klar. Einerseits verstärkt die historische Aufklärung nur die in den Errungenschaften der Moderne fühlbar gewordenen Entzweiungen; die in Gestalt einer Bildungsreligion auftretende Vernunft entfaltet keine synthetische Kraft mehr, welche die vereinigende Macht der überlieferten Religion erneuern könnte. Andererseits ist der Moderne der Weg zurück in die Restauration verlegt. Die religiös-metaphysischen Weltbilder der alten Zivilisationen sind selber schon ein Produkt der Aufklärung, *zu vernünftig* also, um der radikalisierten Aufklärung der Moderne noch etwas entgegensetzen zu können.«[350] Die Weiterentwicklung der Moderne in Richtung einer immer größeren Vereinseitigung von Vernunft hat Nietzsche nicht aufhalten, lediglich irritieren können.

Der Gegensatz zwischen instrumenteller Rationalität, die zweckhaft auf »Okkasionen« ausgerichtet ist, und »synthetischer« wie antizipatorischer Vernunft, die, prinzipiellen Prinzipien verpflichtet, die Totalität des gelungenen Lebens im Auge hat, wird in den letzten Jahrzehnten des 20. Jahrhunderts immer größer. Es dominieren Bemühungen, die in Gestalt einer »Bildungsreligion« auftretende Vernunft insgesamt zu suspendieren, also das Projekt der Moderne abzubrechen – nicht nur weil es unvollendet, sondern weil es unvollendbar ist. Die Postmoderne erwiese sich dann wahrhaft als eine solche, zugleich als Beginn eines neuen Zeitalters jenseits von Aufklärung, New Age.

Demgegenüber verliert der im aufgeklärten Geschichtsverständnis fundierte utopische Elan an Kraft. Die bitteren Erfahrungen des 19., vor allem des 20. Jahrhunderts haben immer wieder den »Abschied von der Geschichte« nahegelegt; der Wärmestrom eines universalgeschichtlichen Idealismus ist angesichts zweier Weltkriege und eines drohenden dritten, der alles Leben vernichten würde, erkaltet. »Der Horizont der Zukunft hat sich zusammengezogen und den Zeitgeist wie die Politik gründlich verändert. Die Zukunft ist negativ besetzt; an der Schwelle zum 21. Jahrhundert zeichnet sich das Schreckenspanorama der weltweiten Gefährdung allgemeiner Lebensinteressen ab: die Spirale des Wettrüstens, die unkontrollierte Verbreitung von Kernwaffen, die strukturelle Verarmung der Entwicklungsländer, Arbeitslosigkeit und wachsende soziale Ungleichgewichte in den entwickelten Ländern, Probleme der Umweltbelastung, katastrophennah operierende Großtechnologien geben die Stichworte, die über Massenmedien ins öffentliche Bewußtsein eingedrungen sind. Die Antworten der Intellektuellen spiegeln nicht weniger als die der Politiker Ratlosigkeit. Es ist keineswegs nur Realismus, wenn eine forsch akzeptierte Ratlosigkeit mehr und mehr an die Stelle von zukunftsgerichteten Orientierungsversuchen tritt. Die Lage mag objektiv unübersichtlich sein. Unübersichtlichkeit ist indessen auch eine Funktion der Handlungsbereitschaft, die sich eine Gesellschaft zutraut. Es geht um das Vertrauen der westlichen Kultur in sich selbst.« (Jürgen Habermas)[351]

Für Habermas ist dieses Vertrauen identisch mit dem Vertrauen in die regenerationsfähige Kraft von Aufklärung – einer Aufklärung, die sich auf ihren »Grund« zurückbesinnt und damit Arnold Gehlens Diktum, daß die Prämissen der Aufklärung tot seien und nur ihre Konsequenzen weiterliefen, widerlegt. Aus der Krise der Rationalität erstünde dann eine neu »beglaubigte« Vernunft, Mythos und Logos miteinander verbindend. Die von Jürgen Habermas »in Sachen Aufklärung« eingenommene Position – herausragend, was die Stringenz seiner Denkleistung betrifft – kann man als »empathischen Rigorismus« bezeichnen. Einfühlend verfolgt der Philosoph die Argumentation (soweit es sich um eine solche und nicht um eine spontaneistische »Offensive« handelt), die sich gegen Aufklärung und Vernunft, gegen das Projekt der Moderne, wendet. Unbeugsam hält er jedoch am Prinzip von Aufklärung fest; deren Weg mag verdunkelt sein, die Leuchtkraft des Ziels – Vor-schein der Idee eines menschenwürdigen Daseins – ist ungebrochen. Habermas stützt sich dabei auch auf die immanente Logik kritischer Axiomatik: Die Moderne, so lautet seine These, ist nicht aufschlußreich thematisierbar, geschweige denn wirkungsvoll kritisierbar, ohne ihre besten Errungenschaften neu in Gebrauch zu nehmen. »So mächtig und bedrohlich die politischen und sozialen Alternativen zur Moderne auch sein mögen, zur Selbstkritik der Moderne gibt es keine Alternative. Die Begründung dieser Behauptung liegt in dem Nachweis, daß eine durch Nietzsche inspirierte Kritik der Moderne, die nicht auch in ihrem Namen argumentiert, unweigerlich den Aporien des modernen Denkens verfällt, aus deren Fängen sie sich mit radikaler Geste befreien will. Wer sich als Theoretiker subversiv zu den Zwängen der Moderne verhalten will, und dazu gibt es auch für Habermas allen Grund, wird den ›Gegendiskurs‹ *innerhalb* des modernen Denkens aufnehmen müssen, der zumal in ihren philosophischen Dokumenten längst angelegt ist. Dekonstruktion, das ist die Devise, ist nur als Rekonstruktion möglich.« (Martin Seel)[352]

Im Diskurs der Moderne, so Habermas, erhöben die Ankläger einen Vorwurf, der sich in der Substanz von Hegel und Marx bis Nietzsche und Heidegger, von Bataille und Lacan bis Foucault und Derrida nicht verändert habe: Die Anklage sei gegen eine im Prinzip der Subjektivität gründende Vernunft gerichtet und sie laute dahin, daß diese Vernunft alle unkaschierten Formen der Unterdrückung und Ausbeutung, der Entwürdigung und Entfremdung nur denunziere und unterminiere, um an anderer Stelle die unangreifbarere Herrschaft der Rationalität selber einzusetzen. Weil dieses Regime einer zum falschen Absoluten aufgespreizten Subjektivität die Mittel der Bewußtmachung und Emanzipation in ebensoviele Instrumente der Vergegenständlichung und Kontrolle verwandle, verschaffe es sich in den Formen gut kaschierter Herrschaft eine unheimliche Immunität. Das Opake des stählernen Gehäuses einer positiv gewordenen Vernunft verschwinde wie im gleißenden Schein eines vollkommen transparenten Glaspalastes. Alle Parteien seien sich einig: *diese* gläserne Fassade solle zersplittern; allerdings unterschieden sie sich in den Strategien, die sie wählen, um den Positivismus der Vernunft zu überwinden.[353]

Auf eine egologische Fundierung der Vernunft läßt sich Habermas jedoch nicht ein; es geht ihm um das Andere der Vernunft. »Die noch so furiose Arbeit der Dekonstruktion hat angebbare Konsequenzen erst dann, wenn das Paradigma des Selbstbewußtseins, des Selbstbezuges eines einsam erkennenden und handelnden Subjekts, durch ein anderes ersetzt wird – durch das Paradigma der Verständigung, d. h. der intersubjektiven Beziehung kommunikativ vergesellschafteter und sich reziprok anerkennender Individuen. Erst dann tritt die Kritik am verfügenden Denken der subjektzentrierten Vernunft in *bestimmter* Form auf – nämlich als eine Kritik am abendländischen ›Logozentrismus‹, die nicht ein Zuviel, sondern ein Zuwenig an Vernunft diagnostiziert. Statt die Moderne zu übertrumpfen, nimmt sie den der Moderne innewohnenden Gegen-Diskurs wieder auf und führt ihn aus der ausweglosen Frontstellung zwischen Hegel und Nietzsche heraus. Diese Kritik verzichtet auf die überschwengliche Originalität eines Rückganges in die archaischen Anfänge; sie entfesselt die subversive Kraft des modernen Denkens selber gegen das von Descartes bis Kant eingesetzte Paradigma der Bewußtseinsphilosophie.«[354]

Der über die subjektzentrierte Vernunft hinausweisende Begriff der »kommunikativen Vernunft« solle aus den Paradoxien und Einebnungen einer selbstbezüglichen Vernunftkritik herausführen; freilich müsse er sich gegen den konkurrierenden Ansatz einer Systemtheorie behaupten, die die Rationalitätsproblematik überhaupt beiseite schiebt, jeden Vernunftbegriff als alteuropäischen Hemmschuh abstreift und leichtfüßig die Subjektphilosophie beerbt. Solche doppelte Frontstellung mache die Rehabilitierung des Vernunftbegriffs zu einem doppelt riskanten Unternehmen. »Diese muß sich nach beiden Seiten hüten, sich doch wieder in den Fallstricken eines subjektzentrierten Denkens zu verfangen, dem es nicht gelungen ist, den zwanglosen Zwang der Vernunft freizuhalten sowohl von den *totalitären* Zügen einer *instrumentellen* Vernunft, die alles ringsrum und auch sich selbst zum Gegenstand macht, wie auch von den *totalisierenden* Zügen einer *inklusiven* Vernunft, die sich alles einverleibt und am Ende als Einheit über sämtliche Unterschiede triumphiert.«[355]

Mit »kommunikativer Vernunft« (und, daraus folgend, »kommunikativem Handeln«) umschreibt Habermas die Chance, die sich einer gefährdeten Welt dann auftut, wenn diese integraler wie antizipatorischer Vernunft zur Wirksamkeit verhilft. Sowohl die globalen als auch regionalen Probleme (Krieg und Aufrüstung, Hunger und Verelendung, Arbeitslosigkeit und Frustrationsaggressivität, ökologische Ausbeutung und ökonomische Krisen) können durch eine in Subsysteme aufgespaltene Gesellschaft und Politik nicht mehr bewältigt werden; vernetztes Denken und Handeln sind notwendig. Eine zukunftsoffene Moderne hat einerseits im Wissen um die Zukunft die »Problemtrends« hochzurechnen, andererseits im Willen zur (humanen) Zukunft negativer Determiniertheit gegenzusteuern, also den Sprung in andere »Qualitäten« zu wagen.

Triumph der zynischen Vernunft

Das »starke Denken« von Jürgen Habermas, in Kontrast zu dem »schwachen Denken« der Postmodernen (die solche Etikettierung als Auszeichnung empfinden), zielt auf den »abstrakten Menschen«; die realen Verhältnisse entsprechen nicht dem, was idealtypisch postuliert wird. Wenn Hegel in der Vorrede zur *Phänomenologie des Geistes* davon spricht, daß es beim Studium der Wissenschaft darauf ankomme, die »Anstrengung des Begriffs« auf sich zu nehmen, so bedeutet dies ja nicht, daß die Lebenspraxis solchem Gebot folgt. Die Täter kümmern sich nicht um die Denker; stetem Diskurs, als Element kommunikativen Denkens und Handelns, kann schon mit »einfacher« Gewalt der Garaus gemacht werden. Das starke Denken ist schwach, weil es von der Realität, zu deren Widersprüchlichkeit die Postmoderne sich lustvoll bekennt, abhebt. Der radikale Konstruktivismus vernünftigen Denkens ist weitgehend ohnmächtig, wenn es nicht ums Denken geht.

Bei dem Versuch, sich mit der Schwäche des starken Denkens geistig abzufinden, erweist sich Zynismus als hilfreiche »Bewältigungsstrategie«. Der Erfolg von Peter Sloterdijks *Kritik der zynischen Vernunft* (1983) verweist auf das Psychogramm einer Schicht von Intellektuellen, die der durchschlagenden Erfolglosigkeit von Vernunft nachtrauern, jedoch nicht bereit sind, sie insgesamt über Bord zu werfen; die aber auch nicht Kraft genug besitzen, die »Arbeit« am unvollendeten Projekt der Aufklärung wiederaufzunehmen. Zynismus sei das aufgeklärte falsche Bewußtsein; das modernisierte unglückliche Bewußtsein, an dem Aufklärung zugleich erfolgreich und vergeblich gearbeitet habe. »Es hat seine Aufklärungs-Lektion gelernt, aber nicht vollzogen und wohl nicht vollziehen können. Gutsituiert und miserabel zugleich fühlt sich dieses Bewußtsein von keiner Ideologiekritik mehr betroffen; seine Falschheit ist bereits reflexiv gefedert.« Handeln wider besseres Wissen stelle heute das globale Überbauverhältnis dar;

es wisse sich illusionslos und doch von der Macht der Dinge herabgezogen. Ohne Sarkasmus könne es kein gesundes Verhältnis heutiger Aufklärung zu ihrer eigenen Geschichte geben. Wir hätten nur die Wahl zwischen einem den Anfängen »loyal« verpflichteten Pessimismus, der an Dekadenz erinnere, und einer heiteren Respektlosigkeit bei der Fortführung der ursprünglichen Aufgaben.

»Psychologisch läßt sich der Zyniker der Gegenwart als Grenzfall-Melancholiker verstehen, der seine depressiven Symptome unter Kontrolle halten und einigermaßen arbeitstüchtig bleiben kann. Ja, hierauf kommt es beim modernen Zynismus wesentlich an: auf die Arbeitsfähigkeit seiner Träger – trotz allem, nach allem, erst recht. Dem diffusen Zynismus gehören längst die Schlüsselstellungen der Gesellschaft in Vorständen, Parlamenten, Aufsichtsräten, Betriebsführungen, *Lektoraten*, Praxen, Fakultäten, Kanzleien und Redaktionen. Eine gewisse schicke Bitterkeit untermalt sein Handeln. Denn Zyniker sind nicht dumm, und sie sehen durchaus hin und wieder das Nichts, zu dem alles führt. Ihr seelischer Apparat ist inzwischen elastisch genug, um den Dauerzweifel am eigenen Treiben als Überlebensfaktor in sich einzubauen. Sie wissen, was sie tun, aber sie tun es, weil Sachzwänge und Selbsterhaltungstriebe auf kurze Sicht dieselbe Sprache sprechen und ihnen sagen, es müsse sein. Andere würden es ohnehin tun, vielleicht schlechtere. So hat der neue integrierte Zynismus von sich selbst oft sogar das verständliche Gefühl, Opfer zu sein und Opfer zu bringen. Unter der tüchtig mitspielenden harten Fassade trägt er eine Menge leicht zu verletzendes Unglück und Tränenbedürfnis. Darin ist etwas von der Trauer um eine ›verlorene Unschuld‹ – von der Trauer um das bessere Wissen, gegen das alles Handeln und Arbeiten gerichtet ist.«[356]

Zynische Vernunft ist das Residuum, das geistige Klima der die Bundesrepublik prägenden Flakhelfer-Generation – soweit sie den Rigorismus der aufklärerischen Position von Jürgen Habermas nicht teilt, wohl aber mit ihr kokettiert. Da nun einmal die Welt nicht zu retten, auch nicht zu ändern ist, wird das Bewußtsein ontologischer Leere mit mokanter Attitüde überspielt. Die Unbekümmertheit zu »direktem« Genuß fehlt; Zynismus dagegen wirkt identitätsstabilisierend. Die Verhältnisse sind so, wie sie nicht sein sollten; aber da sie so sind, wie sie sind, findet man sich mit ihnen ab und kompensiert die Empfindung des Falschen, indem man – im Bewußtsein des Falschen – das Beste daraus macht.

Geschichtliche Erfahrung hat die »skeptische Generation«, die in den fünfziger und sechziger Jahren im Konkretismus ihre Ersatzverzauberung fand, auf die Vergeblichkeit des Tuns eingeschworen, ohne den Elan fürs Tun brechen zu können. Intelligent sein und dennoch seine Arbeit verrichten, das sei, so Sloterdijk, unglückliches Bewußtsein in der modernisierten, aufklärungskranken Form. Es verharre im Glauben an die Schwerkraft der Verhältnisse, an die sein Selbsterhaltungstrieb es binde. Wenn schon, denn schon. Bei zweitausend Mark netto im Monat beginne leise die Gegenaufklärung; sie setze darauf, daß jeder, der etwas zu verlieren hat, mit seinem unglücklichen Bewußtsein privat zurechtkomme oder es mit »Engagements« überbaue. Der neue Zynismus mache sich, eben weil er als Privatverfassung gelebt werde, die die Weltlage absorbiere, nicht mehr in der Weise bemerkbar, die seinem Begriff entspräche; er umgebe sich mit Diskretion, ein Schlüsselwort der charmant vermittelten Entfremdung. Die von sich selbst wissende Anpassung, die bessere Einsicht den Zwängen geopfert hat, sehe keine Veranlassung mehr, sich offensiv und spektakulär zu entblößen. »Es gibt eine Nacktheit, die nicht mehr entlarvend wirkt und bei der keine ›nackte Tatsache‹ zum Vorschein kommt, auf deren Boden man sich mit heiterem Realismus stellen könnte. Das neuzynische Arrangement mit dem Gegebenen hat etwas Klägliches, nichts souverän Nacktes mehr. Darum ist es auch methodisch nicht ganz leicht, den diffusen profilschwangeren Zynismus zum Sprechen zu bringen.«[357]

Das war 1983 geschrieben; seitdem hat sich der Zynismus als Postmodernismus ungeniert artikuliert – und zwar in allen Bereichen. Mit der These »Alles ist möglich, alles ist erlaubt« (»anything goes«) hat der Amerikaner Paul Feyerabend den postmodernen »Indifferenzpunkt« (keine allgemeinen Regeln, keine verbindlichen Maßstäbe, keine »festen Grundsätze«) markiert.[358] Form komme vor Inhalt, Ästhetik verdränge Ethik; Popkultur und Wissenschaft sind gleichgültig, Sprache regiert das Denken, der Stil ist aufschlußreicher als das Argument. Ironische Indifferenz bestimmt die »Haltung« des »Künstlers« zur Gemengelage der modernen, fragmentierten Welt, die mit dem geordneten Kosmos der Regelvernunft und Theoriewissenschaft nichts mehr gemein hat. »Beides ist nicht nur miteinander unvereinbar, sondern unvergleichbar, weil es dafür keine umfassenden Maßstäbe der Vernunft gibt. Wo der Rationalismus am Ende seines Latein ist, setzen die neuen Möglichkeiten des Ästhetizismus und Avantgardismus ein. Diese gehen weiter als die wissenschaftlichen Methoden.«[359]

Die Stichworte, die Feyerabend lieferte, wurden um so begieriger aufgegriffen, als in den achtziger Jahren die schon länger grassierende Theoriemüdigkeit aus dem Zirkel der Frustration auszubrechen und zu modischem Pläsier vorzustoßen trachtete. An die Stelle von Progression tritt Transgression; es geht nicht um die Sehnsucht nach einer neuen Form des Seins, sondern um das Vergnügen am Design. Die Ästhetik der Transgression ist weder an Moral noch Unmoral interessiert; sie ist extra-moralisch, allerdings auf real existierende Moralen angewiesen, die sie braucht, um sie parasitär zu verzehren. Rainer Werner Fassbinders Filme und Theaterstücke kann man der Transgressions-Kunst zuordnen. Die in Absage an kopernikanische Erschütterungen propagierte ptolemäische Abrüstung ermöglicht nach Sloterdijk ein Zurück zu den Sinnen der Wahrnehmung, unter der Perspektive des befriedeten Subjektglücks. Andy Warhols Devise »All is pretty« garantiert das Recht der Phänomene auf Eigenwert und respektiert den Ernst des Buchstäblichen.

Postmoderne Lebenskunst, die Erfahrungshunger in Life-style umwandelt und auf der Unterordnung der Wahrheit unter den Reiz basiert, hat Michael Rutschky narrativ, am Beispiel des Münchner Fotomodells Maja, eingefangen: »Am Samstag hat sie zum zweiten Mal die Ausstellung mit den Fabergé-Preziosen bestaunt, die die Hypo-Bank in ihrer Kulturstiftung zeigt. Dieses Zigarettenetui aus dunkelblauem Email mit der umlaufenden Diamantschlange! Diese

Rolf Lukaschewski,
Triptychon Opernball, Teil II, 1985

Blumenbuketts aus Halbedelsteinen, in Vasen aus Bergkristall! Dieser Tiger aus
Obsidian, dieser Elefant aus Amethyst, diese Eule aus Achat! ›Das ist doch‹, sagt
Maja, ›von einer derartigen Schönheit, daß man bei einem einzigen Besuch gar
nicht alles in sich aufnehmen kann.‹ Und wir wollen uns diesen Gebrauch von
›Schönheit‹ merken, gemeint ist der wahrheitsunabhängige Reiz.

›Am Sonntag‹, so Maja, ›machen wir nach dem ausgiebigen Frühstück einen
langen Spaziergang über die winterlichen Felder, mit unseren beiden Hunden,
Julchen und Pauline‹, und wir wollen uns merken, wie hier die Jahreszeit, die
Natur, Element des kulturell-kulinarischen Vergnügens geworden ist. Nicht nur
in München, sondern auch in Berlin, in Hamburg oder in Düsseldorf sieht man,
wenn der Frühling näherkommt, in den Parks diese Konsumenten, die Gesicht
und entblößte Hände in die Sonne recken mit einem Ausdruck, als ließen sie sich
gerade die frittierten Kolibris auf der Zunge zergehen. ›Am Sonntagabend‹, so
Maja, ›gehen wir in den ‚Brandner Kaspar' ins Residenztheater. Leider ist der
hinreißende Gustl Bayrhammer krank‹, er liegt, kein Wunder bei dieser anhalten-
den Fettlebe, mit einem Herzinfarkt im Krankenhaus. Bevor Maja mit ihrem
Eheherrn ins Theater fährt, muß er aber noch das Videogerät programmieren:
daß es den ersten Teil der Fernsehserie über Peter den Großen, den russischen
Zaren, aufzeichnet. Bloß nichts verpassen! Seit Herr Gorbatschow Generalsekretär der KPdSU geworden ist, interessiert sich Maja sehr für Rußland. Am

Mittwoch, wenn der zweite Teil der Serie kommt, wird es einen dieser exquisiten Fernsehabende geben: Feuer im Kamin, brennende Kerzen, ein guter Rotwein, ein Silbertablett mit Sandwiches, die Videoaufzeichnung des ersten, darauf der zweite Teil russischer Kaiserkunde. ›Fernsehen total!‹ jubelt Maja, ›solche Abende sind für mich die vollkommene Entspannung!‹ Und deshalb hinterher vermutlich Geschlechtsverkehr.

Aber wir sind erst bei Montag. ›Wir leben nun schon so lange in München‹, so Maja, ›seit Jahren haben wir uns vorgenommen, doch mal eine richtige Stadtrundfahrt zu machen. Nie sind wir dazu gekommen – jetzt ist es endlich soweit. Was für eine hinreißende Stadt München ist! Und was sich hier alles abgespielt hat, geschichtlich, meine ich‹ – und wir schon hier, was eigentlich schon anläßlich Peters des Großen fällig gewesen wäre, den Historismus festhalten, der die Postmoderne kennzeichnet; die Reize der Vergangenheit, sofern sie strahlt, werden frisch ausgekostet, all diese Großausstellungen über die Staufer, die Wittelsbacher und die Preußen und das Gold der Skythen, man stelle sich vor: echtes Gold in solchen Massen und so alt! Maja war davon ebenso begeistert wie von den Fabergé-Preziosen in der Hypo-Bank. Der Historismus herrscht ja auch auf dem Gebiet, wo die Postmoderne ihren Namen erhielt, der Architektur; Erkerchen und Türmchen, überhaupt die Ornamente sind wieder da, und wenn sie, wahrheitsunabhängig, auf die Fertigbauteile aus Beton fertig draufgeklebt werden. In München hatten wir oft Mühe, die historischen von den neuesten Bauten zu unterscheiden. ›Und für den Abend‹, so wieder Maja, ›freue ich mich auf das festliche Bachkonzert im Kongreßsaal des Deutschen Museums.‹«[360]

Während in den siebziger Jahren strenge Begründungszwänge auch ein Fotomodell sich im einzelnen fragen ließen, welchen gesellschaftlichen Bezug, welche Relevanz ihr Tun und Lassen habe, welche Legitimation sich dafür anführen lasse, hat inzwischen die Postmoderne der egozentrischen Lebenskunst, der freizügigen Organisation der Reize und des Vergnügens nach Maßgabe des Individualgeschmacks ein weites Feld eröffnet. Waren für die sechziger und siebziger Jahre des 20. Jahrhunderts Karl Marx und Sigmund Freud die »Leitfossilien«, so werden sie in der Postmoderne durch Friedrich Nietzsche und französische »Neudenker« ersetzt. Die Unterordnung der Wahrheit unter den Reiz, den Effekt, die Schönheit, die Umwertung der Verhältnisse von Sein und Schein – das seien zentrale Elemente von Nietzsches Philosophie. Deren Zentralbegriff, der alle moralischen Fragen außer Kraft setzt, komme bei Maja, dem Fotomodell, wie bei Gerlinde, der Körpertherapeutin aus Berlin-Kreuzberg, an zentraler Stelle vor, wenn auch auf englisch: Power![361]

Natürlich ist Power im postmodernen Kontext gar nicht Power, sondern eine Mode von Power; man *spielt* Lebenskraft und Lebenslust; Vitalismus ist Teil der Lebens-Bricolage, die auf dekorative Wirkung angelegt ist. Es handelt sich bei der postmodernen Genußfreudigkeit nicht um elementares Vergnügen; Direktheit ist der »Simulation« gewichen, die sich zunehmend als soziologische und sozialpsychologische Schlüsselkategorie erweist. So-tun-als-ob, das spielerische

Auskosten der Lust, das Raffinement von Verzögerung und Inszenierung, wieder-holt Geschmacks- und Kulturmuster des Fin de siècle.

>». . . Also spielen wir Theater,
Spielen unsre eignen Stücke,
Frühgereift und zart und traurig,
Die Komödie unsrer Seele,
Unsres Fühlens Heut und Gestern,
Böser Dinge hübsche Formel,
Glatte Worte, bunte Bilder,
Halbes, heimliches Empfinden,
Agonien, Episoden . . .
Manche hören zu, nicht alle . . .
Manche träumen, manche lachen,
Manche essen Eis . . . und manche
Sprechen sehr galante Dinge . . .
. . . Nelken wiegen sich im Winde,
Hochgestielte, weiße Nelken,
Wie ein Schwarm von weißen Faltern . . .
Und ein Bologneserhündchen
Bellt verwundert einen Pfau an . . .«[362]

Die moderne Tändelei, Pläsier als neueste Stimmung im Westen, ist warenästhetisch gestylt, eingefügt in die alles beherrschende Telekratie, gewissermaßen verkabeltes Rokoko, das weniger durch laszive Phantasie als durch frei Haus gelieferte Matrizen bestimmt ist. »Die soziale Welt kommt nicht aus ohne das Fiktionale, sie braucht die Simulation als jene Verhaltenskomponente, die Konformität und Berechenbarkeit der an ihr Beteiligten verbürgt; sie braucht ein wenig Rouge und Make-up, ein wenig Lüge, Verstellung und Maskerade, um der Wirklichkeit die harten Ecken und Kanten zu glätten; sie braucht ein wenig keep smiling und Selbstbetrug, um über die Runden zu kommen.« (Bernd Guggenberger)

Das außengesteuerte Rokoko der Postmoderne erweist sich als Signal-Kultur, in der das Sein nicht ohne Sign und das Dasein nicht ohne Design auskommt. »Design ist das Schmuckband einer Epoche ohne Seher und Propheten, in welcher die Gebrauchsprosa regiert, und das geschriebene Wort den Sprecher desavouiert. Design – das ist die kalte Schönheit der Kakteen, dem Wüstenbilde trotzend, Kunst, die aus der Kälte kommt, qualitativ hochwertig aber affektiv unerheblich, Ästhetik aus der Gefriertruhe . . . Wenn Schönheit, ohne Treu und Glauben, ohne Hoffnung und Wahrheit, sich nackt selbst bespiegelt, mißrät sie zum bloßen Versprechen des Schönen – zum Design. Die Schönheit ohne das Gute, das ist Design! Im Unterschied zum wirklichen Schönen, ist das zum Schönen lediglich ›designierte‹ Schöne, das Design, immer eine Inszenierung, und eben dies bedingt den minderen Anspruch, den spezifischen Unernst, das Noch-Nicht des nur ›vorgesehenen‹ gegenüber dem sichtbar in sich ruhenden Schönen.«[363]

Im Mittelpunkt von Abklärung, als Ausstieg aus der Reflexionsspirale der sich fortzeugenden Aufklärung, steht Coolness. »Wer sich ›abgeklärt‹ gibt, hat von den immer neuen Enthüllungsfeldzügen kritischer Aufklärer die Nase voll, er möchte cool leben, ohne dabei zu frieren. Von naiver ›Unschuld‹ ebensoweit entfernt wie von reflexivem Selbstverlust hält er jenen Mangel an Absichtslosigkeit und Ichlosigkeit für korrigierbar, mit dem uns die Allgegenwart der Ichsuche beständig schlägt. Nachdem der Zustand bewußtloser Unschuld für immer verloren, jener der Unschuld des totalen Bewußtseins für immer unerreichbar bleiben wird, inszeniert man die ›unheimliche Unschuld der dritten Art‹: die Simulation jener ›unerträglichen Leichtigkeit des Seins‹ (Milan Kundera) als einer durchaus erträglichen. Die geglückte Simulation, der Frischwärtsoptimismus, der nicht nur die anderen überzeugt, an den man vielmehr am Ende selber glaubt, das ist die punktuelle Wiederherstellung der Unschuld unter der Bedingung der Entfremdung, einer Unschuld, die sich durchaus mit Bewußtsein und selektiver Kompetenz verträgt; einer Unschuld, die es durchaus gestattet, den einen oder anderen sorgfältig ausgewählten Apfel vom Baum der Erkenntnis zu pflücken.«[364]

Liebe erfüllt sich nicht als »wirkliche« Liebe, sondern als »Codierung von Intimität«; man entgeht der Schwerkraft des Daseins dadurch, daß man die Angst vor der Angst mit Hilfe von »Nonstop-Nonsens« hinwegprojiziert. Da im »Ganzen« kein Sinn mehr zu entdecken ist, man aber andererseits entschlossen ist, sich durch Sinnlosigkeit nicht vom Lebensgenuß abhalten zu lassen, entsteht selbstreferentielles Pläsier. »Plaisir ist plaisir. Wenn jemand plaisir zu empfinden behauptet, hat es keinen Sinn, ihm das zu bestreiten. Im plaisir braucht das Subjekt also keine Kriterien, um sich seines plaisirs zu vergewissern; hier kann es in einer Art kriterienloser Selbstreferenz seiner selbst gewiß sein. Hier fehlt also jene verhängnisvolle Dualität des echten und des nur vorgetäuschten Liebens, die im sozialen Verkehr angesichts des Verhaltens *anderer* die Gemüter beschäftigt.« (Niklas Luhmann)[365] Wer keinen Sinn mehr suche, so Guggenberger, und dennoch entschlossen ist, nicht depressiv zu werden, dem eröffneten sich ganz neue Lebenschancen; angesagt sei das große Spiel der Sinnlosigkeit. Der Marktgängigkeit ausgesprochener Nonsense-Produkte entsprächen die Zeitgeistinszenierungen – in einem Idiom, das gerade das Fehlen des Zeitgeistes, seine Abwesenheit als repräsentative Gesamtgestalt, artikuliere.[366] Bei den W-Fragen – woher, wohin, warum, was, wie – ist man bestenfalls am »Wie« interessiert; selbst *was* inszeniert wird, ist unwichtig gegenüber dem, *wie* es geschieht.

Die Entsubstantialisierung von Liebe z. B. vollzieht und lokalisiert sich, auf neoscholastische Weise, im Psychodrom der Beziehungskisten. »Die Akteure zeigen eingeübte Bewegungen und äußern sich in einer einstudierten Sprache, beides in einem festgelegten Programm. Es vollzieht sich ein profaner Kult, nach dem Rhythmus einer ausgearbeiteten Liturgie. Hoffnungen und Ängste, Kräfte und Bedürfnisse, Leidenschaften und Phantasien können sich nicht frei äußern, sondern werden durch eine Regie domestiziert. Die Dressur der Seelen ist zugleich eine Dressur der Libido, freiwillig und gezwungen in einem.«[367] Jörg Bopp sieht in solchem Beziehungsritual eine sexualfeindliche Moral am Werk: deren Vertreter stünden freilich nicht mehr auf Kanzeln und Kathedern, sondern säßen auf Matratzen, trügen hautenge Jeans und lange Haare, läsen Castaneda und hörten Pink Floyd; vor allem redeten sie über psychische Probleme. »Wie auf einer endlosen Wendeltreppe jagen sie im Gebäude der eigenen und fremden Konflikte hinauf und hinunter.«[368] Sinnliche Lustlosigkeit wird kompensiert durch die Lust der coolen Abklärung; Gefühle werden nicht gelebt, sondern gespielt. Der neue Sozialisationstyp Narziß erfreue sich einer »Freiheit ohne Hand und Fuß und ohne Körper«.[369]

Paare, Passanten, Heilsbringer

Die unaufhaltsame Ausbreitung des von der Ressource Sinn abgeschnittenen »Heutigen« steht im Mittelpunkt des Werkes von Botho Strauß. Der okkasionellen (sich auf die »Gelegenheit« beschränkenden) Vernunft entspricht eine lediglich vom Augen-blick besetzte Gefühlswelt. Modischer Vernetzung fehlt die kommunikative Substanz. Der Weg zum geschichtlichen Gedächtnis ist durch kurzlebige Sensationen verstellt. Sprachlos, gesellschaftslos, geschichtslos, kunstlos, ahnungslos, gesichtslos, hoffnungslos und haltlos[370] – aus individuellen Menschen sind Passanten geworden, die nur beiläufig etwas aufnehmen und selbst nur en passant wahrgenommen werden. Die Medien- und Konsumgesellschaft sieht sich im Glanz ihrer Produktionen erschöpfend gespiegelt. »Abgeschnitten von der Geschichte, die Zukunft trotz Öko-Schock und Atomdebatten, trotz Völkervernichtung und Hungerepidemien wie einen fahrbaren Prospekt täglich hinausschiebend, hat sich eine Gesellschaft gebildet, die sich mit einer Fertigteilsprache einredet, daß es immer so weitergeht.«[371] Die Botschaften des wahren, unmittelbaren Lebens werden mit Hilfe der Apparaturen und Mechanismen der Kulturindustrie abgeblockt. »Da hörte er Mann und Frau reden hinter sich. Zwei Junge, die sich kaum kannten. Es schienen nur zwei zu sein, aber wie viele waren es wirklich? So wie sie redeten, hörte man den ganzen Markt tönen. Sie sprachen eigentlich nicht, sie schalteten sich ein in die laufende Sprache. Sie sprachen nicht, sie tauschten Schibbolethe der Befindlichkeit. Panikfloskeln und fastfeel-Emphase ... Sie sprachen nicht, sie streiften durch die verlassene Öde des ausgesprochenen Sprechens. Einsam und allgemein, zwei aussichtslos sich ansehende Irgendwies, und zwischen ihnen ein soziales Geräusch, durch das sie sich nicht näherkamen. Und manchmal, kaum bemerklich, ein Versuch, ein Drang – doch die Sprache, wenn sie sie wirklich brauchten, wich zurück wie das Wasser unter dem Kinn des Tantalos.«[372]

Das tatenlose, überinformierte Bewußtsein sei nicht mehr in der Lage, Wunsch, Idee, Erinnerung zu produzieren; es erlebe statt dessen eine (sonst nur dem Wahnsinn bekannte) Gleichzeitigkeit des Unvereinbaren und denke einen wahllos aus den Beständen zugespielten Datensalat. In *Kalldewey Farce* (1981), ein Stück, das als Spiegelung der aufgelösten Realität sich gar nicht mehr um Sinn bemüht – eine Apokalypse auf der Beliebigkeitsebene des Boulevards –, sagt »Der Mann«:

> »Was ich dir noch sagen wollte, nicht wahr . . .
> Ich bin jetzt sehr zufrieden, tätärätä
> Wir haben alles in die Sinnproduktion gesteckt,
> tätärätä. Es hat sich gelohnt. Wir haben einen
> neuen Harmonierekord zu verzeichnen, tätärätä
> Mehr Sein, weniger Schein, tätärätä
> Alle Restinstinkte runderneuert, tätärätä
> Einen Sinn! Einen Sinn! Mein Königreich
> für einen Sinn! Mein Bräunungscenter,
> mein Taschenrechner, meine Hi-Fi-Türme,
> meinen Kariben-Traum, meine Pharma-Sterne –
> alles für 'nen Sinn! Tja, woher nehmen und
> nicht stehlen? Ich bin zufrieden. Tätärätä.
> Jeder Mensch ist kreativ. Ich bin bescheiden,
> tätärätä. *Er wendet sich ab und geht vor sich hin.*
> Bin nicht habgierig, nicht eifersüchtig,
> nicht zu erotisch, kein workaholic.
> Bin nachdenklich und gemeinschaftlich,
> tätärätä. Gründlich im Blick, weich im
> Urteil. Lieber etwas dümmer als geistig entwurzelt –«[373]

Für Botho Strauß hat die zielstrebige Realitätsbewältigung durch analytische Vernunft versagt, die Herrschaft des aufklärerischen, dialektischen, geist-soziologischen Denkens wird abgetan, beerdigt.[374] »Wie bedauerlich sind diese armseligen, heruntergekommenen Überzeugungen, die da munter weitersprudeln aus den Köpfen unserer Lehrer! (Die Achtundsechziger Generation, die noch einmal Glück gehabt hat und ihre bescheidenen Gescheitheiten nun jahrzehntelang unabänderlich von bequemen Lehrstühlen verbreiten wird . . .).« Die bedrängte Vernunft habe das Dickicht des Lebendigen in eine leere Begriffswelt zu verwandeln versucht; das sei der eigentliche Irrationalismus. »Ihr dünnes Gebet, längst überschallt vom Lärm der Sprach-Aussteiger, behauptet sich von Amts wegen nun um so verkniffener und beflissener, und die verlassenen Erzieher wiederholen und wiederholen – man hat ja nichts anderes gelernt – das kalte und ausgezehrte Vokabular des kritischen Durchblicks, das durch jede Wiederholung um einen Hauch abstrakter zu werden scheint.«[375]

Dem Niedergang der Vernunft setzt Strauß die Erneuerung des Humanen aus dem Gefühl entgegen.

»Unter der Augeneklipse streunt auch das ›ziellose Frommsein‹,
kommen die sicheren Wunder zu Wort, halten die Ältesten Rat
ungleichzeitiger Völker. Und aus der Pappel hoch über dem
dunklen Gedörr, die kenntnisreich rauscht, mit tausend
seidenen Blicken flattert,
aus ihrem märchenlosen Über-der-Nacht-Stehen,
aus ihrem Zeptergefühl
steigt eine Schar von Entgrenzungen auf, Vögel des Sinnens
und des Entzifferns, klarsichtig und schattenkundig,
wie die diskrete Vernunft eines Gedichts,
das nichts Verborgenes sagt.«[376]

Botho Strauß, der sich in dem langen Gedicht *Diese Erinnerung an einen, der nur
einen Tag zu Gast war* (1985) als »Aufklärer in des Dunklen Pflege« bezeichnet,
wurde in den achtziger Jahren zum Objekt heftiger literarkritischer Auseinandersetzungen. Daß er, sich zum Orpheus stilisierend, durch das Loben im
Dunklen dem hellen Sehen entgegengehe, erregte den heftigen Widerspruch
derjenigen, die Dichten und Dichtung nicht literarischer Regression überantworten wollten. Man sah die Wiederkehr des »Jargons der Eigentlichkeit« als
»Jargon der Geschwollenheit« bevorstehen. Die prunkende »Obersprache« des
poetischen Heilsapostels mit ihrem tönenden Geraune (»Heilskitsch«) verpacke
ein windelweiches Denken und triefende Positivität. Wildgewordene Unvernunft geriere sich als piekfein zurechtgemachte Elitekultur.[377]

Anläßlich des Erscheinens des Romans *Der junge Mann* (1984) bemerkte
Marcel Reich-Ranicki, der sich als »Großkritiker« in der bundesrepublikanischen
Kulturlandschaft auch in den achtziger Jahren umstritten-unumstritten halten
konnte, daß der Autor einen Scherbenhaufen produziert habe und die meisten
Scherben aus billigem Kunststoff seien. »Statt der beabsichtigten allegorischen
Auseinandersetzung mit unserer Epoche haben wir einen Roman für die Schickeria erhalten. Zu den Rohstoffen, die hier verarbeitet wurden, gehört auch die
Halbseide. Der tiefste Grund dieser fatalen Flucht ins Tiefsinnig-Aparte, ins
Kunstgewerbliche ist nicht anderswo zu suchen als bei Botho Strauß selber. Er
kann mitteilen, aber nicht darstellen, formulieren, aber nicht evozieren. Mit
anderen Worten: er kann schreiben, aber nicht erzählen.«[378] Solche und ähnliche
Kritik, meint Henriette Herwig in *Strauß lesen*, bekunde »wenig Verständnis für
viel Phantasie«. Die Merkmale des Textes: sein Fragmentcharakter, die Mosaikstruktur, das Fluktuieren zwischen Realitätsfiktion und Traumreise, Erzähl- und
Reflexionstop, das Spiel mit verschiedenen Zeit-, Sprach und Fiktionsebenen,
könne mit dem romantischen Reflexionsroman verglichen werden. »Botho
Strauß war nie so ernst und so verspielt zugleich. In keinem anderen Buch ist die
Fabulierlust so mit ihm durchgegangen wie in *Der junge Mann*. Wer diesen Text
verstehen will, muß sich auf seine Spielregeln einlassen, die Märchen, Mythen
und Symbole, Geschichten, Gedanken und Allegorien nehmen als das, was sie
sind: als Spiegel und Gänge in einem Labyrinth, nur in der Freiheit des Verwirr-

spiels strukturiert. Hat man diese Voraussetzungen einmal akzeptiert, sich von der Erwartung des linearen Erzählens und des hierarchischen Begriffssystems befreit, dann gibt der Text auch seinen Ariadnefaden preis. Doch öffnen wird er sich nur dem, der sich zunächst in ihn verliert.«[379]

Schärfer noch als bei Botho Strauß reagierte ein Teil der Literaturkritik auf Peter Handkes Wandlung. Der Dichter, dessen Wirkungsgeschichte mit einem Auftritt bei der Tagung der »Gruppe 47« in Princeton, 1966, begann – er wandte sich damals voller Spott gegen die »Beschreibungsliteratur« von Heinrich Böll, Günter Grass und Max Frisch –, wurde in zunehmendem Maße als ein Vertreter der »neuen Überheblichkeit« empfunden. Für Thomas Anz sind Botho Strauß und Peter Handke Autoren, die sich mit ihren späten Werken deutlich von der jungen literarischen Kultur ihrer Generation abzugrenzen versuchten. Kein stürmisches Drängen, kein ungestümer Veränderungswille, keine vitale und anarchische Unmittelbarkeit kennzeichneten ihren Stil, sondern ein distanzierter, würdiger, weihevoller Gestus, der, besonders bei Handke, oft blutlos und steif wirke.[380] Seit Ende der siebziger Jahre (*Langsame Heimkehr*, 1979) wird Handkes Schaffen zunehmend von dem »Bedürfnis nach Heil« bestimmt; dies korrespondiert mit antiaufklärerischem Gestus. Dekorativer Unverbindlichkeit widersetzt sich Handke freilich; sein Anspruch greift weit und tief; er betrachtet sich als legitimen Nachfolger der deutschen, griechischen und lateinischen Klassiker, die »seine Brüder« geworden seien. Alles, was er in den letzten vier oder fünf Jahren geschrieben habe, gehe eben dreitausend Jahre zurück, meinte er in einem Gespräch 1981.[381] Das Schlüsselerlebnis, das Handke dem Helden seines Romans *Die Stunde der wahren Empfindung* (1975), Gregor Keuschnig, Pressereferent der österreichischen Botschaft in Paris, zuordnet, signalisiert den Anfang der »Wendezeit« des Dichters, der sich als »Götterbote« begreift (*Phantasien der Wiederholung*).[382] »Dann hatte er ein Erlebnis – und noch während er es aufnahm, wünschte er, daß er es nie vergessen würde. Im Sand zu seinen Füßen erblickte er drei Dinge: ein Kastanienblatt; ein Stück von einem Taschenspiegel; eine Kinderzopfspange. Sie hatten schon die ganze Zeit so dagelegen, doch auf einmal rückten diese Gegenstände zusammen zu Wunderdingen. – ›Wer sagt denn, daß die Welt schon entdeckt ist?‹«[383]

Handkes »Offenbarungsliteratur« rehabilitiere den objektiven Faktor Subjektivität – so die Anhänger des Dichters; sein bombastisches Imponiergehabe beanstanden die Gegner. »Schlechte Transzendenz« hat ein Kritiker Handkes dramatisches Gedicht *Über die Dörfer* (1984) genannt. Die banale Geschichte (eine Erbschaftsangelegenheit zwischen Geschwistern) strömt breitwogend, bald heiter-gefühlvoll, bald dunkel-schwerfällig dahin. Die mythische Figur der Nova artikuliert gewissermaßen Handkes postmodernes poetologisches Glaubensbekenntnis: »Ruhig vom Entschluß, wird die Welt. Nur das Volk der Schöpfer, jeder auf seinem Platz, kann werden und sich freuen wie die Kinder. Euer Bett steht im Freien. Im Leeren ergeht euch den Weg. Legt euch die Laubmaske an und verstärkt das vollkommen-wirkliche Rauschen. In der Erschütterung erst seht ihr scharf. Die Form ist das Gesetz, und das Gesetz ist groß,

Uraufführung von Peter Handkes »Über die Dörfer« in der Inszenierung von Wim Wenders, Salzburg 1982

und es richtet euch auf. Der Himmel ist groß. Das Dorf ist groß. Der ewige Friede ist möglich. Hört die Karawanenmusik. Zieht dem allesdurchdringenden, allesumfassenden, alles würdigenden Schall nach. Richtet euch auf. Abmessendwissend, seid himmelwärts. Seht den Pulstanz der Sonne und traut euerm kochenden Herz. Das Zittern eurer Lider ist das Zittern der Wahrheit. Laßt die Farben erblühen. Haltet euch an dieses dramatische Gedicht. Geht ewig entgegen. Geht über die Dörfer.«[384]

Der vornehm-noble Ton der neuen Betroffenheit, die sich an der Gegenwart nicht schmutzig machen, sondern in sublimere Gefilde abschweifen will, dürfe nicht – so Joachim Kaiser – als etwas Überflüssiges oder Konservatives oder gar Kitschiges empfunden werden; er sei schwer zu treffen, weil in unserer von Werbung durchzogenen Welt die meisten affirmativen, positiven, lobenden

Adjektive so fürchterlich abgenutzt, phrasenhaft, verlogen wirken. Michael Krüger bezeichnete in einer Debatte um Handke »Vernunft und Aufklärung als die hageren Schwestern des gesunden Menschenverstandes«, was deutlich macht, wie tief die Verärgerung der früheren Avantgarde sitzt – angesichts eines Aufklärungsfetischismus, der vom Leben sich immer mehr entfernt hat. Der Dichter in dürftiger Zeit entwickelt sich zum Evangelimann, der die Welt segnet, statt sie zu entziffern. Handkes fatale Neigung zu einem gravitätischen Landpfarrerdeutsch, zu einer Orgel-und-Weihwasser-Prosa, habe, meint Benjamin Henrichs, in dem Roman *Die Wiederholung* (1986) noch einmal beklemmend zugenommen.[385] Gegen das vorherrschende flache Gerede, die glatte Bestsellerei ankämpfend, versteigt sich der Dichter – nach anfänglichen gelungenen narrativen Passagen – in die Höhenzonen fataler Esoterik. *Die Wiederholung* als Erlösungsmärchen spottet insofern antizipatorischer Vernunft, als sie selbst die schlimmste Gefährdung des Menschen (die atomare nämlich) »heilsmythisch« überwölbt und damit kritische Vernunft zu beschwichtigen trachtet. »So freundlich war der Raum, in den ich hinabblickte, und eine solche Kraft stieg aus der Tiefe empor, daß ich mir vorstellen konnte, selbst der Große Atomblitz würde dieser Doline nichts anhaben; der Explosionsstoß würde über sie hinweggehen, ebenso wie die Strahlung. Und in der Vorwegnahme sah ich dann die zu meinen Füßen, in der fruchtbaren Erdschüssel, Tätigen als die Rest-Menschheit, nach der Katastrophe, wie sie da wiederanfing zu wirtschaften. Ja, als eine Wirtschaft, eine zudem autarke, so erschien mir der in der abgestorbenen Wüste versteckte Ort, und die Erde ernährte da immer noch ihre Bewohner.«[386]

Die postmoderne Immanenzeuphorie, zu der die »Revolution des Ja« aufgipfelt (»Ja, die Zeit unseres Daseins soll unsere triumphale Episode sein!«[387]), erweist sich als eindimensionaler poetischer Fundamentalismus, der keine kritische Perspektive mehr kennt und den Menschen freispricht, ehe ihm der Prozeß gemacht wurde. Die in die Ferne projizierte Vision von Lösung und Erlösung bewirkt moralische Gleichgültigkeit: Gegenwart wird zur Quantité négligeable. Das Dunkle erhält von »vorne« allemal Licht genug.

Zentraler Topos dieser Befindlichkeit ist der Park. In Botho Strauß' gleichnamigem Stück[388] ist das Herrscherpaar des Elfenreichs, Oberon und Titania, in einen Stadtpark gekommen, um bei den dort anzutreffenden »Heutigen«, die Eigenart- wie Einzigartigkeit eingebüßt haben und mit erloschenen Blicken dahinleben, wieder den Sinn für das Zauberhafte, Festliche, Wunderbare zu wecken. »Wir sehen also die Szenen bevölkert nicht von Subjekten, sondern von Figuren, die längst Objekte der Geschichte geworden sind. Auf die Bühne kommen Typen, an die Strauß Eigenschaften bindet, die er jetzt für symptomatisch hält: die routinierten Liebenden, die selbstgewiß und trostlos ihre ›Beziehungen‹ zerschwätzen, die tüchtigen Erstlinge und Höflinge des praktischen Lebens, die Videoexperten, Rechtsverwalter, Vertreter und Fahrlehrer, die sprachbehinderten Jungen, die Titania einfangen wollen mit einem Netz wie ein seltenes Tier, unempfänglich für alles, was anders wäre als ihre Welt aus Rock und Rammeln; den auf die Marktlücke schielenden Künstler mit dem farbigen

Knaben, der seiner Befriedigung dient.« (Peter Iden)[389] Das Experiment mißlingt: Aus Bürgern werden keine Troubadoure, und König Salomos Lüsternheit erweckt man nicht im Fahrschullehrer.

In den »totgesagten Park« führte Luc Bondys herausragende Inszenierung von Marivaux' *Triumph der Liebe* (Berliner Schaubühne, 1985).[390] Die Topoi von Park und Insel lokalisieren am historischen Beispiel auch die postmoderne Befindlichkeit. Aufgezeigt wird, was »aufgeklärtes Rokoko« an einer Philosophie und Mythologie des Vergnügens bereithält. Mit ästhetischem Raffinement wird das Spiel der »Féte Galante« zu distanzierter Besichtigung freigegeben; schließlich in preziöser Sublimierung die ästhetizistische Position überwunden, indem die Mitspieler graziöser Gefühlsverwirrung in der Garten-Insel-Rotunde in ihrer Oberflächlichkeit (freilich auch Verlorenheit) dekuvriert werden. Aufgedeckt wird, was rokokohafter Warenästhetik zugrunde liegt: Pläsier.

Luc Bondys Inszenierung beobachtet mit Scharfblick und kühlem Blut, wie sich im artifiziellen Garten die Geometrie der Gefühle entfaltet. Der Spielraum der Insel, vom Leben mit hohen Gartenhecken abgeschirmt, ist zugleich Gefängnis. Wird das adelige Liebespaar, das sich im Triumph der Liebe findet und die Hermetik verläßt, wirklich noch Leben gestalten können oder nur die Park-Mentalität nach außen tragen – wodurch die Außenwelt zur Innenwelt würde? Diejenigen, die mit ihren enttäuschten und gescheiterten Hoffnungen zurückbleiben, die den Gerichtstag übers eigene Ich nicht gewagt haben, sind wirklich tot. Die Art de plaisir führt ins Terrain der mondänen Beziehungen. Das Rokoko zeigt sich heute als eine mit emanzipatorischen Attitüden aufgepolsterte Gefühllosigkeit, die ihre egozentrischen Obsessionen einmal im linken Palaver, zum anderen im gegenaufklärerischen Gefasel prostituiert.

Pläsier ist isolierter Selbstzweck, jeder Ganzheit entfremdet, notorischen Substanzmangel durch Leicht-sinn überspielend. Wie die Superlative der Bewegtheit beim Beziehungsgespräch (. . . »unheimlich«. . . »wahnsinnig«. . . »echt« . . .) leere Rhetorik darstellen, so unterliegt in der Postmoderne Semantik generell der Semiotik; das durch die Vielfalt der Zeichen und ihre Kombination bewirkte Lustgefühl, jenseits von Inhalten, mißachtet die ästhetische Erziehung des Menschen; Warenästhetik, die den Sieg der Semiotik über die Semantik bedeutet, korrumpiert Glück zum Pläsier. Der Farbigkeitsbedarf der Postmoderne ist an einem Farbe-bekennen wenig interessiert.

Der Aufstand der Zeichen

Das unvollendete Projekt der Aufklärung hatte in der Trümmerzeit, in Form der Rückkehr aufgeklärten Denkens aus dem Exil, einen wesentlichen Entwicklungsschub erhalten; die »verspätete Nation«[391] versuchte, Anschluß an westliche Traditionen zu gewinnen. Am Ende der retardierenden Phase der Wirtschaftswunderzeit mit ihrem praktizierten Materialismus erbrachte die 68er-Bewegung eine

Rezeption wichtiger, bislang ideologisch verschütteter aufklärerischer »Bestände«, die jedoch zu einem Teil sowohl bei den Revoltierenden als auch bei ihren Gegnern und Nachfolgern nicht nur verlorengingen, sondern ins Gegenteil sich verkehrten. Der Anspruch begrifflich-diskursiven Denkens wird in den siebziger, vor allem in den achtziger Jahren als Zwangsherrschaft empfunden; die Dinge sollen nicht mehr so »genau« genommen werden; gegenüber steriler Ableitungslogik entwickelt sich ein Sinnlichkeitsverlangen, das mit bilderreicher Sprache artikuliert wird. Wenn die Texte »irgendwie« gut klingen, reüssieren die Autoren: Man nimmt an – ohne genauer hinzuhören –, daß sie sich beim Schreiben etwas gedacht haben.

Der Rückkehr der Aufklärung aus Amerika in die Bundesrepublik, vor allem in Gestalt der Frankfurter Schule (mit Adorno, Horkheimer, Marcuse) in den fünfziger Jahren, entspricht zwei Dezennien später die Rückkehr romantisch-affirmativen Denkens aus Frankreich. Die dort ansässigen Virtuosen theoretischer Unschärfe (ausgerichtet auf die »Verstimmung der Köpfe zur Schwärmerei«) rekurrieren nicht nur auf den deutschen Irrationalismus, mit besonderer Vorliebe für Nietzsche, sondern sind auch tief beeinflußt vom sprachalchimistischen Philosophieren Heideggers; außerdem bewegen sie sich geschmeidig in einer reichlich verzweigten ästhetischen »Fließstruktur«: Flaubert, Proust und Bataille bei Roland Barthes; Nietzsche und Heidegger, Mallarmé und Artaud bei Jacques Derrida, Nietzsche, Magritte und Bataille bei Michel Foucault, Mallarmé und Lautréamont, Joyce und Artaud bei Julia Kristeva, Freud bei Jacques Lacan, Nietzsche und Bataille bei Jean Baudrillard, Nietzsche und Adorno bei Jean-François Lyotard.[392]

Die neokonservativen Feindbilder wie Massenkultur, Standardisierung, Grammatik, Kommunikation und der angeblich allmächtige Gleichschaltungsdruck des modernen Sozialstaates bekräftigen die substantielle Verwandtschaft von Poststrukturalismus und Postmoderne. Jegliche Form von politischem Engagement in der Kunst wird für obsolet erklärt. Die Einsicht, so Andreas Huyssen, daß das Subjekt sich in der Sprache konstituiere, und die Vorstellung, daß es nichts außerhalb des Textes gebe, »haben zu einer Privilegierung des Linguistischen und Textuellen geführt, wie sie von den Berührungsängsten des Ästhetizismus und Formalismus seit langem bekannt sind.« Die Semiotik ist von der Semantik abgelöst; Inhalte und Gehalte spielen eine untergeordnete Rolle. Nicht länger stünden wir einem Modernismus des »Zeitalters der Angst« gegenüber, dem asketischen und quälenden Modernismus eines Kafka oder Schönberg, einem Modernismus der Negativität, des Wertezerfalls und der Entfremdung, der Ambiguität und Abstraktion, einem Modernismus des trotz allem eher geschlossenen und vollendeten Werks. Statt dessen biete uns die poststrukturalistische Lektüre (mit Ausnahme vielleicht Paul de Mans) einen Modernismus spielerischer Transgressionen und eines nicht endenden Webens von Textualität, einen Modernismus, der sich legitimiert in seiner rigoros ironischen Ablehnung von Repräsentation und Realität, von Subjektivität und Geschichte, einen Modernismus, der sich recht dogmatisch gibt in seiner Verurteilung von »présence«

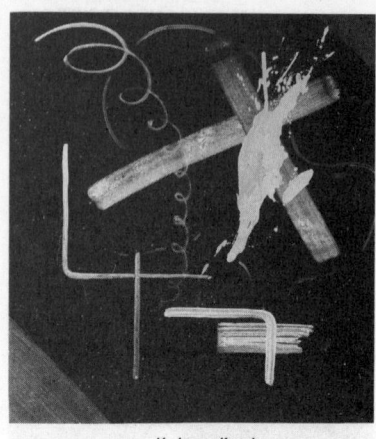

Moderne Kunst

Sigmar Polke,
Moderne Kunst, 1968

und dem damit einhergehenden Loblied auf Abwesenheiten und Entropien jeglicher Art, die in Roland Barthes' Sicht nicht Angst, sondern »jouissance«, ekstatisches Glück, hervorbringen. »Aber wenn der Poststrukturalismus sich als ›revenant‹ des Modernismus im Kleide der Theorie lesen läßt, dann macht eben das ihn auch wiederum postmodern. Es ist eine Postmoderne, die sich nicht als Ablehnung des Modernismus versteht, sondern vielmehr als eine retrospektive theoretische Lektüre, die sich, zumindest teilweise, der Grenzen und der politischen Fehlschläge der klassischen Moderne voll bewußt ist. Das Dilemma der künstlerischen Moderne war ja ihre Unfähigkeit, trotz bester Absichten keine wirklich effektive Kritik bürgerlicher Gesellschaft und ökonomisch-technologischer Modernisierung artikulieren zu können. Vor allem das Schicksal der historischen Avantgarde hat gezeigt, wie die Kunst selbst dort, wo sie gegen das Prinzip des ›L'art pour l'art‹ rebellierte, um Kunst und Leben in neuer Weise miteinander zu verknüpfen, letztlich immer wieder ins ästhetische Getto zurückgedrängt wurde. Die Selbstbeschränkung des Poststrukturalismus auf Sprachspiele, Epistemologie und Ästhetik läßt sich als Resultat dieses Scheiterns verstehen. Der avantgardistische Versuch, von der Kunst her ein neues Leben zu organisieren, die Gesellschaft zu verändern und die Welt zu verbessern, erscheint heutzutage wohl nicht nur Poststrukturalisten als schon im Ansatz verfehlt. Die utopische Vision der ästhetischen Moderne, daß das moderne Leben durch die Kunst erlöst werden könne, dürfte einer postmodernen Sensibilität kaum mehr entsprechen. Daß derartige Visionen nicht mehr möglich sind, konnte sich als Kern der ›condition postmoderne‹ erweisen.«[393]

»Existieren« steht im Zentrum des »Denkens«, das deshalb auch »Beschwörung« der Reflexion vorzieht. Der »Versuchung«, Sinn zu erzeugen, will z. B.

Bataille nicht erliegen. Hegels Denkart habe sich »in Abhängigkeit von der knechtischen Arbeit entwickelt«. Die heilige, poetische, auf der Ebene der ohnmächtigen Schönheit beschränkte »Rede« behalte aber allein die Fähigkeit, die volle Souveränität zu manifestieren.[394]

Zu den zentralen Problemkomplexen des neuen französischen Denkens gehört das Ende des homogenisierten Denkens, der Dialektik, der Metaphysik, der Bedeutung, der Wahrheit, des absoluten Wissens, der Freiheit des Subjekts. »Fast alles, was während zwei, drei Jahrhunderten in der abendländischen Philosophie gegolten hat, ist heute nicht mehr aktuell. Der Übergang ist so einschneidend wie jener von der Newtonschen Physik zur Relativitätstheorie und Quantenmechanik der modernen Physik.« (Jürg Altwegg)[395]

Für Jean Baudrillard bedeutet der »Aufstand der Zeichen« eine Absage an das Zeitalter der Produktion, der Ware und der Arbeitskraft – Aufhebung von Vergesellschaftung. Die Zeit der Re-Produktion sei die Zeit der Codes, der Streuung und der totalen Austauschbarkeit der Elemente: »Die historische Solidarität des Produktionsprozesses: die Solidarität der Fabrik, des Stadtviertels und der Klasse, ist verschwunden. Von nun an sind alle voneinander getrennt und gegeneinander indifferent im Zeichen des Fernsehens und des Autos, im Zeichen der überall in die Medien und Stadtpläne eingeschriebenen Verhaltensmodelle. Alle sind ausgerichtet auf ihren jeweiligen Wahn einer Identifikation mit Leitmodellen und bereitgestellten Simulationsmodellen. Alle sind austauschbar – wie diese Modelle selbst. Dies ist das Zeitalter der Individuen mit variabler Geometrie. Die Geometrie des Codes jedoch, sie bleibt fix und zentralisiert. Das Monopol dieses überall im urbanen Gewebe zerstreuten Codes ist die wirkliche Form des gesellschaftlichen Verhältnisses.«[396]

Über Zeichen kann man sich verständigen, wenn sie Inhalte transportieren und ein Konsens über Bedeutungsgehalte innerhalb eines allgemein akzeptierten Begründungszusammenhanges hergestellt wird. Die postmodernen Freiheitseruptionen gegenüber den »schrecklichen Vereinfachern« der Vernunft, dem »Terrorismus der Aufklärung«, werden jedoch zum Selbstzweck. Die diskursive Last logischen Argumentierens, die »Anstrengung des Begriffs« (die ja immer auch »moralisch«, an der Sinnfrage orientiert ist), wird abgeworfen; man setzt auf die Farbigkeit des unbefragten Soseins; es kommt nicht darauf an, was warum geschieht, sondern daß etwas und wie es geschieht. Das philosophische L'art-pour-l'art-Prinzip, die Isolierung des Geschehens, des Vorkommnisses, des Reizes, »entwaffnet« integrierendes Denken. »Es gibt eine Tradition und eine Institution der Philosophie, der Malerei, der Politik, der Literatur. Als solche sind sie ›Disziplinen‹, haben sie eine Zukunft, in Form von Schulen, Programmen, Forschungsprojekten, ›Tendenzen‹. Das Denken bezieht sich darin auf das, was überliefert wird, versucht es zu reflektieren und zu überwinden. Es versucht, was schon gedacht, geschrieben, gemalt, vergesellschaftet worden ist, zu bestimmen, um dasjenige bestimmen zu können, das es noch nicht ist. Wir alle kennen das, es ist unser tägliches Brot. Es ist Kommißbrot, Ration des Soldaten. Aber diese Agitation, im vornehmsten Sinne des Wortes (*Agitation* hat Kant die

Tätigkeit des Geistes genannt, der über Urteilskraft verfügt und sie ausübt), diese Agitation ist nur solange möglich, als etwas zu bestimmen bleibt, was noch nicht bestimmt ist. Man mag sich bemühen, es zu bestimmen, indem man ein System, eine Theorie, ein Programm, Projekt konstruiert, und man muß das tun. Indem man es vorwegnimmt. Aber man kann auch diesen ›Rest‹ befragen, das Unbestimmte geschehen lassen als Fragezeichen.« (Jean-François Lyotard)[397]

Das Unbestimmte, das Frage-Zeichen, wird zum Faszinosum; die Suche nach Antwort nicht nur suspendiert, sondern eskamotiert. Pläsier bedeutet Genuß von Reiz und nicht Suche nach Wahrheit. Textual formuliert: Die großen »Erzählungen« (die »wissenslegitimierenden Rahmenerzählungen« von der Fortschrittsgeschichte einerseits, vom spekulativen Geist und dem zugeordneten Ziel der »Bildung« andererseits) haben ihre Glaubwürdigkeit verloren. Die idealistischen wie ideologischen, systematischen wie transzendierenden »Entwürfe« erweisen sich als Fiktionen. Diffusion und Entropie haben die universalen Weltbilder, vor allem auch die marxistische Ideologie, erfaßt und zerstört. »Die Kritik am totalisierenden Bewußtsein mündet nun aber nicht in ein Chaos von Sprachspielen und Lebensformen. Deren Vielfältigkeit wird vielmehr positiv bewertet und damit auch eingegrenzt: das Interesse gilt solchem, was sich einer gegebenen Ordnung nicht fügt, ›paralog‹ ist; der Philosoph verpflichtet sich nicht dem Konsens, sondern der Irritation, der Abweichung, der Störung.«[398] Der »neue Humanismus«, so André Glucksmann, gehe aus dem Zerfall, der als solcher erkannt und gefeiert werde, hervor: dem Zerfall der sogenannten »humanistischen«, weltentrückt-bigotten oder weltlich-erbaulichen Illusionen, die uns das vergangene Jahrhundert hinterlassen habe. Dieser gleichsam »negative Humanismus« enttäusche jene, die nach Gewißheit lechzten. Wie man im Handumdrehen mit einem Gedankenblitz und in einem einzigen Band alle Probleme der Menschheit löse, solche großspurigen Versprechungen fehlten in keinem Wahlprogramm und gereichten jedem literarisch getönten Glaubensbekenntnis im Klappentext zur Zierde.[399]

Die pluralistische, polyvalente Postmoderne durchkreuzt Totalität und damit die zum Totalitarismus neigenden Globalmodelle; sie beschränkt sich auf die »kleinen Erzählungen«, die nicht in eine Hierarchie, geschweige denn in ein System gebracht werden. Anything goes. Solche Entzauberung systematischen Denkens als Folge der Entzauberung der Welt durch systematisches Denken (Bankrott des mechanistisch-rationalistischen Weltbildes), verbunden mit einer radikalen Subjektkritik, begreift sich als postmoderne Moral. Das Denken, das die Natur bloß spiegelt, um sie zu beherrschen, wird nicht widerlegt, sondern verabschiedet – ein Ansatz, der mit der »undogmatischen ›Wildheit‹, der vernunftskeptischen Heftigkeit des aktuellen ästhetischen und politischen Kulturklimas eigentümlich korrespondiert«. Diese Philosophie entsprach bei ihrem Entstehen dem Kulturideal bescheidener, regionalistischer Kleinteiligkeit (»small is beautiful«), der innerlichen, des Gewesenen sich erinnernden Reaktion auf intellektuelle, städtebauliche und industrielle Gigantomanie. »Die Bedrohung des Ganzen läßt die Kostbarkeit der Kleinigkeiten aufleuchten.« (Mathias Schreiber)[400]

Der Mythos der Vernunft

Gegen den französischen Post- oder Neostrukturalismus, gegen seine Thesen (seine »Rede«) vom »Tod des Menschen«, von der »Auflösung des Subjekts«, von der »Beliebigkeit der Wahrheit«, vom »Spiel der Geschichte«, von der »Lächerlichkeit der Vernunft«[401] formieren sich diejenigen, die auf die Dialektik der Aufklärung nicht mit einer ihrerseits sich verabsolutierenden Vernunftkritik reagieren, sondern »ganzheitliche Vernunft« zu rekonstruieren und rekonstituieren trachten. Die Diffusion des Zeitgeistes diffus zu artikulieren, auf dem »Rummelplatz eines fröhlichen Nihilismus«[402] sich zu tummeln – das könne nicht als humaner Fortschritt interpretiert werden. Der Kult des Paradoxons, die Verweigerung der Klarheit, das Verlangen nach unauflöslicher Komplexität, die Suche nach Marginalität, die Phantasmen des Verfolgtwerdens und des Komplotts, alle diese unter der Dunstglocke der Postmoderne sich versammelnden antiaufklärerischen Protestformen werden als antihumanistisch angeprangert.[403]

»Vernunft« bedeutet für Umberto Eco, dessen semiotisches wie literarisches Werk von großem Einfluß auf die deutsche Bewußtseinslage der achtziger Jahre war:

– die dem Menschen eigene Art der Naturerkenntnis, die sich einerseits von den bloßen Instinktreaktionen unterscheidet, andererseits von der nicht-diskursiven Erkenntnis (wie mystische Erleuchtungen, Glaube, sprachlich nicht mitteilbare subjektive Erfahrungen etc.); in diesem Falle meint Vernunft, daß der Mensch fähig ist, Abstraktionen zu produzieren und mittels Abstraktionen zu kommunizieren;

– die spezielle Fähigkeit, das Absolute unmittelbar zu erkennen – Selbsterkenntnis des idealistischen Ich, die Ahnung der Urprinzipien, von denen sowohl der Kosmos wie der menschliche und sogar der göttliche Geist bestimmt seien;

– die Möglichkeit des richtigen Urteilens und Unterscheidens (gut oder schlecht, wahr oder falsch), Ausdruck des gesunden Menschenverstandes im Sinne Descartes'.[404]

Solche Vernunft umfassender Art befindet sich in der Krise, was aber nicht gegen die Vernunft als solche spricht. Zu lange hatte man, was den Verlauf der Dialektik der Aufklärung bestimmte, geglaubt, daß das, was gut funktioniere, auch gut sei. Hybride Rationalität mißachtete den Mythos. Das hypothetische Bewußtsein der Wissenschaft, daß die ganze Welt in Wenn-Dann-Beziehungen aufzulösen sei, reduzierte die Erfahrung ganzheitlicher Sinnhaftigkeit und Sinnfälligkeit. Emanzipation versäumte, neue Möglichkeiten der Bindung und Identifikation zu erschließen und zu verbreiten. Die Hoffnung, daß mit der Ausbeutung der Natur die Ausbeutung des Menschen beendet werden könne, ist gescheitert.[405]

Dem zum »Mythos« des Rationalismus gewordenen Systemzwang (einem subsystematisch »befangenen« Denken) wird das »Prinzip Verantwortung« entgegengestellt; von der Sorge ums »Ganze« bewegt, will es Mitbürgerlichkeit, gegenseitige Hilfe, Solidarität und Selbstentfaltung in ein dialektisch-ausgewogenes Verhältnis bringen. Der Mensch *kann* Verantwortung haben, also *hat* er sie. Für Hans Jonas ergibt sich der ethische Anspruch unmittelbar aus dem tatsächlichen Befund – das Können führt das Sollen mit sich. Der Dualismus von Innen und Außen, von Mensch und Natur, von Sein und Sollen wird zwar so vornehmlich in Form des Appellativen, was den Vorwurf des Moralisierens auf sich ziehen mag, überwunden; doch erfolgt zumindest eine Option auf »Einheit« – als Versuch, das Gesetz menschlichen Verhaltens aus der Natur des Ganzen abzuleiten.[406]

Nach der Havarie der Expertenkultur muß man in den verbliebenen Rettungsbooten neue Ufer ansteuern. Schwer ist es freilich, Kurs zu halten – hat doch eine »Entmündigung der Sinne« stattgefunden. Die durch die Technik heraufbeschworenen Gefahren (etwa als Verseuchung der Luft, des Wassers, der Erde) sind weitgehend nicht wahrnehmbar. Ulrich Beck spricht davon, daß mit dem Atomzeitalter eine Verdopplung der Welt erfolgt sei. Die Welt hinter der Welt, die uns unvorstellbar bedrohe, bleibe unseren Sinnen ein für allemal unzugänglich. »Die kulturelle Tiefenwirkung der Veränderung wird bewußt, wenn wir uns am Beispiel von Tschernobyl die Frage stellen: Was wäre geschehen, wenn die Wetterdienste versagt, die Massenmedien geschwiegen, die Experten sich nicht gestritten hätten? Niemand von uns hätte etwas bemerkt. Wir sehen, hören weiter, aber die Normalität unserer sinnlichen Wahrnehmung täuscht. Vor dieser Gefahr versagen unsere Sinne. Wir, alle, eine ganze Kultur, sind auf einen Schlag erblindet im Sehen (taub geworden im Hören). Was beides meint: Die Unfaßlichkeit für unsere Sinne unveränderten Welt und die hinter den Dingen steckende, unserer ganzen Aufmerksamkeit verschlossene Verseuchung und Gefahr.« Die Entmündigung der Sinne zwinge uns in die Lage, das Diktat der Information hinzunehmen, sie bestenfalls im Wechselspiel der Widersprüche zu relativieren, was aber auch keinen Vorteil bedeute, da es nur das allgemeine Nichtwissen im Angesicht der Gefahr und damit das Ausgeliefertsein an sie zum Bewußtsein bringe. Die »Ermächtigung« zu einer neuen Souveränität kann darin bestehen, daß man verlernt, seinen Sinnen zu trauen, daß man lernt, seinen Sinnen zu mißtrauen – um dann in weiterer Konditionierung für Widerstand die Beschwichtigungsstrategien der Technokraten außer Kraft zu setzen.[407]

»Die Vernunft ist für uns, Zeugen einer dramatisch unvernünftig verlaufenden Geschichte, problematisch geworden.« (Wolfgang de Boer)[408] Wenn es das Programm der Aufklärung war, den Menschen aus religiösen Abhängigkeiten, von irrationalen Bindungen mit Hilfe profaner Vernunft zu befreien, dann sei die Aufklärung gescheitert. In ihrem rationalistischen Pathos habe sie das rational weder erklärbare noch auflösbare Lebensproblem der menschlichen Natur übersehen. Wieviel die alten religiösen Bindungen dafür geleistet hatten, sei erst offenbar geworden, nachdem sie von der neuen Zeit verschüttet worden waren. Und je weniger die Aufklärung das Gewicht dieser Bindungen anerkennen mochte, um so unbeirrbarer hätten die Menschen nach einem Ersatz für sie gesucht und ihn im technischen Fortschritt mit seiner ungeheuren lebenserfüllenden Dynamik gefunden.

Die Alten hätten jedoch mit der Vernunft weniger das gemeint, was wir damit im Auge haben: rationales Denken und Argumentieren, den Verstand, der nach den Regeln der Logik verfährt, sondern vor allem und in erster Linie eine beglückende Schaukraft im Menschen (logos, nous, lumen naturale), die ihn das göttliche Gute als lebenszielsetzende Macht erkennen lasse.

Im Zeitalter der Industrialisierung ließ jeder Modernisierungsschub analytische Vernunft triumphieren – was die Vereinseitigung ihres an sich schon sektoralen Rationalitätsbegriffs beförderte. Die Maschinisierung von Arbeit wie die Arbeitsteilung entsprachen dem Geist der Zeit, der in der Ermittlung und Handhabung von Einzelelementen seine eigentliche Aufgabe sah. Im »Apparat« wurden Subjekte installiert und dann verdinglicht; Arbeit erwies sich nicht mehr als »Selbsterzeugungsprozeß des Menschen« (Georg W. F. Hegel), sondern als Vehikel der mit der Verwissenschaftlichung und Rationalisierung des Denkens einhergehenden Entfremdung: Die Umwelt, als Produkt menschlicher Tätigkeit, trat dem Individuum als etwas Fremdes, in dem es sich nicht wiedererkennen konnte, entgegen und ließ Lebenstätigkeit als inhalts-, sinn- und beziehungslos erscheinen.

Der Homo sapiens – im Gegensatz zum Homo faber – ist allerdings zu begreifen als ein Mensch, der kognitiver wie intuitiver, intellektueller wie emotionaler Lebens- und Weltanschauung gleichermaßen fähig ist. Dabei ergibt sich eine Interdependenz der verschiedenen »Vernunftarten«: der analytischen, synthetischen, prinzipiellen, okkasionellen, aleatorischen Vernunft; und auch zynische Vernunft mag von Fall zu Fall ihre Berechtigung haben. Will die Moderne aus dem Käfig ihres Vernunftbegriffs, der weitgehend mit okkasioneller Vernunft gleichzusetzen ist, ausbrechen, wird sie eine neue Sensibilität für Doppel- und Mehrfachwahrheiten entwickeln müssen – wobei freilich die Komplexität vernünftigen Denkens und Handelns in Widerspruch steht zu der Eindeutigkeit binärer Kodierung; ankämpfen muß man verstärkt gegen die durch zunehmendes Computerdenken auferlegte kategoriale Verengung, die in »Einfachwahrheit« (null oder eins, richtig oder falsch, wahr oder unwahr) besteht. Was Ch. P. Snow 1967[409] die Spaltung unserer westlichen Welt in die auseinanderdriftenden zwei Kulturen der Naturwissenschaftler auf der einen und der literarischen Intelligenz auf der anderen Seite nannte, hat sich insofern verändert, als heute beide Lager in ihrer Rationalitätskritik durchaus konvergieren. Im Lager der Naturwissenschaften ist das Verhältnis zur Vernunft keineswegs mehr so ungebrochen-positiv, wie es einst innerhalb des Subsystems einer auf unreflektierten Fortschritt setzenden Rationalität der Fall war.

Helmut F. Spinner[410] interpretiert die Krise des Vernunftbegriffs vor allem als Rationalitätsdifferenz zwischen prinzipieller und okkasioneller Rationalität. Auf der einen Seite eine normgebundene, regelgeleitete »Grundsatzvernunft«, deren Vorstellung von bleibender prinzipieller Rationalität sich in allgemeinen, abstrakten, antizipierten (das heißt im voraus aufgestellten), person- und situationsunabhängigen Maßstäben für grundsatzrationales Denken und Handeln, Sehen und Fühlen nach Prinzipien und Regeln niederschlage; in Grundsätzen oder

Prinzipien, Normen, Regeln, Maximen, Methoden, Doktrinen und sonstigen »idées générales«, welche für alle Fälle gleicher Art gelten und zu allgemeinen Problemlösungen führen sollen. Auf der anderen Seite die normungebundene, nicht in Prinzipien vorgefaßte und auf allgemeine Regeln verpflichtete »Gelegenheitsvernunft«, deren wechselnde okkasionelle Rationalität sich nach Lage der Dinge von Fall zu Fall bilde: als besondere Maßnahme, ohne allgemeine Maßstäbe, zur gelegenheitsrationalen Lösung des gerade anstehenden Einzelfalls, ohne diesen zu verallgemeinern und seine Lösung grundsätzlich auf alle vergleichbaren oder ähnlich gelagerten Fälle zu übertragen.

Prinzipielle Selbstbindung an allgemeine Sinn- und Sachzusammenhänge, welche von der Grundsatzvernunft dem zu rationalisierenden »Material« eingeflochten werden, um die Natur zu einem von Gesetzen regierten Kosmos, den Menschen zur Person mit Lebensmethodik, das Leben zum Bildungsroman mit einem normalen Lauf zu machen, wird durch »occasio« suspendiert; sie gibt Gelegenheit für Pläsier und »Seitensprung« (den vorgegebenen Prinzipien sich entziehend). Schließlich ermöglicht okkasionelle Vernunft rasches Handeln, da ja weder Ursprünge noch Folgen, weder Interdependenzen noch Verflechtungen reflektiert werden müssen. Politik, die in prinzipieller wie antizipatorischer Vernunft meist Hindernisse für raschen Erfolg sieht, wird dementsprechend weitgehend durch okkasionelle Vernunft bestimmt – wenn sie überhaupt durch Vernunft bestimmt ist –, akklamiert von einem Wählerpublikum, das seinerseits die Last sowohl historischen wie eschatologischen Bewußtseins abzuschütteln trachtet. Spinner benennt als Doktrinen des okkasionellen Denkens der Moderne unter anderen: Sinnlosigkeit, Substanzlosigkeit, Strukturlosigkeit, Eigenschaftslosigkeit, Formlosigkeit, Systemlosigkeit, Theorielosigkeit, Maßlosigkeit, Zusammenhanglosigkeit, Gesetzlosigkeit, Abenteuerlichkeit, Plötzlichkeit, Programmlosigkeit, Schrankenlosigkeit, Konzeptionslosigkeit, Regellosigkeit, rechtliche und soziale Normlosigkeit, Unberechenbarkeit, Unvergleichbarkeit, Gedankenlosigkeit, Planlosigkeit, soziale Ranglosigkeit. In der okkasionellen Orientierung treten die normativen, empirischen, kausalen, logischen Sinn- oder Sachzusammenhänge der daran gebundenen Grundsatzvernunft zurück zugunsten der besonderen Gegebenheit der Zeit, des Ortes, der Person und Situation, seien es Anhaltspunkte des objektiven Zufalls oder der subjektiven Willkür. An die Stelle der Innehaltung fester Regeln aus dem »ethisch gefärbten« Geist des okzidentalen Rationalismus, Kapitalismus, Szientismus tritt in allenfalls geschäftsordnender Haltung die Ausnutzung der diversen Besonderheiten. Damit wird allerdings der »Bankrott der allgemeinen Ideen, auf den Carl Schmitt theoretisch nur mit leeren Dezisionen und praktisch mit brutalen Maßnahmen zu allem entschlossener Männer (Führer, Diktatoren, Kommissare, Partisanen) antworten kann, ins Positive gewendet«.

Dieses Positive besteht nicht zuletzt im Aleatorischen, in der Bereitschaft und Fähigkeit, Orientierungsalternativen durchzuspielen, sich also dem Zu-Fall zu überlassen. Die Rebellion gegen die Regel ist in der Aufklärung selbst angelegt, vor allem als Gegensatz zur Trivialtheodizee, die alle Welträtsel, einschließlich der Existenz des Bösen, gelöst glaubt. Der Irrationalismus, etwa des »Sturm und Drang«, der Romantik, ist nicht als Absage an die Vernunft zu verstehen; vielmehr geht es diesen Strömungen um die Rehabilitierung von Doppelwahrheit. Der Versuch wird unternommen, das kartesianische Modell analytischer Vernunft – gekennzeichnet durch die Selbstgewißtheit des Bewußtseins, den Leib-Seele-Dualismus und den mathematischen Rationalismus – in synthetische Vernunft überzuleiten, also wieder ganzheitliches Bewußtsein zu ermöglichen: zusammengesetzt aus Geist und Gefühl, Logik und Intuition, Regel und Abweichung. Schon Lessing sieht in seiner Schrift *Die Erziehung des Menschengeschlechts*, die, ausgehend vom israelitischen Volk, die Entwicklung der Vernunft zum Thema hat, die letzte und vollendetste Stufe vollkommener Aufklärung als heilig-entrückten, ganzheitlich-vollendeten Zustand. »Denn bei dieser Eigennützigkeit des menschlichen Herzens, auch den Verstand nur allein an dem üben zu wollen, was unsere körperlichen Bedürfnisse betrifft, würde ihn mehr stumpfen als wetzen heißen. Er will schlechterdings an geistigen Gegenständen geübt sein, wenn er zu seiner völligen Aufklärung gelangen, und diejenige Reinigkeit des Herzens hervorbringen soll, die uns die Tugend um ihrer selbst willen zu lieben fähig macht. Oder soll das menschliche Geschlecht auf diese höchsten Stufen der Aufklärung und Reinigkeit nie kommen? Nie? Nie? Laß mich diese Lästerung nicht denken, Allgütiger! – Die Erziehung hat ihr Ziel, bei dem Geschlechte nicht weniger als bei dem Einzelnen. Was erzogen wird, wird zu Etwas erzogen ... Sie wird kommen, sie wird gewiß kommen, die Zeit der Vollendung, da der Mensch, je überzeugter sein Verstand einer immer besseren Zukunft sich fühlt, von dieser Zukunft gleichwohl Bewegungsgründe zu seinen Handlungen zu erborgen nicht nötig haben wird, da er das Gute tun wird, weil es das Gute ist, nicht weil willkürliche Belohnungen darauf gesetzt sind, die seinen flatterhaften Blick ehedem bloß heften und stärken sollten, die innern besseren Belohnungen desselben zu erkennen. Sie wird gewiß kommen, die Zeit eines neuen ewigen Evangeliums, die uns selbst in den Elementarbüchern des Neuen Bundes versprochen wird.«[411] Deutlich tritt zutage, daß die Hoffnung auf die Vernunft nicht aus sich selbst, also aus der Vernunft, begründet werden kann, sondern auf Glauben (Vernunftglauben) beruht.

Gegen Ende des 18. Jahrhunderts verstärkt sich das Bedürfnis, die Einseitigkeiten des Rationalismus mit Hilfe eines neu zu schaffenden Mythos zu überwinden – ein Phänomen, das von da an die Geschichte der Modernität begleitet und in unserer Zeit wieder besonders deutlich in Erscheinung tritt. Damals wie heute geht es darum, die Sinnkrise der Gesellschaft in Kategorien einzuklagen, die der religiösen Sprache entnommen sind, d. h., den Bestand und die Verfassung einer Gesellschaft von einem obersten Wert her zu »beglaubigen«. In seinen »Vorlesungen über die Neue Mythologie«, *Der kommende Gott*, ist Manfred Frank diesem Versuch, Ganzheitlichkeit zu restituieren, nachgegangen.[412] »Verständlich ist, daß diese Hoffnung vor allem den Gott Dionysos ins Herz faßte, wo immer sie sich, neu-mythisch, in den letzten 200 Jahren artikuliert hat. Unter allen antiken Göttern ist Dionysos, weil er der ›kommende Gott‹ ist, am leichtesten versöhnbar und vergleichbar mit der messianischen Hoffnung der jüdisch-christlichen Kultur, von der auch Blochs ganzes Werk getragen ist. Dionysos ist, wie der Messias und wie der Gottesknecht, ein Heiland des zukünftigen Äon auch darin, daß er die Grundsubstanz der alten Religion in der Stunde ihres Niedergangs allein bewahrt und späteren Zeiten rettet. Nur darum konnte gerade ihn die europäische Intelligenz in dem Augenblick wiederentdecken, als die gelungene Aufklärung statt ins goldene Zeitalter in eine Krise mündete, die heute nicht nur nicht überwunden, sondern um Dimensionen gesteigert erscheint. Wenn wir diese Zusammenhänge gerade heute, seit wenigen Jahren, so aufmerksam beobachten, so gewiß es uns jetzt leichter als noch vor Jahren fällt, in der Krise der Gegenwarts-Gesellschaft den Zielpunkt einer kritischen Entwicklung zu sehen, die in der Spätaufklärung entsprang und auf die die romantische Vision eines wiederkehrenden Gottes (und das heißt einer Wiederkehr der Religion) die erste vernehmbare Reaktion gewesen ist.«

Die »Dialektik der Aufklärung« – der Umschlag menschlichen Mündigkeitsbegehrens in eine neue Unmündigkeit (vor allem gegenüber dem Totalitarismus der Rationalität) – zeitigt auch immer wieder eine Dialektik der Dialektik: nämlich die Sehnsucht, sich mit einer neuen göttlichen Allwissenheit und Allmacht, mit einer mythischen übergreifenden Instanz zu identifizieren. In seinem Buch *Der Gotteskomplex* spricht Horst-Eberhard Richter[413] davon, daß die moderne Rationalität ihre Abhängigkeit von dem, was früher Gott und im 19. Jahrhundert Natur hieß, erst verdrängte und dann überkompensierte: nämlich als Hoffung, einst – in einer Kette unaufhaltsamer Fortschrittssprünge – in der Naturbeherrschung so weit zu gelangen, daß die Angst-Hypothese »Gott« überflüssig werde. »Das kontinuierliche Vordringen der mathematischen Naturerkenntnis und die damit verbundene Erweiterung technischer Macht werden immerfort [im Verlauf der Neuzeit] gleichgesetzt mit einer allmählichen Annäherung an das Ziel, der Unendlichkeit habhaft zu werden und die Grenzen der menschlichen Existenz definitiv aufzuheben. Das undurchschaute magische Moment dieser phantastischen Illusion wird gegenwärtig eklatant durch die Tatsache deutlich, daß nur die allerwenigsten vernünftig auf die Tatsache reagieren können, daß derzeit gerade die exakte naturwissenschaftliche Forschung die Zwangsläufigkeit eines kollektiven Selbstzerstörungsprozesses prognostiziert, die mit einer automatischen Fortsetzung der bisherigen expansionistischen Naturbeherrschungsstrategie verbunden wäre. Die Menschen sind unfähig zu akzeptieren, daß eben die Mittel, die bislang unumstritten zur unaufhörlichen Erweiterung unserer Selbstsicherheit tauglich sein sollten, nun auf einmal ganz anders bewertet werden müssen. Es ist eine mit der hintergründigen neurotischen Dynamik verbundene Paradoxie, daß den so lange idealisierten quantitativen Methoden in dem Augenblick nicht mehr vertraut werden kann, in dem diese beweisen, daß der Anspruch einer immer vollständigeren naturwissenschaftlich-technischen Inbesitznahme der Natur gleichbedeutend mit Selbstvernichtung ist. Die Angst, sich die seit dem Mittelalter nur verdrängte infantile Abhängigkeitsposition einzugestehen, ist fatalerweise momentan noch viel grö-

ßer als die Angst, mit einem objektiv selbstmörderischen Größenwahn umzugehen.« Das Charakteristische am »Gotteskomplex« sei, daß er in der fortwährenden Abwehr gegen das religiös interpretierte Abhängigkeitsgefühl des Menschen von der Natur ein infantiles Selbstbehauptungs-Verlangen entlarve, das
nicht wirklich, wie es doch will, zur Autonomie gelangen kann. Stärke man aber
das Bewußtsein der Abhängigkeit der (zweckrationalen) Vernunft von ihrem
Grunde, dann optiere man, stillschweigend zumindest, für eine Rehabilitation
von Gefühlen, die traditionell von Mythen und Religion besetzt worden waren.

Die in Richtung 2000 zunehmende Reemotionalisierung und Remythisierung,
entstanden durch den Zweifel an der Vernunft (deren Ansehen zunächst, mit
jedem Modernisierungsschub, gestiegen war), bewirken die Abdankung des
autonomen Subjekts. Während das unvollendete Projekt der Aufklärung darauf
aus war und ist, daß aus ES ICH wird, sorgt Regression dafür, daß das ICH
wieder zum ES wird. Jedoch ist auch der Versuch erkennbar, durch die Rehabilitation des Ganzheitlichen den schwankenden Vernunftbegriff der Aufklärung
vor der Verzweiflung zu retten, die eben daher rührt, daß instrumentelle Vernunft, also Zweckhaftigkeit, die Sinnzusammenhänge suspendiert.

Leszek Kolakowski[414], romantischer Unterscheidung folgend, hat deutlich
gemacht, daß der analytische Geist synthetische Vernunft weitgehend ausschal-
tet. Analytisch, d. h. im Wortsinne auf-lösend, sei derjenige Gebrauch der Vernunft, der komplexe Realitäten in ihre kleinsten Teile zerlege, um so ihr Funktionieren durchsichtig zu machen und die physikalische Umwelt zu bezähmen. Die
(Natur-)Wissenschaft erweise sich dabei als eine Verlängerung des technologischen Stammes der Zivilisation. »Im wissenschaftlichen Sinne ist dasjenige wahr,
was Aussichten auf Verwendung in wirksamen technologischen Verfahren besitzt.« Dagegen seien die sogenannten metaphysischen Fragen und Überzeugungen technologisch unfruchtbar.

In einer luziden Beweisführung zeigt Manfred Frank, wie das »älteste Systemprogramm des deutschen Idealismus«, Schelling zugeschrieben, gerade auch für
die gegenwärtige Rationalismuskrise wegweisend sein könnte. Im Mittelpunkt
dieser Schrift steht die sich als »kühn« vorstellende Idee, »die so viel ich weiß,
noch in keines Menschen Sinn gekommen ist – wir müssen eine neue Mythologie
haben, diese Mythologie aber muß im Dienste der Idee stehen, sie muß eine
Mythologie der Vernunft werden«.[415]

Der Entartung von Staat und Gesellschaft zu Mechanismen bzw. Maschinen
wird ein organisches Strukturmodell entgegengehalten – eine Ganzheitlichkeit,
bei der jeder Teil mit dem Ganzen organisch verflochten ist. Im Schlußpassus der
Schelling-Schrift heißt es: »Ehe wir die Ideen ästhetisch, d. h. mythologisch
machen, haben sie für das *Volk* kein Interesse u. umgek. ehe d. Mythol. vernünftig ist, muß sich dr. Philos. ihrer schämen. So müssen endl. Aufgeklärte u.
Unaufgeklärte sich d. Hand reichen, die Myth. muß philosophisch werden, und
das Volk vernünftig, u. d. Phil. muß mythologisch werden, um die Philosophen
sinnl. zu machen. Dann herrscht ewige Einheit unter uns. Nimmer der verach-
tende Blick, nimmer das blinde Zittern des Volks vor seinen Weisen u. Priestern.

Dann erst erwartet uns *gleiche* Ausbildung *aller* Kräfte, des Einzelnen sowohl als aller Individuen. Keine Kraft wird mehr unterdrückt werden, dann herrscht allgemeine Freiheit und Gleichheit der Geister! – Ein höherer Geist vom Himmel gesandt, muß diese neue Religion unter uns stiften, so wird das letzte, gröste Werk der Menschheit seyn.«[416] Gerufen wird nach einem »Geist, vom Himmel gesandt«, nicht um die Vernunft durch Theologie zu verdrängen, sondern, im Gegenteil, um sie zu begründen. Das intendiert eine Selbstkritik des aufklärerischen Kritizismus; zielt auf die Selbstmodernisierung der Moderne. Der wahre Protestant, so Friedrich Schlegel, müsse auch gegen den Protestantismus selbst protestieren, sobald er sich nur in ein neues Papsttum und Buchstabenwesen verkehren will.[417]

Die Romantiker nehmen angesichts der Krise des Logos Zuflucht zur Kraft der Poesie. Die Dichtung nämlich eigne sich dazu, das Legitimationsdefizit der analytischen Vernunft auszugleichen. »Die Poesie«, notiert Novalis lakonisch, »ist das ächt absolut Reelle. Dies ist der Kern meiner Philosophie.«[418]

Für Schelling bedeutet die Wiedergeburt symbolischer Ansichten einen Schritt zur Wiederherstellung der alten Poesie; dann würden die getrennten Elemente des Lebens und der Wissenschaft in den »alten Ocean der Poesie« zurückfließen, von wo sie ausgingen; sie würden in ihn, bereichert mit dem Überflusse aller Religion, zurückkehren.

Für unsere Zeit und Welt wirkt die Gleichsetzung des »Mythos der Vernunft« mit der »Kraft der Poesie« weltfremd; sieht man die heutige Problematik jedoch unter dem Gesichtspunkt der kollektiven Mentalitätsstruktur, dann wird – gerade angesichts des durch Warenästhetik bestimmten modernen Bewußtseins – deutlich, wie sehr uns eine »Mythologie der Vernunft« not tut; an die Stelle des poetischen wäre das ästhetische Prinzip zu setzen. Es geht um die »ästhetische Erziehung des Menschen«, die sich als großer Gegenentwurf zu vereinseitigter und vereinseitigender Rationalität erweisen könnte. Die sinnliche Erschließung von Gedankenräumen steht der Dominanz des Zweckhaften entgegen; die ästhetischen Bilder (und Visionen) von Ganzheit, die die Totalität des gelungenen Lebens beglaubigen, könnten die Einseitigkeit der analytischen, vor allem der okkasionellen Vernunft überwinden helfen.

Die »blaue Blume«, mit der die Romantik als Spätaufklärung sich von den Wunden der Rationalität zu heilen trachtet, taucht in der Postmoderne in vielfältiger, aber natürlich veränderter Form wieder auf – freilich meist nicht mit irisierender Strahlkraft, sondern in abstrakter Gestalt: eben als Doppel- und Mehrfachkodierung, die den Versuch, analytische Vernunft in synthetischer Vernunft »aufzuheben«, zumindest im Sprachspiel spiegelt. *Post*modern ist dies allerdings letztlich nicht, denn bereits zu Beginn des bislang unvollendeten Projekts der Moderne war, wie angedeutet, das Verhältnis zur Welt von höchster naiv-gebrochener Ambivalenz. »Naiv« ist in diesem Zusammenhang als die Fähigkeit zu verstehen, außerhalb »vernünftiger Begründung« die Vernunft durch Glauben zu legitimieren; »gebrochen« war diese Naivität insofern, als man sich der Widersprüchlichkeit solchen Versuchs voll bewußt war. Bei Friedrich

Schiller wird solche Doppelkodierung »sentimentalisch« genannt: »Sie [die Alten] empfanden natürlich; wir empfinden das Natürliche. Es war ohne Zweifel ein ganz anderes Gefühl, was Homers Seele füllte, als er seinen göttlichen Sauhirten den Ulysses bewirten ließ, als was die Seele des jungen Werther bewegte, da er nach einer lästigen Gesellschaft diesen Gesang las. Unser Gefühl für Natur gleicht der Empfindung des Kranken für die Gesundheit.«[419] In seinem Aufsatz *Über das Marionettentheater* stellt Heinrich von Kleist die Frage, wie man denn nach dem Sündenfall zu einem neuen Stand der Unschuld gelangen könne. Seitdem wir vom Baum der Erkenntnis gegessen haben, sei das Paradies verriegelt und der Cherub hinter uns; wir müßten die Reise um die Welt machen und sehen, ob es vielleicht von hinten irgendwie wieder offen ist.[420] Die Sehnsucht nach dem Paradies läßt sich zwar nicht durch Wort- und Begriffsspiele absättigen, ablenken oder einlullen. Doch ist es sehr dienlich, wenn spielerisch die Fähigkeit zur Distanzierung eingeübt wird – gerade gegenüber den Machern, die ihre instrumentelle Vernunft und ihre Systemzwänge, überwölbt von einem eindimensionalen technologischen Fortschrittsglauben, allen zu oktroyieren trachten. Die »großen Erzählungen« (die vom Poststrukturalismus abgewerteten »idées générales«), doppel- und mehrfachkodiert dargeboten und damit vor Illusionismus bewahrend, fördern den Versuch, aus dem Reich der Notwendigkeit in das der Freiheit zu gelangen, am unvollendeten Projekt der Aufklärung weiterzuarbeiten; die gleichermaßen relativierende wie stabilisierende Ironie erweist sich als Kraft bei der Auseinandersetzung mit zynischer Vernunft.

In der Postmoderne als Arrieregarde der Prämoderne wird ironische Kompetenz als wesentliche Voraussetzung kommunikativer Kompetenz wiederentdeckt und neu fundiert. Deshalb spricht Umberto Eco mit Recht davon, daß ein Postmodernismus, der ein klügeres und damit besseres Leben verheiße, eigentlich keinen historischen Stil, keine zeitlich begrenzte Strömung darstelle, sondern ein Strukturprinzip bedeute; er ist eine Geisteshaltung oder, genauer gesagt, eine Vorgehensweise, ein Kunstwollen. Man könne geradezu sagen, daß jede Epoche ihre eigene Postmoderne habe, so wie jede Epoche ihren eigenen Manierismus. Zum Manierismus unserer Zeit gehören die postmodernen Wort- und Begriffsspiele in ihrem Raffinement und mit ihrer Masche. Die Prä-Postmoderne als anthropologische Kategorie steht jenseits solcher Beliebigkeit. »Die postmoderne Antwort auf die Moderne besteht in der Einsicht und Anerkennung, daß die Vergangenheit, nachdem sie nun einmal nicht zerstört werden kann, da ihre Zerstörung zum Schweigen führt, auf neue Weise ins Auge gefaßt werden muß: mit Ironie, ohne Unschuld. Die postmoderne Haltung erscheint mir wie die eines Mannes, der eine kluge und sehr belesene Frau liebt und daher weiß, daß er ihr nicht sagen kann: ›Ich liebe dich inniglich‹, weil er weiß, daß sie weiß (und daß sie weiß, daß er weiß), daß genau diese Worte schon, sagen wir, von Liala [im deutschen Bezug etwa Hedwig Courths-Mahler] geschrieben worden sind. Es gibt jedoch eine Lösung. Er kann ihr sagen: ›Wie jetzt Liala sagen würde: Ich liebe dich inniglich.‹ In diesem Moment, nachdem er die falsche Unschuld vermieden hat, nachdem er klar zum Ausdruck gebracht hat, daß man nicht mehr unschuldig reden kann, hat er gleichwohl der Frau gesagt, was er ihr sagen wollte, nämlich daß er sie liebe, aber daß er sie in einer Zeit der verlorenen Unschuld liebe. Wenn sie das Spiel mitmacht, hat sie in gleicher Weise eine Liebeserklärung entgegengenommen. Keiner der beiden Gesprächspartner braucht sich naiv zu fühlen, beide akzeptieren die Herausforderung der Vergangenheit, des längst schon Gesagten, das man nicht einfach wegwischen kann, beide spielen bewußt und mit Vergnügen das Spiel der Ironie . . . Aber beiden ist es gelungen, noch einmal von Liebe zu reden.«[421]

Katastrophismus

Die »vernünftige« Remythisierung aufgeklärten Bewußtseins, als Versuch, die Postmoderne vor ihrer Beliebigkeit und die Aufklärung vor ihrer Dialektik zu bewahren, erfordert das Engagement der Intellektuellen. Bei diesen ist freilich eine gewisse masochistische Tendenz zur Selbstnegation festzustellen – die Bereitschaft, die Souveränität und Autonomie des Subjekts zugunsten kaum definierbarer, der Deutung wie Beherrschung sich entziehender »objektiver« Kräfte und Mächte aufzugeben. Diese vorherrschende Stimmungslage unter den Intellektuellen und in der heutigen Jugendkultur stellt in mancher Hinsicht eine historische Wiederauflage des Dadaismus und seiner Techniken der Sinnenttäuschung und Sinnzerstörung dar – wobei Elemente des in den sechziger Jahren freilich viel mehr gesellschaftskritisch orientierten Neodadaismus aufgegriffen bzw. neu rezipiert werden. Aus einer ursprünglich produktiven antibürgerlichen und antiillusionistischen Protestbewegung, die alle falschen, durch den Krieg ausgehöhlten Sinngebungsversuche sabotierte, hat sich der Dadaismus in seinen extremsten Vertretern schließlich zu einem »nihilistischen Verfahren des methodischen Nein-Sagens entwickelt, wenn ein Sinn der Welt auftritt, der nicht gesteht, daß er Unsinn ist . . . Am Nullpunkt des Sinns regt sich nur noch eine pathetische Verachtung des Sinnes, ein alles durchdringender Ekel vor Positivem«. (Peter Sloterdijk)

Für den Dadaismus waren alle Versuche einer humanen, sozialen oder gar sozialistischen Sinngebung nur fauler Zauber, Weltanschauungen »bloße Vokalmischungen«. Die ursprünglich heitere und anarchistische Dada-Philosophie kippte denn auch bald in eine kalte und zynische Negativ-Romantik um. »Dem allgemeinen Unglück der Zeit wurde keine Suche nach besserem Leben entgegengesetzt, sondern der Versuch, dem gegebenen Unglück die selbstgewollte ›hohe Misere‹ wie einen souveränen Trumpf entgegenzuhalten. Die Stilisierung der eigenen Misere und die gepflegte Geschichtsverzweiflung ist auch zum vorherrschenden Gestus unserer Kultur geworden, wie Sloterdijk mit Blick auf das ›aufgekärte falsche (d. h. zynische) Bewußtsein‹ heutiger Intellektueller und Kulturbürger diagnostiziert hat: ›Gut situiert und miserabel zugleich fühlt sich dieses Bewußtsein von keiner Ideologie-Kritik mehr betroffen; seine Falschheit ist bereits reflexiv gefedert.‹« (Michael Schneider)[422]

Ein Gespenst gehe um in Europa, das Gespenst der Apokalypse. In immer neuen Formen und Verkleidungen trete es auf: als religiöse Prophetie, als wissenschaftliche Prognose, als chiliastischer Weckruf, als künstlerische Vision, als Trivialmythos oder als schlichter Aberglaube. Der »Katastrophismus« ist längst zum Ideologieersatz bzw. zur scheinprogressiven Ersatzreligion geworden; er vereine in sich – man kann auch dies als postmoderne Mehrfachkodierung verstehen – die Antizipation von Apokalypse mit okkasioneller Lebensfreude; die »nicht selten verbeamteten und lebensversicherten Kassandras«, die mit Vorliebe an den Schaltstellen der liberalen Öffentlichkeit säßen, verstünden es gut, sich mit dem Weltuntergang als Dauergast einzurichten. »Obwohl sie notorisch Klage über die Luftverschmutzung und die Autoabgase führen, sind sie zumeist Besitzer von Zweitwagen, Marke Peugeot, Audi oder Volvo. Auch pflegt das nahende Weltende ihrer mittelfristigen Ferienplanung nicht den geringsten Abbruch zu tun. Ihre Plätze bei der Lufthansa und ihre Hotelreservationen auf Mallorca oder den Kanarischen Inseln sind auf Monate voraus gebucht. Übrigens hat ihre Menschheitsverzweiflung auch ihren Appetit nicht im geringsten geschmälert. Auf Partys und Empfängen zeigen sie gewöhnlich den erlesensten Geschmack, und der notorische Small-Talk über das bevorstehende ›Finis mundi‹ findet gewöhnlich vor einem mit Krabben-Cocktails und Elsässer Weinen geschmückten Buffet statt.«[423] Was hier als Oberflächenphänomen einseitig, aber in genauer Beobachtung der linken Schickeria von Schneider karikiert und kritisiert wird, manifestiert – eine Schicht tiefer gegraben – einen neuen Trend innerhalb zeitgenössischer kultureller Verhaltensformen: Man braucht die Einsichten kritischen Denkens gar nicht mehr, weil sie das Schreckliche nicht verhindern konnten und können. »Was war, ist falsch gewesen; die Evidenz, die Wirklichkeit des Augenblicks – die verödete Natur und Menschheit, sagt der Katastrophenphilosoph, die verödete Theorie und Identität, sagt der Ideologieplaner – widerlege die Vernunft der Vergangenheit.« (Frank Schirrmacher)[424] An den Vätern und älteren Brüdern moderner Aufklärung werde jetzt polemisch die neue Erbsünde demonstriert. Diese hätten die Vernunft in die Welt gebracht und seien schuldig. Der Katastrophenphilosoph, der ironisch auf die bevorstehenden Untergänge verweise, stehe dem Ideologieplaner, der im geglätteten, abgedämpften Essay den Ruin aller intellektuellen Debatten der Vergangenheit verkünde, darin in nichts nach. Jener kenne die Gedanken einer kritischen Theorie, aber er habe sie als Saisonideologe seinen biographischen Enttäuschungen zugeschlagen; dieser kenne sie gar nicht, aber er schlage sie als Abschreckungszitat seiner biographischen Taktik zu.

Das vor allem in den späten achtziger Jahren umhergehende Gespenst der Apokalypse hat eine rege künstlerische Produktivität entfacht. Sachbücher, Theaterstücke, Romane, Lieder variieren das Leitmotiv »Weltuntergang«; das bevorstehende »Ende« erweist sich als eine Schlüsselvokabel objektivierter wie verdichteter, realistischer wie expressiver, faktenbezogener wie surrealer Szenarios. Die Angst vor dem Ernstfall befördert eine Kultur der Panik, die neben ihrem antizipatorischen Pessimismus auch eine eigenartige, von schwarzem Humor geprägte Angstlust zeigt. Nicht der revolutionäre Aufbruch und Ausbruch werden eingefordert; man begnügt sich mit dem Geschehenden (zumal gar nichts mehr passieren muß, damit etwas passiert!) – und vergnügt sich in einer gewissen Weise sogar dabei. Das postmoderne Katastrophenpläsier spiegelt etwa die Liedermacherkunst, die auch den Katastrophenkommerz auf qualitativ höchst unterschiedliche Weise bedient.

>>Grande Finale

Bedrohlich brodelt hier ein See,
unheimlich bruzzelt dort ein AKW.
Die Angst war lange nicht so groß.
Die Raketen stehn auf:
Achtung – fertig – los.

Willkommen zum Grande Finale.
Die Erde geht unter, erfahrn wir
soeben.
Der Eintritt ist ohne Bezahle.
Sie zahlen hier bloß
mit Ihrem Leben.
Der Globus is' 'ne große Bühne
und auch Sie werden hier
als Statist engagiert.
Es wird so inszeniert,
daß jeder krepiert.
Und die Puppen tanzen:
Kein Horror in Sodom und Gomorrha.
Immer lustig und vergnügt
bis der Arsch im Sarge liegt.<<

(Udo Lindenberg)[425]

Die Entropie von Sinn, die Auflösung von Konsistenz wieder rückgängig zu machen – im Gegensatz zur naturwissenschaftlich-thermodynamischen Irreversibilität –, ist Hoffnung postmoderner Remythisierung; diese stellt die dem letalen Finalismus abgekehrte Seite des Katastrophismus dar. Mythen, so Ulrich Horstmann, seien Schlüsselgeschichten, die uns Zutritt zu dem verschafften, was uns als wirklich begegnet; sie erklärten, warum das, was war, so war, wie es war; warum das, was ist, so ist, wie es ist; warum das, was kommt, so sein wird, wie es sein wird. Es gäbe nichts, was außerhalb der Reichweite mythischer Geschichten läge; es sei denn, der Mythos vom Jenseits des Mythos: dieser nenne sich Aufklärung oder wissenschaftliche Rationalität. »Er gibt sich ein bißchen intolerant und hält sich für etwas Besseres, hat aber, das muß man ihm lassen, ein paar Jahrhunderte lang prächtige Geschichten erzählt, von der großen Maschine, vom Fortschritt, von der Gleichheit, vom Wissen, vom Ende des Mythos. Jetzt ist er selbst mit seinem Latein am Ende und muß mit anhören, wie andere Stimmen laut werden, muß erkennen, daß hinter seinem Rücken länger schon Geschichten über ihn die Runde gemacht haben – vielleicht von Anfang an. Darin heißt er nicht Wissenschaft, sondern Faust oder Frankenstein, und das fortschrittliche Vehikel, mit dem er ruhigere Gewässer erreichen wollte, trägt seit jener Mondnacht auf aalglatter See am Bug unübersehbar den Schriftzug ›Titanic‹. Als die ›Titanic‹ unterging, wurde ihr Mythos unsinkbar. Als der Mythos Aufklärung seinen Nimbus verlor, begann die Vernunft wieder Vernunft anzunehmen.«[426]

Ohne die »Geschichten« der Mythen könne der Mensch nicht leben; sie seien – so Odo Marquard[427] – keine Vorstufen und Prothesen der Wahrheit; sie verschwänden also selbst dort nicht, wo die Wahrheit auftrete. Das Erzählen von Geschichten (»mythische Technik«) bringe die vorhandene Wahrheit in die Reichweite unserer Lebensbegabung; das sei nämlich die Wahrheit in der Regel noch nicht, wenn sie entweder, wie etwa die Resultate exakter Wissenschaft, z. B. als Formeln, noch unbeziehbar abstrakt oder, wie etwa die Wahrheit über das Leben: der Tod, unlebbar grausam erscheine. »Da dürfen dann nicht nur, da müssen die Geschichten – die Mythen – herbei, um diese Wahrheiten in unsere Lebenswelt hereinzuerzählen oder um sie in unserer Lebenswelt in jener Distanz zu erzählen, in der wir es mit ihnen aushalten.«

Wo Begriffe fehlen, stellt sich das Narrative ein; dieses überlagert die als untauglich empfundene Ratio. Die Faszination der Bilder suspendiert die Analyse der Vorgänge; an die Stelle des Bedenkens (auch Zerdenkens) tritt die Beschwörung. Die Welt erscheint nicht mehr als erklärbar, machbar, gar veränderbar, sondern als ein in Urgründen verankertes Rätsel magisch-verschlossen, unaufschließbar; von der Kunst bestenfalls »anmutbar«.[428] Nicht von jeder Kunst, nur von einer bestimmten: von jener nämlich, die sich nicht mehr um die sinnliche Erschließung von Gedankenräumen bemüht, sondern mythisch-mystisch-esoterisch Reflexion, vor allem auch Selbstreflexion, eskamotiert.

Was Wystan Hugh Auden 1948 heraufziehen sah, das »Zeitalter der Angst« nämlich, gewinnt im letzten Drittel des 20. Jahrhunderts bedrängende Konturen. Die »Angst-Gesellschaft«, für die die Ressource Sinn immer spärlicher fließt, erweist sich als Pendant zur Postmoderne. Die »Heiterkeit« des Après-nous-le-déluge korrespondiert mit dem Gefühl bevorstehender Sintflut; die einen negieren sie, die anderen antizipieren sie. Angesichts von 60 000 Atomsprengkörpern, die auf der Welt gelagert sind, weiß selbst Kassandra keinen Rat. Ihre Aufgabe wäre, um mit Christa Wolf zu sprechen, die »Rückführung des Mythos in die sozialen und historischen Koordinaten«, denn diese sind es, die den Schrecken des Mythos ausmachen; nicht der Mythos ist schrecklich, sondern seine Voraussetzungen, die ihn notwendig machen und auf die er als Versuch, Nichtzubewältigendes doch zu bewältigen, antwortet. Der Mythos erhalte seine Schrecken erst aus der erschreckenden sozialen und historischen Wirklichkeit. Das stelle den Schrecken dar, der zum Mythos herausfordere. Zugleich vermöge der Mythos, den Schrecken erkennbar, als Erzählung verfügbar zu machen. Diese Vertrautheit der mythischen Erzählung sei notwendig, um mit jenen Schrecken, von denen er in Bildern (und damit distanziert) spricht, umgehen zu können.[429]

Doch kann der Mythos auch Sehnsucht nach Leichtsinn und Vertrauensseligkeit sein, nach Unbefangenheit und Spontaneität. Er läßt vergessen, was ist, oder will sich davon freimachen. Der Januskopf des Mythos weist auf die im Pläsier sich verdinglichende Enthebung *von* und auf die den Einzelnen wie das Kollektiv destruierende Angst *vor* der Endzeit. »Seit dem Beginn der 80er Jahre verbreitet sich bei nachdenklichen Zeitgenossen in der Bundesrepublik eine grelle Katastrophenstimmung, die durch den Reaktorunfall von Tschernobyl zusätzliche Nahrung bekommen hat. Die politische Temperatur hat sich verändert. Während die Zukunftsbilder der späten 60er Jahre Utopien waren, geraten solche Bilder heute zu Apokalypsen. Die weitgreifenden Reformentwürfe von damals sind Szenarien des drohenden Untergangs gewichen. Eine Flut von Romanen, Sachbüchern, Musikproduktionen, Theaterstücken und Filmen beschreibt Katastrophen, von denen die Menschheit heimgesucht werde: Atomkrieg, Umweltzerstörung, Seuchen wie Aids und Krankheiten wie Krebs, Manipulation des menschlichen Erbgutes, elektronische Überwachung, Verelendung der Dritten Welt, Zerfall der überlieferten Sozialbindungen und Moralvorstellungen.« (Jörg Bopp)[430]

Camp

Die in der Romantik geforderte und gewagte »Beglaubigung« der Vernunft durch einen poetisch bzw. ästhetisch vermittelten Mythos – die Poesie als das »ächt absolut Reelle« (Novalis)[431] – wird in der postromantischen Postmoderne kaum eingelöst. Das nach Friedrich Schiller für ästhetische Erziehung maßgebliche »reine Streben nach dem hohen Schönen« ist substituiert durch eine »Schlaffheit« bei ästhetischen Dingen, die mit moralischer Schlaffheit verbunden ist. Bricolage kann nicht Kalokagathie, Beliebigkeit nicht »Komposition« ersetzen. Ästhetisches Pläsier ist reizvoll; Mode und Masche sind jedoch nicht identitätsbildend. Künstlerischer Populismus kommt an; doch käme es darauf an, Kunst als Evokation möglicher Humanität (als Vor-schein der Idee) zu erleben; die verschiedenen Richtungen postmoderner Kunst sind statt dessen fasziniert vom Showcharakter der Epoche. Das High-Tech-Zeitalter sehnt sich zwar nach High-Touch und damit High-Culture – doch geht es dabei weniger um essentielle Betroffenheit als um kompensatorische Zerstreuung, um Design statt Sein. »Wesentlich« braucht der Mensch nicht zu werden – wohl aber soll er in der blendenden Glitzerwelt mobil sein.

Postmoderne Ästhetik hat Susan Sontags Begriff »Camp« vorweggenommen[432]; er bezeichnet keine natürliche Weise des Erlebens, sondern die Liebe zum

Unnatürlichen, zum Trick und zur Übertreibung – eine Art Geheimkode, ein Erkennungszeichen kleiner urbaner Gruppen. Inzwischen ist »Camp«, ehemals charakteristisch für die Beat-Generation, generalisiert und vulgarisiert worden. Camp kann heute jeder sein; er muß nur das Ernste ins Frivole verwandeln können. Beim Camp geht es nicht um Schönheit, sondern um den »Grad der Kunstmäßigkeit der Stilisierung«; ein Türgriff ist ebenso bewundernswert wie ein Gemälde; alle Objekte sind prinzipiell gleichwertig. Der Camp-Geschmack ist für den »momentanen Charakter« empfänglich, nicht dagegen für die Entwicklung des Charakters. Dieses Verhältnis zum Charakter erklärt die Vorliebe für die Theatralisierung des Erfahrenen.

Am Beispiel postmoderner Jugendkulturen zeigt Dieter Baacke, daß solche »Offenheit« ästhetische Toleranz befördert, ein neues Konzept von Individualität hervorruft.[433] Sinnbeliebigkeit wird ironisch fruchtbar gemacht. Die Vereinzelung, die Auskältung durch wirtschaftliche Konkurrenzprinzipien und ein Descartessches »Cogito, ergo sum« mit seiner lebensweltlichen Abkoppelung führe in die Vereinsamung, zur Psychotherapie. Die Jugendkulturen der achtziger Jahre wählten einen konstruktiveren Weg: »Sie wenden sich vom ›Diskurs‹ ab, weil er leer erscheint, nicht bezogen ist auf affektiv angereicherte Umwelten und die biographische Struktur. Sie versuchen, das ›Ich‹ aus der cogito-Identität herauszubrechen und zu öffnen in die communicatio der Gruppe.«

Woody Allen, auch als deutsche Kultfigur, personifiziert solche Nonchalance, die mit ihren Neurosen distanziert umgeht, mit ihrem Parlando sich zwischen Scherz, Satire und tieferer Bedeutung bewegt. Das Ganze ist »aufgehoben« in einer hintersinnigen Komik, die elaboriert Melancholie überspielt. »Was daran – faszinierend ist? Hm ja, daß es körperlich ist! Verstehst du, das eine sind die Intellektuellen, sie sind der Beweis dafür, daß man absolut brillant sein kann, ohne die geringste Ahnung zu haben, wos eigentlich langgeht. Auf der anderen Seite (räuspert sich) hast du den Körper. Der Körper, wie wir jetzt erst wissen, lügt nicht!« (Der »Stadtneurotiker« Alvy Singer, ein Spiel der »Knicks« im Fernsehen beobachtend und das Mädchen Robin aufs Bett ziehend, an ihrem BH fummelnd – »Alvy! Nebenan sind Leute vom ›New Yorker‹ Magazin. Himmel, was sollen die denken!«)[434]

Camp in den Geisteswissenschaften läßt diese nicht nach Eindeutigkeit, sondern narrativer Polymythie streben; diese erweisen sich als »späte Antwort auf die Tödlichkeitserfahrung der konfessionellen Bürgerkriege, die hermeneutische Bürgerkriege waren, weil man sich dort totschlug um das eindeutig richtige Verständnis eines Buches: nämlich der Heiligen Schrift, der Bibel.«[435] Die Wende von der emphatischen Eindeutigkeit zur Kultur der Vieldeutigkeit korrespondiert mit der »Aufwertung« der Ästhetik zur kompensatorischen Ersatzverzauberung, die nun, angesichts der »Vergrauung« der Welt durch technologische Rationalität, die lebensnot-wendige Farbigkeit liefert. Wenn Philosophie ihre Zeit in Gedanken faßt (wie Hegel meinte), dann ist wohl Paul Feyerabend der maßgebliche Philosoph der Postmoderne – Camp-Denker, dessen Denken als »schwaches Denken« die Skepsis gegenüber dem Denken »vorführt«. Sein Coup besteht vor allem darin, daß er künstlerischen Avantgardismus gegen wissenschaftlichen Rationalismus setzt. Sein radikal auflösender Entgrenzungskurs nach dem Vorbild der modernen Kunst de-definiert bzw. de-konstruiert Vernunft und Wissenschaft so weit, bis sie am dadaistischen Indifferenzpunkt mit allen anderen »Traditionen« *al pari* stehen: eingeebnet durch blasierte Skepsis, gelähmt durch ästhetischen Schock. Keine Weltorientierung oder Lebensführung sei rationaler als die andere – höchstens interessanter. An die Stelle rationalistischer Unterscheidungen treten ästhetische Unterschiede. Die Vorzugswürdigkeit des Vernünftigen weicht dem ästhetischen Interesse am »Interessanten«. »Entgrenzt wird die Vernunft durch Entfesselung von Regeln, die Wissenschaft durch Befreiung vom Methodenzwang, die Wirklichkeit durch ›Entformelung‹ (Merz-Künstler Kurt Schwitters) des theoretischen Überbaus der Sinn- und Sachzusammenhänge rationaler Ordnung. Aber nicht daß, sondern wie er die Entgrenzung der intellektuellen Rationalismen in der Wissenschaftstheorie unternimmt – und jegliche Begrenzung der praktischen Rationalismen des wissenschaftlichen Berufs & Betriebs unterläßt –, kennzeichnet Feyerabends Rationalismuskritik als eine Philosophie der Antiphilosophie aus dem Geist der modernen Kunst. Die düpierende Wirkung der dadaistischen *Gegen-Ohne-Für*-Haltung zur Welt des abendländischen Rationalismus wird auf Vernunft und Wissenschaft übertragen, um diese aus den Angeln zu heben und in ironischer Schwebe zu halten. Das irritiert Vernunftphilosophen und Wissenschaftstheoretiker, um deren Hirngeburten es Feyerabend ausschließlich geht, weil er sich eben nur mit den *dargestellten* Rationalitätserscheinungen der Wissenschaftswissenschaft und den *Gegendarstellungen* der Kunstkunst befaßt.« (Helmut F. Spinner)[436]

Architektur als Mehrfachkodierung

Die Losung Paul Feyerabends, daß allgemeine Regeln nicht zur Kunst führen, die »idées générales« abgewirtschaftet haben, statt dessen alles erlaubt ist (»anything goes«), fundiert die postmodernen Kulturtopoi als Bauplätze für Vielfachwahrheit. Das Potential des ästhetischen und methodischen Anarchismus »befreit« Architektur und Stadtplanung aus den Fesseln des funktionalistischen Purismus.

Die Kontinuität in der Dialektik architektonischer Stille, wie sie organische Stadtentwicklung prägt, war durch den Nationalsozialismus unterbrochen worden. Das Bauen nach 1945 vollzog sich nicht nur unter sehr erschwerten materiellen Bedingungen (bestanden doch viele Städte nur noch aus Trümmerlandschaften) – es galt auch, die menschenfeindliche totalitäre Architektur ideell zu überwinden, d. h. an Traditionen anzuknüpfen, die der Demokratie und Republik ein angemessenes »Gehäuse« ermöglichten. Juli 1946 schrieb der Architekt Alfons Leitl in den *Frankfurter Heften*: »Heute wäre in fürchterlicher Einmaligkeit Gelegenheit nicht nur zu kleinen, mühsamen Korrekturen, sondern zu einer grundsätzlichen Neuordnung.«[437]

Die unmittelbar zurückliegenden Erfahrungen verhinderten eine grundsätzliche Diskussion. Der rassisch orientierte Historismus und Organizismus der nationalsozialistischen Baupolitik (mit Bodenständigkeit in Form eines aufgenordeten Brauhausstils) rief antithetische Einseitigkeit hervor: »Erwägungen über Heimatschutz und Denkmalspflege« waren mit dem Odium des Reaktionären, Restaurativen behaftet, weshalb sie in progressiven Kreisen heftige Ablehnung, bei konservativen Kräften besondere Zustimmung erfuhren.

»Wäre heute nicht das Bild der Stadt als wohlgegliedertes, lebensfähiges und lebenerfülltes Gefüge neu zu entwerfen mit allen geistigen, sozialen, gesundheitlichen und künstlerischen Folgerungen? Statt dessen kann es geschehen, daß einem gewissenhaften Städtebauer, einem erfahrenen und klugen Lehrer der Stadtbaukunst, eine Welle der Empörung entgegenschlägt, weil er den konsequenten Vorschlag macht, den alten, völlig vernichteten Kern einer Stadt nicht mehr aufzubauen, sondern an günstigerer Stelle eine neue Stadt zu errichten.«[438]

Wie die Stadtentwicklungspläne der damaligen Zeit und ihre spätere Verwirklichung zeigen, konnten beide Richtungen sich durchsetzen; im Überbaudenken dominierte jedoch lange Zeit die Meinung, daß eine republikanische Baugesinnung und -gesittung gleichzusetzen sei mit dem Funktionalismus der Moderne, den man vor allem durch das »Bauhaus« idealtypisch artikuliert und auch verwirklicht sah. Die aus Deutschland weitgehend vertriebene sozialreformerische Architektur wurde als Symbol von Freiheit und Individualität empfunden; mit ihrer »Ehrlichkeit«, »Durchsichtigkeit«, »Offenheit« sollte sie den Provinzialismus, Folklorismus, Monumentalismus, Historismus des Dritten Reiches überwinden helfen und damit eine moralisch-architektonische Selbstreinigung einleiten.[439] So ist es auch zu verstehen, daß die amerikanische Militärregierung bereits 1947 eine Vortragsreise von Walter Gropius nach Deutschland organisierte, auf der er die Ideen des Bauhauses nachdrücklich vertrat und Hans Scharoun, unter dessen Leitung ein funktionalistischer Stadtentwicklungsplan für Berlin erstellt worden war, als den »besten Planer und Architekten« des Landes pries.

Der Antagonismus zwischen funktionalistisch-demokratischem und traditionalistisch-restaurativem Bauen entsprach jedoch nicht den zeitgeschichtlichen Fakten. Das Rollenspiel sowohl der denunzierten Traditionalisten als auch der »mythisierten« Modernisten im Dritten Reich ist zu relativieren. Auch wenn die Nationalsozialisten bedeutende Bauhaus-Architekten in die Emigration trieben, so standen sie funktionalistischem Bauen keineswegs nur ablehnend gegenüber. 1934 beteiligte sich Gropius an der Ausschreibung für ein nationalsozialistisches »Haus der Arbeit« in Berlin; unter den mehr als sechshundert Teilnehmern befanden sich auch Otto Bartning und Hans Schwippert. Ludwig Mies van der Rohe, der 1930 die Leitung des Bauhauses übernommen hatte, das 1933 durch die Gestapo geschlossen wurde, blieb bis 1937 der gleichgeschalteten »Preußischen Akademie der Künste« verbunden, obwohl diese die berüchtigte Ausstellung *Entartete Kunst* zu verantworten hatte; erst 1937 emigrierte er in die Vereinigten Staaten. »Die ›Guten‹, weit davon entfernt, allesamt als sozialistische Ritter ohne Furcht und Tadel den Kampf um eine rationalistische Architektur gefochten zu haben, zeigen bei näherer Betrachtung offensichtlich ihre ideologischen Schattenseiten. Da verwundert es kaum, daß Le Corbusier, der Picasso der modernen Architektur, nicht nur Kontakte mit der *Front populaire* unterhielt, sondern auch mit dem *Parti Fasciste Revolutionnaire* und der Regierung von Vichy. 1934 übersandte er den zweiten Band seiner *Œuvres Complètes* Mussolini mit einer persönlichen Widmung. Diese Geste ist freilich genausowenig ein politisches Bekenntnis zum Faschismus, wie Mies van der Rohes zweideutiges Verhalten ein politisches Bekenntnis zum Nationalsozialismus ist. Anderes kommt hier zum Ausdruck: politische Uneinsichtigkeit, ideologische Kurzatmigkeit, vielleicht Opportunismus, vor allem aber: nahezu grenzenlose Besessenheit von der eigenen Arbeit. Jenseits biographischer ›Enthüllungen‹ und moralistischer Urteile drängt sich immerhin die Einsicht in die Widersprüchlichkeit individueller Verhaltensweisen und in die Komplexität eines Phänomens und einer Epoche auf.« (Vittorio Magnago Lampugnani)[440]

Dies bestätigt auch die Schicksale der im Land gebliebenen Traditionalisten. Paul Schmitthenner etwa (obwohl militanter Nationalsozialist) erhielt keine offiziellen Bauaufträge der Partei, nachdem er die Stelle des Leiters der Vereinigten Staatsschulen in Berlin abgelehnt hatte; mit einer Hetzkampagne gegen Bruno Paul und Hans Poelzig war sie vom »Kampfbund für Deutsche Kultui« 1933 für ihn freigemacht worden. Heinrich Tessenow, hervorragendste Figur des »Heimatstils«, war von den Nationalsozialisten in seinen Arbeitsmöglichkeiten stark eingeschränkt worden; nicht einmal sein ehemaliger Schüler Albert Speer konnte ihm Aufträge vermitteln; 1941 legte man ihm die Emeritierung von der Technischen Hochschule Charlottenburg nahe.

Insgesamt kann man feststellen, daß es eine »Stunde Null« für die deutsche Nachkriegsarchitektur nicht gab. Diejenigen etwa, die von Speer ab 1943 als Architekten und Planer beauftragt waren, die Richtlinien für den Wiederaufbau deutscher Städte auszuarbeiten, waren dann zu einem großen Teil auch nach 1945 tätig. »Fachleute vor Hitler, unter Hitler, nach Hitler, trotz (oder wegen?) ihrer engen Zusammenarbeit mit Speer oder ihrer Tätigkeiten in der Organisation Todt auch von den Alliierten als sachkompetent geschätzt, geduldet und unterstützt. Eine Zeit, die andere ins Exil oder in die Vernichtungslager trieb, geriet ihnen noch zum Vorteil: ununterbrochen die Berufspraxis, Erfahrungen im Umgang mit unterschiedlichen Aufgaben und Institutionen – so ließ es sich sehen, und so sah man es. Kontinuität statt Bruch.«[441] Lampugnani stellt fest, daß von den Prominenten, die von 1945 an vor allem von jenen als Nazi-Architekten tituliert wurden, die selber ebenfalls diese Bezeichnung verdient hätten, lediglich zwei von der Bildfläche verschwunden waren: Troost, weil er schon seit elf Jahren tot, und Speer, weil er im Nürnberger Hauptkriegsverbrecherprozeß zu einer Haftstrafe verurteilt worden war. »Alle anderen waren nach wie vor im Geschäft, und zwar derart gut, daß etwa bei Schmitthenner ein pseudopolitischer ›Fall‹ konstruiert wurde, als er 1948 dank des günstigen Urteils der Spruchkammer, die über seine Naziaktivitäten zu entscheiden hatte, auf seinen Stuttgarter Lehrstuhl zurückgeholt werden sollte, von dem man ihn nach Ende des Krieges suspendiert hatte. Selbst der Einsatz von Theodor Heuss und der Studenten-schaft vermochte nichts gegen den moralistisch getarnten Neid seiner moderni-stischen Kollegen auszurichten. Immerhin wurde er ein Jahr später zusammen mit seinem Freund Bonatz in die Bayerische Akademie der Schönen Künste berufen. Bald darauf wurde Schmitthenner von Heuss, der mittlerweile zum ersten Bundespräsidenten gewählt worden war, in den Orden ›Pour le mérite‹ berufen; in den frühen fünfziger Jahren baute er in Stuttgart auf einem exponier-ten Grundstück unmittelbar am Schloßplatz den Sitz der Rhein-Main-Bank, den sogenannten ›Königin-Olga-Bau‹; 1954 wurde ihm zu seinem 70. Geburtstag ein ganzes Heft der Architekturzeitschrift *Baumeister* gewidmet. Dabei ist der ›Fall Schmitthenner‹ keineswegs typisch; normalerweise vollzog sich der Übergang weit sanfter. Der konservative Stadtplaner Hans Bernhard Reichow, der 1941 ›Grundsätzliches zum Städtebau im Altreich und im neuen deutschen Osten‹ zu sagen wußte, veröffentlichte 1948, als Teil der ›Trilogie Organischer Gestaltung‹, sein einflußreiches Buch ›Organische Stadtbaukunst‹, in welchem er ebenso ungerührt wie unbekümmert seine frühen Planungen für die ›Stadtlandschaften‹ Posen, Stettin, Frankfurt an der Oder und Brandenburg ohne jegliche Änderung wiederauflegte. 1951, beim Zweiten Darmstädter Gespräch (mit dem Thema ›Mensch und Raum‹, zu welchem ausgerechnet Martin Heidegger seinen be-rühmten Vortrag ›Bauen Wohnen Denken‹ hielt), fanden sich neben Modernisten wie Egon Eiermann, Sep Ruf, Hans Scharoun und Hans Schwippert auch sämtliche Traditionalisten wieder: darunter Paul Bonatz und Kreis.«[442]

Die ideologisch unbelastete Auseinandersetzung mit dem Funktionalismus fand erst in den achtziger Jahren unter postmodernem Vorzeichen statt. Entge-gen der in ihn gesetzten republikanischen Hoffnungen, hatte er sich beim Wiederaufbau, vor allem in der Wirtschaftswunderzeit, als gefügiger, einfallslo-ser Partner von Bauherren erwiesen, deren Interesse auf Rendite und nicht auf die Wirtlichkeit der Stadt gerichtet war. Ob sozialer oder kapitalistischer Woh-nungsbau, ob Gebäude der öffentlichen Hand oder privater kommerzieller Unternehmen: Betonburgen zermalmten die Innenstädte und ließen Lebensqua-lität in den Trabantenstädten nicht aufkommen. Heimat wurde wegsaniert; das dem Geometrismus verfallene Effizienzdenken ließ die für urbane Kommunika-tion und Sozialisation so wichtige Nischenbildung außer acht. Die Kulturkritik hatte schon in den sechziger Jahren die fatale Entwicklung beim Namen genannt. Mit dem Abbröckeln der dem unvollendeten Projekt der Moderne immanenten Zuversicht, daß das Neue sich auch immer als das Bessere erweise, mit dem Zweifel an einer weiterhin möglichen progressiven Gesellschaftsentwicklung for-mierte sich die Kritik am funktionalistischen Bauen. Einig seien sich eigentlich alle, meint Jürgen Habermas, in der Kritik an der seelenlosen Behälterarchitektur, an dem fehlenden Umweltbezug und der solitären Arroganz ungegliederter Bürogebäude, an monströsen Großkaufhäusern, monumentalen Hochschulen und Kongreßzentren, an der fehlenden Urbanität und der Menschenfeindlichkeit der Satellitenstädte, an den Spekulationsgebirgen, den brutalen Nachkommen der Bunkerarchitektur, der Massenproduktion von Satteldachhundehütten, an der autogerechten Zerstörung der Citys usw.[443] Die Antwort auf die Frage, ob solche Scheußlichkeiten das wahre Gesicht der Moderne darstellten oder Verfälschungen ihres Geistes seien, entzieht sich freilich der Einigkeit. Die Prämisse, daß das, was gut funktioniere, auch gut aussehe, ist anthropologisch genauso fragwürdig wie die Überzeugung, daß ein Purismus, der Dekor und Ornament verbannt, gegenüber dem Bedürfnis nach Schmuck und Spiel als moralisch höherwertig einzustufen ist. Oft genug erwies sich der funktionalistische »Idealismus« lediglich als Kaschierung vordergründiger Wirtschaftsinteressen, die bei ihren Kosten- und Ertragsberechnungen nicht das Wohlbefinden der Menschen einkalkulierten, sondern sich lediglich an monetär wirksamen Faktoren orientierten. Dementsprechend waren viele der ästhetisch gelungenen Entwürfe emigrierter Bauhausarchitekten in den USA nicht Ausdruck demokratischen, sondern privatkapitalistischen Bauens.

Die demokratischen Auftraggeber in der Bundesrepublik standen dem Gebot profitmaximierter Architektur in nichts nach. In seinem Roman *Grundrisse* charakterisiert Urs Jaeggi am Beispiel des Berliner Kongreßzentrums die monströse Unmenschlichkeit funktionalistisch-amtlicher Bauten. »Das Metallmonstrum hatte nichts zu tun mit grenzenloser Phantasie, es erfüllte keine Wünsche, war kein Unternehmen zum Eintauchen in etwas Schützendes – hier demonstrierte eine Administration, die sich auf dem Papier und nach dem Gesetz als Diener des Volkes verstand, ihre Macht. Das Bollwerk, angeblich für, in Wirklichkeit gegen die Regierten errichtet: Einschleusen und Durchschleusen, Zusammenballen und Auflösen, Trennen und Unterwerfen – etwas anderes würde dies monströse System nie leisten. Rolltreppen und lautlose Aufzüge saugen die Besucher an, treiben sie aufwärts, ins Leere. Die sterilen Innenräume: nichts Eroberungswürdiges und nichts Lebensfähiges. Keine Höhle fing auf. Es war ein Gewalttrakt, Hölle, eine irre Maschinerie der Selbstzerstörung. Das geplante Programm lief und lief, unaufhaltsam kontrolliert – unkontrollierbar.«[444]

Die Moderne, so Heinrich Klotz, Direktor des Frankfurter Architekturmuseums, habe sich im Betonbrutalismus der sechziger Jahre totgelaufen. Sinnlichkeit, Phantasie und Geschichtsbewußtsein suchten wieder nach ihrem Recht. Die Postmoderne dürfe allerdings kein bloßes Ausstattungs- und Dekorationsunternehmen sein, das eine im Wesen unveränderte funktionale Kahlheit nur äußerlich verziere. Eine vorläufige Möglichkeit sei die Ironie; sie entlaste, solange es keinen neuen Stil gebe, wenigstens von den Anmaßungen des alten.[445]

Die Kritik an der postmodernen Architektur beanstandet demgegenüber, daß gerade diese Ironie als Souveränität des Infragestellens fehle. Ohne Witz, Ironie und tiefere Bedeutung, lediglich an werbewirksamem Design interessiert, montiere man disparate Elemente aus dem historistischen Baukasten: Postmodernoromanogreconeoclassicobarbaro.[446]

Moderne Bautechnik, vor allem Äquilibristik im Bereich der Statik, ermöglicht heute eine »Klebearchitektur«, die weder auf die »Gewichtigkeit« der Materialien noch auf die Tragfähigkeit der »verpackten« Substanz achten muß. Zurück zur »Fassade« – das bedeutet für die einen wahrnehmungsästhetische

Bereicherung, attraktive Vielfalt, für die anderen verlogene Kaschierung, Vorhangsarchitektur, die den Blick auf Wahrheit (Inhalt, Gehalt) verhüllt.

Postmoderne Architektur lebt aus der Inszenierung; sie bekennt sich zur Theatralik, zur Kulissenhaftigkeit; erst wenn Architektur auch wieder Bühne sei, könne sie eine farbige, üppige Lebenswelt beherbergen. Inszenierung als Negativbegriff charakterisiert postmoderne Architektur dahingehend, daß sie den Effekt hypostasiere, ohne nach der Essenz von Bauen zu fragen. Die »mittlere Position« bejaht die Inszenierung, wenn das »Stück«, das inszeniert wird, etwas zu »sagen« habe. Versteht man unter der Sprache der Architektur nur noch Zeichenfülle und Zeichenvielfalt (einen »Aufstand der Zeichen«), losgelöst von Inhalten, die durch diese Zeichen zu transportieren wären, so ergäbe sich eine fatale Veroberflächlichung; entspräche jedoch komplexe Semiotik komplexer Semantik, so würde solche »Sinnlichkeit von Aufklärung« dem unvollendeten Projekt der Moderne weiterhelfen.

Die in den achtziger Jahren zum beherrschenden Thema der Architekturdiskussion werdende Postmoderne war vorwiegend amerikanischen Ursprungs. In den USA war der Funktionalismus auf einem ganz besonderen Höhepunkt angelangt – nicht zuletzt mit Hilfe der eingewanderten, von den Nationalsozialisten vertriebenen Bauhaus-Architekten. Das Unbehagen an gerasterter Betonarchitektur war entsprechend hoch (von Saul Steinberg zeichnerisch immer wieder karikiert). Die Liberalität des amerikanischen Baurechts ermöglichte jedoch nicht nur funktionalistische Exzesse, sondern erlaubte auch eine gegenläufige stilistische Melange, die auf keinerlei normative Ästhetik Rücksicht nehmen mußte. In seinem Buch *Komplexität und Widerspruch in der Architektur* (1966)[447], zu dem der Wortführer der amerikanischen Architekturhistoriker und -kritiker Vincent Scully ein preisendes Vorwort schrieb, postulierte Robert Venturi, daß selbst eine mißlungene Lebendigkeit der Einheitlichkeit vorzuziehen sei. Der Populärrevisionismus der neuen Baukultur schwankte dabei, so Kenneth Frampton, zwischen der Befürwortung eines zynischen, szenographischen Eklektizismus für den kleinen Mann auf der Straße, und der Befürwortung eines Neo-Beaux-Arts-Pastiche-Historismus für die Fassaden großangelegter kommerzieller Projekte und für vereinzelte Häuser der Elite. Leitziel war die Optimierung des Konsums und der imperialistische Triumph des Monetarismus. Die zivilisatorischen Bedürfnisse wurden nicht mehr nur pragmatisch-funktionalistisch bedient; Pomp, Prunk, Dekor sollen dem anonymen Einzelnen das Gefühl geben, daß er an einem großen Gemeinsamen teilhabe. So wie im 19. Jahrhundert der Kleinbürger und Bürger in und mit der Oper zum eigentlichen Menschen zu transzendieren glaubte, bietet die postmoderne Architektur mit ihrem raffinierten Kitsch, falschen Glanz und ihren geschichtlichen Reminiszenzen einen Entfaltungs- und Projektionsraum für Menschen (vorwiegend Stadtbewohner), die – der Monotonie des Ford-Zeitalters überdrüssig – mit vielfältig installiertem Erfahrungshunger nach neuen Reizen Ausschau halten. »Lernen von Las Vegas« wird zum Motto, nach dem zum Beispiel Charles Moore, neben Robert Venturi und Stanley Tigermann einer der Bahnbrecher postmoderner

Neubauten für die IBA (Internationale Bauausstellung), Berlin-Kreuzberg, 1987

Architektur, die Piazza d'Italia in einem Einwandererviertel von New Orleans gestaltete – ein »wirres Durcheinander von Wasserspielen, antiken Säulen, monumentalen Portalen und neonverziertem Gebälk mit verchromten Säulenkapitellen«.[448] Moores Anliegen ist die Ausweitung der inneren Landschaft des Menschen auf die Außenwelt. Er begreift Häuser physiognomisch, vergleicht Fassaden mit Gesichtern, empfindet Architektur als Körperbad. Sein Lernen ist nicht nur an Las Vegas, sondern auch an Disneyland orientiert; dementsprechend war Moore an der Restauration des »Römers« in Frankfurt beteiligt, die diesen Platz in der amerikanischsten Stadt der Bundesrepublik (»Bankford«) in eine große »gemütvolle« Bauernstube verwandelte.[449] Gerade Frankfurt macht in den achtziger Jahren deutlich, daß die Rechnung mit der Postmoderne aufgeht: Die Architektur verpaßt seelenlosem Kapitalismus ein kulturelles Styling und befriedigt den Farbigkeitsbedarf.

Die Hoffnung, daß komplexe Gesellschaften via Kultur kollektive Identität ausbilden können, führte in der Bundesrepublik zu einem Boom von Kulturbauten, mit dem »Museumsufer« in Frankfurt als spektakulärster Ausprägung. O. M. Ungers baute das Deutsche Architekturmuseum als Haus im Haus. Jede Ebene besitzt andere räumliche Qualitäten; durch das gedämpfte, von oben hereinfallende Licht wird die materielle Schwere aufgehoben, hell und transparent gemacht. Das hat freilich einschneidende Folgen für Wechselausstellungen: Die Exponate können sich gegenüber Ungers Raumvision nur schwer behaupten.

Dies verweist auf eine generelle Tendenz: Die architektonische Inszenierung ist wichtiger als der Inhalt. Auch für Richard Meiers Frankfurter Museum für Kunsthandwerk sind die Ausstellungsstücke sekundär. »Allenthalben überraschende Durchblicke, Überschneidungen, Fensteröffnungen, ein Labyrinth aus Erkern, Säulen, Terrassen, Laufgängen, Stolperschwellen und Podesten.« Die Objekte gewinnen keinen rechten Halt, verlieren sich im schnellen Wechsel der Wände, Pfeiler und Perspektiven, sie »schwimmen weg«.[450]

Neben Ungers Symbolarchitektur und Meiers Illusionsarchitektur wirkt das Museum für Vor- und Frühgeschichte von Josef Paul Kleihues als »Hymne an die Naivität«. Helge und Margret Bofinger bauten das Filmmuseum; Günther Behnisch erhielt den Auftrag für das Museum der Bundespost; Gustav Peichl gewann den Wettbewerb für den Anbau an das Städel-Museum. Dazu kommen die Erweiterungsbauten für das Völkerkunde-Museum und das Museum alter Plastik. Ein postmodernes Frankfurt, so Dieter Bartetzko, ohne gezackte Glaserker, ohne grellfarbene Fenster- und Türrahmen, ohne Terrassen, gekurvte Treppen- und Balkongeländer und verbindende Arkadengänge, ein undekoriertes postmodernes Frankfurt wäre trostlos. Was bliebe, wären im Großteil der Fälle grobschlächtige, archaisch wirkende Bauten, so anonym und erschlagend, wie die ornamentlose Kistenarchitektur eines falsch verstandenen Funktionalismus, zu deren Ablösung postmodernes Bauen angetreten sei.[451]

In der bayerischen Landeshauptstadt entstand das »schöne Monster von München«, das Kulturzentrum am Gasteig (für Stadtbibliothek, Volkshochschule, Konservatorium, Philharmonie); riesig, platzgierig, alle Maßstäbe sprengend, erweise sich die bunkerartige Trutzburg als spätes Denkmal bundesrepublikanischer Sturm-und-Drang-Zeit – »Chaos in Beton«.[452]

Das neue Wallraff-Richartz-Museum mit Museum Ludwig in Köln (Peter Busmann/Godfrid Haberer) wird wegen seiner Strenge, die im Gegensatz zur postmodernen puzzelnden Altstadtnachahmung in unmittelbarer Nachbarschaft steht, gepriesen.[453] Die wellenartigen Shed-Dächer, die metallene Außenhaut, die schmalen vertikalen Fensterlamellen, das irritierende Treppenhaus, das die Gleichzeitigkeit der präsentierten Epochen demonstriert, sowie die terrassenartige Öffnung zum Rhein hin lassen die langweilige Sterilität funktionalistischer Museumsbauten vergessen.

Neben dem Museum Abteiberg in Mönchengladbach (Hans Hollein), dem Um- und Erweiterungsbau des Kunstmuseums Düsseldorf, dem Erweiterungsbau des Folkwang-Museums in Essen, dem Museumneubau in Bochum, der neuen Oper in Essen (Alvar Aalto), der Ausstellungshalle Schirn in Frankfurt, der Neuen Pinakothek in München erwies sich der Bau der Neuen Staatsgalerie Stuttgart durch James Stirling als wohl wesentlichstes Architekturereignis der achtziger Jahre.[454] Mit ausufernder Phantasie, bis zur kabarettistischen Collage, wird in Stirlings Bau die Postmoderne auf die Spitze getrieben. Der englische

Architekt arbeitet mit traditionellen wie modernen, mit darstellenden wie abstrakten, mit elitären und populären Kodes. Seine Palette reicht von der Würdeform der Rotunde bis zu Handläufen in den Popfarben Ice-blue und Pink. Als »James Joyce der Architektur« agiert Stirling mit architektonischer Elitär- und Trivialsprache, mit Universalzeichen und Dialekt, mit Pathosformeln der Identifikation und Zwischenrufen der Irritation.[455] Die eklektische Unbekümmertheit, mit der er Zitate aus der abendländischen Baukultur vereinigt, spiegeln einen naiven Historismus, dem Ursprung und Kontext gleich-gültig sind. Stirling ist von stilistischer Vielfachwahrheit überzeugt; er geht davon aus, daß man heute ohne Schuldgefühle gleichzeitig aus dem abstrakten Stil modernen Designs und aus vielen historischen Quellen schöpfen kann, daß das zur Verfügung stehende »imaginäre Museum« die Gleichzeitigkeit des Ungleichzeitigen, den Synkretismus als eigentlich originelle Stilform legitimiert. »Stirlings Einfälle können witzig, vulgär und laut, treffend und abstrus sein. Sein englischer Geschmack schlägt in den vielen Pop-Reminiszenzen immer wieder durch. Wiedergewonnen ist eine unterhaltende und erzählende, eine vielfach überraschende, ja spannende Architektur, die manchmal auch vor den Effekten von Jahrmarkt und Disneyland nicht zurückscheut.« (Eduard Beaucamp)[456]

Über den Funktionalismus, der in der Nachkriegszeit in Anspruch nahm, demokratische Klarheit und republikanische Offenheit zu repräsentieren, hat postmoderne Architektur, die den Farbigkeitsbedarf der verkopften Gesellschaft mit Hilfe eines »informellen Monumentalismus« und populistischer Direktheit abzudecken vermag, rasch und in umfassender Weise gesiegt. Es entstehen in den achtziger Jahren kaum Wohnsiedlungen oder öffentliche Gebäude, die nicht vom postmodernen Eklektizismus beeinflußt wären. Für Charles Jencks, der 1977 ein einflußreiches Buch über die *Sprache der postmodernen Architektur* anhand amerikanischer Beispiele veröffentlichte[457], hat der Postmodernismus eine zweifache Bedeutung: Er sei Weiterführung des Modernismus und zugleich dessen Transzendenz.[458] Ein wesentlicher Grund für das Entstehen postmoderner Architektur läge im sozialen Versagen der modernen Architektur. Nach der Auflösung der verbindlichen Leitbilder des Städtebaus – unter anderem hervorgerufen durch die traumatischen Erfahrungen mit der autogerechten Stadt – sind, so Werner Durth[459], nun Leitbilder mit Originalitätswert gefragt, in die sich synchron historische Besonderheiten und international wirksame Markenzeichen einbinden lassen. »Nach der Zeit der Vereinheitlichung im International Style werden durch nostalgische Stadtgestaltung Relikte der Regionalhistorie vorgehoben oder neu erfunden und durch die neue Pracht spektakulärer Bauten symbolisch überhöht. Zur Attraktion und Identifikation der Bürger mit ihrer Stadt wird eine verklärte Vergangenheit als befriedete Gegenwart inszeniert, in der eine anspruchsvolle Konsum- und Freizeitkultur zugleich als gelungener Vorgriff auf eine sichere Zukunft erscheint. Dabei ähneln sich die vermeintlich exklusiven Ambientes und die Muster der Selbstdarstellung ihrer Besucher in wechselnden Moden einander an: Das eine bestätigt das andere, und doch ist nichts das, was es scheint. Assimilation wird Simulation, täuscht vor, was es zu

Staatsgalerie in Stuttgart, erbaut von James Stirling, 1984

sein wünscht und gibt dies als Wirklichkeit aus. Man trägt Optimismus und man
trägt dick auf – auch dann, wenn man sich insgeheim bereits zu den Verlierern
zählt.« Doch nicht nur im Konkurrenzkampf der Städte wachse der Zwang zur
Selbststilisierung; soziale Identität werde durch stets neue Abgrenzungsproben
gesichert, bei denen Habitus und Ambiente, die Wahl von Kleidung, Gestik,
Einrichtung und der Orte für Freizeit und Einkauf zunehmend an Bedeutung
gewönnen, angesichts einer Pluralisierung der Lebensstile quer durch die gängigen Kategorien der Schichten- und Klassenzugehörigkeit. Mit dem beschleunigten Verfall ethisch begründeter Überzeugungen, in Religionen verankerter
Weltbilder und kulturell gefestigter Interpretationen von Welt wachse im sozialen Leben der Aufwand zur Befriedigung narzißtischer Bestätigungssucht.
»Selbst in der aufwendigsten Form jedoch weist die gestalterische Fiktionalisie-
rung auf sich selbst zurück und höhlt die Subjekte weiter aus: Die neue Lust am
Luxus, die sich im Bild der Städte und im Habitus ihrer Bewohner zur Schau zu
stellen versucht, läßt bisweilen die Verzweiflung über die eingebildeten Identitäten spüren, wenn die Inszenierung ins Leere läuft und die Akteure nur noch sich
selbst zum Publikum haben.« Vor allem in den Zentren der großen Städte zeichne
sich eine Architektur der Überkompensation ab, die dem Mangel an gelebter
Kultur mit den Würdeformeln früherer Epochen begegne, dem Mangel an
gelassenem Selbstbewußtsein durch hektisches Over-design.

231

Gegenüber der Einfallslosigkeit und Stereotypie des Funktionalismus zeigt die postmoderne Architektur durchaus »Bauwitz«; häufig jedoch »witzeln« die Unterhaltungskünstler in Sachen Architektur lediglich. Eine Architektur der Mehrfachkodierung kann durchaus sinnvoll sein, wenn diese in der Ernsthaftigkeit von Wahrheitssuche fundiert ist; Stil läßt sich nicht im »Spiel der Beliebigkeit« (»all is pretty«) entwickeln; auf die Essenz, die sich in der »Entscheinung« manifestiert, kann nicht verzichtet werden.

Die postmoderne Stadt-Ansicht suggeriert lediglich die Überwindung von Unwirtlichkeit. Inszenierung will die Frage nach dem Sinn von Stadt (als Heimat) nicht aufkommen lassen.

Architektur übernimmt die Rolle des Dekorateurs, der jede Botschaft verpackt. Die Postmoderne feiert ihren Synkretismus als urbane Rhapsodie. Dieter Bartetzko hat darauf hingewiesen, daß die Openings der seit Jahren zu den Favoriten des Fernsehpublikums zählenden US-Serien *Dallas* und *Denver* Glanzleistungen einer den »Stadtkörper« warenästhetisch vermarktenden Strategie darstellten. »Denver eröffnet mit Hochhaus-Panoramen, die im drängenden Rhythmus der Eingangsmelodie förmlich aus dem Stadtkörper platzen. Als habe man im Zeitraster das Entstehen von Bergkristallen festgehalten, taumeln die Spiegelglasfassaden prismatischer Wolkenkratzer, kreisen kegelförmige Großbauten, wanken Stufenpyramiden aus Stahl und Glas. Denver, die Millionenstadt, vibriert in diesen Bildern gleich einem hypernervösen Organismus. Ein letzter Kameraschwenk bringt Beruhigung: ein luxuriöses Landhaus gleitet ins Bild, changierend zwischen der Pariser Place Dauphins Heinrichs IV. und dem palladianischen Palais der Scarlett O'Hara.«[460] Die Fernsehserien zeigten, was die Wirklichkeit der heutigen Städte ausmache: eine Bauwelt aus Wiedererkennungseffekten, in der die Grenzen zwischen Medium und Realität aufgehoben werden. Postmoderne Zeichenvielfalt, »narrative Architektur«, gibt vor, Profitopolis vom furchterregenden Odium unmenschlicher Anonymität befreien zu können. Zumindest dem Schein nach wird eine glückverheißende Aura, die sich bald auf flaneurhaften Leicht-sinn, bald auf verordnete Gemütlichkeit stützt, »herbeizitiert« – im Vokabular von Charles Jencks: »disharmonische Harmonie«, »stilistische Vielfalt«, »eleganter Urbanismus«, »Anthropomorphismus«, »historisches Kontinuum«, »Multivalenz«, »neue Rhetorik«, »Rückkehr zum abwesenden Zentrum«.[461]

Die feinen Unterschiede

Die Entwicklung von moderner zur postmodernen Kunst bedeutet, von aufgeklärter Ästhetik her gesehen, Regression. Andy Warhols Satz »All is pretty« signalisiert den Verlust von Standort wie Standpunkt und überantwortet visuelle Gestaltung der Beliebigkeit; ein auf Pläsier ausgerichtetes Kunstpublikum genießt nicht nur das »Spiel der Reize«, sondern auch den Reiz des Markt-Spiels, für das Kunst zur Aktie wird – je nach Notierung aufgekauft oder abgestoßen. Der ideelle Mehrwert dient der spätkapitalistischen Gesellschaft dazu, auf ein Höheres hin zu transzendieren; vor allem die wirtschaftlich reüssierenden, gebildeten Schichten demonstrieren mit ihrem Kunstinteresse, von den postmodernen Künstlern reiz-voll, aber ohne Provokation bedient, die »feinen Unterschiede«, die sie von der nivellierten Mittelstandsgesellschaft auch geistig-kulturell abhebt. Man distanziert sich ironisch von der trivialen Welt des Massengeschmacks, an der man auf seine Art – eben wissend, daß Kitsch Kitsch ist – »nebenbei« teilhaben kann, und genießt die »reine« (entideologisierte, »beliebige«) Kunst in ihrem formal-spielerischen Reichtum. Die ästhetische Wahrnehmungsweise in ihrer zeitgenössischen Form als »reine« entspreche, so Pierre Bourdieu[462], einem bestimmten Stand der künstlerischen Produktionsweise: einer Kunst, die – wie z. B. die gesamte post-impressionistische Malerei – aus einer artistischen Intention hervorgeht, »worin das *absolute Primat der Form über die Funktion*, der Darstellungsweise über das Dargestellte geltend gemacht, nunmehr kategorisch (und nicht nur bedingt wie in der Kunst vordem) eine rein ästhetische Einstellung verlangt wird. Der demiurgische Ehrgeiz des Artisten, fähig, einem beliebigen Gegenstand die reine Intention eines zum Selbstzweck erhobenen künstlerischen Strebens zu applizieren, erheischt unendliche Verfügbarkeit des Ästheten und dessen Vermögen, auf jedes Objekt – einerlei ob in künstlerischer Absicht geschaffen oder nicht – die rein ästhetische Intention anzuwenden.«

Das Kunstmuseum, Vergegenständlichung dieses Anspruchs, sei die zur Institution geronnene ästhetische Einstellung: Tatsächlich dokumentiere und realisiere nichts grundlegender den Verselbständigungsprozeß des künstlerischen Tuns gegenüber außerästhetischen Interessen und Funktionen als die Aneinanderreihung von Werken, »die – wie Kruzifix und Fetisch, Pietà und Stilleben – in ihrem Ursprung gänzlich heterogenen, ja unvereinbaren Funktionen untergeordnet, unausgesprochen Aufmerksamkeit für die Form statt für die Funktion, für die Technik statt für das Thema fordern und, geschaffen in sich gegenseitig völlig ausschließenden und doch jeweils gleichermaßen verbindlichen Stilen, praktisch immer wieder die Erwartung einer den willkürlich-beliebigen Leitfäden vertrauter Ästhetik folgenden realistischen Darstellung in Frage stellen, um am Ende gleichsam ›natürlich‹ von stilistischem Relativismus in die Neutralisierung der Funktion selbst noch der Darstellung zu münden.«

Alles in allem sei dem Konsumenten von Kunst vermutlich noch nie derart viel abverlangt worden wie heute, da er aufgerufen sei, den künstlerischen Prozeß zu re-produzieren, in dem der Künstler (unter Mithilfe des gesamten intellektuellen Feldes) den neuen Fetisch geschaffen hat. »Vermutlich wurde ihm aber auch noch nie derart viel wieder zurückgegeben: Der naive Exhibitionismus des ›ostentativen Konsums‹, der Distinktion in der primitiven Zurschaustellung eines Luxus sucht, über den er nur mangelhaft gebietet, ist ein Nichts gegenüber der einzigartigen Fähigkeit des ›reinen Blicks‹, dieser gleichsam schöpferischen Macht, die kraft radikaler, weil scheinbar den ›Personen‹ selbst immanenter Differenzen vom Gemeinen scheidet.« Bourdieu verweist auf Ortega y Gassets

Werk, das zur Genüge ermessen lasse, in welchem Umfang die charismatische Begabungsideologie Bekräftigung ziehe aus der modernen Kunst, die in seinen Augen »wesentlich volksfremd; mehr als das, . . . volksfeindlich« sei, sowie aus dem »merkwürdigen Effekt«, den diese hervorruft, indem sie das Publikum, die Masse, in zwei »gegensätzliche Gruppen«, in zwei »Kasten« trenne: »die verstehen« und »die nicht verstehen«. Das schließe ein, so fährt Ortega fort, »daß die einen ein Aufnahmeorgan besitzen, das den anderen offenbar versagt ist; daß es sich um zwei Varietäten der Spezies Mensch handelt. Die neue Kunst ist nicht für jedermann wie die romantische, sie spricht von Anfang an zu einer besonders begabten Minderheit«. Die Irritation, die sie bei der Masse hervorrufe, die »nicht fähig ist, das Sakrament der Kunst zu empfangen«, schreibt er der Demütigung zu und dem »trübe[n] Bewußtsein von Unterlegenheit«, das diese »Kunst der Bevorrechtigten, des Nervenadels, der Instinktaristokratie« bewirke.

Bourdieu resümiert, und dies betrifft gleichermaßen die ästhetische Befindlichkeit der Bundesrepublik in den achtziger Jahren: »Nichts unterscheidet die Klassen mithin strenger voneinander als die zur legitimen Konsumtion legitimer Werke objektiv geforderte Einstellung, die Fähigkeit also, gegenüber bereits ästhetisch konstituierten Objekten – für die Bewunderung derer bestimmt, die die Insignien des Bewunderungswürdigen zu erkennen wissen – eine rein ästhetische Betrachtungsweise einzunehmen, und, noch seltener vertreten, das Vermögen, beliebige oder gar ›vulgäre‹ – weil vom ›Vulgären‹ unter ästhetischen oder nicht-ästhetischen Aspekten angeeignete – Gegenstände zu ästhetischen zu stilisieren oder auch in den allergewöhnlichsten Fragen des Alltagslebens (Kleidung, Küche, Wohnungseinrichtung) Prinzipien einer ›reinen‹ Ästhetik walten zu lassen.«

Die »neue Unübersichtlichkeit« ist auch im visuellen Bereich eine Folge des Utopieverlusts. Den postmodernen Künstler bewegen keine »Träume nach vorwärts« noch fühlt er sich durch geschichtliche wie existentielle Sinnfragen bewegt. Versteht man als »Phantasie« Gestaltung unter dem Eindruck des Vorscheins von Ideen, dann ist in postmoderner Kunst auch die Phantasie erschöpft. Der Ersatz von Substanz durch Reiz bedarf zudem keiner theoretischen Fundierung; Pläsier ist Pläsier und legitimiert sich dadurch, daß es Lust bereitet. Keiner wisse, welche »Sprache« das Sein versteht, welche es spricht oder in welcher man sich darauf beziehen kann. »Ja, keiner weiß, ob es überhaupt nur ein Sein gibt und nicht vielmehr mehrere, nur eine Sprache des Seins oder mehrere.« (Jean-François Lyotard)[463] Noch vor zehn Jahren, in einer Zeit der Überproduktion von Ideen und Theorien, die freilich kraus, bunt und widersprüchlich waren und sich von der konkreten Gesellschaftskritik bis zu utopischen Heilsentwürfen spannten, hätten auch die Kritiker und Ästhetiker gewußt, was sie wollten; sie hängten den einen oder anderen Kunstparteien eine Glaubenslehre an und versuchten, zwischen den Schulen zu vermitteln; sie wußten noch, was wahrhaft, zeitgenössisch und fortschrittlich war und wohin der Weg führe. Die Kunst bestehe heute in der Erkundung von Unsagbarem und Unsichtbarem; man stelle dafür seltsame Maschinen auf, mit denen sich das, was zu sagen die Ideen und was zu spüren die Stoffe fehlten, vernehmbar und spürbar machen lasse. Die Vielfalt der künstlerischen »Aussagen« wirke schwindelerregend: welche Philosophie kann sie noch beherrschen und vereinheitlichen? Gerade durch ihre Zerstreuung komme die Kunst jedoch dem Sein als Vermögen des Möglichen gleich, oder der Sprache als Vermögen der Spiele. »Wenn Sie mich nun fragen, welchen Bezug diese Überlegungen zur Situation der Kunst und ihres Kommentars zu Beginn der 80er Jahre haben, und wenn Sie davon überzeugt sind, daß sie nicht mehr an der Zeit sind, dann schlage ich Ihnen vor: nehmen Sie einmal den Katalog einer internationalen Ausstellung zur Hand, die ziemlich wichtig war, die Documenta 5 (1972) z. B. (sie liegt zwar schon ein wenig zurück, war aber stark genug, um noch im Gedächtnis zu bleiben). Und sagen Sie mir, ob die zeitgenössischen Künste (ohne Musik, Tanz, Theater und Film miteinzubeziehen, welche im Katalog fehlten, geschweige denn die Literatur) – sagen Sie mir, ob die bildenden Künste darin nicht schon ganz von selbst eine eigene Welt bilden, welche dem erwähnten doppelten Erfordernis gehorcht: durch die ungeheure Vielfalt ihrer Gattungen eine Satire zu sein und zugleich einen Bereich zu bilden, wo es stets nur um den Versuch geht, ob auch das da, diese Situation, dieses Ereignis, dieses Loch in der Erde, diese Verpackung eines Gebäudes, diese auf dem Boden ausgelegten Kieselsteine, dieses Schneiden in den Körper, dieses illustrierte Tagebuch eines Schizophrenen, diese Trompe-l'œil-Skulpturen, ich belasse es dabei – ob auch das uns etwas sagt. Man erforscht Vermögen des Empfindens und Phrasierens, des Sätzebildens bis an die Grenzen des Möglichen; man erweitert das Empfindend-Empfindbare und das Sagend-Sagbare; man experimentiert. Eben das ist die Bestimmung unserer Postmoderne, daß dem Kommentar eine schier unendliche Karriere eröffnet wird.«

Die Grund-losigkeit der Beliebigkeit schließt keineswegs aus, daß – je nach Marktlage – ideelle Begründungselemente herangezogen und als »Basis« einmontiert werden. Mit ihrer Hilfe kann man, was eigentlich »out« ist (nämlich politisches Bewußtsein) so »stylen«, daß es für eine gewisse Zeit »in« ist, und die Gedanken-losigkeit in »kritisches Engagement« verpacken. Dergestalt pries zum Beispiel Manfred Schneckenburger, ein versierter und durchaus gebildeter Marktstratege – ein »allzeit einsatzbereiter Libero«[464] –, als Leiter und Ausrichter der documenta 8 den Kasseler Kunstzirkus 1987, der zunehmend seine Berechtigung in rascher »Nummernfolge« suchte, als »Rückkehr der Kunst in die soziale Dimension« an. Der avisierte kritische Geist erwies sich jedoch als »Schnickschnack«, bestenfalls als »bunte Stimmungspalette«.[465] In der *Zeit* sprach Petra Kipphoff von einem »hohen Fest der Beliebigkeit«; unter dem Motto »Alles ist möglich« erlebe man ein »Kaleidoskop von Inszenierungen«.[466] Die documenta 8, so Eduard Beaucamp, bestätigte die fortgeschrittene Neigung der Künstler zur illustrativen Vordergründigkeit, das Zusammenwachsen von Hoch- und Trivialkünsten, die aufwendige und grelle Inszenierung von Bildern, Stimmungen und Materialien im Mixed-Media-Stil, die Anlehnung der Künstler an die Ikonographie aus Werbung und Medien und das gefällige Design. Fast alle verweigerten heute die individuelle Handschrift und eine Entwicklung und damit einen Stil. Die Künstler träumten und phantasierten, attackierten und verkündeten in räumlichen Bildern, in oft allegorischen Assemblagen, die trotz plakativen Auftrumpfens höchst esoterisch, poetisch und verschlüsselt seien. Allein schon die bizarren literarischen Titel füllten ein monströses Poesiealbum der Gegenwart. Trotz des großspurigen Erscheinungsbildes bleibe der Symbolismus der Botschaften in diesen vielfach »weltanschaulichen« Tableaus meist dunkel und unverständlich. Hier befestige sich immer mehr das Genre einer reinen Ausstellungs-, oder besser gesagt Aufführungskunst, die für das Ereignis erdacht und realisiert werde.[467]

Im Katalog der documenta sah Bazon Brock die Kunst der Gegenwart einerseits von »Gottsucherbanden«, andererseits von »Unterhaltungsidioten« reklamiert. Er plädierte gegen Gottesdienst oder Tingeltangel für eine mittlere Position, für eine Kunst »diesseits des Ernstfalls«, für Kunstarbeit als ein Tun auf Widerruf, das sein Publikum vor allem zum Unterscheiden (in den Fragen des Lebens, der Gesellschaft, der Politik) befähigen müßte. »Was könnten die Künste Wichtigeres leisten, als uns Kriterien der Unterscheidung zu entwickeln? Wer nach künstlerisch entwickelten Differenzierungskriterien seine Wahrnehmungen strukturiert, wird den gleichen Gegebenheiten in der Welt je unterschiedliche Bedeutungen zueignen können, reiche, vielschichtige Bedeutungen, derer die meisten Menschen offensichtlich ermangeln; wie anders ließe sich deren Langeweile, deren Klagen über diese Sinnarmut, ja Sinnlosigkeit ihres Alltagslebens verstehen? Wem die Dinge dieser Welt nur noch wenig bedeuten, weil er unfähig ist, ihnen Bedeutung durch Unterscheiden geben zu können, der wird sich schnell bereit finden, entweder dem Eingeständnis seiner Unfähigkeit durch Einnahme von Unterhaltungsvalium zu entgehen oder aber den peinigenden Sinnlosigkeiten durch Erzwingung irreversibler Handlungen (genannt Heldentaten) ein Ende zu bereiten.«[468]

In der Wendezeit wurde sowohl der Protestbewegung als auch der bildenden Kunst das gesellschaftskritische Engagement ausgetrieben. Während die Dichter sich im Refugium der Nichtbeachtung auf ihre Rückkehr, d. h. für eine Phase neuer Innerlichkeit, »vorbereiten« konnten, hatten es die Schöpfer von Artefakten schwerer: waren doch die Möglichkeiten fürs Ansehen – auch An-sehen – in Nachwirkung der revolutionären Entfremdung vom Bildungs- und Besitzbürgertum reduziert. Statt des langen Marsches durch die Institutionen wurde die Rückkehr von der Straße in die Galerie, von der Aktion zum Tafelbild angetreten – wobei man allerdings verhältnismäßig rasch vorankam. Vor allem Künstler, die aufgrund ihrer Biographie eine gute handwerkliche Ausbildung, vorwiegend in der DDR, erhalten hatten und zudem politisch-weltanschauliche Beweglichkeit zeigten – vom real nicht existierenden Ost-Sozialismus in den vor allem auch auf dem Kunstmarkt praktizierten West-Kapitalismus überwechselnd (wie Georg Baselitz, Gerhard Richter, A. R. Penck, Eugen Schönebeck) –, waren für die Postmoderne prädestiniert. Das Figurative gewann an Bedeutung, wenn es der Versinnbildlichung des »Sinnlichen« diente; der gehaltvolle, auf Begründungszusammenhänge »verweisende« Realismus (wie etwa die »Denkmalerei« eines

Michael Mathias Prechtl) blieb weiterhin unbeachtet. Darstellungen en vogue geben am besten Sinn, tiefere Bedeutung und Ausdruckswillen auf und repräsentieren das reine »interesselose Sein« von Formen, Farben, Objekten.

Die künstlerische Involution förderte auch das Nebeneinander verschiedener Kunstrichtungen, also die Umstrukturierung der bislang relativ linear verlaufenen Entwicklung in Richtung eines »Patchwork von Möglichkeiten« – so Wolfgang Max Faust und Gerd de Vries in ihrem 1982 erschienenen Buch *Hunger nach Bildern*.[469] Die Metapher brachte jene buntgescheckte Reaktion auf den Begriff, »die eine junge, radikal subjektivistische Künstlerschar seit 1978 mit ungestümen, teils emphatisch-expressiven, teils punkhaft frechen, grellfarbigen oder auch düster-aggressiven Bildern gegen die am Ende blutleer gewordene, objektivitätssüchtige Konzeptkunst betrieb. Bilder, die noch farbfeucht, so rasch wie nie eine Kunstproduktion zuvor, auf den Markt und in die öffentliche Diskussion gelangten und dabei bereits unmittelbar nach ihrer Entstehung ebensoviel Begeisterung wie auch heftige Anfechtungen auf sich vereinigen konnten.« (Karin Thomas)[470] Zu der »neuen Wildheit« und der Destruktion der Dimension des Bedeut-samen (etwa durch Gerhard Richter und Sigmar Polke) kam das, gerade für eine internationale Kunst-Schickeria »interessante« und deshalb hoch notierte »Deutsche« – mit dem Hautgout des Chaotisch-Anarchischen oder mystisch-mythisch Altfränkischen. »Die neue Kunst trug die Merkmale des Deutschen im positiven wie im negativen Sinn: Schwerblütig und leidenschaftlich in den Anfängen von Georg Baselitz und Eugen Schönebeck, von emphatischer Gestimmtheit in den Dithyramben von Markus Lüpertz und von pathetischer Geschichtsträchtigkeit bei Anselm Kiefer. Ein gemeinsamer Grundzug ist das Streben ins Maßlose, gepaart mit dunkler Erinnerung und existentialen Ängsten. Diese Künstler befreiten sich und damit die Malerei von dem Dogma eines geradlinigen Fortschritts vom Impressionismus über den Expressionismus zur abstrakten Kunst, indem sie sich wieder besannen auf die Vielfalt der Möglichkeiten der Malerei, unabhängig von dieser Entwicklungslinie. Wie sie den Verführungen der Abstraktion am Beginn ihrer Arbeit widerstanden, so gaben sie auch nicht dem Druck einer realistischen Kunst, weder in einer westlichen (Pop-art) noch in einer östlichen Variante, nach. So schufen sie die Grundlage für die Wiederanerkennung einer deutschen Kunst, in der sich kulturelles Erbe und geistige Situation widerspiegeln.« (Günther Gercken)[471] Aufgrund solcher Eigen-art wurde New York, mit seinen rund siebenhundert Galerien das Dorado des Kunst-Kommerz, für eine Reihe deutscher Postmoderner (wie Markus Lüpertz, Jörg Immendorff, Gerhard Richter, Anselm Kiefer) zu einem Hauptumschlagsort für Geld, Ruhm und artistisches Profil. Anything goes – all is pretty: Eine Kunst, die auf »Avantgarde« verzichtet, also ohne »Zeitpfeil« auszukommen glaubt – sich nach dem postmodernen Motto verhält: »Hier stehe ich! Ich kann auch anders«[472] –, eine solche, in der Stil-losigkeit ihren Stil findenden Kunst dient vor allem dem Ausgleich von Mangellagen, ist im Sinne von Odo Marquard »kompensatorisch«. Die Aporie und Heteronomie der modernen Welt wird »farbig« erträglich gemacht, von Sinndefiziten reiz-voll abgelenkt. Surrogat und Provisorium ermöglichen Verschonung; Kunst soll inszeniert, gespielt und genossen werden, nicht belasten und nicht belästigen. Dieter Wellershoff sprach schon Ende der siebziger Jahre von der »Auflösung des Kunstbegriffs«, nämlich desjenigen der großen modernen Kunst. »Monochromatik, Leinwandschlitz, Nagelobjekt, Fotolack, Filz und Fett, neue Wilde, lahme Alte – alles Kunst, alles verkäuflich, alles pretty. All is pretty: die Kunst der Postmoderne in der Rolle des Handlangers bei der affirmativen Zurschaustellung dessen, was ohnehin so und nicht anders ist. Kunst als PR-Agentur des Bestehenden, zuständig für dessen Putz, Reklame, Zierat, Kosmetik. All is pretty – anything goes: in einem stimmen Warhols Devise und Feyerabends Parole frappant überein: in ihrem Akzent auf Beliebigkeit (mögen sonst auch – beliebige? – Differenzen zwischen dem erklärtermaßen anarchistischen Erkenntnistheoretiker und dem Propagandisten der komfortablen Coolität spätkapitalistischer Hochglanzfriedhöfe bestehen). Auch Beuys' ambitioniertes Projekt der politisch-künstlerischen Arbeit an einer immerhin gesellschaftskritisch gemeinten ›Sozialplastik‹ blieb der bezeichneten herrschenden Gesamttendenz verhaftet.« (Peter Niebaum)[473]

Die Welt im Zustand der Kompensation erfüllt den Auftrag, sich tröstend als die beste aller möglichen zu imaginieren; Realität wird durch Kunst, die sich artifizieller Reklame annähert, verstellt. Man kann nicht mehr davon ausgehen, daß einem künstlerischen »Material« eine historische Notwendigkeit zukomme, die es direkt zur Sonnenuhr der geschichtsphilosophischen Stunde mache. »Die Rede vom *anything goes* ist sicherlich problematisch, aber sie verweist doch auf die Schwierigkeiten ästhetischer Bewertung heute. Sinn macht sie daher nur, wenn man sie mit ihrem Gegenteil zusammendenkt, dem *rien ne va plus*. Diese zunächst negative Feststellung schließt aber nicht aus, daß sehr wohl bestimmte Einzelprinzipien noch Gültigkeit haben, die innerhalb der Moderne herausgearbeitet worden sind und jetzt, mit einer postmodernen Kritik an der Moderne, in Gefahr sind, verdrängt zu werden. Ich denke an das Prinzip des *refus*, der Verweigerung, des Sich-Sperrens. Auf der gleichen Ebene würde so etwas wie Widerständigkeit liegen. Wie kann ein Material so bearbeitet werden, daß es nicht glatt wird?

Vor kurzem haben wir uns in New York zwei Tage lang Galerien angesehen und waren enttäuscht. Unsere Enttäuschung rührte daher, daß gleichgültig, ob die Arbeiten gegenständlich waren oder nicht, in welcher Materialtradition sie auch standen, sie etwas gemeinsam hatten: eine gewisse Sauberkeit in der Präsentation und eine euphorische Helligkeit der Farben, die sich von denen der Werbegraphik nicht unterschieden. Angesichts der gesellschaftlichen Wirklichkeit, in der wir leben, hatten wir den Eindruck von Inauthentizität, besonders verglichen mit dem, was wir in den Straßen an Graffiti gesehen hatten, die uns authentischer und auch künstlerisch von höherer Qualität schienen als die Arbeiten in den Galerien. Einerseits können wir von der Theorie her keine festen und allgemeinen Wertmaßstäbe mehr angeben, andererseits lassen die Erfahrungen, die wir an Kunstwerken machen, Rückschlüsse zu auf den Wert der Objekte, die jene Erfahrungen ausgelöst haben.« (Peter Bürger)[474]

Die Kunst der Nachkriegszeit kannte in ihrer Hauptlinie ein großes Ziel, und dieses war utopischer Art; sie versuchte den Menschen wenn nicht zu bessern, so doch zu zähmen. Waren Positionen der Avantgarde auch höchst unterschiedlich – der gemeinsame Nenner bestand in dem Bekenntnis zu einer humanen und zivilisierten Welt. In Deutschland war das Bedürfnis nach einer entideologisierten, entmythologisierten Kunst besonders hoch; das bedeutete freilich auch, daß vieles aus der Gegenwart des Menschen ausgeklammert bleiben mußte, und über vieles in der Kunst mit den Mitteln der Kunst nicht mehr gesprochen wurde.

Die »Neuen Wilden« kann man als eine leicht-sinnige Gegenaktion zum schwergewichtigen Ernst der 68er-Bewegung begreifen.[475] Dithyrambisches Malen um des Malens willen bezieht mit expressiver Farbigkeit Position gegenüber durchdachter, systematischer, manchmal auch dogmatischer und deshalb langweiliger Solidität. Ehe die jungen Wilden auftraten, habe es – so Heinrich Klotz – weder »individuelle Handschrift« noch »subjektive Phantasiebilder und Mitteilungsbedürfnisse« in der neueren Kunst gegeben, sondern nur »gleichartige Stilistik«; sie hätten die Erlösung vom Übel der »orthodoxen Dogmen« in der Moderne bewirkt. Man kann freilich auch konstatieren, daß die »Neuen Wilden« lediglich mit der Geste des Revolutionärs das Vakuum der bereits aufgegebenen Moderne besetzt haben. Die Enkel von Karl Marx und Coca-Cola erstürmten mit ihren riesigen Formaten, knallbunt und populistisch gemalt, die Hochburgen affirmativer wie kritisch-theoretischer Kultur. Unter Rainer Fetting, Helmut Middendorf, Wolfgang Cilarz (Salomé), Bernd Zimmer, Dieter Hacker, Jiři Dokoupil, Hans Peter Adamski, Markus Lüpertz nehmen in Hinblick auf Qualität und Kontinuität Emil Schumacher (geb. 1912) und hinsichtlich Qualität und Wandlungsfähigkeit Georg Baselitz einen besonderen Platz ein. Schumacher gehörte »zu den ganz wenigen deutschen Künstlern, die sich schon sehr früh mit Dubuffet auseinandersetzten und dessen ›Art brut‹ mit den emotionalen Ausdrucksqualitäten der pastosen, lavaartigen Malmaterie sowie mit den affektiven Reizen der Kritzelkalligrafie für sich fruchtbar machen konnten«.[476] Seine Bereitschaft zum Experiment, die Frische, Kraft, Vitalität seiner Arbeit (als einer »Form gesteigerten Lebens«) kulminierte in der »Ausdruckspotenz« seines Alterswerkes.[477] Die Barbaren kehren zurück – so apostrophierte Wieland Schmied die Skulpturen und Zeichnungen von Georg Baselitz (Georg Kern), der in den siebziger Jahren in die Kunstszene »einbrach«. »Roh behauene Stämme, splitterndes Holz. Eine Versammlung von Figuren und Köpfen, belebten Statuen und Totem-Pfählen, die einen sakralen Bezirk abstecken. Diese Figuren sehen die Welt wie am ersten Tag. Augen und Mund sind weit aufgerissen, die Arme zuweilen zu spontanen Gesten erhoben. Aus riesigen Augen blicken sie uns an: staunend, forschend, naiv und voll ursprünglicher Wildheit . . . Die Götter, die hier verehrt werden, sind uns fremd geworden wie exotische Idole – und rühren uns doch eigentümlich an. Sie wecken lang tabuisierte Gefühle, die viele glücklich für immer aus dem Tempel der Kunst gebannt meinten, Gefühle wie Angst und Erschrecken, Leidenschaft und Ekstase. Die Skulptur sucht ihre Ursprünge auf, reflektiert die afrikanische und ozeanische Bildhauerarbeit und

Georg Baselitz,
Die Familie, 1980

weckt frühe Emotionen. Sie überspringt ganze Jahrhunderte und knüpft dort an, wo alles begonnen hat und unverbildet war: bei der Neger-Plastik. Wie diese hat sie ihre Wurzeln in religiösem Grund.«[478] Der Erfolg des Werkes von Baselitz – schon 1984 wurde eine Landschaft von ihm für 350 000 DM auf dem Londoner Auktionsmarkt verkauft – war eine Absage an Überbau und theoretische Leitlinien; mit stiernackigem Festhalten an Malen und Zeichnen trotzte er den Verführungen der ideenbesessenen siebziger Jahre. Dadurch faszinierte er ein zivilisatorisch-übersättigtes Publikum, das in seiner Kunst die Anarchie des Dschungels kompensatorisch genoß. In seinen kraß biologischen Motiven bemächtigt sich der Künstler des Elementaren und Triebhaften, der Erde, des Waldes, der tierhaften Natur; Keimendes, Gärendes, Wucherndes und immer wieder eine unverstellte sexuelle Symbolik beherrschen und bevölkern die Zeichnungen. »Eine finstere Geschlechtlichkeit, Tod, Fäulnis und Verfall brüten in künstlichen Dickichten aus Bleistift, Kohle, Tusche und zunächst nur illustrierender Farbigkeit.«[479]

Ähnlich wie Bert Brecht in den frühen zwanziger Jahren spielt Baselitz die Rolle des Urgenies, das seine Obsessionen (die später freilich in Abstraktionen übergehen) der Gesellschaft entgegenschleudert; es handelt sich dabei um Attacken, die keine Programmatik visualisieren, sondern »formal« (gerne »kopfstehend«, als reichlich banaler Gag) bleiben – politisch nur dort, wo der Künstler, der in den fünfziger Jahren von Ost- nach West-Berlin übersiedelte, den sozialistisch-optimistischen neuen Menschen als zerlumpt-uniformierten, sexuell-aggressiven Landstreicher dekuvriert.

Als Virtuose der neuen Unverbindlichkeit erwies sich Gerhard Richter. Die von ihm akzentuiert vertretene »Theorie der Theorielosigkeit« (»Ich mag das Unbestimmbare«) variiert er künstlerisch durch einen steten Wechsel von Stilen, die er perfekt adaptiert oder kreiert. Er flieht jede Festlegung, betont, daß er nicht wisse, was er wolle; er sei inkonsequent, gleichgültig, passiv, verfolge keine Absichten, kein System, keine Richtung. Er habe kein Programm, keinen Stil, kein Anliegen. Weltanschauungslose Malerei, Kunst um ihrer selbst willen, gewollte Stilbrüche, ein »Durcheinander« von Motiven – von der Kuh mit dem Schriftzug »Kuh« (1964) bis zur weinenden Jackie Kennedy – machten ihn zum Protagonisten des »kapitalistischen Realismus«, einer Aktion unter Beteiligung von Sigmar Polke im Mai 1963, mit der er sich von seinen sozialistischen Anfängen löste. (Der 1932 in Dresden geborene Maler war 1961 aus der DDR nach Düsseldorf übergesiedelt.) »Richter hatte mit der Bildwelt der Amateurphotographie sein erstes Thema gefunden. Aber auf die Dauer vermochte es ihn – wollte er sich nicht ständig wiederholen – nicht zu halten. Aber was malen, wenn man alles malen kann, im Zeichen des Pluralismus der zeitgenössischen Kunstszene jedoch alle Themen, alle Motive, alle Stile in gleicher Weise gültig und darum gleichgültig geworden sind? Richters Stärke war es, dieses Dilemma zu thematisieren, es zu seinem Gegenstand zu machen. Während Konrad Klapheck sich mit der langen Reihe seiner Maschinen und Apparate durch all ihre Verwandlungen hindurch identifizierte und sich in seinen Schreibmaschinen, Fahrrädern, Motorrädern, Traktoren eigenartige Selbstbildnisse schuf, malte Richter konsequent seine permanente Nichtidentität. Er konnte und wollte sich nicht festlegen. Aus diesem Standpunkt einer grundsätzlichen Standpunktlosigkeit gewann er für die Rolle des Künstlers eine neue Souveränität: die der totalen Freiheit nicht nur der Kunst, sondern auch ihres Urhebers. Malerei als Konzept, nicht als Stil. Gerhard Richters Malerei demonstriert in all ihren Wandlungen nur eines: daß die Malerei unter allen Bedingungen weitergehen wird und daß ihr Sinn in diesem Weitergehen und in nichts sonst besteht.« (Wieland Schmied)[480] Richter setzt seine jeweilige Befindlichkeit (Schwermut oder Heiterkeit, Melancholie oder Optimismus, insgesamt ein umfassendes Repertoire von Stimmungen) mit artistischer Bravour in Malerei um. Sein Atelier, als »Betrieb« mit Hilfskräften perfekt organisiert, produziert impressionistische wie expressionistische, photorealistische wie abstrakte, großflächige wie kleinformatige Kunst-Stücke – Motive, Genres, Techniken wie Schuhe wechselnd.

Gegenüber der formalen Brillanz postmoderner Meister wie Baselitz und Richter wirkt das bislang vorliegende Werk von Sigmar Polke (geb. 1941) eindimensional und manieristisch-festgefahren. Sammler, Händler, Ausstellungsmacher, Kunstpreisjuroren lieben freilich den Bildwitz des intelligenten Polke ebenso wie die Zeichen-Tableaus des vitalen Autodidakten A. R. Penck. »Polkes Ironie gewinnt an Nuancen, wenn er Kunst über Kunst macht, Bilder über Bilder malt. Er parodiert die wechselnden Moden der Moderne, aber er tut dies nicht ohne liebevolle Anteilnahme. Viele dieser Bilder scheinen ambivalent. Wenn er unter ein Gemälde schreibt: ›Höhere Wesen befehlen: rechte obere Ecke rot malen‹, dann ironisiert er nicht nur unser herkömmliches Verständnis der

Anselm Kiefer, Glaube, Hoffnung, Liebe, 1973

Inspiration im Herstellungsprozeß eines Bildes, sondern dann verweist er so lächelnd wie ernsthaft auf die Kräfte des Unbewußten, die nicht nur bei der Entstehung seiner eigenen Bilder lenkend eingreifen können, sondern auch auf den Entwicklungsgang der modernen Kunst insgesamt nicht ohne Einfluß geblieben sind. Was auf den ersten Blick als bloßer parodistischer Scherz erscheinen mag, ist in Wahrheit der bildnerische Ausgangspunkt einer langen Reflexionskette über das Entstehen des Bildnerischen. Nicht ohne Folgen hat Polke bei Beuys gelernt.« (Wieland Schmied)[481]

Dem postmodernen Beliebigkeitskult widerspricht scheinbar der Erfolg von Anselm Kiefer – fehlt seinem Werk doch die bunte Oberfläche, die reizvolle Vielfachkodierung; es ist »manisch« deutsch, aufgeladen mit dunklen, geheimnisvollen Mythen. In den frühen siebziger Jahren war er ein Spezialist für bäuerliche Dielen und Heuböden, wobei die Qualität, mit der er die Brettermaserung festhielt, jedem Musterkatalog der holzverarbeitenden Industrie zur Ehre gereicht hätte. Die an sich schon dumpf wirkenden Interieurs erhielten ihre besondere, wenn auch verfremdete Blut-und-Boden-Aura durch Inserts – so wenn etwa das Schwert Wotans, in den Boden einer Holzhütte als Stele eingerammt, noch mit »Notung« in typisch deutscher, ins Bild eingravierter Kinderschrift benannt wird. Zu den hölzernen Mysterienräumen kamen Backstein- und Marmorbauten; ferner Acker- und Flurbilder – mit einer Vorliebe für die märkische Landschaft (*Märkischer Sand, Märkische Heide, Wege: märkischer Sand,* wobei verschiedentlich die Leinwand mit wirklichem Sand bestreut ist; auch Stroh wird in die Collage-Technik einbezogen).

In *Deutschlands Geisteshelden* (1973) sind in einer aus rohem Holz gezimmerten leeren Halle, an deren Wänden Ehrenfeuer flackern, auf den Boden Heldennamen eingeschrieben: Richard Wagner, Richard Dehmel, Josef Weinheber, Joseph Beuys, Adalbert Stifter, Caspar David Friedrich, Theodor Storm, Mechthild von Magdeburg. In *Märkischer Sand* (1982) ist eine leere, wie in einem Strudel zum Horizont sich hinziehende Landschaft, in der Geschichte und Leben untergepflügt erscheinen, mit Schildchen besetzt, auf denen mit Kinderschrift »tote Namen« eingetragen sind: Küstrin, Oranienburg, Neuruppin etc.

Kiefers Spekulationen und mythische Konstruktionen, meint Eduard Beaucamp, wirkten unfrei und beengend durch die monotonen Wiederholungen und eine gewisse Realisierungsarmut. In der Häufung sei die Sentimentalität ebenso schwer erträglich wie die gezierte parzivalische Naivität und das priesterlichverkrampfte, geheimnistuerische Andeutungs- und Sinngehabungsgehabe.[482]

Wenn Kiefer seiner Palette Engelsflügel anmontiert, so will er offensichtlich andeuten, daß er kraft seiner Kreativität in der Lage ist, sich bildnerisch in die Weiheräume eines neuen Geschichts- und Mythenbewußtseins aufzuschwingen. Auf eigenartige Weise, die die Selbstinszenierung einschließt (in seinen Fotobüchern *Gilgamesch und Eniku im Zedernwald* ist der Künstler als kostümierter Guru zu besichtigen), entstand indirekt eine Hofmalerei der Bonner Wende: ein Konterfei historischer Orientierungslosigkeit bei Rückgriff auf Mythen, die in abstruser, verquaster Mischung vom aufklärerischen Vakuum abzulenken trachten. In ihrem Kern ist diese schwerblütige teutonische Kunst jedoch postmoderne Masche, mehr Warhol als Walhalla, mit der die neueste Stimmung im Westen, nämlich Reiz ohne Substanz (in die Rolle von Substanz geschlüpfter Reiz) eingefangen wird. Dies hinterläßt tiefen Eindruck bei denjenigen, die inmitten der zivilisatorischen Glitzerwelt zur Abwechslung tiefgefrorene Archaik konsumieren wollen. Kiefer ist Eklektizist und Verwerter reinsten Wassers, wenn er wahllos in den verfügbaren Fundus der bildnerischen Methoden und Materialien greift, »um Mittel und Zwecke der Apotheose eines einzigen Bildgedankens dienstbar zu machen«. Geschickt schöpft er dabei das unterschwellige Pathos, das katastrophisch-apokalyptische Suggestionspotential besonders der informellen Malerei aus. Doch folgt er nicht etwa der Ästhetik dieser Kunst, sondern nutzt ihre Techniken zur Beschwörung außerbildnerischer Emotionalität bzw. Phantastik.[483] Der Bedienung hehrer Bedürfnisse (Feiertagsmystik mit Heroenkult) hat sich auch Gerhard Merz verschrieben. Richard Wagner läßt grüßen; bei Kiefer ruralisiert, bei Merz geometrisiert. In seinen Raum- und Farbinszenierungen, dekorativen Gedenkstätten der Gedanken-losigkeit, findet die Boutiquenwelt kurz-weilige Erbauung. *Dove sta memoria – Wo bleibt die Erinnerung?* hieß das Motto, unter dem Merz 1986 die Räume des Münchner Kunstvereins in eine ästhetische Weihestätte uminstallierte – vorwiegend in den Farben Türkis und Caput mortuum gehalten. »Auf letzteren Namen kommt es an: der Tod wird auf vielfache Weise zum Thema gemacht in dieser Ausstellung, der man eine glatte Brillanz in der Verwendung klassizistischer Stilmittel sicher nicht absprechen wird ... Im Kunstverein wird Feierlichkeit angestrebt mit einer Reihe rundholzgerahmter leerer Flächen. Im ersten Raum gibt es dazu die Serigraphie mit den Totenschädeln und Gebeinen einer römischen Kapuzinergruft. Im Hauptraum prangt die umdüsterte Reproduktion eines heiligen Sebastian des Renaissance-Venezianers Cima da Conegliano, im letzten Raum aber steht ganz und gar unvereinbar eine Ziegel-Vierkantsäule mit gemauerter Weiheschale vor einer Wiedergabe der entstellt fotografierten Plastik ›Der neue Mensch‹ des Otto Freundlich, die im Juli 1937 das Deckblatt des Katalogs der Nazi-Ausstellung ›Entartete Kunst‹ bildete. Die Merkwürdigkeit steigert sich zum Ärgernis, wenn man weder im Katalogtext zur Ausstellung von Zdenek Felix noch in den Einführungsworten von Bazon Brock ein Wort über die Herkunft aller dieser düsteren Erinnerungsstücke vernimmt. Es sind die Villa des poeta laureatus der italienischen Faschisten Gabriele d'Annunzio und die Gebäude der wegen des Zweiten Weltkriegs ausgefallenen Weltausstellung 1942, die EUR in Rom. Bei den unerhörten Kreationen, für die der Ästhetik-Professor aus Wuppertal und der Textschreiber rühmende, wenn auch durchaus unklare Worte fanden und weit hergeholte Vergleiche bemühten, wie die Sainte Chapelle in Paris und die Werke des russischen Konstruktivisten Malewitsch, handelt es sich in Wirklichkeit um Zitate, deren Quelle, weil jenseits der Alpen gelegen, einfach verschwiegen wird. Hätte Merz oder hätten seine Laudatoren sie genannt, so wäre die Ungeheuerlichkeit klar geworden, die darin besteht, den im Konzentrationslager Maidanek ermordeten Otto Freundlich mit einer d'Annunzio-Säule zu ehren; wo es doch ohne diesen Dichter mit seinem Gemisch aus Kitsch und Tod weder die politische Mordrhetorik des Benito Mussolini noch die des Adolf Hitler gegeben hätte.«[484]

Der vom Standpunkt eines aufgeklärten Geschichtsverständnisses empörte Kommentar von Florian Sattler »verkennt« freilich die postmoderne »schöpferische Phantasielosigkeit«[485], die Geschichte als Reservoir allein für Reize begreift und somit auch »Anything-goes-Collagen« mit gutem Gewissen herstellt – wenn sie nur für ästhetische Kompensation sorgen. E contrario wird die ästhetische Gedanken-losigkeit eines Gerhard Merz auch deutlich, wenn man diese mit den Bildmontagen eines Künstlers wie Gottfried Helnwein kontrastiert; ihm gelingt es, die Mittel neuer Oberflächlichkeit (fotografischer Realismus, Comics, Science-fiction, kapitalistischer Realismus) so zu nutzen, und zwar durch eine beziehungsreiche, wenn auch plakative Vernetzung der Einzelbilder, daß dem postmodernen Ästhetizismus mit Hilfe des Ästhetizismus die Beliebigkeit ausgetrieben wird. Helnwein glaubt, daß Belehrung, Aufklärung und Sozialkritik das Bild seiner suggestiven Kraft berauben; nur das künstlerische Spiel (bei seinen Faschismusparaphasen die Mischung von Faszination und Schmerz, Verführung und Entlarvung) bewirke Katharsis.[486]

Als großer Gegenpol zur postmodernen Beliebigkeit gilt Joseph Beuys – zwar kein Aufklärer, aber ein bedeutender Guru kreativen Engagements. (Einen

Meister des Bluffs, ein Genie des Kundenleimens nannte ihn freilich Peter Rühmkorf.) Kein Künstler der Nachkriegszeit stand so wie Beuys im Mittelpunkt der Aufmerksamkeit; die Aura dieses »charismatischen Materialisten« speiste gleichermaßen die Verehrung seiner »Gemeinde« wie die Aggressivität seiner Gegner und Feinde.[487] Die Ausstrahlung des Mannes mit dem Filzhut wirkte nicht über den Umweg spiritueller Kommunikation, sondern erfolgte sozusagen direkt-dinglich: Er war ein Künstler zum Anfassen. *Was* er wie gestaltete, war weniger wichtig als *wie* er sich darstellte; mehr als das Profil von Beuys' Kunst beeinflußte die Physiognomie des Künstlers; dies machte ihn zum kongenialen Protagonisten der Medienwelt. Wenn er in Erscheinung trat, waren stets Rundfunk und Fernsehen präsent. 1972 besetzte er mit Studenten das Sekretariat der Düsseldorfer Kunstakademie, weil er den Numerus clausus nicht hinnehmen wollte (er wurde daraufhin vom damaligen Wissenschaftsminister Johannes Rau fristlos entlassen). 1974 ließ er sich, in Filz eingewickelt, in der New Yorker Dependance der Galerie René Block sieben Tage lang mit einem wilden Coyoten in einem käfigartigen Raum einsperren. 1977 diskutierte er hundert Tage lang auf der Kasseler documenta mit Besuchern über Kunst und Politik. 1982 wurden auf seine Veranlassung siebentausend Basaltsteine auf dem Gelände der documenta in Kassel abgeladen; für jeden Stein, den ein Käufer erwarb, wurde in der Stadt eine Eiche gepflanzt (was er »Stadtverwaldung statt Stadtverwaltung« nannte); als die Steine von Kunststudenten bei Nacht rosa übersprüht wurden, stellte er freilich Strafanzeige; die Reinigung der Steine übernahm die Stadtverwaltung. Im selben Jahr kaufte er von einem rheinischen Juwelier die Nachbildung der Zarenkrone Iwans des Schrecklichen, ließ sie einschmelzen und zu einem goldenen Hasen als Symbol des animalischen Lebens und des Friedens umformen.

Die Showseite dieses Selbstdarstellers, der auch nicht davor zurückschreckte, sich als Schlagersänger zu versuchen (was seine Gemeinde entsetzte), paßte in ihren Äußerlichkeiten psychotopographisch sowohl nach Bayreuth als auch nach Oberammergau; er bediente die maliziös-mokante Schickeria, die vor so viel Einfachheit und Naivität das Beben der Rührung ergriff, wie die anthroposophischen Marterl-Gläubigen, die Extravaganz als neuen Glanz von innen empfanden (zumal er die auf ihn einstürmenden Beschimpfungen und Aggressionen mit heiterem Langmut ertrug). Zu seinem 60. Geburtstag warnte ihn freilich Heinrich Böll, der mit dem Künstler freundschaftlich verbunden war, vor der Gefahr, daß die Armut zum Gewürz für aufgereizte Gaumen werde.

Die Vermarktung des Bürgerschrecks Beuys, mit Filzhut und Fliegerweste, wie ein Wanderprediger der Kunst durch den Jahrmarkt der Eitelkeiten schreitend, Eulenspiegel, Guru, »soziale Skulptur«, ließ oft den biographisch-ethischen Kern dieser Persönlichkeit vergessen. Im Zweiten Weltkrieg war Beuys als Stuka-Flieger über der Krim abgestürzt; seine wundersame Errettung verdankte er zwischen den Fronten nomadisierenden Tataren, die den Halberfrorenen aus den Trümmern gruben und den tagelang Bewußtlosen mit Talg salbten und mit Filz wärmten.[488] Die nach einer Operation eingesetzte silberne Schädelplatte bedeckte seitdem fast immer ein Hut. Dazu kam das religiöse Klima seiner Herkunft; christliches Erbe katholischer Prägung erwies sich als Gärstoff für die Entfaltung seiner Kunst. Messen, Prozessionen, Mysterien, Reliquien, Kreuze, Monstranzen, Kelche, Kerzen, Blumen, Weihrauch prägten Beuys' künstlerisches Zeichensystem, das, wie etwa die *Kreuzigung* 1962/63, von ergreifender Überzeugungskraft ist, weil es das Pomphaft-Katholische vermeidet und »heilige Einfalt« bekundet.[489] Die verwendeten »armseligen« Materialien wie Filz, Fett, Honig, Wachs, Eisen, Holz und andere »Elementarstoffe« erwiesen sich, unabhängig von individuell-mythischen Konnotationen, von reichem »Assoziationsüberschuß«; sie wurden von Beuys intuitiv, ja häufig in geradezu provozierender Absurdität verwendet zur Verdeutlichung höchst einfacher polarer Gegensätze: wie Wärme und Kälte, Empfänger und Sender, Geburt und Tod, weiblich und männlich, organisch und kristallin.[490] »In einer Zeit technokratischer Hybris lenkte Beuys den Blick auf sanfte Kräfte der Natur, weckte er Verantwortung für den Umgang mit den Gaben der Erde. Lichtphänomene und der rinnende Sand; Frieden und Früchte. Manchmal agierte er als Prophet, schrieb Lebensmaximen auf große Tafeln, wie in der Nationalgalerie in Berlin. Er predigte Einfachheit und die Achtung der Naturgesetze. So weckte er Verantwortung des einzelnen, und so entstand auch seine politische Bewegung der *direkten Demokratie*: realisierbar vermutlich nur in einer friedenswilligen Welt.« (Doris Schmidt)[491]

Künstlerisch tief beeindruckt von der auf kosmische Harmonie zielenden Bildhauerei Ewald Matarés, dessen Meisterschüler Beuys an der Düsseldorfer Akademie gewesen war, kommt er in seinen Zeichnungen, seinen »stillsten«, wohl aber bedeutendsten Arbeiten, dem Ganzheitlichen, das er unermüdlich theoretisch (reichlich verworren und kraus) propagierte, am nächsten. Aus philosophisch-anthropologischer Überzeugung heraus vertrat er den Grundsatz, daß jeder Mensch ein Künstler sei, Kreativität also den Grund menschlicher Existenz ausmache – so wie Pico della Mirandola den Menschen als seinen eigenen Schöpfer, als »plastes et fictor« (als Bildner und Gestalter seiner selbst) bezeichnet hatte.[492] In den USA empfand man dementsprechend Beuys weniger als Propheten der Zukunft denn als Magier aus dem Mittelalter, dessen Weltverbesserungsglaube der eines »politischen Luftmenschen«, des Parsifal von Düsseldorf, war.[493] In der übersättigten Medienwelt besaß Beuys als mystischer Entertainer besonderen Unterhaltungswert.

Daß das in den siebziger und achtziger Jahren von Erstarrung bedrohte künstlerische Leben in der Bundesrepublik einigermaßen »in Fluß« blieb, war dem Wirken Beuys' in entscheidendem Maße zu danken. So beeinflußte er auch die Fluxus-Bewegung, die unter klangkünstlerischem Vorzeichen, aus den USA kommend, eine Synthese von Kunst und Leben anstrebte (»Kunst ist Leben«). »Vor allem die ritualhaften und symbolträchtigen Aktionen von Joseph Beuys, die mit der *Sibirischen Symphonie* anläßlich des *Festum Fluxorum* in der Düsseldorfer Kunstakademie begannen, erbrachten ein Potential neuer Demonstrationsgesten, die wegweisend für die ›Performance‹ der siebziger Jahre werden sollten.«[494]

Matthias Koeppel, Beckmann kehrt zurück, 1983

Der Stachel des Todes drang tief in Beuys' künstlerische Existenz ein; in magischen Installationen verdinglichte sich seine traumatische Verletzbarkeit.

– Auf der Kunstbiennale in Venedig 1976 war *Tram Stop* Zitat eines Kriegerdenkmals aus dem Kindheitsort Kleve – Mahnmal des Erinnerns, zugleich Vollzug und Analyse des Erinnerns. »Kanonenrohr und klobige Bomben, obenauf die Plastik eines Menschenkopfs, ein archaisches Gesicht, stolz und angstvoll, klein über dem Kriegsgerät. Links davon eine abbrechende Eisenbahnschiene, Gedächtnisschiene, auf welcher Erinnerung dem Vergangenen nachfährt. Im Hintergrund die Spuren einer Bohrung in das Wasser der Lagune. Verbindung zu der venezianischen Lokalität. Drei Ansätze, jeder sofort bedroht von Zerfall, Abbruch, auch von Verzweiflung. Begütigend zusammenzufassen ist da nichts: So wenig, wie das Erinnern selber, schwerste Arbeit gegen den Tod, das Vergangene als kontinuierliche Einheit je wiederherstellen könnte.«⁴⁹⁵

– *Zeige deine Wunde* (im Münchner Lenbachhaus) ist ein vielteiliges Arrange-

Joseph Beuys,
Urschlitten mit Totengeistern, 1966

ment mit zwei realen Totenbahren, wie sie in Krankenhäusern benutzt werden, im Mittelpunkt; dazu Schiefertafeln mit ein paar magischen Worten; zwei Distellanzen, wie sie Hirten verwenden. Die merkwürdige, geradezu beklemmende Aura dieser ganzen Objektassemblage geht von den beiden Totenbahren aus, »deren zerbeultem Blech und abgestoßenem Gestänge man ansieht, wie viele Tote auf ihnen zu ›ihrem letzten Weg‹ gefahren wurden. Objekte, die deutlich machen, wie im Tode der Mensch wieder zum ›Objekt‹ wird«.[496]

– Bei der Raumplastik *Blitzschlag mit Lichtschein auf Hirsch*, postum – ein Lehmhaufen aus Bronze, ein flacher Wagen als »Ziege« deklariert, fünfunddreißig »Urtiere«, die eine silbrig glänzende Konstruktion auf vier Klötzen, den Hirsch, umgeben –, bei diesem »naturmythischen Raum, der sich zur Kälte neigt«, ein »Urzeit-Raum ohne Erinnerung«, werden mit wenigen kreatürlichen Formen die Zeichen einer drohenden Endzeit heraufbeschworen; Mahnung an die Fähigkeit zur Einsicht und zur Besinnung.[497]

Joseph Beuys, so Peter Iden beim Tod des Künstlers 1986, sei von unvergleichlicher Wirkung gewesen. »Was war an diesem Menschen und an seinen Erfindungen, das ihn zu einer der charismatischen Hauptfiguren der Epoche gemacht hat? In ihm kam vieles zusammen: eine extrem ausgeprägte, radikale Moralität, eine starke Begabung für das Sichtbarmachen realer Widersprüche und utopischer Gegengedanken in der Form der metaphorischen Setzung, also ein Sinn für die Notwendigkeit, im praktischen Leben die Idee der Transzendenz zu behaupten; schließlich, es ist auch das nicht zu unterschlagen, die Fähigkeit zur Selbststilisierung. Diesen Qualitäten eines aufs äußerste empfindlichen und zugleich unnachgiebig durchsetzungskräftigen Temperaments verband sich die Veranlagung, ja: die Lust zur pädagogischen, vermittelnden Anstrengung.«[498]

Nüchterner resümierte Hans Platschek Beuys' Wirkung: sie sei bedingt durch das steigende Interesse der Mittelschichten an der bildenden Kunst. Leute, deren Väter oder Großväter noch die kleinste Abweichung von der Sehkonvention als entartet beschimpft hätten, seien auch mit den verstiegensten Erfindungen nicht mehr zu schrecken. »Der Troß hat längst die Avantgarde eingeholt, anders gesagt: die Avantgarde hat einen Unterhaltungswert. Daraus erklärt sich, warum Beuys keine Mühe scheute, sich als ein Entertainer aufzuführen. Indem er der audience genau den Künstler vorspielte, den sie, eher schummrig noch, in den Köpfen hatte, eine Mischung aus Priester, Genie, Sozialhelfer, Quijote, bot er ihr das bißchen Metaphysik, ohne das sie offenbar nicht leben mochte.«[499] So konnte er – und dies macht ihn nicht zum Gegenpol, sondern zum eigentlichen Inbegriff der Postmoderne – Bezugsperson oder besser Projektionsfeld für all jene werden, denen Kunst als Kompensation willkommen ist. Der große Bluff ästhetisch vermittelter Mythen wird geglaubt; man fühlt sich »irgendwie« einer Ganzheit inkorporiert, die für Frag-würdigkeiten keinen Raum läßt. Die Beuys-Gemeinde empfand das Zur-Schau-Gestellte als Generator eines übersinnlich-seelischen Wärme- und Energiestroms. Rhapsodisch meinte Beuys' Künstlerkollege Günther Uecker: »Der Begriff Kunst und Leben fand in Dir den höchsten Ausdruck und ist nun verbunden mit Leben und Tod. Es lebe die Kunst.«[500]

Rückkehr zur mittleren Musik

In den sechziger und siebziger Jahren habe sich das Musikpublikum, zumindest ein bestimmtes, der Tyrannei der Avantgarde unterworfen und fraglos alles akzeptiert, was das bürgerliche Gehör herausforderte. »Boulez und Stockhausen wurden zu Ehrenwächtern unseres musikalischen Bewußtseins ernannt und heimische Traditionen etwa ein Jahrzehnt lang mißachtet, verhöhnt oder völlig ignoriert.« (Roger Scruton)[501] Die Avantgarde, die mit dem Anspruch auftrat, alle romantischen Exzesse zu heilen und damit das 19. Jahrhundert überwinden zu können, sei selbst Ausdrucksform einer zentralen romantischen Vorstellung – der Vorstellung nämlich, der Künstler stehe außerhalb der Gesellschaft, er sei besessen von neuen, erstaunlichen Erkenntnissen, die ihn über das Leben gewöhnlich Sterbender erheben und ihm als Züchtiger und Erlöser insgeheim alles erlauben würden.

Die These, daß die musikalische Avantgarde vor allem negativ motiviert gewesen wäre, mit Hilfe formaler Spielereien die Bourgeoisie und ihre Hörgewohnheiten habe »gleichsam liquidieren« wollen, reduziert die Substanz avantgardistischer Musik auf Oberflächenreiz; Willkür und innere Unordnung (als »Emanzipation der Dissonanz« ideologisch kaschiert) zielten auf die Beleidigung der bürgerlichen Zuhörerschaft, die man freilich als masochistisches Publikum für den Erfolg brauchte. Mag solches Urteil auch einseitig anmuten – richtig ist jedenfalls, daß in den siebziger und achtziger Jahren die Kluft zwischen avantgardistischer Musik und Publikum sich immer mehr auftat. In einem Gespräch mit Michel Foucault hat Pierre Boulez beklagt, daß das Publikum zeitgenössischer Musik einen »geschlossenen Kreis« darstelle; diese Interessengruppe habe ihre Kultstätten, Treffpunkte, Stars, einen speziellen Snobismus, hauseigene Rivalitäten und Vorlieben. »Lösen wir das Problem, wenn wir von der Musik in der Mehrzahl sprechen, von Musiken also, und uns etwas auf unseren weltumspannenden Eklektizismus zugute tun? Mir scheint, so läßt man das Problem nur in der Tasche verschwinden, was ganz im Sinne der fortgeschrittenen liberalen Gesellschaft ist. Jede Art von Musik ist prima, ist nett! Ach! Ist der Pluralismus in Sachen Kunst nicht phantastisch? Gibt es ein besseres Mittel gegen Verständnislosigkeit? So liebt denn, jeder in seinem Winkel, und ihr werdet euch gegenseitig lieben! Seid nur liberal, seid großzügig, akzeptiert den Geschmack anderer und man wird auch euren Geschmack akzeptieren. Alles ist gut, nichts ist mies; Wertunterschiede gibt es nicht, aber es gibt das Vergnügen. Diese Art, zu denken und zu räsonieren, gibt sich freiheitsliebend, verschärft aber in Wahrheit nur die Gettosituation. Sie gibt denen, die in einem Getto hausen, ein gutes Gefühl, zumal dann, wenn der Getto-Insasse die Möglichkeit hat, dann und wann einmal einen Voyeursblick auf die Gettos der anderen zu werfen.«[502]

Vom Standpunkt des in Anspruch genommenen »richtigen musikalischen Bewußtseins« aus definiert Boulez zeitgenössische Musik damit, daß die Kompositionen sich von dem freigemacht hätten, was einst für sie charakteristisch gewesen sei: Schemata, Zeichen, Anhaltspunkte, eine Struktur mit einprägsamen Wiederholungen. (Die Schemata der Form und des Vokabulars, die man aus heutiger E-Musik, der einstigen »gelehrten« Musik, getilgt habe, fände man heute in bestimmten Werken der Unterhaltungsmusik und in den Werken des täglichen musikalischen Konsums.)

Die zeitgenössische Musik strebe danach, aus jedem ihrer Elemente ein einmaliges Ereignis zu machen; darum sei für den Hörer Neuer Musik der Zugriff so schwer, das Wiedererkennen so problematisch. »Die Entwicklung ging in Richtung auf eine immer radikalere Erneuerung von Form und Sprache der Musik. Die neuen Werke wurden in ihrem Charakter singulär. Sie haben gewiß ihre Vorbilder, aber man kann sie nicht mehr auf irgendein von jedermann a priori akzeptiertes Leitschema zurückführen. Dies ist sicherlich ein Hindernis für die sofortige Verständlichkeit. Dem Hörer wird zugemutet, daß er sich mit dem Ablauf des Werkes vertraut macht, was voraussetzt, daß er es mehrere Male hört. Ist ihm der Ablauf vertraut, dann fallen das Verständnis des Werkes und die Wahrnehmung dessen, was es ausdrücken will, auf fruchtbaren Boden.«

Diesen »fruchtbaren Boden« sehen die Kritiker der modernen Musik ausgetrocknet. Wenn z. B. selbst ein so bekannter und kompetenter Musikpublizist wie Ulrich Dibelius in einem Musikquiz einen signifikanten Ausschnitt aus Karlheinz Stockhausens Komposition *Momente* nicht identifizieren könne, so mache dieses anekdotisch deutlich, daß die Musik nach 1945 nicht »im Ohr ist«;

sie existiere vor allem als Begriff, als Konstrukt; sei Ausdruck von Beliebigkeit, die sich die Aura von Einmaligkeit zulege. Auch für den modernen Komponisten wird die Frage lebenswichtig, ob gegenüber dem Singulären das an Versatzstücke gewohnte Publikum versage, oder ob das Publikum sich durch die nicht mehr nachvollziehbare, vor allem auch in ihrer Qualität nicht nachprüfbare Einmaligkeit düpiert fühle. Die revolutionäre Stringenz der Avantgarde schlägt um in postmoderne Richtungslosigkeit – entweder als Verkehrung des originären Ansatzes in sein Gegenteil, oder als Vollendung der bereits in diesem Ansatz enthaltenen »Unschärfe«. In einem Bericht über den 33. Internationalen Ferienkurs für neue Musik in Darmstadt (1986), eine Einrichtung, die für die Entwicklung der modernen Musik seit dem Ende des Zweiten Weltkriegs von größter kultureller Bedeutung war, sprich Wolf-Eberhard von Lewinski von dem Darmstädter Pluralismus als Signal für die neueste Musik.[503] Das Komponieren sei heute leichter geworden denn je; es gebe keine stilistischen Grenzen, kaum Materialbeschränkungen. Zu der Vorstellung, daß alles erlaubt sei, komme die Devise des »Alles ist möglich« hinzu. Kaum einer der jungen Komponisten wisse die gegebene Freiheit in der Wahl der Mittel und der Einfälle zu überzeugenden kompositorischen Resultaten zu nutzen. Lewinski zitiert den 1935 geborenen Avantgarde-Komponisten Helmut Lachenmann: »Als ich zum erstenmal nach Darmstadt kam – 1957 –, war ich vor allem fasziniert von der Konsequenz, mit welcher dort im engeren Kreise musikalisches Denken revolutioniert und neue adäquate Kompositionstechniken erarbeitet und diskutiert wurden, nicht nur ohne Rücksicht auf die Konflikte, die sich notwendig beim Publikum ergaben, sondern mit dem festen Willen, diesen Konflikt auszutragen, ohne von der Provokation bürgerlicher Tabus durch irgendwelche Tricks abzulenken.« Heute, kommentiert Lewinski, hätten es die jungen Komponisten fast zu leicht; sie erhielten zumeist viel zu früh und zu oft lukrative Aufträge, obwohl sie weitgehend auf sich selbst angewiesen seien, nicht mitgetragen von einer Art Schule oder Gruppe. Als symptomatisch mag da gelten, daß Lachenmann ein 1984 entstandenes Werk *Mouvement (vor der Erstarrung)* nannte und es selbst als eine »Musik aus toten Bewegungen« charakterisierte – »quasi letzten Zuckungen, deren Pseudoaktivität: Trümmer aus entleerten Rhythmen«. Die innere Erstarrung, die der äußeren vorangehe, sei hier angezeigt.

Was in den sechziger Jahren noch Sendungsanspruch war, nämlich die bürgerlich-musikalischen Normen und Stereotype zu zerschlagen, löst sich in atonale Konsumware auf, die freilich nicht wirklich konsumiert wird. Mäzenatentum, vor allem der öffentlichen Hand, ermöglicht meist die Erstaufführung; es kommt gar nicht mehr zur Zweitaufführung, geschweige denn zur Aufnahme ins Repertoire.

Mehr Erfolg haben diejenigen, die sich für eine »mittlere Musik« entscheiden. Hermann Danuser unterscheidet neben der »Moderne« (als Zeitraum von etwa 1890 bis zum Ersten Weltkrieg, mit Arnold Schönberg und Alban Berg) drei »Kulturen der Musik« als grundsätzliche Paradigmen komponierter artifizieller Musik im 20. Jahrhundert: die Tradition, die Avantgarde als Teil der Moderne, die »mittlere Musik«.[504] Diese Musikkulturen sind synchrone Teilkulturen, deren Verhältnis zueinander sich in Hinblick auf institutionelle Grundlagen und soziale Trägerschaften immer wieder verändert. Die Traditionsmusik definiert sich negativ dadurch, daß sie all das umfaßt, was außerhalb neuer (moderner, avantgardistischer) Musik liegt; musiksoziologisch gesehen bestreitet traditionale Musik den überwältigenden Teil aller Konzertprogramme. Affirmative Bildung hat dazu geführt, daß sie einen hohen Erkennungswert hat. Die Verbindlichkeit im Komponieren, der Kontrapunkt, das, was Foucault im Gespräch mit Boulez »Schemata, Zeichen, Anhaltspunkte, eine Struktur mit einprägsamen Wiederholungen« nennt, ermöglicht über tonale Kommunikation ästhetische Identifikation. Im bürgerlichen Gemeinwesen, so Scruton, diene die Musik als Lingua franca, die zu einem urbanen Einklang führe. Jeder Stil, jedes Detail, jede Regel sei Teil eines allgemeinen musikalischen Systems der Tonalität, das die verschiedenen Elemente zu einem Ganzen verbinde. Tonalität erweise sich als Symbol für eine umfassende Harmonie in der Stadt. Am Beispiel von Walthers Erfolg in Richard Wagners *Meistersinger* sei der Prozeß identitätsstiftender Tonalität in Form eines dialektischen Vorgangs ablesbar. »Walthers Erfolg bestand darin, daß er ein verständliches musikalisches Idiom schuf. Indem sein Lied verstanden wurde, wurde es Teil der Kultur, die er verachtet hatte. Als Hans Sachs den Ritter wegen seiner dünkelhaften Überheblichkeit tadelt, verweist er auf die Bedeutungslosigkeit einer Kunst, die kein Publikum hat, einer Kunst, die sich über die Zuhörerschaft und die Bindung hinwegsetzt, die jene vereint. Eine Kunst, die die Kultur der Stadt verachtet, verachtet auch die soziale Existenz, die Kultur ermöglicht. Die aristokratische Geringschätzung des gewöhnlichen Lebens ist eine zweischneidige Waffe. Denn indem sie sich gegen die Gesellschaft richtet, wendet sie sich auch gegen sich selbst. Sie zerstört den sozialen Zusammenhang, der allen individuellen Gesten, wie originell und großartig sie auch sein mögen, erst die Bedeutung gibt.

Walther fügt sich und erhält seinen Preis. Tatsächlich hat er ihn auch verdient. Denn im Verlauf der Oper dringen Fragmente seiner ›endlosen Melodie‹, musikalische Wendungen, chromatische Fragen und Antworten, eine freie Ruhelosigkeit von Ornament und Rhythmus langsam in die Begleitmusik ein und befreien sie von der ihr vorgeworfenen Erstarrung. Erneut setzt der Chor ein, bestätigt die wechselseitige Abhängigkeit von alt und neu, von Originellem und Konventionellem und erinnert uns daran, daß das pompöse C-Dur-Theater der Meistersinger im Grunde den natürlichen ›Generalbaß‹ zu Walthers Lied bildet. Tonalität triumphiert und wird in ihrem Triumph gleichzeitig transformiert.«[505]

In diesem Sinne, nämlich als kompositorische Synthese von These und Antithese, kann man traditionale Musik bereits als »mittlere Musik« bezeichnen – nämlich als eine solche, die im dreifachen Wortsinne aufhebt: bewahrt, überwindet, »erhöht«. Die Musikkultur der Tradition umfaßt dabei die verschiedensten Ansätze, Bestände, Komponisten, Gattungen und Werke. »Teils leitet sich ihr Musikbegriff – wie bei Hans Pfitzner – kontinuierlich aus dem 19. Jahrhundert her, teils ist er – wie beim späten Paul Hindemith – restaurativ gefärbt, teils setzt er sich – wie es für den Eklektizismus einer ›gemäßigten Moderne‹ (die keine Moderne im strengen Sinne darstellt) zum Beispiel bei Benjamin Britten charakteristisch ist – aus Traditionsbeständen unterschiedlichster historischer Provenienz zusammen, wobei neobarocke, neoklassische, neoromantische Momente sich vielfältig mischen können. Und die ›Neue Ausdrucksmusik‹, die in den siebziger Jahren von einer jungen deutschen Komponistengeneration durchgesetzt wurde, stützt sich bei ihrem Rekurs auf Gattungen und Stilprinzipien der Vergangenheit wiederum auf ein eigenes Konzept von Tradition.« (Hermann Danuser)[506]

Die postmoderne Jugend bekennt sich weniger zu Alban Berg als zu Richard Strauss. Spielerisch-gelöste Unbefangenheit, leidenschaftliche Innigkeit, auch rasende Turbulenz (wie etwa in dessen *Metamorphosen*), gelten mehr als anarchistische Atonalität und strukturelle Revolution. In diesem Sinne kann auch ein Altmeister wie Rolf Liebermann mit seinem Spätwerk *Der Wald* reüssieren, da in ihm eben eine Musik erklingt, die verschiedene tonale Stile synkretistisch zu gegenseitiger Durchdringung bringt. Die bürgerliche Oper habe, so hieß es nach der Uraufführung in Genf (1987), eine neue Komödie mit Musik für ihr Repertoire gewonnen, das wie Straussens *Capriccio* bei geschmackserpichten Kennern große Resonanz finden werde.

In einer progressiven Gesellschaft müsse das Verhältnis 75 Prozent neue Musik und 25 Prozent alte Musik sein; andernfalls nehme Musik an der geistigen Evolution nicht teil. Stattdessen habe die globale Verschmutzung mit »Abfallmusik« ungeheuer zugenommen; die Neue Musik verliere dagegen nahezu alle frühere Unterstützung für Aufträge, Studio-Budgets, Aufnahmen, Aufführungen. Die wichtigsten Schallplattenfirmen kündigten ihre langjährigen Verträge mit Komponisten und Interpreten Neuer Musik; wichtige Studios für elektronische und experimentelle Musik verlören ihre Mitarbeiter; Rundfunk- und Fernsehprogramme würden zunehmend um die Programme Neuer Musik reduziert. Das Musikleben bestehe nahezu ausschließlich aus traditioneller Musik oder Popmusik. Die berühmtesten Interpreten, ihre Manager und die Manager der Musikindustrie weigerten sich, zeitgenössische Musik aufzuführen. Derart pessimistisch beurteilt Karlheinz Stockhausen, einer der konsequentesten und rigorosesten Vertreter der Avantgarde, die Situation zeitgenössischer Musik, die sich dergestalt im Niedergang bzw. Absterben befinde. Statt der musikalischen Evolution zu dienen, zehre man wieder von dem dreihundertjährigen Bankkonto der Musikliteratur.[507]

Aber auch Stockhausen, der 1955 gefordert hatte, Anton Webern zum Maßstab zu nehmen (»Kein Komponist kann sich heute und in Zukunft mit gutem Gewissen unter das sprachliche Niveau dieser Musik begeben, und Unkenntnis enthebt einen nicht der Verantwortung«), auch Stockhausen, der Protagonist und Propagandist »montierter« elektronischer Musik, hat sich schrittweise aufs »Kompositorische« zurückbewegt. Deshalb werde er wieder, hieß es in einer Besprechung der Uraufführung seines »gelösten, stellenweise geradezu grazilen Werkes« *Evas Zauber* (beim Metzer Musikfest 1986), von Smokingherren dezent umschwärmt.[508] Vor allem hat sich Stockhausen mit seinem Riesenopus *Licht* (dessen Fertigstellung er für das Jahr 2000 prognostiziert und bei dem *Evas Zauber* das Teilstück eines Teilstücks darstellt) ganz der New-Age-Welle mit Anspruch auf Idyllik überantwortet. Auf sieben Abende, korrespondierend mit den Wochentagen, hat der Komponist seine Weltdarstellung allumfassender Art, vergleichbar Goethes *Faust* und dem Wagnerschen *Ring*, angelegt. »Es gibt vieles, das geschrieben ist, gesagt ist, überliefert ist von Leuten, die klug gewesen sind und die davon berichten, wie man sich in einen menschlichen Leib inkarniert und wie man seine Schule als Mensch durchmacht in einem bestimmten Milieu, wie man eine bestimmte Tätigkeit oder mehrere wählt für diese ganz kurze Zeit, und wie man sich dann wieder vorbereitet auf die Lösung vom Körper, was man dazu tun kann, diesen Moment des Abschieds und Neubeginns richtig vorzubereiten, und daß man dann wieder für eine bestimmte Zeit, die man auch selbst bestimmt durch seinen Willen und sein Verhalten, entweder in einer nicht nach unseren menschlichen Vorstellungen beschreibbaren körperlichen Form als geistiges Wesen existiert oder sich ganz löst von der Vorstellung, einen in Zeit und Raum definierten Körper haben zu müssen. Dieser Durchgang des Lebens ist, muß ich sagen, vom ersten Tag meines Bewußtseins der zentrale Sinn meines Lebens. Es ist das Faszinierendste, weil es das Geheimnisvollste ist.«[509] Nach der szenischen Uraufführung von *Montag* an der Mailänder Scala 1988 – von dort waren auch schon *Donnerstag* 1981 und *Samstag*, verlegt in den Sportpalast von San Siro, 1984 aufgeführt worden – schrieb Wolfgang Schreiber in der *Süddeutschen Zeitung*: »›Zeremonie und Magie‹ sind dem ›Montag‹ zugeordnet. Am Ende, dem Sonntag, werden stehen ›Licht – Intuition, Wille – Kraft‹. Es sind die eigenartigen Vermischungen und Verschmelzungen, die dem Stockhausenschen Werk seine Unverwechselbarkeit geben: die Amalgamierung von Konstruktivität und Poesie, von Rätselcharakter und Anschaulichkeit, von Frömmigkeit und Kalkül, kindhaftem Spiel und Sphärenklang. Stockhausens Unbeirrtheit, Unbedingtheit hält an dem eigentümlichen Weg und an dem eigenen Zauberton fest.«[510]

Mit der Versenkung in New-Age-Mystik regrediert Stockhausen von der Position der Avantgarde auf die Position der Arrieregarde, die jedoch beim postmodernen Richtungswechsel neuerdings vorn liegt, nach inwärts und rückwärts orientiert. Der »begabte und clevere, alle Praktiken ästhetischer, technischer, organisatorischer und propagandistischer Art perfekt beherrschende Musiker«[511] schlüpft in die modische Rolle des Mystagogen und Gurus, der Ganzheitsbedürfnisse kompensatorisch abdeckt.

Für die Avantgarde als Teil der Moderne bedeutet Traditionskritik, nach Hermann Danuser, den selbstgenügsamen Akt der Negation, in dem die abendländische Kunstüberlieferung zurückgewiesen und die Möglichkeit neuer ästhetischer Erfahrung erprobt wird, nicht selten angeregt von Elementen außereuropäischer Kultur. Insofern Neue Musik als Avantgarde über die Darstellungsmittel hinaus auch die »Institution Kunst« zu revolutionieren trachtet und sich vor allem der Kategorie des in sich geschlossenen Kunstwerkes widersetzt, erhebt sie den Anspruch auf eine musikalische Gegenkultur, die dem geheimen Klassikideal der »Moderne« entsagt.[512]

Als einer der »letzter Mohikaner« solcher Avantgarde erweist sich John Cage, der dementsprechend bei all denjenigen, die den spiritualistischen bzw. pseudo-spiritualistischen (spirituell-dekorativen) Rückvorwärtsweg der Postmoderne zum beliebigen Gesamtkunstwerk nicht mitzugehen bereit sind, hoch geschätzt bleibt.

Die Ehrfurchtslosigkeit gegenüber der Tradition inspirierte Cage zu völlig neuen Klangbildern und Musikformen, die er zum Teil mit Computerhilfe und auf selbstgeschaffenen Instrumenten spielen ließ; (*Water Music*, 1952, war für einen Pianisten komponiert, der laut Spielanweisung außerdem ein Radiogerät, Pfeifen, Wasserbehälter, ein Kartenspiel, einen hölzernen Stock und Materialien zur Präparation des Klaviers gebraucht). Die Befreiung der Musik von »klassischen Fesseln«, verbunden mit der Emanzipation des Geräuschs, ließen Cage zu einer Vaterfigur der avantgardistischen Musik werden – mit starkem Einfluß auf die bundesrepublikanische Musikszene. Dies führte auch dazu, daß der WDR zu seinem 75. Geburtstag (1987) eine 24stündige Radio-Hommage darbot.

Die Alt-Avantgardisten, u. a. György Ligeti, Giselher Klebe, Milko Kelemen, Wilhelm Killmayer, Mauricio Kagel, Dieter Schnebel, Aribert Reimann, Bernd Alois Zimmermann, wirkten kaum schulbildend; sie stellen isolierte Einzelgänger dar, deren Werk kaum fortgesetzt wird. (Immerhin konnte 1986 Zimmermanns *Requiem für einen jungen Dichter*, sechzehn Jahre nach dem Freitod des Komponisten, in der neuerbauten Kölner Philharmonie zum drittenmal vorgestellt, einen Achtungserfolg erzielen.)

Eine gewisse Akzeptanz findet, trotz des auf tonale Harmonie tendierenden Gesamttrends, avantgardistische Musik dann, wenn sie es versteht, sich nicht nur als »begriffliche Konstellation«, sondern »sinnlich« zu legitimieren. Bei der 1986 uraufgeführten *Troades*-Oper von Aribert Reimann (der schon seit 1978 mit seinem *Lear* einen festen Platz im modernen Musiktheater einnimmt) war es wohl weniger die Qualität der Orchestersprache, die den Erfolg brachte; vielmehr, wie bei Stockhausens *Licht*-Zyklus, die synästhetische Bombastik der Inszenierung: »ein gewaltiges abendländisch aufgedonnertes Staatsopern-Spektakel, eine bildungstheatralische full-power-Antike zum besseren Zweck«.[513]

Wolfgang Rihm – der Komponist wurde erstmals 1974, damals 22jährig, bei den Donaueschinger Musiktagen mit *Morphonie* für Streichquartett und großes Orchester einer größeren Öffentlichkeit bekannt – versucht Dissonanzen durch »Jovialität« (Umgänglichkeit) auszugleichen. Reibung schaffe zwar schöpferische Energie; aber um Härten, Widrigkeiten, das Anstößige zu dokumentieren, brauche man nicht mit Steinen zu werfen; durch Freundlichkeit seien die Freiräume zu schaffen. Auch bei Rihm ist der postmoderne Trend zur synästhetischen Inszenierung unverkennbar:

»Wie kann ein Komponist anders, wenn er von neuem Musiktheater spricht, als träumen. Von Möglichkeiten und Entwicklungen. Wenn ich von einem neuen Musiktheater träume als einem Theater der Bilder, der Klangzeichen und trau-

matischen Rufe, als einer diskursiven Verlängerung des Traumes in die Wirklichkeit, dann träume ich auch auf sehr reale Möglichkeiten hin:

auf einen Darstellertypus hin, der im erweiterten Sinne des Schauens und
Spielens mächtig ist und dessen Stimme vor Gesang und Schrei nicht versagt;

auf einen Raum hin, in dem die Bilder aufsteigen und vergehen können, einen
Traumraum;

auf eine Dramaturgie der Inspiration hin, die das Drama hervorbringen hilft
und die entstehenden Fragmente koordiniert, ohne sie aber zu verbinden;

auf Texte hin, aus denen sich Musik brechen läßt, ohne daß sie Schritte
vorzeichnen, Denkräume und Schauräume verstellen durch vorexerzierte Kausalität;

auf Freiräume hin, in denen all dies, ohne Ziel, entstehen kann.«[514]

Vom neuen Musiktheater brauchte Hans Werner Henze nicht zu träumen; er
ist sein herausragender Protagonist; freilich nicht als Vertreter der Avantgarde,
sondern als Pfadfinder und Bahnbrecher »mittlerer Musik«. Deren Erschei-
nungsform ist im allgemeinen wie bei seinem Schaffen in Hinblick auf den
Kunstanspruch zu definieren: durch einen mittleren Stilhöhenbereich zwischen
dem »Oben« der absoluten Kunstmusik und dem »Unten« schierer Trivialmusik,
zum anderen in Hinblick auf den Stand des musikalischen Materials durch eine
mittlere Position zwischen dem »Vorn« einer strikten (freien oder dodekapho-
nen) Atonalität und dem »Hinten« einer traditionellen funktionsharmonischen
Tonalität. »›Mittlere Musik‹ als die Funktionsmusik einer Zeit, die durch die
Kluft zwischen Avantgarde und Kulturindustrie gekennzeichnet ist, enthält ein
Neben- und Nacheinander vielfältigster Ansätze innerhalb eines stilistisch und
gattungsmäßig weitgespannten Bereichs von Musik. Die Liturgie (im Rahmen
der Kirchenmusikbewegung), die neuen Medien (Radio, Film), aber auch Pädagogik und Politik, richten an die Musik je bestimmte Funktionsansprüche.
Damit gehört die ›mittlere Musik‹, die Idee einer Musik, in welcher ein (nicht
autonomer) Kunstgehalt mit einer bestimmten Funktionserfüllung zur Deckung
gebracht werden könnte, zu den charakteristischen Paradigmen im 20. Jahrhundert.« (Hermann Danuser)[515]

Henze, von Kritikern als erfolgreichster bundesdeutscher Tonsetzer der Nachkriegszeit bezeichnet, komponierte seine ersten Werke im Geiste Strawinskys
und Hindemiths, näherte sich der Zwölftontechnik Schönbergs und wandte sich
dann, vor allem unter dem Einfluß italienischer »Sinnlichkeit« – seit Ende der
sechziger Jahre lebt er in San Marino bei Rom –, von der seriellen Musik ab.
Seine kompositorische Arbeit – darunter Symphonien, Klavier- und Violinkon-
zerte, Werke für Kammerorchester und zahlreiche Ballettmusiken, vor allem
Opern wie *König Hirsch* (1952/1955), *Der Prinz von Homburg* (1958, mit einem
Libretto von Ingeborg Bachmann), *Elegie für junge Liebende* (1959/1961), *Der junge
Lord* (1964), *Die Bassariden* (1965), die Kinderoper *Pollicino* (1980) – verbindet in
raffinierten Arrangements Tonalität und Atonalität. Nachdem er 1968 mit seinem Che Guevara gewidmeten Oratorium *Das Floß der Medusa* seine Zuwendung zur politischen Linken demonstriert hatte – als Musiker wollte er am

»größten Kunstwerk der Menschheit, der Weltrevolution«, mitwirken – und im *Spiegel* der Nerz- und Smoking-Society bekanntgab, daß er sich nun nicht länger mehr von ihr an die Brust nehmen lasse, setzte er sich im Laufe der Tendenzwende in den siebziger und achtziger Jahren von der Weltrevolutionsidee schrittweise wieder ab, ohne deshalb das Festivalpublikum, das ihm stets treu geblieben war, blindlings zu bedienen.

Der Grund für Henzes generationenübergreifenden Erfolg bei der aufs Höhere hin transzendierenden nivellierten Mittelstandsgesellschaft, mit ihrer neuerdings postmodernen Befindlichkeit, dürfte in seiner Maxime liegen, daß eine Musik nicht scheußlich klingen muß, um modern zu sein. »Es genügt nicht, komplizierte musikalische Vorgänge zu komponieren, die in sich selbst vielleicht ganz faszinierend sind, wenn das Hörresultat diese Art von Realität im Stich läßt und alles Papier bleibt, Theorie, und grau klingt; wenn die Transparenz und die Tiefen fehlen, wenn alles durch ein Zuviel zu einer unhörbaren Masse von Klängen wird, die nicht mehr für sich den Anspruch erhebt, miterlebbar zu sein. Dann kommt es zu einer Art monomanischer Selbstgenügsamkeit – und die finde ich eigentlich für moderne Menschen in einer Welt, die reich an Forderungen und Problemen ist, nicht ausreichend. Der Verzicht auf den Hörer ist gleichzusetzen mit dem Verzicht auf die Musik, denn die Musik ist ein Faktor der Kommunikation, die von einer Stelle ausgeht und das Echo nötig hat, die Antwort.« Wenn man an die Massen denke, solle man sich nicht einen Riesenhaufen von Leuten vorstellen, die alle blöd seien; man müsse sich in der Masse jede einzelne Person als ein sensibles Individuum vorstellen, dem es zwar schlecht gehe, weil man ihm viele Dinge, auf die er ein Recht hätte, von Haus aus, von Geburt, von der Tatsache seiner Existenz her, vorenthalte. Jeder Mensch jedoch müsse »mit dem gleichen Respekt und mit der gleichen Achtung behandelt werden, gerade von den Künstlern! Und banale Kunst für die Massen, das ist eine Beleidigung!«[516]

Vom Standpunkt der rigorosen Avantgarde aus wurde Henze, auch wenn er etwa in seiner Oper *Wir erreichen den Fluß* (1974-1976, nach einem Libretto von Edward Bond) atonaler Aleatorik voll Tribut leistete, als Gegner oder zumindest Abtrünniger des musikalischen Fortschritts bewertet, zumal er stets neuromantische und neoklassizistische Anklänge zeigte. Dies alles, so Hans-Klaus Jungheinrich in einer Würdigung des Schaffens von Henze, anläßlich seiner Oper *Die englische Katze* (1983), sei kein hilfloses Herumtasten oder auch leeres, klapperndes Klingeln in und mit abgenutzten Mustern, hohl gewordenen Ausdrücken, zu Floskeln erstarrten konventionellen Gesten. Vielmehr belade sich diese Musik mit Geschichte, mit Erinnertem und Erfahrenem, mit vulgärem, populärem Ton und esoterischen, äquilibristischen Gestalten, um das alles zu verwandeln und zu verschmelzen in lebendigster, theaterhafter, spielerisch maskenseliger und kontrastreich realistischer Üppigkeit, Pracht, Sinnlichkeit und Luzidität. Der fanatischen Dürre des vom Gesetz diktierten eindimensionalen (formalisierbaren) Diskurses setze Henze den Wildwuchs und die Unberechenbarkeit seines musikalischen »Lebens« entgegen. »Die Henzesche Musik geht niemals in Räuschen auf (schon gar nicht in den reduziert-somnambulen, der minimal music), sondern schafft sich die spannungsgeladene Dialektik einer zugleich vernünftigen, ›logischen‹, aber auch fintenreichen, nervösen und gefühlsdurchwetterten ›Sprache‹.«[517] Bei Henze gerät die Mehrfachkodierung zum geistreichen, auch ironischen Spiel mit Tradition, die im »Aufheben« ernstgenommen wird; das macht ihn zum Repräsentanten »moderner Nervosität« und postmoderner Urbanität.

Demgegenüber erweist sich Krzysztof Penderecki, einst mit an der Spitze der Avantgarde, zunehmend als eindimensionaler Prophet der Wendezeit, weshalb er sich einer zunehmenden Jüngerschaft in der bundesrepublikanischen Musikszene, vor allem beim Konzertpublikum und bei der konservativen Kritik, erfreut. Damals, so der *Spiegel* im Vorspann zu einem Gespräch mit Penderecki (1987)[518], »im Herbst 1962, hatte die Avantgarde noch kecken Elan und Lust am Putsch. Unter andächtigem Staunen der Zunft führte ein Neuling, namens Krzysztof Penderecki, beim Gipfeltreffen der Neutöner in Donaueschingen sein jüngstes Stück vor: ›Fluorescences‹, ein, wie der Titel ausmalte, virtuoses Spiel mit leuchtenden, gebrochenen, raffiniert wechselnden Klangfarben. Damals war Aufbruchsstimmung. Pierre Boulez probierte den Fortschritt von Schönbergs Zwölftonlehre zu aleatorischen Techniken. György Ligeti versuchte die Mischung von intellektuellen Dogmen und sinnlichen Extravaganzen. Mauricio Kagel komponierte, nicht ohne Augenzwinkern, für ›Diapositivbilder und eine unbestimmte Anzahl von Schallquellen‹, Karlheinz Stockhausen setzte mit ›Sinusgeneratoren und Ringmodulatoren‹ seine tönende Himmelfahrt in den Kosmos fort. Vom Unverständnis des philharmonischen Establishments angestachelt, notierten die Avantgardisten von damals nur aus dem Kopf: Der Bauch war verpönt, die Seele tabu. Happenings wurden Mode, ›Performances‹ die Regel. Es war die Zeit, da Charlotte Moorman barbusig ihr Cello strich. Überall, in Donaueschingen und Darmstadt, in den Nachtprogrammen des Rundfunks und auf den Studiobühnen engagierter Festspiele, war jeder Neutöner willkommen – und auch fast jeder Scharlatan. In verschworenen Zirkeln tat sich Ungehörtes und Unerhörtes. Glaubenskriege entzweiten die Zunft. Die neue Musik wurde – buchstäblich – groß geschrieben.« Heute gilt Penderecki nicht mehr als hochrespektiertes Liebkind bei den avantgardistischen Treffs, sondern als ein auf Tradition setzender Populist, »die singende Säge zum alten Eisen geworfen, die Kuhglocken durch Kirchenglocken ersetzt, den radikalen Schwenk vollzogen von schrillen Geräuschen zu klarem Dur und sachtem Moll«. Die vom »avantgardistischen Verräter« enttäuschten, vom Populismus der »mittleren Musik« erschreckten Kollegen und Kritiker nennen ihn »Penderadetzky«, der die ›tonalen Paarhufer‹ (Helmut Lachenmann) anführe, der Einlaß finde in die Mailänder Scala und das Salzburger Festspielhaus, der vor allem im Schoß der Mutter Kirche die Wende der Tonkunst in Gang setzte – ad maiorem Penderecki gloriam.

»Ich habe«, so Penderecki im *Spiegel*-Gespräch, »Jahrzehnte damit verbracht, neue Klänge zu suchen und zu finden. Gleichzeitig habe ich mich aber auch mit Formen, Stilen und Harmonien der Vergangenheit auseinandergesetzt. Beiden Prinzipien bin ich treu geblieben: Ich probiere immer noch Neues aus, vor allem mit den Streichinstrumenten und der menschlichen Stimme, und ich greife immer häufiger auf Traditionelles zurück. Mein derzeitiges Schaffen ist eine Synthese.« Ob dies nicht Eklektizismus sei? »Nach meiner Meinung ist in unserem Jahrhundert genug experimentiert worden: mit atonalen Mitteln, mit aleatorischer Technik, mit Elektronik. Das habe ich alles hinter mir, es interessiert mich nicht mehr. Ich fühle, daß wir wieder an einem Fin de siècle stehen und daß es Zeit für einen prägnanten, das 20. Jahrhundert kennzeichnenden Stil ist, wie ihn schließlich alle Epochen gehabt haben. Den müssen wir endlich finden. Ich tue das Meine dazu.« Ob Werke von John Cage, Pierre Boulez, Luigi Nono oder Karlheinz Stockhausen Qualitätsmangel zeigten? »Als ich 1961, nach vielen abschlägigen Bescheiden auf meine Paß- und Visumanträge, zum erstenmal nach Darmstadt reisen konnte, stieß ich dort zu meiner Verblüffung auf 95 Prozent Dilettanten. Darmstadt war zwar sicher sehr wichtig, die Zeit damals eine bedeutende Ära des Aufbruchs und der Experimente. Am Ende aber haben nur zwei, drei Komponisten den ganzen Zirkus überstanden und etwas für die Musik Bedeutendes geschaffen . . . Nach dem Krieg, da waren Strawinsky, Nono, Schönberg, Webern neu und aufregend. Alles das war ein Schock für mich, der Schock des Überraschenden. Alles, was damals en vogue war oder kam, habe ich mit dem größten Interesse verfolgt. Wenn ich heute Zeit und Lust habe, Musik zu hören, dann Bach oder Olivier Messiaen. Messiaen ist ein ganz großer Komponist, zweifellos schon ein Klassiker . . . Vielleicht noch György Ligeti, Henze und Reimann. Aber danach kommt sehr lange nichts . . . Wissen Sie, ich bin leidenschaftlicher Botaniker und besitze in Polen ein Anwesen von zehn Hektar Land, das ich hege und pflege. Ich würde dort tausendmal lieber einen Baum pflanzen, als mir Musik von Stockhausen anzutun.« Ob er denn nun, auf dem Weg zum Weltruhm, dem Publikum vor allem die erwarteten reinen Harmonien ins Ohr träufle? »Nicht nur das Publikum hat ein Verlangen nach reinem Dur – ich auch. Ich wollte nicht ewig Cluster schreiben oder eine dichte, undurchsichtige Harmonik. Ich bin ja auch kein großer Verehrer von Arnold Schönberg. Schönberg war sicher wichtig, aber alle die Schönberg-Nachfolger und -Nachahmer und die ganzen Darmstädter Jünger der sogenannten Schönberg-Schule kann man vergessen. Bei denen ist alles falsch gelaufen, in eine Sackgasse . . . Ich finde es einfach grundsätzlich falsch, daß in der Neuen Musik die harmonischen Spannungen nicht aufgelöst werden. Es ist banal und dumm. Ein Unisono nach einem atonalen Akkord ist doch etwas Wunderbares, wo man sich regelrecht entspannt und aufatmet.«[519]

»Mittlere Musik« im Zeichen der Postmoderne ist damit generell – wenn auch persönlich-biographisch – charakterisiert: Mit Henze hat sie ihre avantgardistische Affiliation erhalten; in Pendereckis Position kulminiert der neue Harmoniepopulismus. Hatte die Avantgarde mit der Verabsolutierung »begrifflicher Musik« sich in die Isolierung getrieben, war die Tradition in Form affirmativer Serviceleistung (mit Herbert von Karajan als bedeutendem liturgischen Vermittler) im epigonalen Ritual erstarrt, so steht nun die »mittlere Musik« vor der Frage, ob sie ihre bedeutende Funktion als Verbindung zwischen Tradition und

Moderne kreativ wahrzunehmen bereit ist, oder dem Reiz-vollen die Substanz opfert – also auch von Las Vegas zu lernen beabsichtigt. Der Musikbetrieb, meinte der *Spiegel*, schwenke mit aller Kraft zurück: »Zum spätromantischen Bombast Gustav Mahlers, zum parfümierten Flitter von Richard Strauss, hinter die dezenten Klangschleier der französischen Impressionisten und in den unverbindlichen Klassizismus eines Bartók, Strawinsky und Prokofjew. Bei der im Frühjahr 1986 veranstalteten ›Wintermusik in Karlsruhe‹ – offizielles Thema: Tonalität – nannte der aus Estland stammende Wahl-Berliner Arvo Pärt seine neueste Schöpfung zwar noch ›Tabula rasa‹, tischte aber jede Menge gefälliger Floskeln aus dem neobarocken Schatzkästlein auf. Der Belgier Karel Goeyvaerts klitterte über weite Strecken tonale Akkorde ›Zum Wassermann für vierzehn Spieler‹, ›Spatzenkonzert der Postmoderne‹, zwitscherte dazu der Philosoph Peter Sloterdijk, die ›Süddeutsche Zeitung‹ titelte, in Anspielung auf einen Vortrag von Wolfgang Rihm: ›Auch in der Musik – Glykol.‹«[520]

Jenseits journalistischer Zuspitzung hatte schon 1983, im Rückblick auf die siebziger Jahre als dem »gegenständlichen Jahrzehnt«, Josef Häusler in der vom »Deutschen Musikrat« herausgegebenen, für die Musikgeschichte der Bundesrepublik maßgeblichen Schallplatten-Anthologie *Zeitgenössische Musik in der Bundesrepublik Deutschland* die Frage gestellt: »Gelangen wir in eine neue ›romantische Ära?‹« Krzysztof Pendereckis spektakuläre Wendung von *De natura sonoris* zum Violinkonzert, von der Materialerprobung zum pastosen Romantizismus, wirke geradezu paradigmatisch; und diese Tendenz werde entscheidend von der jungen Generation mitgeprägt.[521] Gerhard R. Koch meinte im selben Werk: Im Glauben an das große, bedeutsame, in der Bindung an Traditionen über diese hinausweisende musikalische Kunstwerk legten Komponisten wie Aribert Reimann, Erhard Grosskopf, Günter Bialas, Hans-Jürgen von Bose, Ulrich Stranz, Wolfgang von Schweinitz, Manfred Trojahn, Peter Ruzicka, Tilo Medek, Peter Kiesewetter, Wolfgang Rihm, mehr oder minder aggressiv, keinen Wert auf experimentell-elektronische Prozeduren, auf gesellschaftskritische Ansätze, auf Improvisation, graphische Notation, Geräuschaktionismus, Zufallsoperationen, Instrumentales Theater, U- und außereuropäische Musik. So sicher sich sagen lasse, daß eine Summe gemeinsamer Ablehnungen einiges über die kollektive Richtung verrate, so dürfe man freilich auch nicht die Gegensätze bei der sich neu formierenden, durch die »neue Lust am Alten« geprägten Neuen Musik übersehen; sie seien groß genug: »etwa altersmäßig zwischen Bialas und Hans-Jürgen von Bose, zwischen der Komplexität Reimanns (nicht zuletzt seines ›Lear‹) und dem auf die Kräfte traditioneller (Spiel-)Muster bauenden Medek oder zwischen den sublimen vokalen Verstörungswelten Ruzickas und den nostalgischen Landschaftsbeschwörungen Trojahns, zwischen der skeptisch-differenzierten Klangbewegung bei Grosskopf und der gag-artigen Tschaikowsky-Collage Kiesewetters. Und auch zwischen dem Wettern von Reimanns ›Lear‹ und dem gewiß nicht zufällig an Mozart orientierten orchestralen Feinschliff von Wolfgang von Schweinitz liegen Welten der Vorstellungskraft, der Konstruktion, des Ausdrucks und der Klanggestalt.«[522]

Als die Komponisten der jüngeren Generation gegen Mitte der siebziger Jahre auf den Plan traten, wirkte ihre Musik, so Wolfgang Schreiber, im Vergleich zu den Strukturkomplikationen, den Klangflächen und den experimentellen Haltungen der beiden Jahrzehnte zuvor, fast schockierend »einfach«. Die Vermutung, daß hier in Zitaten oder einzelnen tonalen Wendungen, in der Instrumentalsprache und den Form- und Gattungstypen, kurz: in der Negation fast aller Avantgarde-Traditionen, ziemlich unmittelbar an die klassisch-romantische Vergangenheit angeknüpft werde, war zunächst vorherrschend. Dennoch wurde das Etikett von der »Neuen Einfachheit«, vom Westdeutschen Rundfunk bei einem Musik-Wochenende geprägt und zunächst rasch aufgegriffen, schließlich von den meisten der Komponisten als Schlagwort bald verschmäht. Einig waren sich die Jungen, die es zu keiner geschlossenen Gruppenbildung kommen ließen, auch in der Beurteilung eines Komponisten, der bisher eher in der Stille gewirkt hatte und den jetzt viele von ihnen als eine Art Vaterfigur betrachteten: Wilhelm Killmayer.

Schreiber sieht in Wolfgang Rihm, dem produktivsten unter den jungen Komponisten, eine musikalische Befindlichkeit am Werk, die – im Sinne der hier von Hermann Danuser übernommenen strukturierenden Terminologie – »mittlere Musik« in ihrer vermittelnden Funktion zwischen Tradition und Avantgarde zu personifizieren vermag: Rihms Verhältnis zur Tradition sei spontaner, sein Bedürfnis nach Direktheit des Ausdrucks stärker als das der meisten seiner Altersgenossen. Sein Credo heiße: »Musik muß voller Emotion sein, die Emotion voller Komplexität.« Musik werde so zum Ort des Widerstandes, zum Tribunal der Klage und Trauer um einen zerstörten Menschen. »Wolfgang Rihms lyrisch-rebellische Musik könnte, wie die vieler Komponisten seit den siebziger Jahren, verstanden werden als der Versuch, dieser Einzelstimme des Subjekts – so schwach sie auch in der Welt ertönt – eine Möglichkeit von Hoffnung zu geben.«[523] Postmoderne Beliebigkeit wäre damit aufs unvollendete Projekt der Aufklärung »vorwärts zurückgedacht«.

Die magischen Kanäle

»Simulation« stellt einen Schlüsselbegriff der Postmoderne dar: Vielfachwahrheit und Mehrfachkodierung legen das »Durchspielen« verschiedener Möglichkeiten nahe; ob man dabei auf den Kern, die Essenz, die Substanz trifft, bleibt offen – ist eher, angesichts phänomenologischer Überfülle und institutionalisierter Standpunktlosigkeit, unwahrscheinlich. Wir leben, so Bernd Guggenberger, in einer Simulationsgesellschaft, einer Gesellschaft, die beim allermeisten, womit sie beschäftigt sei, nur so tue als ob. Sie simuliere Schönheit und Sicherheit, Schicksal und Schrecken, Freiheit und Abenteuer, ja sogar Arbeit und Liebe: Seit sich die Arbeit von der Notwendigkeit losgesagt habe, werde sie vorwiegend als Beschäftigung simuliert – die Arbeitsgesellschaft entpuppe sich als gigantische

»Übungsfirma«, die einen immer größeren Anteil ihrer Mitglieder dafür bezahlt, daß ihre Fähigkeiten und Kapazitäten nicht genutzt werden. Bundeswehr und Bauern sind nur die Spitze eines Eisbergs aufwendiger Scheinaktivität, und die Liebe schließlich, »dieses größte aller Abenteuer«, sei, wohl unrettbar, zwischen die Mühlsteine von Zweckbündnissen auf der einen und Zufallsarrangements auf der anderen Seite geraten: Wir simulierten Liebe wahlweise als »Partnerschaft« oder als »Beziehung«.[524]

Mit Beginn der siebziger Jahre gewinnt »Simulation als zweite Wirklichkeit« eine große politische und kulturelle Bedeutung: Die »magischen Kanäle« – im gleichnamigen Buch (1964) hatte der kanadische Kommunikationswissenschaftler Marshall McLuhan auf die verändernde Kraft der Übermittlungsformen hingewiesen (»Das Medium ist die Botschaft«) – verändern durch die ihnen eignen intensiven Formen der Information und Manipulation das individuelle und kollektive Bewußtsein wie Unterbewußtsein. Vierzig Jahre nach dem Siegeszug des Rundfunks zeigte sich damit erneut die »Ambivalenz des Fortschritts im Informationswesen, einer neuen zweiten oder dritten ›Aufklärung‹ nun auch der Massen, welche weit über die Möglichkeiten der klassischen Aufklärung und des Zeitungszeitalters, ja in mancher Hinsicht sogar über die Revolution des Buchdrucks hinausging. Man konnte hören, ›daß die Erfindung des Radios größere Verantwortung mit sich bringt als die Erfindung der Atombombe‹ (Carl Friedrich von Weizsäcker 1950). Nun aber stellte die Ausbreitung des Hör- und Bildmediums alle bisherigen ›Medien‹ in den Schatten. Die Zahl der Geräte in der Bundesrepublik wuchs schnell, wenn auch fast ein Jahrzehnt später als in den USA.«[525] 1955 gab es 13,5 Millionen Radioapparate, 0,3 Millionen Fernsehgeräte; 1975 21,1 Millionen Radioapparate und 19,2 Millionen Fernsehgeräte; fast 90 Prozent der westdeutschen Haushalte waren »telekratisch« erreichbar. Nach dem »Kennedy-Effekt« – den Besuch des amerikanischen Präsidenten 1963 in der Bundesrepublik hatten schon mehrere Millionen über den Bildschirm live erlebt – brachte die unmittelbare Präsenz des Vietnamkriegs und der Protestbewegung in den deutschen Wohnzimmern den ersten großen Höhepunkt des neuen Fernsehzeitalters, dessen Ambivalenz in seiner verkürzenden Aktualität, sekundären Authentizität, fiktiven Glaubwürdigkeit, insgesamt in seiner simulierenden Überzeugungskraft besteht. Bei der den audiovisuellen Verblendungszusammenhang aufdeckenden Kulturkritik unterscheidet Hans Magnus Enzensberger vier hauptsächliche Varianten (wobei er selbst freilich aus dem Lager dezidierter Aufklärung in das Lager affirmativer Phänomenologie überwechselte):

– Die Manipulationsthese betont die ideologische Dimension der Medien, die mit Hilfe bestimmter Inhalte bei einem passiv sich verhaltenden Publikum falsches Bewußtsein erzeugen.

– Die Nachahmungsthese unterstellt, daß der Medienkonsum vor allem sittliche Gefahren mit sich bringe; man gewöhne sich an Libertinage, Verantwortungslosigkeit, Verbrechen und Gewalt; die subjektiven Folgen seien abgestumpfte, verhärtete und verstockte Individuen, die objektiven der Verlust sozialer Tugenden und allgemeiner Sittenverfall.

Kurt Halbritter,
Abendprogramm, 1974

– Die Simulationsthese beinhaltet, daß der Zuschauer durch die Medien außerstande gesetzt werde, zwischen Wirklichkeit und Fiktion zu unterscheiden.

– Die Verblödungsthese, die Medienkritik insgesamt summierend, konstatiert, daß das Fernsehen nicht nur das Kritik- und Unterscheidungsvermögen, nicht nur die moralische und politische Substanz seiner Nutzer aushöhle, sondern auch ihr Wahrnehmungsvermögen und ihre psychische Identität zerstöre; produziert werde ein neuer Mensch, den man sich, je nach Belieben, als Zombie oder Mutanten vorstellen könne.[526]

Die mit dem Fernsehzeitalter verbundene Dehumanisierung hat der amerikanische Medienwissenschaftler Neil Postman, der mit seinen Büchern in der Bundesrepublik großes Aufsehen hervorrief, als Folge eines neuen Analphabetentums bezeichnet. Die Denkfähigkeit gehe zurück, ohne daß dies zunächst bemerkt werde. Die Show produziere bewußtloses Glück; sie ist Unterhaltung, eine künstliche Welt, sorgfältig inszeniert, um eine bestimmte Reihe von Effekten zu erzielen, so daß das Publikum entweder lachend oder weinend oder verstört zurückgelassen werde. Ziel ist die Verwandlung des Menschen zum

Kitschmenschen. Wie das Fernsehen die Welt inszeniert – das wird für uns zum Vorbild dafür, wie die Welt richtig aussehen soll. In Amerika drängten bereits alle Formen des gesellschaftlichen Lebens danach, wie Fernsehshows zu sein, oder wenigstens das Potential dazu zu haben. Kultur verkommt zur Burleske, zur Peep-Show; wird eine Angelegenheit zum Tot-lachen. Die neuen Medien werden dafür sorgen, daß man sich zu Tode vergnügt; zumindest stirbt der Mensch in seiner geistig-seelischen Kreativität. Neil Postman denkt dabei vor allem an die Kinder, die ihre Kultur, die ja vor allem eine solche der Phantasie ist, verlieren.[527]

Der deutsche »Sonderweg«, der durch die alliierte Rundfunkgesetzgebung der unmittelbaren Nachkriegszeit bestimmt war, schloß zunächst die Privatisierung (Kommerzialisierung) der Medien aus. Auch das Zweite Deutsche Fernsehen, seit 1963, war mit Hilfe des Eingreifens des Bundesverfassungsgerichts so strukturiert worden, daß das Konkurrenzverhältnis zur ARD nicht zu einem Absinken der Programmqualität führte. Die Zugeständnisse an den Show-charakter des Fernsehens (unter Beeinträchtigung seiner aufklärenden Funktion) waren zwar sowohl beim ZDF als auch bei der ARD bemerkenswert; ein Umschlag in Informationsverschmutzung fand jedoch nicht statt. Daß ein Quiz-master wie Hans-Joachim Kulenkampff seit 1953 (bis zu seinem Abtreten 1987) sich größter Beliebtheit erfreute – ein liberal-freundlicher Entertainer, der stets besinnlich-heiter, nie aggressiv-dekuvrierend ins Wohnzimmer kam –, zeigte genauso wie das Ansehen von Hans Rosenthal (»die Menschen liebten ihn, weil er sie liebte«) die angenehm provinzielle Atmosphäre des deutschen Fernsehens; seine Qualität bestand nicht zuletzt darin, daß es – außerhalb kommerzieller Nötigung – den Mut zum Unsensationellen aufbringen konnte; das Netz des biedermeierlich-guten Geschmacks war so dicht gespannt, daß ein Absturz in inhumane Geschmacklosigkeit abgefangen wurde. Die Fernsehprogramme er-wiesen sich als so »farbig«, daß die Einschaltquoten den Erfolg des Tele-Volksvergnügens garantierten; zugleich zeigten die Abschaltquoten, daß die Sogwirkung des Mediums in Grenzen blieb, seine »Langweiligkeit« eine gewisse Immunisierung gegenüber seinem Usurpationsanspruch bewirkte. Die Ameri-kanisierung der Serien bedeutete zwar eine bedenkliche Entwicklung – wobei *Dallas* quasi zu einer Gattungsbezeichnung für die Produktion des Trivialen wurde[528]; doch konnte der amerikanische Kulturimperialismus in Grenzen ge-halten werden. Immerhin gelang auch, neben vielen ansprechenden anderen Serien, mit Hilfe des Westdeutschen Rundfunks und des Senders Freies Berlin die Produktion der deutschen Chronik *Heimat* als elfteiliger Film (von Edgar Reitz, unter Mitarbeit von Peter Steinbach), der 1984 zu einem umjubelten Erfolg wurde. *Heimat*, so der *Corriere della sera*, sei ein unendlich langer Film, der, wie ein Fluß, ohne einen einzigen Augenblick zu langweilen, vorbeifließe: »Welche Ausdruckskraft, welche ethische Konsequenz, welche Erzählerkunst!«[529] ARD und ZDF betrieben mit ihren kulturellen und politischen Magazinsendungen das Projekt der Aufklärung weiter – unter »Anleitung« von couragierten, sachlich fundierten Redakteuren und Moderatoren (für die stellvertretend Dieter Schwar-zenau, Franz Alt, Dagobert Lindlau, Hansjürgen Rosenbauer, Claus Hinrich

Casdorff, Reinhard Appel, Horst Schättle genannt seien). Der Berichterstattung über außen- und innenpolitische Geschehnisse sowie deren Kommentierung kann, bei allen Einseitigkeiten (für die vor allem das *ZDF-Magazin* von Gerhard Löwenthal berüchtigt war), »republikanisches Niveau« bescheinigt werden.[530] Informativer Pluralismus charakterisierte auch den *Internationalen Frühschoppen*, der über fünfunddreißig Jahre lang von Werner Höfer geleitet wurde. Fatal wirkte sich freilich der zunehmende Einfluß der Politik bei Stellenbesetzungen aus; Ausgewogenheit wird in zunehmendem Maße als »Auftrag« empfunden, heiße Eisen nicht aufzugreifen. Das Verschwinden politischer Kultur im Fernsehen ist auch daran abzulesen, daß kein einziger der erschütternden Skandale dieser Republik von Fernsehsendern mit ihren großen redaktionellen Apparaten recherchiert und aufgedeckt worden ist.

Das Kabarett blieb auf den Fernsehschirmen präsent und brisant; Dieter Hildebrandt, Werner Schneyder, Gerhard Polt erwiesen sich weiterhin, trotz oder wegen gelegentlicher redaktioneller Eingriffe (etwa Ausblendung des Bayerischen Rundfunks bei der von Hildebrandt gestalteten Berliner *Scheibenwischer*-Sendung) als Fernsehlieblinge der Nation. Das galt auch für Friedrich Nowottny, der, ehe er Intendant des Westdeutschen Rundfunks wurde, den *Bericht aus Bonn* moderierte und hier, wie bei anderen politischen Sendungen, mit feiner Ironie (ohne Beimischung von Zynismus), journalistische Souveränität bewies und Politik auch für diejenigen interessant machte, die vom Bildschirm eigentlich nichts als Unterhaltung wünschten.

Die bei aller berechtigten Kritik insgesamt hohe Qualität des deutschen Fernsehens – mit einem Spektrum, das von einem Mann wie Karl-Heinz Köpke als *Tagesschau*-Chefsprecher bis zu Eberhard Fechner, als größtem »Künstler« der Sozial- bzw. Kulturreportage reichte – wurde Ende der achtziger Jahre durch politische Entscheidung, die die Kommerzialisierung der Medien einleitete, schwerstens beeinträchtigt – im Etikettenschwindel »Privatisierung der Medien« genannt. Private Hörfunk- und Fernsehsender als Teil totaler »Verkabelung« betreiben in Form kulturindustrieller Profitmaximierung die Minimalisierung aufklärerischer Massenkommunikation. Im Kampf um die Einschaltquoten, unter Einschätzung des Publikums als weitgehend gehirnloser, aber warenästhetisch gut steuerbarer Konsumentenmasse, wird am Medienklientel Zeitdiebstahl betrieben. Das Defizit an Lebenssinn wird nicht aufklärend abgebaut, sondern mit Hilfe eines hektischen Service, in dessen trivialmythischem Repertoire vor allem der Fetischcharakter der U-Musik für die Regression des Hörens sorgt, »überspielt«.[531] Der Verkabelungswahn der Kohl-Regierung, so Oskar Negt, sei die absurde Spitze der kulturellen Wende, die, gleichsam kontrapunktisch, »der bewußt entfesselten Wirtschaftsdynamik nach den räuberischen Regeln des Manchester-Liberalismus als Legitimationsfassade aufgesetzt ist. Dieselben Kräfte, die einer Traditionalisierung der Kultur das Wort reden, in deren Folge Familie wieder den Status einer Grundzelle der Gesellschaft erhalten soll, arbeiten mit äußerster Betriebsamkeit daran, die Wohnungen und Häuser noch stärker als bisher mit den vorfabrizierten Programmen der Kulturindustrie einzudecken –

was mannigfaltige Wirkungen haben mag, aber mit Sicherheit nicht die eine, daß jetzt in den durch Mediendruck zusätzlich verengten Beziehungsparzellen der Familien Gelegenheit und Bereitschaft wachsen, kulturelle Eigentätigkeiten zu entwickeln und über Probleme sich zu verständigen, die eigene Lebensinteressen berühren.«[532]

Für Bernd Guggenberger wird der Bundesrepublikaner als Fernsehkonsument immer mehr zum »Zerstreuungspatienten«. Die Lebensmacht »Fernsehen«, zusammen mit den Folgen der Mikroelektronik- und Computerrevolution, bedeute einen »Angriff« auf das Wesen der Menschen, auf die Gesamtheit seiner Lebensäußerungen und seines Weltverhaltens. Eine fernsehfreie Realität gebe es bereits nicht mehr; die »Freizeitkatastrophe« in Gestalt einer lähmenden Passivisierungs-Katastrophe durch exzessiven Fernseh- und Videokonsum sollte mindestens ebensosehr beunruhigen wie das Waldsterben.

Fernsehsucht münde in Lebensfrust. Wie andere Drogen, erzeuge auch das Fernsehen selbst die Leiden, die es via Unterhaltung vergessen machen wolle. Die Verführungskunst des Mediums beruhe darauf, daß es uno actu krank mache *und* salviere, daß es uns unterhaltungsbedürftig mache *und* Unterhaltung biete. Das Fernsehen sei die fragwürdige Stundentherapie wider Frust und Ohnmacht, die es fortlaufend selbst hervorbringe. »Ausgerechnet eine Gesellschaft mit einem historisch ganz unvergleichlichen Tradierungs- und Innovationsbedarf wie die unsere leistet sich den fragwürdigen Luxus, den größten Teil ihrer Mitglieder systematisch der Realität zu entfremden, ihnen jedwede Form von Anstrengung vorzuenthalten, jede ›Zumutung‹ ans eigene Mit-Denken und Mit-Gestalten, jeden Appell an die eigene Verantwortung, jede ›Nötigung‹ der Vernunft und des Gewissens sorgfältig zu vermeiden, indem sie das Panorama des Lebens mit dem Zuckerguß der Unterhaltung überzieht. Wie kann eine Gesellschaft, die mit dem Ensemble ihrer politischen und sozialen Einrichtungen auf den ›mündigen Bürger‹ setzt, so sehr vergessen, daß Mündigkeit nicht ohne Wissen und Urteil, ohne Phantasie und Tatkraft, ohne Anstrengung und Selbstüberwindung besteht?« Guggenberger verweist mit Recht darauf, daß das »Anything goes« der Postmoderne sich in besonderem Maße in der Telekratie erfülle. Es avanciere zum kategorischen Imperativ der notorisch Erkenntnis- und Urteilsgeschädigten; vor allem mit Hilfe der Kommerzialisierung von Rundfunk und Fernsehen wird der pädagogisch beflissenen Aufklärung endgültig der Garaus gemacht. »Das Fernsehen ist der Motor einer rundum populären Trivialisierung, die alles mit allem bis zur Unkenntlichkeit mischt. Es fungiert als der große Gemischtwarenladen der Motive und Meinungen, der Ideen und Stile, der konsequent Eindeutigkeit durch Masse ersetzt (›Einschaltquote‹) und damit die Beliebigkeit ins Grenzenlose wuchern läßt: Nur die Fernsehwerbung bringt es fertig, Gulaschfix mit Schumanns ›Arabeske‹ zu kombinieren, und nur die postmoderne Zeitgeist-Avantgarde einen McDonald's-Besuch als Kult(ur)ereignis zu inszenieren.«[533]

Hochdruck für die Presse

Was Marshall McLuhan zu Beginn der sechziger Jahre mit Triumph und Mitte der achtziger Jahre Neil Postman mit Trauer festgestellt hatte, daß nämlich der Siegeszug des Fernsehens der Lesekultur ein Ende bereite, wurde durch die Entwicklung in der Bundesrepublik in den siebziger und achtziger Jahren nicht bestätigt. McLuhan hatte das Fernsehen als eine Befreiung von den negativen Folgen des Buchdrucks, der Vorherrschaft des logisch-analytischen Denkens und als Zuwendung zu einer ganzheitlichen Erlebnisweise begrüßt *(Die Gutenberg-Galaxis)*. Vor allem die gleichbleibend hohen Auflagen von Zeitung und Zeitschrift machten – neben der ständig steigenden Buchproduktion – deutlich, daß das gedruckte Wort vom Fernsehzeitalter unbeeinträchtigt blieb.

1984 gaben in der Bundesrepublik Deutschland 386 Zeitungsverlage 1267 »redaktionelle Ausgaben« von Tageszeitungen – bei 125 Vollredaktionen (»Kopfblätter«) – mit einer verkauften Auflage von 21 083 100 Exemplaren heraus. 1954, als das Fernsehen bundesweit eingeführt wurde, lag die Auflage der Tagespresse bei 13,4 Millionen Stück; 1982 wurde die Zahl von 21 Millionen erreicht; von den überregionalen Abonnementzeitungen betrug 1984 die Auflage der *Süddeutschen Zeitung* 343 600, der *Frankfurter Allgemeinen Zeitung* 325 500, der *Welt* 205 000, der *Frankfurter Rundschau* 189 000.[534] Der Konkurrenzdruck, verstärkt durch die Kommerzialisierung von Hörfunk und Fernsehen, hatte jedoch hinsichtlich publizistischer Qualität negative Folgen. Der Sensationsjournalismus, der sich mit »Sex and crime« während der Wirtschaftswunderzeit extensiv entwickelt hatte und mit der *Bildzeitung* ein besonders erfolgreiches Organ zeitigte, verstärkte sich. Heinrich Bölls Erzählung *Die verlorene Ehre der Katharina Blum oder: Wie Gewalt entstehen und wohin sie führen kann*[535] – die Skrupellosigkeit einer bestimmten Presse wie die Publikumsgeilheit, die keine menschlichen und geschmacklichen Grenzen mehr kennt, anprangernd – war schon zur Zeit ihrer Veröffentlichung, 1974, eine realistische Schilderung des journalistischen Niedergangs. Den vorläufigen Tiefpunkt dieser Entwicklung brachte das Geiseldrama von Gladbeck (1988): zwei Kidnapper bzw. Killer waren auf ihrer Flucht durch die Bundesrepublik, bei der sie zwei Menschen umbrachten, ständig von einem Pulk von Presse-, Hörfunk- und Fernsehreportern umgeben. Die Statements und Interviews der Schwerverbrecher wurden, unter Behinderung der Polizei, als makabres Medienspektakel inszeniert.[536]

Die von den westlichen Alliierten nach Kriegsende geschaffene Presse- und Medienstruktur hat trotz solcher Fehlentwicklungen insgesamt ihre republikanische Konsistenz und Solidität nicht verloren. Neugründungen bzw. Umorientierungen im Zeitschriftenwesen bewirkte die politische Polarisierung durch die Protestbewegung bzw. ihre Vor- und Nachläufer. Neben einer anarchistischen oder linksengagierten Minipresse entwickelten sich zu publizistischen Zentren der Kapitalismuskritik und Emanzipationstheorie die Zeitschriften *Alternative, Das Argument, Kürbiskern, Kursbuch, Ästhetik und Kommunikation*.[537] Diese überstanden freilich nur dann die Tendenzwende, wenn sie – wie etwa das von Karl

Markus Michel und Harald Wieser (später Tilmann Spengler) unter Mitarbeit von Hans Magnus Enzensberger herausgegebene *Kursbuch* – eine besondere thematische Flexibilität zeigten. Die Theoriemüdigkeit bzw. -feindschaft innerhalb der Alternativbewegung entzog zudem Zeitschriften mit dezidiertem Überbaudenken einen Teil ihrer Wirkungsmöglichkeiten. Als die von Hildegard Brenner herausgegebene Zeitschrift *Alternative* 1982 ihr Erscheinen einstellte, hieß es im *Editorial*: »Die sich innerhalb der sozialen Protestbewegung zur Wehr setzen, machen keinen Gebrauch von dem, was wir produzieren. Damit verliert eine Zeitschrift wie ›Alternative‹ nicht nur ihr Publikum, sondern auch ihre Funktion.«[538]

Die Alternativszene schuf sich vor allem in den Stadtmagazinen (z. B. *Pflasterstrand, Plärrer, Schädelspalter, zitty, Tip*) ein eigenes Sprachrohr – mit teilweise hohen Auflagen. Anders als manche Boulevardblätter mit ihren Blut-, Skandal- und Sexgeschichten wählten diese ihre Themen überwiegend aus dem direkten Umfeld ihrer Leser, weshalb sie sich als meist zuverlässige Barometer der jeweiligen politischen und gesellschaftlichen Stimmungslage junger Leute erwiesen. »Diese Vorgabe wird noch durch stilistische Besonderheiten betont: In der Ichform abgefaßte ›Betroffenenreportagen‹, Verbalinjurien gegen verachtete Personen wie politische Gegner und die Verwendung einer szenentypischen Sprache sind alltäglich.« Daß der von der Friedensbewegung für 1983 ausgerufene »heiße Herbst« unspektakulärer verlief als erwartet, registrierten die meisten Alternativ-Zeitungen mit Bedauern; überregionale Reizthemen wie die Filmförderungspolitik von Zimmermann oder die Affäre Kießling wurden lustvoll-polemisch kommentiert. »So viel Mut wie der ›Plärrer‹ aus Nürnberg, der sich seinerzeit äußerst scharf mit den Massenverhaftungen im Jugendzentrum ›KOMM‹ (1981) auseinandersetzte und durch die Veröffentlichung polizeiinterner Akten Bürodurchsuchungen und Beschlagnahmungen in Kauf nehmen mußte, haben freilich nicht alle Publikationen. Zunehmend häufiger suchen Stadtzeitungen die Mitte zwischen brisanten Reportagen und Unterhaltung.«[539]

Durchsetzen konnte sich auch die *taz* als alternative Tageszeitung (seit 1979); sie sei – so wurde ihr selbst von rechtskonservativer Seite bescheinigt – als maßgebliches Meinungsorgan der Linken im Vergleich zu orthodoxen Blättern geradezu erfrischend, realitätsnah, sachlich und umfassend.[540] Die *Frankfurter Allgemeine Zeitung* lobte den Mut und die Kraft der *taz*, ideologisch unbequemen Wahrheiten ins Gesicht zu sehen und aus ihnen Konsequenzen zu ziehen. Trotz Geldmangels und vielfacher Schwierigkeiten mit den Lesern (z. B. Feministinnen, Autonomen, Hausbesetzern, die verschiedentlich die Redaktionsräume verwüsteten), habe sie die Fähigkeit zur Veränderung bewiesen. Das sei freilich nicht nur auf die in der Szene so oft beschworenen individuellen Lernprozesse zurückzuführen, sondern auch auf einen raschen Wechsel der Beteiligten. Viele der dogmatischer denkenden *taz*-Gründer hätten das Blatt mittlerweile enttäuscht verlassen; manche seien halb und halb unfreiwillig ausgeschieden. An ihre Stelle seien nun vor allem Pragmatiker getreten; das Ziel der meisten scheine heute nicht eine ganz andere, bessere Welt zu sein, sondern zunächst einmal eine andere, bessere Zeitung. Im Blick auf »Teufels Traumfrau« – »eine neue Zeitung ist die Frau meiner Träume seit '67« (Fritz Teufel) – bemerkt Michael Sontheimer, der lange Zeit der *taz*-Redaktion angehörte, die er freilich gerade aus pragmatischen Gründen verließ: »Zwei Jahre Redaktionsarbeit und ich war ein Vertreter des ›Realjournalismus‹, wie unlängst jene, die für Professionalisierung und effektive, hierarchische Arbeitsorganisation eintreten, von ihren ›autonomen‹ oder ›linksradikalen‹ Antipoden getauft wurden. Ich verlangte Unabhängigkeit von der eigenen Klientel, die mit ausdauernder Unbotmäßigkeit die Redaktionsräume besetzte und demolierte, um uns wieder auf die richtige Linie zu bringen. Ich fand es unehrlich und ermüdend, eine Heimatzeitung für linksradikale Heimatlose zu machen, die ein statisches Weltbild zum gefälligen Wiederkäuen vorsetzt, in der Richter und Staatsanwälte immer Schweine und Angeklagte prinzipiell unschuldig sind, es sei denn, sie sind Polizisten, Neonazis oder Vergewaltiger. Eine Zeitung ist eine Zeitung und keine Partei, schon gar nicht Hoffnungsträger der Revolution, behaupte ich trotzig und kämpfe als enttäuschter Liebhaber gegen Windmühlen, deren Flügel mit Zeitungspapier bespannt sind, auf denen in großen roten Lettern *die tageszeitung* steht.«[541]

Während die Regenbogenpresse »Surrogate für eine mündige Nutzung freier Zeit« anbietet und die in der Wohlstandsgesellschaft grassierende Langeweile durch eine Mischung von »Heim und Welt« zu vertreiben sucht – während also das Unterhaltungsbedürfnis vieler Frauen in der nivellierten Mittelstandsgesellschaft auf »Bewegung ohne Anstrengung« ausgerichtet ist[542] –, gelang es den feministischen Zeitschriften seit Mitte der siebziger Jahre, auf provokante und diskursive Weise das Informationsdefizit der traditionellen Medien bei Frauenproblemen auszugleichen und ein emanzipatorisches Gegengewicht zu schaffen. 1970 erschien in Berlin die erste Frauenzeitschrift *Pelagea* (nach Brechts *Die Mutter. Leben der Pelagea Wlassowa*), herausgegeben vom »Aktionskreis der Befreiung der Frau«. 1976 erfolgte der große Durchbruch mit *Courage*, die schon ein Jahr später eine Auflage von 55 000 Exemplaren monatlich aufwies. Die seit Februar 1977 von Alice Schwarzer edierte Zeitschrift *Emma* wurde mit 200 000 Exemplaren zur zweitgrößten feministischen Zeitschrift der Welt. Parallel dazu gründeten Frauen eigene Buchverlage, wie etwa Frauenoffensive München (1976). Frauenliteratur wurde auch für die traditionellen Verlage wichtig: Seit 1977 gibt es bei S. Fischer die Taschenbuchreihe »Die Frau in der Gesellschaft«, 1978 folgte Rowohlt mit »neue frau« und »frauen aktuell«, ab 1980 Ullstein mit »Die Frau in der Literatur«. Nach einem Höhepunkt 1983 mit 59 periodisch erscheinenden Publikationen fiel die feministische Frauenpresse kurz danach auf den Stand von 1977 zurück. *Courage* mußte 1984 ihr Erscheinen einstellen, *Emma* lieferte 1986 nur noch 60 000 Exemplare aus. Ein Grund für den Auflagenschwund dürfte darin zu sehen sein, daß zwei Drittel der Publikationen ausschließlich in Frauenbuchläden, Frauenzentren oder anderen Projekten der Frauenbewegung erhältlich sind. »Hinzu kommen theoretische Ansprüche, die allein schon vom Sprachniveau derart kompliziert vermittelt werden, daß sie besonders für junge Frauen nicht mehr nachvollziehbar sind. Gerade junge Frauen sind es auch, die sich in Zeiten hoher Arbeitslosigkeit Publikationen nicht leisten können oder wollen, deren Preis trotz überwiegend kostenloser Arbeit der Macherinnen wegen geringer Auflagen verhältnismäßig hoch ist.«[543]

Der anwachsende »Erfahrungshunger« spiegelte sich auch in der Zunahme der Publikumszeitschriften, die seit Anfang der siebziger Jahre die Zahl ihrer Titel verdreifachen und die Auflagenhöhe vervierfachen konnten (mit über 1300 Titeln und 40 Millionen Exemplaren pro Woche)[544] und, auf unterschiedlichem Niveau, die verschiedensten Interessenswellen (z. B. Gesundheit, Sport, Umwelt, Hobby, Emanzipation, Ökologie, Esoterik, Mode, Life-style) »auffingen«. Die aktivsten unter den großen Zeitschriften-Verlagen – zwischen 1974 und 1984 zu einem Fünftel an neuen Titeln mit über 100 000 Exemplaren Auflage beteiligt – waren seit 1975 Gruner & Jahr sowie die Verlagsgruppe Bauer mit zwölf, Springer mit fünf und Burda mit vier Neugründungen.[545]

»Dauerhaftigkeit der Kurzlebigen« bestimmte die Lage der Kultur- und Literaturzeitschriften (»Eine geht, eine kommt«).[546] Über eine längere Zeit erstreckte sich der Niedergang des 1978 wiederbelebten *Monat* (zuletzt in Form von Themenheften im Beltz-Verlag herausgebracht). *Trans Atlantik*, von Hans Magnus Enzensberger mit ins Leben gerufen, offen für modische Attitüden, ohne klare Linie, scheiterte ebenso wie der Versuch von *Westermann's Monatsheften*, ein »Magazin für Intelligenzler« zu werden (eingestellt 1987).[547] Dagegen konnte sich der *Merkur*, dessen Redaktion von Hans Paeschke 1979 auf Hans Schwab-Felisch und 1983 auf Karl Heinz Bohrer überging, unter Fortführung der bisherigen Linie, bei verhältnismäßig geringer Auflage (5000) halten; desgleichen zunächst *L'80*, als *L'76* von Heinrich Böll, Günter Grass und Johano Strasser ins Leben gerufen, bei einer Auflage von etwa 6000 Exemplaren; (eingestellt 1988). Die *Frankfurter Hefte* verschmolzen 1985 mit der sozialdemokratisch orientierten *Neuen Gesellschaft*. Mit dem Tod von Eugen Kogon 1987 verlor die deutsche Publizistik einen ihrer bedeutendsten Vertreter; als »kongenialer Partner seines Freundes Walter Dirks, als Mentor von zwei Generationen bürgerlicher, christlicher Intellektueller, die diese zwei bedeutenden Republikaner mit der Arbeiterbewegung zusammenbringen und vom Bourgeois zum Citoyen erziehen wollten«[548], hatte Kogon seit April 1946 die *Frankfurter Hefte* mit herausgegeben.

Nach der Protestbewegung mit ihrer antiliterarischen Grundstimmung entstanden wieder viele literarische Blätter, darunter auch sehr kleine (wie *Geflechte*, *Flaschenpost, park, Dschungelblätter, Flugasche, Flattersatz, Hessischer Literaturbote, Passauer Pegasus*); am bekanntesten wurden *Schreibheft, Litfaß* und *Tintenfaß*. Für die Kontinuität literarischer Geschmacksbildung sorgten die *Akzente* (nach Walter Höllerer und Hans Bender von Michael Krüger herausgegeben), die *Neuen Deutschen Hefte, Sprache im technischen Zeitalter, Theater heute*. Eine Reihe von Zeitschriften wurden Taschenbuchreihen integriert: *Litfaß* der Serie Piper, *Tintenfisch* den Wagenbachschen »Quartheften«, *Tintenfaß* der Reihe »detebe« (Diogenes), das *Literaturmagazin* den Rowohlt- und die *Neue Rundschau* den

Umschlagseite der Zeitschrift
»TransAtlantik«, Oktober 1982

Fischer-Taschenbüchern. Die sich dabei ergebende Präferenz für thematische Schwerpunkte bzw. Themenhefte war auch eine Folge des Ausbaus der Kulturteile bei den Tageszeitungen, die vor allem mit ihren Wochenendbeilagen eine starke Konkurrenz zur Zeitschrift alter Prägung (mit »Mischinhalt«) darstellen.

Das Feuilleton der *Frankfurter Allgemeinen Zeitung* geht dabei vom wohl umfassendsten Kulturbegriff aus; gestützt auf eine große Zahl von Redakteuren und Mitarbeitern gelang es ihm – vor allem unter Günther Rühle (der 1985 die Intendanz des Schauspiels Frankfurt übernahm) – eine thematische Vielfalt zu entwickeln, die in ihrer spannungsreichen Aktualität und philosophisch-historischen Fundierung von keiner anderen Zeitung, auch nicht Wochenzeitung, erreicht wird. Die von fünf Herausgebern geleitete Zeitung, darunter Joachim Fest (der 1973 mit einer umfassenden Hitler-Biographie hervortrat[549]) und Bruno Dechamps (Rüstow- und Sternberger-Schüler), zeigt freilich pluralistische Offenheit vorwiegend nur im Feuilleton; in der Politik und Wirtschaft vertritt sie eine konservative Richtung, die allerdings von rechtsstehenden Kreisen als »Konservatismus auf Sammetpfötchen« klassifiziert wird.[550] Für Gegner und Feinde in allen Lagern sorgte der langjährige Leiter der Literaturseite, Marcel Reich-Ranicki, den Christian Schultz-Gerstein, seinerseits einer der schärfsten Polemiker unter den jüngeren Publizisten, »einen furchtbaren Kunstrichter« mit »rhetorischen Rausschmeißer-Gebärden« nannte.[551] Die in der *FAZ*, vor allem auch in der *Süddeutschen Zeitung* und in der Wochenzeitung *Die Zeit* entwickelte und gepflegte Hintergrundreportage (unter Berücksichtigung politischer, kultu-reller, historischer und wirtschaftlicher Aspekte) verlor mit dem Tod von Robert Held *(FAZ)*, 1986, und mit dem altersbedingten Ausscheiden von Hans Ulrich Kempski *(SZ)*, 1987, zwei ihrer bedeutendsten Vertreter. Doch gelang es gerade der *Süddeutschen Zeitung*, unter der Redaktionsleitung von Hans Heigert (seit 1970, nach dem Tod von Hermann Proebst) eine große Anzahl weltoffener und welterfahrener Journalisten an sich zu binden. Als Werner Friedmann, Chefredakteur von 1951-1960, zum 10. Geburtstag der *SZ* den Stil der Zeitung und die Arbeitsweise der Redaktion beschrieb, antizipierte er damit auch das Profil der Zeitung in den siebziger und achtziger Jahren. »Es gab niemals Richtlinien und Sprachregelung; nur eine im besten Sinne liberale und demokra-tische Haltung war die Voraussetzung für die Mitarbeiter und eine klare Feder, frei von Schönfärberei und Propaganda-Schlagworten. Und es galt, die Fahne des Widerstands gegen Nazismus und Nationalismus, gegen Gesinnungsterror und Intoleranz niemals sinken zu lassen. In diesen Grundsätzen waren sich, ungeachtet mancher interner Auseinandersetzungen, alle Mitglieder der Redak-tion stets einig.«[552]

Bei der Wochenzeitung *Die Zeit* wurde der frühere Bundeskanzler Helmut Schmidt – »ein Mann im ›Unruhestand‹«[553] – zum Mitherausgeber berufen; zusammen mit dem Chefredakteur Theo Sommer vertritt er die bei der *Zeit* seit ihrem Bestehen anzutreffende, vor allem durch den Mitbegründer und Verleger Gerd Bucerius verkörperte konservativ-liberale Komponente, während die Mit-herausgeberin Marion Gräfin Dönhoff und der von der *Süddeutschen Zeitung* kommende Leiter des Ressorts Politik, Robert Leicht, für eine linksliberale Akzentuierung sorgen. (1980 hatte Schmidt als Bundeskanzler den Stellvertre-tenden Chefredakteur der *Zeit* und Leiter des Ressorts Politik, Kurt Becker, als Chef des Bundespresseamts und Sprecher der Bundesregierung nach Bonn geholt – ein Amt, das dieser bis 1982 ausübte.) Der Feuilletonchef Fritz J. Raddatz schied 1985 wegen einer Lappalie aus der Redaktion aus. Als Schluß-pointe zu einem Artikel über die Buchmesse hatte er Goethe zitiert: Dieser (gestorben 1832) habe bedauert, daß in Frankfurt die Schreberhäuslein – der Schreberverein wurde 1864 gegründet – hinter dem Hauptbahnhof (erste deut-sche Eisenbahn 1835, Bau des Frankfurter Bahnhofs 1883) den Bücherständen hätten weichen müssen. Raddatz hatte das Zitat der *Neuen Zürcher Zeitung* entnommen, dabei aber nicht bemerkt, daß es sich um eine Satire handelte. Die konservative Konkurrenz triumphierte. »*Der* Mann verantwortet ein ganzes ehrgeiziges Feuilleton, entscheidet, redigiert, kontrolliert, richtet? Wäre er an unserer Stelle, er würde garantiert Gesinnung zeigen, von der Korrumpierung einer geistigen Institution reden und zu irgendeiner ›Konsequenz‹ auffordern. Nein, wir verlangen nicht den Rücktritt des F. J. R. von seinem Redakteurspo-sten. Wir fragen nur ängstlich-neugierig, wie lange es wohl noch dauern wird, bis jene Leute, denen F. J. R. so gründlich das Blatt verdirbt, endgültig die Geduld verlieren. Verlöre man sie nun, so wäre das keine ›Zensur‹, sondern ein Substanz-gewinn für den deutschen Feuilleton-Journalismus.« *(FAZ)*[554] In eigener Sache bemerkte Marion Gräfin Dönhoff in der *Zeit*: »Ein Feuilletonchef, der nicht richtig lesen kann . . . die Zeitung ist blamiert, die Redaktion zornig. Man kann nur hoffen, daß dieser Sturz in die Tiefe dem Autor für alle Zeiten vor Augen führen wird, daß die Kehrseite seiner oft zu bewundernden Schnelligkeit – Schludrigkeit – eben doch sehr schwer wiegt.«[555] Nach solcher Bloßstellung konnte sich Raddatz als Feuilletonchef nicht mehr lange halten; er blieb aber dem Blatt als Kulturkorrespondent verbunden.

Die jahrzehntelange Konkurrenz zwischen dem von Henri Nannen geleiteten *Stern* und dem von Rudolf Augstein herausgegebenen *Spiegel* wurde 1983 mit dem Niedergang des *Stern* zugunsten des *Spiegel* entschieden. In der Ausgabe vom 28. April 1983 behauptete der *Stern*, Hitlers Tagebücher entdeckt zu haben. »Für Historiker und Laien kündigen sich Wochen, Monate und Jahre spannender Lektüre, erregter Diskussionen an.« Das Ganze erwies sich als ein Betrug des *Stern*-Reporters Gerd Heidemann, der mit Hilfe des Nazi-Devotionalien sammelnden Fälschers Konrad Kujau einer sträflich leichtsinnigen Chefredaktion die Hitler-Kladden für 9,3 Millionen DM angedreht hatte. Das klägliche Ende der »größten historischen Sensation des Jahrhunderts« – ausführlich dokumentiert durch den Prozeß gegen die Hauptakteure 1984 – ließ die Auflage des *Stern* um etwa 150 000 Exemplare sinken; das Anzeigengeschäft zeigte Einbußen von 12-15 Prozent. Vor allem aber war der *Stern* publizistisch entmythologisiert. Erich Kuby, bis 1980 beim *Stern* tätig, charakterisierte in einer persönlich-polemischen »Abrechnung« den *Stern*-Gründer Henri Nannen als opportunistischen Chaotiker, der in seiner Gewissenlosigkeit wahrscheinlich auch ein pornographisches Magazin herausgegeben hätte. Im Dritten Reich habe er, ein ich- und erfolgsbesessener »Hans Albers des Journalismus«, nur deshalb keine Nazi-Karriere gemacht, weil er unfähig zu Kameraderie sei. Es sei pure Ideologie, wenn behauptet werde, das Blatt habe auf der politischen Ebene vieles in Gang gesetzt, was ohne den *Stern* nicht in Gang gekommen wäre.[556]

Der Spiegel, »die Magazinmaschine«[557], beging 1987 seinen vierzigsten Geburtstag in ungebrochener Bedeutsamkeit – in Hinblick auf die Brisanz seiner Enthüllungen, die Gründlichkeit seiner Recherchen und die Solidität seiner Informationen. 1986 waren über 900 000 Exemplare im Wochendurchschnitt, davon knapp 130 000 im Ausland, verkauft worden. Der Trend ging weiter nach oben, zumal – nach der Aufdeckung des »Neue Heimat«- und Flick-Skandals (1982 ff.) – die »Entmummung« des schleswig-holsteinischen Ministerpräsidenten Uwe Barschel (1987) die »republikanische Unersetzlichkeit« des Magazins erneut bewies. Von Rudolf Augstein meinte Erich Kuby 1987, daß er für ein paar hundert Menschen, die seine Gehilfen sind, und für Millionen, die das Blatt lesen, und für andere Millionen, die es nicht lesen (aber nichtsdestoweniger mit dem Namen Augstein die Vorstellung einer zielbewußten, mit hoher, selbsterworbener Autorität ausgestatteten Persönlichkeit von absoluter Integrität verbinden), zu einer Art »Leuchtturm im schmutzigen Meer der BRD« geworden sei.[558] *Der Spiegel*, so Martin Walser, sei nie eine dauernde Verbindung mit irgendeiner gesellschaftlichen Macht eingegangen; er war »schnell Opposition der Regierung und genau so Opposition der Opposition. Er hat sich mit keiner Seite, keiner Partei, keiner Machtclique dauerhaft befreundet«. *Der Spiegel* habe uns oft genug vor den Anmaßungen des Offiziellen, vor dem Falschgeld der Autorität und vor den Peinlichkeiten des Personenkults geschützt. »Dafür kann man dem Blatt ruhig dankbar sein.«[559]

Graphik zur Illustration der atomaren Zerstörungskraft (»Die Zeit«, Januar 1985): Der Punkt im Quadrat in der Mitte symbolisiert die gesamte im Zweiten Weltkrieg verwendete Zerstörungskraft: drei Megatonnen. Die anderen Punkte stellen in derselben Größenordnung das gegenwärtige nukleare Waffenarsenal dar. Der kleine Kreis oben links charakterisiert die Waffenkraft eines einzigen »Poseidon«-U-Bootes, genügend, um die 200 größten sowjetischen Städte zu vernichten. Die Vereinigten Staaten und die Sowjetunion verfügen etwa über das gleich große Zerstörungspotential.

Skandal

Denken, das an der Zeit ist

In seinem 1950 veröffentlichten Aufsatz *Auferstehung der Kultur in Deutschland?* stellte Theodor W. Adorno fest: »Die Welt ist aus den Fugen, aber die Fugen sind mit träger Masse ausgefüllt.«[560]

Im letzten Satz seines Romans *Frauen vor Flußlandschaft* spricht Heinrich Böll, der das Buch kurz vor seinem Tod abschloß – postum erschienen 1985 –, vom »bleiernen Dasein«. In Dialogen und Selbstgesprächen werden Szenen aus dem Leben der politischen Prominenz der Bundeshauptstadt dargestellt; gesehen von Ehefrauen, Lebensgefährtinnen, Freundinnen. In seinem kompositorisch wie sprachlich wenig gelungenen, aber politphilosophisch gewichtigen Werk führt der Dichter ein auf verschiedene Rollen verteiltes »Selbstgespräch am Ultimo«. »Woher kommen wir, wohin sind wir gekommen? Der Kampf des Gedächtnisses ist gegen das Vergessen: Böll transplantiert solches eigensinniges Erinnerungsvermögen wunschphantasierend in seine Figuren: ihr könnt doch nicht vergessen haben, wer und was ihr einmal gewesen seid!«[561] *Wanderers Gemütsruhe*, ein Gedicht aus Goethes *West-östlichem Divan*, ist – auf die Romanpartitur mit verzweiflungsvoll-gelassener Ironie einstimmend – dem Buch vorangestellt:

> »Übers Niederträchtige
> Niemand sich beklage;
> Denn es ist das Mächtige,
> Was man dir auch sage.
>
> In dem Schlechten waltet es
> Sich zu Hochgewinne,
> Und mit Rechtem schaltet es
> Ganz nach seinem Sinne.«[562]

Innerhalb der Personage bundesrepublikanischer Oberflächenwelt – mit der Dominanz farbloser Karrieretypen, deren Nadelstreifenanzüge Identität vortäuschen – sind die Frauen »Hüterinnen der Erinnerung«; ihr Gedächtnis hält Vergangenheit am Leben, selbst wenn es sie ihr eigenes kostet: »Die Frau des alten v. Kreyl ist schon 1951 in den Rhein gegangen, als sie die Stimmen der nazistischen Verbrecher an den Tischen der neuen Herren in der ersten bundesrepublikanischen Restauration hörte; die Frau des Bankiers Krengel hat den Tod gewählt, weil sie bei Gold immer an das Zahngold denken mußte, das den Vergasten aus dem Mund gebrochen worden war; und Blaukrämers ›Erste‹, in ein ›Luxuskittchen‹ abgeschoben, erhängt sich am Tage, an dem Blaukrämer Minister wird. Sie hatte mit der Lüge ihrer Existenz nicht mehr leben können. Die Vergangenheit tötet, wo das Gedächtnis den Kampf gegen das Vergessen verloren wähnt.« (Wolfram Schütte)[563]

Die innere Thematik von Bölls Bonn-Roman wirft die Grundfrage auf, die an die westdeutsche kulturgeschichtliche Entwicklung nach fast einem halben Jahrhundert zu richten ist: Ging der Kampf gegen das Vergessen verloren? Wird der Kampf um die Erinnerung von den Spätgeborenen neu gewagt? Hat Erinnerungsarbeit als Trauerarbeit (wodurch erst »Stolzarbeit« gerechtfertigt würde) eine Chance?

Drei »Materialbereiche« sollen auf strukturelle Antworten hin geprüft werden:

– die Philosophie: ob sie im Sinne geistiger Grundlegung das unvollendete Projekt der Aufklärung aufgegeben hat, oder weiterzuführen gedenkt;

– die politische Kultur: ob sie im Skandal erstarrt, oder ob republikanische Identitätsbildung erneut gelingt;

– das Geschichtsverständnis: ob es sich in der Entsorgung von Vergangenheit verliert, oder für deren Bewahrung engagiert.

Warum brauchen wir Kant? Leszek Kolakowskis Frage[564] führt in das Zentrum der Diskussion über die Zukunft der Aufklärung, die sich mit großer Intensität in den achtziger Jahren entwickelt. Ohne den Glauben, daß der Unterschied zwischen Gutem und Bösem weder von willkürlichen Entscheidungen des einzelnen noch von jeweiligen politischen Umständen abhänge, und daß er sich nicht auf den Unterschied zwischen Nützlichem und Schädlichem zurückführen lasse, sondern unreduzierbar sei, müsse unsere Zivilisation verlorengehen. Kant habe den wichtigsten und den kräftigsten Versuch unternommen, diese Unreduzierbarkeit als eine Sache der Vernunft, nicht der Offenbarung, zu begründen.

Das Projekt der Aufklärung – das Streben der säkularen Vernunft nach Emanzipation von Offenbarung, damit auch Voraussetzung der modernen Wissenschaft – basiert auf einer Anthropologie, die sich am »abstrakten Menschen« orientiert, am »Menschen in der Idee«, wie es Friedrich Schiller formulierte. Kants Erbe müsse gegen den Jargon des Historismus, des konservativen ebenso wie des revolutionären, der den konkreten Menschen postuliere, verteidigt werden. Dieser »konkrete Mensch« ist nicht durch sein Menschsein, sondern durch eine mehr spezifische Kategorie, z. B. Rasse, Klasse, Nation, bestimmt. »In jedem Fall ist die ideologische Absicht, die dem Jargon des ›konkreten Menschen‹ zugrunde liegt, das allgemeine Menschenrechtsprinzip zu entkräften oder gar für nichtig zu erklären und einigen Teilen der Menschheit zu erlauben, andere als Naturobjekte zu betrachten. Und das heißt in der Tat, wenn auch nicht in den ideologischen Erklärungen – die Sklaverei legitimieren.«[565]

Das Grundgesetz der Bundesrepublik Deutschland hat sich auf eine in der deutschen Geschichte einmalige Weise – in tiefer Betroffenheit über die den Nationalsozialismus prägende, im Kult des Herrenmenschen und im Haß auf den

Untermenschen kulminierende Mißachtung des Menschlichen – zum »abstrakten Menschen« bekannt. Mit einer gewissen Naivität wurde freilich verkannt, daß ein aus strikten aufgeklärten Denken abgeleitetes Gesellschaftsmodell, auf die Anstrengung des Begriffs sich verlassend, des »Zaubers« entbehrt, auf »Verzauberung« verzichtet. Dazu kommt, daß die »Dialektik der Aufklärung« das »System der Vernunft« als begründenden Kontext für die Überzeugung vom abstrakten Menschen in Frage gestellt hat. »Systematisches Denken« wurde für eine Entwicklung verantwortlich gemacht, die zu dem geführt habe, was sie eigentlich habe verhindern wollen: Unterdrückung des Menschen, Enthumanisierung von Gesellschaft. Der Begriff der Postmoderne sei da befreiend, weil er aus dem stählernen Gehäuse der Geschichte, aus dem Weltgeist, der doch nur der Fürst dieser Welt sei, herausführe in die Wiedergewinnung der Freiheit der Geschichten und der Diskurse und in ein neues Verhältnis zu dem, was nicht Vernunft bedeute, zum Absoluten und zur Natur. (Peter Koslowski)[566] Dem »Vollendungszwang der Moderne« wird die Vielfalt der Pluralbildung entgegengestellt; an die Stelle des einen Diskurses, des einen Konsensus, *der* Geschichte, *des* Fortschritts, *der* Evolution, würden die Diskurse, Geschichten, Übereinstimmungen, Fortschritte und Evolutionen der geschichtlichen Prozesse und ihrer Erscheinung in den Spiegel der Vernunft treten. Mit solcher Auswahlmöglichkeit geht freilich auch Verbindlichkeit verloren; die Gefahr systematischen Denkens, daß es den konkreten Menschen, an abstrakten Vorstellungen messend, mißachtet, ist ersetzt durch die Gefahr eines Eklektizismus, dem die Orientierungsmarken der Utopie (erkenntnisleitendes Interesse motivierend und systematisches Denken strukturierend) abgehen. »Kurzatmigkeit in jedem Sinne zeichnete für Nietzsche den modernen Menschen aus, der schon bei dem Gedanken, sich ein Haus zu bauen, das grauenvolle Gefühl entwickelt, ›als ob er bei lebendigem Leibe sich in ein Mausoleum vermauern wolle‹. Die Metapher der Architektonik, die den philosophischen Willen zum System regulierte, ist weitgehend der Haltung des Monteurs oder Bastlers gewichen, der Fragmente, ohne Ausblick und auch ohne Wunsch nach einer übergreifenden Synthese, zusammenstellt. Totalitätsentwürfe sind nicht nur durch geschichtliche Erfahrung verdächtig, Ermöglichungsbedingungen von Terrorsystemen zu sein, sondern ein kompetenter Überblick über die in Expertenkulturen verstreuten Erkenntnisse ist heute unmöglich zu erarbeiten, wie auch die wissenschaftsphilosophische Intention einer ›Einheit des Wissens‹ der Anerkennung von heterogenen Erkenntnisweisen und einer Vielzahl von möglichen Realitätsversionen gewichen ist.« (Florian Rötzer)[567]

Eingebettet in eine auf den verschiedenen Ebenen und in den unterschiedlichen Bereichen der Kulturentwicklung anzutreffende Theoriefeindlichkeit entwickelt zeitgenössische Philosophie eine ausgeprägte Skepsis gegenüber deutschen »Meisterdenkern« mit ihrem Hang zum Ganzheitlichen und zum Metaphysischen. Die Idee der Totalität steht unter dem Verdacht, eine Weise der Legitimation von Uniformierung und Herrschaftsausübung zu sein. Attraktiv erscheint dagegen ein »frei flottierendes, imaginierendes, erfindendes, listiges oder auch poetisches Denken«, das weder streng noch systematisch, weder der Wahrheit noch in irgendeiner Weise der Allgemeingültigkeit verpflichtet ist, das jedenfalls unter keine Regel zu bringen ist oder sogar dem Anspruch auf einen regelgeleiteten Diskurs widerstreitet.[568] Odo Marquard bezeichnet dementsprechend den Philosophen als »Stuntman des Experten«; das bedeutet, daß er kein Hauptdarsteller mehr auf der Bühne des Wissens ist, sondern einer, der mit viel Geschick und Raffinesse, aber auch mit Bluff, Sinn bzw. Unsinn vorspielt.[569] Am Beispiel des »Modephilosophen« Dietmar Kamper spricht Klaus Laermann vom »Gefasel der Gegenaufklärung«.[570] Irritation als »Gleitdenken« verzichte auf schlüssige Argumente; die Texte wirkten, als schielten sie. »Kaum je setzt ein Satz den vorigen fort. Meist erscheint er verdreht oder beantwortet eine Frage, die der vorige Satz so nicht gestellt hat. Dadurch gerät die Diskursivität dieser Texte ins Rutschen. Sie münden in Begriffstrance.« Die Verstiegenheit und Verquastheit gegenwärtiger Moden in den Sozial- und Geisteswissenschaften – flankiert von Zeitschriften wie *Tumult* (»Zeitschrift für Verkehrswissenschaft«) und *Konkursbuch* (»Zeitschrift für Vernunftkritik«) – beruhe auf der Entrückungsstrategie einer Sprache, die ihre Inhalte nicht mehr bis zur Kenntlichkeit entwickeln will, sondern sie lieber im schiefen Irgendwie beläßt. Das wirrselige Gefühl ihrer Gedankenführung führe zu allerlei wirklichkeitsflüchtigen Mätzchen, wobei die pseudobegriffliche Hochstapelei dem pläsierlichen Parlieren der neostrukturalistischen französischen Philosophie folgt. »Süchtige Konkretionsgier ist verantwortlich für die Faszination des anmutenden Denkens. Sie kann den Hals nicht vollkriegen, hält aber nichts Bestimmtes mehr fest und wird aus genau diesem Grund gerade nicht konkret. Hier endet sie im chronifizierten Metaphernsuff.« Die Irritationen der gleitenden Metaphorik verführten zur Regression auf eine frühe Entwicklungsstufe des Spracherwerbs. Ihr Ergebnis sei eine scheinhafte Verständigung; jeder Adept glaube, etwas verstanden zu haben; aber jeder habe etwas anderes verstanden, und keiner könne sagen, was. »Eben dies verstärkt die Neigung zur Sektenbildung, die der Guru unter seinen Anhängern erweckt. In seinem Dunstkreis hat jeder *seine* Erleuchtung, auch wenn er sie nicht mitzuteilen vermag. Solange der Schein gewahrt bleibt, daß die Erweckung jedes einzelnen die aller ist, steht die Gemeinde im Wort des Herrn.«

Pläsier kann beides bereiten: philosophische Aleatorik wie fröhlicher Nihilismus. Nur »spannend« muß es zugehen, dann bringt die »Verstimmung der Köpfe zur Schwärmerei« (Immanuel Kant) wenig Widerstand hervor. Hans Blumenberg ist nach Ansicht Odo Marquards der Verfasser lauter »Problem-Krimis«, die als gelehrte Wälzer getarnt seien.[571]

Das Wandern in den »Gärten der Erkenntnis« wird angesichts der großen Diskrepanz von Lebenszeit und Weltzeit zu einem höchst unvollkommenen, mehr zufälligen denn systematischen Herumstreifen. Vieles muß liegenbleiben; Unerledigtes verwittert dabei; manches wird vorenthalten; die Welt geht darüber hinweg.[572] Die narrative »kleine Form« – »zerstreute Gedanken«, die in Geschichten gebündelt werden, deren Pointen anstelle des »Verweischarakters« Farbigkeit ausstrahlen (Blumenberg erweist sich als ein Meister darin) – spiegelt ein »Denken, das an der Zeit ist« und das darin besteht, daß es auf die Exegese der Ideen des Zeitgeistes verzichtet.[573] Die Transzendentalbelletristen, die ihre Begegnungen mit dem Irdischen auskosten und den Abschied vom Prinzipiellen ausrufen, die ihre Lebensbejahung nicht abhängig machen vom absoluten Sinnbeweis (den wir, da wir zu früh sterben, sowieso nicht führen können), die philosophischen Abbés der fröhlichen Endzeit erzählen Geschichten, bei denen man (wie bei den Abbés des französischen Rokoko) nicht genau weiß, ob sie nun Religio bekunden oder nicht. Der Prophetenton der missionarischen Denker ist »out«; die vielen Emotionsgemeinden der siebziger und achtziger Jahre wollen jedoch auf die quicke Schar von Weltanschauungs-Äquilibristen, Seins-Akrobaten und Deutungs-Entertainern nicht verzichten. Zynische Vernunft[574] – auf amüsant unterhaltsame Art über Aufklärung aufklärend – variiert die von Theodor W. Adorno in der *Negativen Dialektik* tragisch aufgeworfene Frage, ob nicht der Zustand, in dem man an nichts mehr sich halten könne, erst der menschenwürdige wäre, unter heiterem Vorzeichen. Der fröhliche Nihilismus hat freilich auch ein Pendant im Holzhammer-Irrationalismus, der, unter Berufung auf Nietzsche und Heidegger, der Vernunft dadurch den Rücken zukehrt, daß er deren »begriffliches Palaver« zugunsten von Traum, Wahnsinn, Erotik, Leidenschaft und den Aufstand der menschlichen Natur überhaupt denunziert. (Gerd Bergfleth)[575]« Statt Heilsversprechungen und Utopien, die für diese Philosophen ihre Glaubwürdigkeit und ihre Funktionen längst eingebüßt haben, propagieren sie die Posthistoire oder die Postmoderne, glauben weder an einen Fortschritt zum Wohle der Menschheit noch an eine allgemeine Konsensfähigkeit oder gar an einen Sinn der Geschichte. Vielmehr sind sie der Meinung, daß es nicht in unserer Macht liege, den Gang des Weltgeschehens zu beeinflussen und uns somit nichts anderes übrigbleibe, als das Ende unserer Geschichte abzuwarten, entweder gefaßt und heiter, in frivolem Übermut oder in zynischer Resignation. Ja, nicht wenige von ihnen sind überzeugt, die wahre, nun offenkundig gewordene Bestimmung des Menschen sei, sich selbst zu vernichten. Ist doch ›das Untier‹, so Ulrich Horstmann in seinem gleichnamigen Buch, ›endlich der Ammenmärchen, der Utopien, paradiesischen Visionen und Heilsgeschichten überdrüssig geworden und hat sich ermannt, dem Unausweichlichen ins Gesicht zu sehen.«[576]

Um die Tradition der Aufklärung sei es gegenwärtig schlecht bestellt – so der Tenor des interdisziplinären Kongresses, der Ende 1987 in Frankfurt stattfand. Der Beobachter der politischen Kämpfe an der semantischen Front könne sich des Eindrucks nicht erwehren, daß die Orientierung an universalen Wertsystemen der Menschenrechte, der sozialen Gerechtigkeit und der Freiheit zu gegensätzlicher Meinungsbildung schwächer werde und andere Gesichtspunkte wie nationale Identität, Freund-Feind-Polarisierung und eine modernitätsfeindliche Lebensstimmung sich neuerlich auszubreiten begännen. Der zunehmende Eifer, mit dem die Entlastung der Gegenwart von den bedrückenden Erfahrungen der deutschen Zeitgeschichte betrieben werde, diene erkennbar dieser Schwächung und Umorientierung. »Drastischer und einseitiger als in den einschlägigen akademischen Kontroversen treten diese Befunde in einer Senkung der politischen Schamschwelle zutage, wie sie an antisemitischen oder prononciert fremdenfeindlichen Äußerungen von Politikern oder an einer um sich greifenden Skrupellosigkeit in Strategien der Machterhaltung abzulesen sind.«[577] Peter Glotz vertrat die These, daß die Verunsicherung der Linken nicht nur in der Bundesrepublik, sondern in weiten Teilen Europas aus einer philosophischen Desorientierung herrühre; die demokratisch-sozialistischen Parteien und Gewerkschaften in Westeuropa hätten sich mit einer großen Kraftanstrengung von allen dogmatischen Formen des Marxismus befreit; aber die dringend notwendige ideologische Eröffnung geriete ihnen zuweilen zum blinden Pragmatismus.[578]

Gegenüber antiaufklärerischen Blockierungen komme es – das war Jürgen Seiferts These zur Rechtspolitik – nicht darauf an, neue Verfassungstheorien zu entwickeln, seien diese marxistisch oder ökologisch, sondern sich auf die aufklärerische Tradition des demokratischen Verfassungsstaates zu besinnen; zu ihm müsse man, in Abwendung vom autoritären Verwaltungsstaat, zurückkehren, wobei die Menschen- und Bürgerrechte als Grenzmarken gegenüber der Exekutivgewalt intensiv zu nutzen wären.[579]

Für Jürgen Habermas hat sich der normative Gehalt der Aufklärung in den Ideen von Selbstbewußtsein, Selbstbestimmung und Selbstverwirklichung ausgesprochen. Dieses »Selbst« sei allerdings im Sinne von bürgerlich-kalter Subjektivität und Selbstbehauptung, im Sinne eines verfügenden Individualismus, verstanden worden, weshalb die Ideen selbst ins Zwielicht gerieten. Der Zweifel an ihnen scheine heute ubiquitär zu sein; er zehre nämlich von Erfahrungen mit einer überkomplexen, ausbeutenden und undurchsichtig-riskanten Gesellschaft. »Aus den gesellschaftlichen Kontexten, nicht mehr aus Natur unmittelbar, quellen heute die Kontingenzen, die uns überwältigen. Der funktionalistische Marxismus, der Strukturalismus und jene Systemtheorie, die beide beerbt hat, spiegeln die Erfahrung der Ohnmacht schon im Aufbau der Theorie. Luhmann sagt es: alles ist möglich, und nichts geht mehr. Der Paradigmenwechsel, der sich in der Theorie vollzogen hat, spricht für sich selbst: die anonyme Gesellschaft ohne Subjekt tritt an die Stelle der Assoziation freier und gleicher Individuen, die ihr Zusammenleben auf dem Wege demokratischer Willensbildung selber regeln. Mit dem Vertrauen in die Gestaltungsmöglichkeiten schwindet auch der eigene Gestaltungswille.«[580]

Daß die Systemtheorie, im besonderen die von Niklas Luhmann vertretene, zum führenden wissenschaftlichen Paradigma wurde, ist signifikant für das Zeitbewußtsein der achtziger Jahre, das eine »Theorie ohne Bewußtsein« präferiert.

Der Mensch ist weder abstrakt noch konkret; er wird digitalisiert, von Sinn »entmischt«, durch Okkasionen, nicht durch Ideen geprägt. Für Luhmanns »kalten Blick« gibt es keine übergeordnete Vernunft, an der die menschlichen Subjekte teilhaben und in der sie sich miteinander zu einer Gemeinschaft der Freien und Gleichen verbinden. »Es gibt nur Ratten im Labyrinth, die einander beobachten und eben deshalb zu Systemstrukturen, nie aber zu einem Konsens kommen können.« Die Systeme beobachten sich gegenseitig, indem sie ihre eigenen Systemzustände beobachten. Systeme, auch menschliche Individuen, sind füreinander stets Umwelt, die sich ausdifferenziere, indem sich jedes einzelne System selbstreferentiell verfeinert.[581] »Wir erkennen die Außenwelt nur, weil der Zugang zu ihr blockiert ist. Erkenntnis ist nicht eine Art Abbildung der Umwelt im System, sondern Aufbau eigener Konstruktionen, eigener Komplexität, die durch die Umwelt nicht strukturiert und erst recht nicht determiniert, sondern nur irritiert werden kann. Die Bewährung unter den rein internen Bedingungen immer höherer kognitiver Komplexität dient dann als Ersatz für eine Umweltorientierung, die in diesem Ausmaß direkt oder in der Form von Punkt-zu-Punkt-Zuordnungen nie gewonnen werden könnte. Wir erkennen die Realität, weil wir aus ihr ausgesperrt sind – wie aus dem Paradies. Oder um es nochmals paradox zu formulieren: die kognitiven Systeme operieren als umweltoffene Systeme, weil und soweit sie selbstreferentiell geschlossen operieren. Offenheit beruht auf Geschlossenheit.«[582] Der ehemalige höhere Verwaltungsbeamte Niklas Luhmann begreift Sinn und Welt unter dem Aspekt eines universalen Funktionalismus, dem jedes Transzendieren fremd ist. Seine Systemtheorie erweist sich als Ausdruck einer gesellschaftlichen Entwicklung, die Habermas bereits 1973 in seiner Studie *Legitimationsprobleme im Spätkapitalismus* beschrieb: Sinn stelle eine knappe und immer knapper werdende Ressource dar, was Legitimitätskrisen und Legitimitätsschwund zur Folge habe. Mit dem Rückgang identitätsverbürgender Weltbilder und allgemein anerkannter Moralsysteme schwänden auch die Möglichkeiten kommunikativer Ethik; der die Gesellschaft steuernde Verwaltungsapparat kopple sich von rechtfertigungsbedürftigen Normen (Legitimität) ab und vertraue auf Legalität – ein Sozialisationsmodus, der eine reflexionslose, eben die Sinnfrage nicht mehr stellende blinde Unterwerfung gegenüber den Entscheidungen des Staates gewährleiste. In Luhmann sah Habermas den Theoretiker, der kein Zutrauen zur Kraft menschlichen Erkennens und kein Vertrauen in die Perfektibilität menschlichen Handelns habe.[583]

Solches »Vertrauen« aber unterscheidet republikanische Identität von autistischem Funktionieren; bei »Vertrauensschwund« würde soziale Evolution – als Folge eines am »abstrakten Menschen« orientierten steten Diskurses und einer dem »Menschen in der Idee« verpflichteten kommunikativen Ethik – durch einen sich selbst steuernden Kreislauf abgelöst, dessen »Wahrheit« nur noch in seinem Funktionieren läge. Mißlänge der Versuch der Republik, das Projekt der Aufklärung weiterzuführen, würde da dann sich einstellende Entropie der politischen Kultur die Auflösung sowohl des Prinzips Hoffnung als auch des Prinzips Verantwortung bewirken. Der Ausgang des »philosophischen Diskurses der Moderne« wird somit auch über die kulturelle Erbschaft der Zeit (nach 1945) entscheiden.

Wird Bonn doch Weimar?

»Ein Schurke mit Charme«, heißt es in Heinrich Bölls Roman *Frauen vor Fluß-landschaft* von einem Hauptakteur im bundesrepublikanischen Psychodrom – Schauplatz von Parties mit ihrem Geschwätz und Geflüster, von Getue, Intrigen, Konspirationen auf niederer Ebene, leerem Lallen und harten Interessen. Und an anderer Stelle: »Wir sind zum Handeln verdammt: ich weiß, was ich tue, aber ich weiß nicht, was ich anrichte.«[584]

Der herrschaftsfreie Diskurs hat keine Chance in einem Klima, in dem politische Moral nicht mehr gedeiht. Der Skandal zersetzt radikaldemokratische Verhaltensweisen, die im Schlamm der Korruption nicht mehr wurzeln können. Die Grenzen der Zumutbarkeit werden immer weiter ausgedehnt: »Die regieren nämlich nicht, die herrschen nur, und nie, nie wird einer von ihnen ein Gefängnis von innen sehen. Sie sind ewig haltbar, es ist das wahre Gottesgnadentum des Geldes.«[585]

Die ehrenwerte Gesellschaft am Rhein, die seit der »moralischen Wende«, die Bundeskanzler Helmut Kohl beim Machtwechsel in Bonn 1982 verkündete, von einer Affäre in die andere schlitterte, beschrieb Theo Sommer in einem Leitartikel der *Zeit* November 1984 (als die Gefügigkeit, ja Botmäßigkeit von Politikern und Parteien gegenüber dem Geld des Flick-Konzerns immer deutlicher wurde) unter der Überschrift: *Kaufen und sich kaufen lassen – Wird Bonn doch Weimar?*[586] In der *Süddeutschen Zeitung* benannte Chefredakteur Hans Heigert zweieinhalb Jahre später als Hauptelemente politischer Unkultur: das vielfach anzutreffende, geradezu zwanghafte Verhalten, den Gegner fortgesetzt »herunterzumachen« – ein grassierendes Totalmißtrauen, welches hinter allem und jedem schlimme Machenschaften, Manipulationen, Unterwerfungsabsicht wittere; und die Skandale, die unappetitlichen Affären der letzten Zeit, vor allem, was den stil- und geschmacklosen Umgang mit Geld und dem gesetzten Recht beträfe. Im selben Jahr enthüllte der *Spiegel* die Machenschaften des schleswig-holsteinischen Ministerpräsidenten Uwe Barschel, der mit kriminellen Methoden seinen Gegenspieler Björn Engholm auszuschalten versuchte (und bald darauf unter mysteriösen Umständen, wahrscheinlich durch Selbstmord, starb).[587] Beim Fall Barschel trat mit der »psychodramatischen« Sprache der CDU/CSU-Akteure gewissermaßen stellvertretend der Tiefstand des politischen Diskurses zutage: Die Dressur, der Wille zur Macht, ist Selbstzweck geworden; die Fassade deckt nichts, lediglich ein Nichts ab; sie steht für sich und an sich; die Verpackung ist bereits die Botschaft. »Wenn Politiker in bedrängter Lage zu Bibelworten wie ›Heimsuchung‹ greifen oder mit Grabesstimme von der ›Fragwürdigkeit menschlichen Handelns‹ reden, ist Vorsicht geboten: Oft geht es da nur um eine schiere Schweinerei. Bundeskanzler Kohl hat diese frommen Sprüche mit Betroffenheits-Tremolo zur Waterkantgate-Affäre aufgetischt, und seine Wortwahl fügt sich nur zu gut in einen unionschristlich verbreiteten Sprachgebrauch, der den Skandal vermummen und quasi entschulden, ihn der namennennenden Erörterung über Schuld, Mitschuld, Täterschaft in eine Sphäre des Unbegreiflich-

Schicksalhaften entrücken soll. So wurde ein schmutziger CDU-Wahlkampf, wurden Barschels schmutzige Tricks zu namenlosen ›Vorgängen‹, ›Dingen‹, ›Ereignissen‹ gebleicht; Barschels Taten und Lügen verschwammen im Mund etwa Gerhard Stoltenbergs zu ›Schatten der letzten Wochen‹.« *(Der Spiegel)*[588]

Das Ende der achtziger Jahre erkennbare Politsyndrom verweist auf den Durchbruch einer neuen Form von Provinzialismus, der sich im Etikettenschwindel auf »Mitte« beruft. Nicht die »Mitte«, sondern eine bestimmte Form des Mittelmaßes ist an die Macht gekommen; dieses wird – bei pessimistischer Prognose – immer stärker durch die Poren der Komplexität eindringen und die noch vorhandenen Widerstandskräfte lähmen bzw. ersticken. Im Schaumberg des Nichtssagenden verkommt Begrifflichkeit. Vom »Nichts« heißt es in Michael Endes *Unendlicher Geschichte*, daß es »wächst und wächst und jeden Tag mehr wird, falls man überhaupt von *nichts* sagen kann, daß es mehr wird . . . Tut es sehr weh? Nein . . . man spürt nichts. Es fehlt einem eben nur etwas. Und jeden Tag fehlt einem mehr, wenn man davon einmal befallen ist. Bald werden wir gar nicht mehr vorhanden sein.«[589]

Auf das politische Klima in der Bundesrepublik bezogen, mag dies freilich zu apokalyptisch gesehen sein. Gerade weil jedoch die Verseuchung durchs Mittelmaß sich schleichend ausbreitet, wird es keine Republikanischen Clubs geben, die mit Verve und Furor Widerstand leisten. Im besonderen zeigt sich die Lähmung im Parlament. Hans Heigert hat in der *Süddeutschen Zeitung* mit Recht darauf hingewiesen, daß es früher viel mehr personelle Alternativen gegeben habe. Auch vor zwanzig Jahren war Politik ein Beruf, aber die meisten der bedeutenden Politiker gehörten zu einer Generation, die prägende Erfahrungen hinter sich hatte, die des Kriegs und des Nachkriegs, des Scheiterns der Nation, oft auch der eigenen Vorstellungen. Viele von ihnen hatten zudem auch etwas anderes gelernt und getan. »Die Parteien und Parlamente zogen noch Menschen an, die getrieben von der Ansicht waren, das Gemeinwesen zu entwickeln, zu reformieren. Freilich, zu solcher Entfaltung oder Veränderung gab es auch noch reale Möglichkeiten, die steuern zu können eine politische Befriedigung mit sich brachte. Außerdem hielten sich immer auch ›Außenseiter‹ bereit, irgendwelche Missionen oder befristete Engagements zu übernehmen, im Ausland wie im Inland. Die Loyalität zum Staat wuchs damit ebenso wie das Gefühl der Identität mit der demokratischen Ordnung. Bis zur Mitte der siebziger Jahre war dies wahrzunehmen. Inzwischen hat sich das alles gründlich geändert. Die Politik, so scheint es, hat keine Erfahrung mehr; eine Art routinierter Dilettantismus breitet sich aus; begabte Menschen wenden sich viel mehr als früher anderen Berufen zu.«[590] Dieser Trend dürfte sich rapide verstärken, denn die Spitzen und Stützen des Staates sind stolz auf den Mangel an kommunikativer Kompetenz und genießen diskursive Verweigerung; entscheidend sind nicht Dialektik und Dialog; der neue Faktor, der Politik prägt, heißt »Aussitzen«. Werner Remmers, der frühere niedersächsische Kultusminister, der allein schon wegen seines Witzes nicht ins neue Juste-milieu paßt, sprach davon, daß manche ein so dickes Fell hätten, daß sie auch ohne Rückgrat stünden.

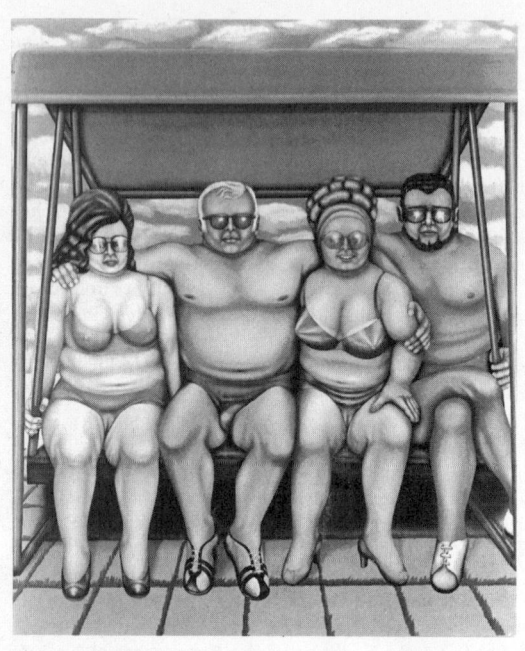

Hermann Albert,
Vier Urlauber, 1972

Grassierender Provinzialismus, so Karl Heinz Bohrer (1984), charakterisiere die
postfaschistische Ära; die nunmehr in Westdeutschland an die Schalthebel der
Macht rückten, seien diejenigen, die jedem, der es hören will oder nicht hören
will, beflissen erklären, daß sie damals Kinder waren und also mit dem Dritten
Reich nichts zu tun hätten. »Erstmalig ist das dreißig Jahre lang lastende
Syndrom jener ›Unfähigkeit zu trauern‹ ersetzt durch ein neues, das nämlich der
besorgten Unschuldsmiene, die das Wort ›betroffen‹ erfunden hat, die aber auch
sagt, daß es für sie eigentlich nie etwas zu betrauern gegeben habe. Das Faktum,
daß eine bundesrepublikanische Machtelite, bei der man nie sicher sein konnte,
wann sie ihren nächsten versteckten oder untergebrachten Nazi opfern würde,
damit die in- und ausländische Kritik vom Ganzen ihres Verdachts abließe, daß
diese in nationalsozialistischen Schulen erzogene, und die Schlächtereien des
Zweiten Weltkriegs als junge Soldaten überlebende Generation von Politikern
nunmehr abgelöst wird durch die ›Unschuldigen‹ – das ist prägnant deutlich
geworden in der Groteske von Bonn... Mit der ›Unschuld vom Lande‹ tritt
politisch erstmalig eine Generation auf, die unabhängig von ihrer notorischen
Unbeflecktheit an keinen öffentlichen Stilbegriff mehr gebunden ist... Es

handelt sich mehrheitlich entweder um Söhne des Kleinbürgertums oder doch durch kleinbürgerlich-mittelständische Werte Geprägte. Die Kunst, auf Kosten von allem, sei es was es wolle, zu überleben, ist ihr erster Wert.«[591]

Der ruinierte, der lächerlich gewordene Politiker könne in diesem Land nur deshalb so ungestraft die Pathos-Formel sprechen, er habe Schaden vom deutschen Volk abwenden wollen, weil er in Wahrheit den alten Formalismus der nach innen gewandten Staatsräson nicht mehr kenne. »Ist der Ruf erst ruiniert, lebt sich's gänzlich ungeniert.« Dahinter stehe die Identität des mit seiner Funktion buchstäblich lebenden und sterbenden Angestellten. Der »unschuldige«, kleinbürgerliche, aufsteigende Angestellte habe keine Existenz, keine Geschichte als die seiner Anstellung. Es gebe dahinter nichts mehr, um dessentwillen er seine Anstellung aufgeben könnte; nur sie verleihe ihm Ansehen, Geld und Status; er habe nicht mehr, wie sein bürgerlicher Vorgänger, ein zweites, anderes Leben, Geld und Ehre; der neue Angestellte sei »selbstreferentiell«, privat, symbolisch nicht mehr darstellbar und wolle sich daher von keiner anderen Instanz, keinem anderen Ethos als der inneren Logik, angestellt zu bleiben, rechtfertigen müssen. Jeder Zynismus fehle dabei; denn dieser wäre gerade ein Erkennen des Widerspruchs von Anspruch und Realität, wäre zumindest das Schauspiel von Symbolik. Statt dessen: Man ist im schunkelnden Milieu unter sich; es vermittelt die einzigen Rituale, die man beherrscht; man empfindet es als Beispiel für Volksnähe, wenn man jeden Skandal wie einen Ende-gut-alles-gut-Sketch übersteht. Hat man doch seine Pflicht getan.[592]

Der Politiker trifft mit seiner Rede genau den Ton, den schon Ödön von Horváth dekuvrierte: Ich red' ja nur, ich sag' ja nichts. Weil er weder Intellektualität noch Rationalität zumutet und der begrifflichen Trennschärfe aus dem Weg geht, führt er diese der Aufklärung gegenüber stets verspätete Nation »zum Positiven«, zur Lebensfreude und zur Zuversicht zurück. – Der »Jargon der Eigentlichkeit«, den Theodor W. Adorno geistreich analysierte, hatte immerhin den Vorteil, daß die Verpackung die Botschaft war; das heutige Sprachmuster kennt nicht einmal eine einigermaßen attraktive Verpackung. Es fehlt sogar das hohe, wenn auch hohle Pathos; es fehlt die raffinierte, wenn auch inhaltslose Metaphernkette. Das plätschert so dahin . . . Mainz, wie es dichtet, singt und lacht . . . Der Familiensinn wächst nur in der Familie . . . Keiner ist wie der andere . . . Geschichte spricht kein letztes Wort . . . Die Auseinandersetzung von Geist und Macht kann schöpferisch sein . . . Man habe Macht, aber sei kein Machthaber . . . Nichtigkeiten aneinandergereiht; nicht einmal Stil-*Blüten*. Alles und jedes spricht für sich selbst – Grund genug, es mit einem Höchstmaß von Weitschweifigkeit zu bereden. Altägyptische Wörter hatten die Eigenart, daß sie häufig auch ihr genaues Gegenteil bedeuteten; das Wort »ken« hieß schwach und stark zugleich; erst eine Geste oder Betonung des Sprechers machten das Wort bei Gebrauch eindeutig. Es entspricht dem neuen Lebensgefühl, daß solche Zwiesprachworte zunehmend beliebt werden; negativ belastete Dinge werden durch positiv besetzte Gegenformen aufgehoben, zumindest in einen Schwebezustand gebracht (so daß man nicht mehr genau weiß, was nun eigentlich

»richtig« ist): Minus-Wachstum, passive Bewaffnung, Friedens-Terror, finaler Rettungsschuß, Freisetzung, Raketenpark, Entsorgungspark, atomares Gleichgewicht des Schreckens, Friedensarmee, Friedensdienst mit der Waffe, atomarer Schutzschild, Nachrüstung, Ernst- oder Verteidigungsfall, Erstschlag, flexible Erwiderung . . . Die Kunst, im Schaumteppich wieder Grund zu finden, sieht sich erschwerten Bedingungen gegenüber: Die Arbeitslosigkeit wie der Leistungsdruck sorgen für die Anpassung im Erziehungswesen; das öffentlichrechtliche Fernsehen wird durch den unaufhaltsamen Aufstieg der privaten Medien diszipliniert; die Angestelltenmentalität besetzt zunehmend auch die Beamtenschaft, die, von der Idee wie von ihrem sozialen Status her, zur Loyalität des Widerspruchs in der Lage ,wäre. Die Intellektuellen genießen ihre Weltuntergangsstimmung und ziehen sich in die Enklaven eines geistreichen Privatismus zurück. »Wo immer diese schwarzen Scheinheiligen hinkommen bzw. an die Öffentlichkeit treten, verbreiten sie die immer gleiche Begräbnisstimmung und haben für jeden, der noch nicht ganz die Hoffnung verloren hat oder für konkrete politische Änderungen plädiert, nur ein müdes Lächeln und bedauerndes Achselzucken übrig.« (Michael Schneider)[593] Die Grünen sind weitgehend theoriefeindlich. Die Warenästhetik befriedigt das abrufbare Sehnsuchtspotential. Der Feminismus wird abgelöst durch eine neue Mutterschaftsgläubigkeit. Cuisine ist »in«. Kinder, Kirche, Küche, Kosmetik, Karriere – die K's prägen die angewachsene Untertanengesinnung; angesichts der reglementierenden Filmförderung des Bundesinnenministers kann man ohne weiteres noch »Kino« und, wenn man an die Struktur der KMK (der Ständigen Konferenz der Kultusminister) denkt, die sich fest in konservativer Hand befindet, »Kulturpolitik« hinzufügen.

Die Kunst, im Schaumteppich Grund zu finden, wird da zu einer schwierigen Arbeit für all diejenigen, die »geduldig/bloßstellen den rüstigen kollaps«. Der Kampf gegen den Schaumteppich ist eine Herausforderung für jeden, der nicht geistig ersticken will. Dabei wird deutlich: Der Schmerz der Negation schafft auch Freude – Freude über die Tatsache, daß die Bundesrepublik ein Staat geblieben ist, in dem die Meinungsfreiheit unbestritten gilt (wenn man von ihr Gebrauch macht):

> ». . .ungeduldig
> im namen der zufriedenen
> verzweifeln
>
> geduldig
> im namen der verzweifelten
> an der verzweiflung zweifeln
>
> ungeduldig geduldig
> im namen der unbelehrbaren
> lehren.«
>
> (Hans Magnus Enzensberger)[594]

Peter Glotz, lange Zeit SPD-Bundesgeschäftsführer, als Publizist sensibler, auch introspektiver Beobachter des Politpsychodroms[595], spricht von der Rückkehr der Mythen in die Sprache der Politik. Während noch Bundeskanzler Helmut Schmidt, als »Aufklärer mit dem Pathos erkenntniskritischer Bescheidenheit«, sich unter Berufung auf Kant geweigert habe, Sinnstiftendes in der Politik zu verkünden und »geistige Führung« auszuüben, versuchten seine mythenfabrizierenden Gegner bzw. Nachfolger, Politik »magisch« zu betreiben. Der Mythos sistiert Bewegung; Wahrheit sei nur im Beständigen, Gleichförmigen, Immerwiederkehrenden, in Familie, Heimat, Vaterland zu finden. Geschichte wird zum Repertoire von »Vorbildern«; »Werte« sollen das Bestehende affirmieren und stabilisieren; Frag-würdigkeiten werden entsprechend denunziert. Das »Schweigen des Mythos« schließt sich nicht nur gegen »Anfragen«, »Hinterfragungen«, sondern auch gegen die Sache selbst ab. Mythisches Sprechen soll Probleme »bannen«; im Rahmen semantischer Herrschaftsabsicht wird mit Pathosformeln Wirklichkeit »besetzt«. Gibt sich der Mythos auch seelenvoll, ja harmonistisch, so übt er doch seine Herrschaft durch Härte, durch einen aggressiven Nominalismus aus. »Politische Information ausdrücklich als Produkt; es kommt darauf an, die Produktionsmittel in den Griff zu bekommen. Kampf um Sprache und Begriffe, wie militärischer Kampf um Stellungen im Gelände. Für die Information bedeutet dies, daß sie ihres Informationscharakters entkleidet wird, für die Sprache, daß sie ihre Bezeichnungsfunktion, ein Stück ihres Verhältnisses zur Wirklichkeit verliert . . . Der Weg in den Mythos führt über die Beschädigung der rationalen Funktionen in der Sprache und die Verstärkung der Appellationen. Ich behaupte nicht, daß die Linke dieser Gefahr entgeht, aber sie hat denn doch mehr Skrupel. Wer je Heine gelesen hat, liest Liebesgedichte anders. Wer je mit Aufklärung in Berührung kam, schwebt in der Gefahr, von Ironie und Selbstironie ergriffen zu werden – und das ist das Ende erfolgreicher Propaganda.«

Mit aufgeklärtem, »rationalem« Sprechen sei freilich das Problem noch nicht gelöst; Politik bräuchte eine Sprache, die nicht nur zu den Sachen stimme, sondern die auch Phantasie und Leuchtkraft habe, die Hoffnungen und Wünsche binde – und dennoch nicht lüge, dennoch keine Mythen fabriziere. Das sei allerdings unendlich schwer.[596]

Umbruch politischer Wertsysteme

Die »Mythisierung« der Politik wird vor allem von den Neokonservativen betrieben und genutzt. Im Gegensatz zu früherer Zivilisationsfeindschaft wird Technokratie zum Credo. Der Moderne wird »Zersetzungsarbeit« unterstellt, kritische Vernunft als Minderung von Lebensqualität denunziert und mit neokonservativem Fundamentalismus kompensiert. Doch haben sich auch konservative »Denkfabriken« etabliert, die sich durch hohes intellektuelles Niveau auszeichnen.[597] Beispielhaft das »Institut für Wirtschafts- und Gesellschaftspolitik« in Bonn, von Kurt Biedenkopf geleitet; (der CDU-Politiker war lange Zeit Generalsekretär der CDU, dann Vorsitzender des CDU-Landesverbandes Westfalen-Lippe, bis er – als Denker bei den Machern seiner Partei wenig beliebt – abgewählt wurde). Ferner die »Stiftung Wissenschaft und Politik« in Ebenhausen bei München, neuerdings unter dem Vorsitzenden Michael Stürmer, früher Historiker an der Universität Erlangen/Nürnberg. Die Wertkonservativen, zu denen unter anderen die Professoren Günter Rohrmoser, Rektor des Projekts »Studienzentrum Weikersheim«, der Münchner Philosophieprofessor Robert Spaemann und sein Schüler Peter Koslowski gehören, haben mit der von Gerd-Klaus Kaltenbrunner im Herder-Verlag herausgegebenen Buchreihe »Initiative« (seit 1974) ein publizistisches Organ gefunden, das sich – bei wechselnder Qualität – einer relativ hohen Verbreitung erfreut. Der Herausgeber erfüllt als Homme de lettres, Universalist, Enzyklopädist und scharfsinniger Kulturkritiker die Forderung, die er in Band 1 der Reihe *(Plädoyer für die Vernunft)* aufstellte – nämlich der Krise der westlichen Gesellschaft durch das Bemühen um eine neue Qualität von Aufklärung, die aus der Dialektik der Aufklärung gelernt habe, entgegenzutreten: »Die Krise der westlichen Gesellschaften ist, gewiß, eine Krise ihrer Institutionen. Sie ist aber auch – und vor allem – eine Krise der Vernunft. Und diese Krise der Vernunft ist nicht wie ein Blitz aus heiterem Himmel in eine vorher ›vernünftige‹ Welt hereingebrochen. Der neue Irrationalismus, der im Namen der Vernunft zu sprechen vorgibt, ist unverständlich ohne Kenntnis seiner zum Teil weit zurückreichenden geistesgeschichtlichen Wurzeln. Und er kann nur dann angemessen kritisiert werden, wenn man die grundlegende Tatsache nicht verdrängt, daß der Gedanke einer Zerstörung der Vernunft im Namen der Vernunft in den westlichen Gesellschaften – und nur hier! – innerhalb weniger Jahre zu einer gesellschaftsverändernden und kulturrevolutionären Macht ersten Grades geworden ist. Jede Analyse muß deshalb die Bedingungen berücksichtigen, die der neue Irrationalismus in unserer eigenen Gesellschaft vorfindet. Und jede Therapie wird davon ausgehen müssen, daß die entscheidende Auseinandersetzung auf geistigem Gebiet zu führen ist. Soziale Reformen und tagespolitische Maßnahmen allein, mögen sie noch so dringend sein, können uns diese Auseinandersetzung nicht ersparen.«[598]

Die Wertkonservativen erfreuen sich vor allem auch deshalb ausgedehnter, bis in die »Mitte« reichender Sympathie, da sie sich – wie es Johannes Gross, einer ihrer klügsten und witzigsten Vertreter, formulierte – von der Misere der öffentlichen Gefühle fernhalten und den Genuß des Wohlstands nicht durch Trübsinn würzen (bzw. versalzen).[599] Die im linken Lager vorherrschende Überbau-Larmoyanz mag für manche die Wirkung eines pietistischen Aphrodisiakums haben; die vielfach manisch anmutende Fixierung auf (lustvoll artikulierte) Hoffnungslosigkeit vermag aber Mehrheiten nicht zu mobilisieren. Demgegenüber hat der modernisierte Konservativismus in der Bundesrepublik gelernt, mit seinen »Verlegenheiten« umzugehen und Schwächen in Stärke zu verwandeln, nicht zuletzt dadurch, daß er sich zur postmodernen Attitüde der Polymythie und

Vielfachwahrheit bekennt. Er ist dazu übergegangen, eine eigene »Philosophie nach der Aufklärung« zu entwerfen, die die desillusionierenden Ergebnisse des aufgeklärten Denkens konservativ zu funktionalisieren versucht. »Diese nach-aufklärerische Philosophie ist von der ideologiekritischen Analyse des falschen Bewußtseins nicht mehr zu erreichen. Indem sie das Bewußtsein ihrer eigenen Funktionalität in sich hineinnimmt, öffnet sie sich für den postmodernen Zeitgeist, der Wahrheitsfragen für irrelevant erklärt. Der Modernisierung der Theorie korrespondiert die Modernisierung der Praxis. Die Konservativen lauschen ihre Ideen nicht mehr auf einsamen Feldwegen dem Raunen der Natur ab, sondern lassen ihre Produkte zeitgemäß in Denkfabriken fertigen. Sie begreifen sich nicht als Hüter des Seins, sondern als Manager der Macht. Sie formulieren nicht für die Ewigkeit, sondern für den nächsten Wahlkampf. Sie kalkulieren den Effekt ihrer Formeln wie Unternehmer die Absatzchancen eines neuen Produkts. Nicht um Wahrheit geht es ihnen, sondern um Wirkung, nicht um Kultur, sondern ums Spektakel, nicht um Werte, sondern um Berechnung der Interessen und Machtchancen. Unversehens sind die Konservativen damit aus Experten für Prämodernes zu Experten der postmodernen Beliebigkeit geworden. Der ›Abschied vom Prinzipiellen‹ ist ihnen nicht schwergefallen. Tatsächlich war er gut vorbereitet durch die Apologie der Industriegesellschaft von Gehlen und Schelsky. Wer die ›zeitlose Stabilisierung‹ zum Dreh- und Angelpunkt einer Beurteilung der Moderne macht, braucht inhaltliche Kritik nicht mehr zu fürchten. Sobald die Konservativen die Entdeckung gemacht hatten, daß die Ablösung der Wahrheit durch den Schein, des religiösen Glaubens durch kirchliche ›Kontingenzbewältigungspraxis‹, der Kultur durch Spektakel, der Politik durch Rituale die gesellschaftliche Integration nicht nur nicht untergräbt, sondern im Gegenteil garantiert, wurden ihre Vorbehalte gegen diese Substitutionen hinfällig oder zu einer folgenlosen Frage des privaten Geschmacks.« (Helmut König)[600]

Im Gegensatz zur wirkungslosen Aufgeregtheit, die vielfach Linksintellektuelle angesichts des Zustandes der Republik epidemisch erfaßt, registriert Jürgen Habermas mit optimistischer Gelassenheit, daß die konservative Wende-Regierung auf den liberalen Teil ihres Klientels Rücksicht nehmen und sich auch auf das, was man »Fundamentalliberalisierung« nennen könne, einstellen müsse. Heute gebe es in Deutschland Mehrheiten, vor denen man keine Angst mehr zu haben brauche. Jedenfalls wecke unser Juste-milieu nicht mehr die Art von Angst, die in den nachgelassenen Tagebüchern Max Horkheimers aus den fünfziger und sechziger Jahren aus jeder Zeile spreche. »Biedermeierliche Gefühle habe ich freilich nicht. Auch ein Juste-milieu kann auf tönernen Füßen stehen. Wie sähe überhaupt eine Normalität aus, die uns nicht mehr bedrücken müßte? Das wäre eine Normalität, die es sich leisten könnte, nicht mehr fühllos zu sein gegen Unerträgliches. Dann würde die Sensibilität für gesellschaftlich Produziertes, als *vermeidbares* Leid und Unrecht, etwas Normales sein. Im Umgang mit meinen Kindern, überhaupt mit jüngeren Leuten, die sensibler reagieren, bemerke ich meine eigenen Abstumpfungen. Vielleicht ist ja, das sage ich als Hochschullehrer, der Kontakt mit den jüngeren Generationen das Beruhigendste in unserem Lande. Wenn einmal das Mißtrauen zwischen den Generationen, auch das Mißtrauen innerhalb derselben Generation, gegenstandslos geworden sein wird, dürfen wir auch unaufgeregt in die Zukunft blicken.«[601]

Den diskreten Charme des Liberalismus charakterisierte Hartmut von Hentig dahingehend, daß Charme »Zauber« heiße und »diskret« zunächst »unterschieden«, »abgesondert«, »verschwiegen« und dann »verhalten«, »taktvoll«, »auf eine altmodische Weise unaufdringlich« bedeute.[602] Und genau das könne man in der Republik der achtziger Jahre festellen: daß der Liberalismus (wie die Bourgeoisie) eine schwer zu fassende, weil sich selbst verbergende späte Anziehungskraft ausübe; und dies, obwohl der verwaltete Sozialstaat, die militante Organisation der Interessen, der Straßenterror, die Verwahrlosung und Kollektivierung der menschlichen Beziehungen, die fortgesetzte Ausbeutung des commons, die skandalösen sozialen und wirtschaftlichen Ungleichheiten unter den Menschen, die Law-and-order-Bedürfnisse der Mehrheit und der unerweichliche Egoismus der Nationen sich gegen mehr Freiheit und Demokratie stemmten.

Zugleich aber sei der Liberalismus Bestandteil aller Parteien geworden; die drei großen politischen Leitideen sind heute alle nicht mehr allein bei den nach ihnen benannten politischen Gruppierungen angesiedelt; zumindest in einer rudimentären, aber um so unumstößlicheren Form, bekennen sich alle Parteien

– zur Solidarität mit denen, die es unverschuldet schlechter haben;
– zur Erhaltung der gemeinsamen Geschichte, Landschaft, Kultur;
  zum Schutz und zur Erweiterung der Spielräume des einzelnen.

Die Konflikte fänden nicht unter diesen drei Werten statt; der Gegner sei woanders zu suchen: in den Automatismen, die unsere gescheite und vitale Zivilisation hervorgebracht habe, in der Unüberschaubarkeit der Verhältnisse, im Zerfall der Verständigung zwischen den Generationen und Gruppen; zu fürchten hätten wir die drei großen B – die Bürokratisierung, Barbarisierung und Banalisierung unserer menschlichen Beziehungen. Mit Zustimmung zitiert Hartmut von Hentig die Definition von Liberalismus aus *Meyers Lexikon*: »Misanthropie plus Hoffnung; der Versuch, die praktische Notwendigkeit von Herrschaft so intim wie möglich mit den größten Lebenschancen für die größte Zahl von Menschen zu verbinden; der Glaube an die Kraft und das Recht des einzelnen Menschen, getaucht in den Zweifel an die Vollkommenheit der menschlichen Dinge; ein Stück Moral und ein Stück Erkenntnistheorie.« Von hier aus sei auch die gesellschaftliche Konzeption von Ralf Dahrendorf als bedeutendem liberalen Theoretiker zu verstehen; ihr liege die Überzeugung zugrunde, daß die sozialen Gebilde und politischen Institutionen keinen Selbstzweck darstellten, der Zweifel am Absoluten geboten sei und der Einsatz für die Entfaltungsmöglichkeit des Individuums sich rentiere.[603]

Gegenüber der liberalen Maxime, alles tun zu können, was anderen nicht schade, registriert Dahrendorf das »Elend der Sozialdemokratie«: als säkulare politische Kraft habe sich die SPD erschöpft; wichtige Teile ihres Programms seien realisiert; die sozialen Gruppen, die sie trügen, fänden sich in neuen Interessenlagen; sie könnten nur auf verbleibende Unvollkommenheiten der von ihnen geschaffenen Welt hinweisen und im übrigen das Erreichte zu verteidigen suchen. Beides rufe nicht gerade Begeisterungsstürme hervor; es reiche noch nicht einmal, um regierungsfähige Wählermehrheiten zu gewinnen. »Die meisten Reaktionen sozialdemokratischer Parteien in den letzten Jahren werden vor diesem Hintergrund verständlich. Da gibt es diejenigen, die nicht ohne Pathos auf die Unzulänglichkeiten des Wohlfahrtsstaates verweisen. Sie haben recht in der Sache, aber ihr Pathos klingt hohl. Andere suchen für sozialdemokratische Parteien die Regenbogenkoalition zu mobilisieren. Das gelingt zum Teil, unterliegt aber denselben Zweifeln wie diese Koalition überhaupt, die eher aus sozialen Bewegungen als aus politischen Parteien besteht. Der Versuch, die Bewegungen zu vereinnahmen, stößt übrigens nicht nur bei diesen selbst auf Widerstand, sondern auch bei den altsozialdemokratischen Gruppen im eigenen Lager. Wieder andere mühen sich mit der Erfindung eines ganz neuen Sozialismus ab, der meist Rousseausche Wendungen annimmt und von der Idee der Genossenschaft fortschreitet zu alternativen Lebensstilen und herrschaftsfreier Kommunikation. Das sind liebe Spiele; politische Kraft entsteht bei ihnen nicht. Die Summe der Verlegenheiten legt sich wie ein Schleier über die verbleibenden Klarheiten der sozialdemokratischen Politik.«[604]

Ist dies auch mit liberaler Überheblichkeit formuliert, so hat vor allem der Aufstieg der Grünen die Krise des sozialdemokratischen Selbstverständnisses manifestiert. Auf der Suche nach zukunftsgerechten Ideen hat Peter Glotz 1984 (fünfundzwanzig Jahre nach dem Godesberger Programm) einen »Individualismus von links« und damit eine Neoliberalisierung der Partei gefordert. Die Beantwortung folgender acht Fragen wäre für die weitere Entwicklung der Sozialdemokratischen Partei von größter Wichtigkeit:

Was kommt nach den Wachstumsjahrzehnten?
Ist Frieden mit der Natur für eine Industriegesellschaft möglich?
Werden uns die neuen Technologien in eine bessere Zukunft führen?
Ist die Zukunft der Arbeit gesichert?
Haben die Frauen die Chance, den sozialen Gleichberechtigungsprozeß zum Erfolg zu führen?
Kann die Weltwirtschaft – und unsere Stellung in ihr – stabilisiert werden?
Kann der Weltfrieden erhalten werden?
Wie können Mehrheiten für eine solche Politik organisiert werden?[605]

Angesichts der von Kritikern der Sozialdemokratie wie von Sozialdemokraten selbst diagnostizierten kulturellen Vergreisung der SPD (einschließlich Bürokratisierung, Etablisierung und einer »Strategie der Mitte«, die für die Jugend wenig attraktiv ist) ergibt sich ein mühsamer Weg der Erneuerung.[606] Für Oskar Lafontaine, als jungem, eigenwilligem Hoffnungsträger der Partei, muß Reformpolitik in einer veränderten Welt die den Modernisierungsprozeß prägende Großtechnologie in eine »aufgeklärte Megamaschine« verwandeln. Damit ist nicht nur das Problem der Sozialdemokratie, sondern der Bundesrepublik als Industriegesellschaft insgesamt angesprochen: ob es nämlich in »Erinnerung« an Aufklärung gelingt, Ökonomie und Ökologie zu versöhnen, den Übergang vom ökonomischen Aufbau zum sozialökologischen Umbau zu bewerkstelligen.[607] Der Altsozialist Richard Löwenthal hat diese Problematik immer wieder durchdacht und auf den Begriff gebracht – allerdings in Fortführung einer sozialdemokratischen Tradition, innerhalb derer sich die Partei vor allem als Heimat der gewerkschaftlich organisierten Industriearbeiterschaft begreift; der Fortschritt durch Industrialisierung wird bejaht, was zu Beginn und in der Mitte der achtziger Jahre bei der vielfach mehr grün und alternativ orientierten Parteijugend erheblichen Widerstand hervorrief.

Die SPD, so Richard Löwenthal in seinen Thesen *Identität und Zukunft der Sozialdemokratie* (1981)[608], befinde sich zur Zeit in einer Krise ihrer Identität. Es handle sich nicht einfach darum, daß ihre Popularitätskurven und Wählerzahlen sänken – das sei bei kritischer Wirtschaftslage und nach zwölf Jahren Regierungszeit natürlich und könne sich bei anderer Lage wieder verändern; es handle sich darum, daß einerseits die Anziehungskraft der Sozialdemokraten auf die Jungwähler zugunsten diverser grüner und alternativer Gruppen und der Nichtwähler zurückgehe, während andererseits eine erhebliche Anzahl sozialdemokratischer »Stammwähler« zur CDU abzöge oder zu Hause bleibe. Dieser gleichzeitige Verlust nach zwei entgegengesetzten Richtungen zeige an, daß die Partei in einer brennenden Streitfrage unserer Zeit keine eindeutige und überzeugende Entscheidung getroffen habe – mithin eine Krise ihrer Identität durchmache.

Die Streitfrage, um die es gehe, meint Löwenthal in seiner zweiten These, sei die Frage nach dem Primat der Lebensfähigkeit unserer Industriegesellschaft und der maximalen Beschäftigung ihrer Mitglieder einerseits oder dem Primat nichtindustrieller Lebensformen und der absoluten Verhinderung ökologischer Schäden andererseits. Natürlich wollten alle Sozialdemokraten maximale Beschäftigung, und alle Sozialdemokraten seien gegen die Vergiftung der Umwelt; aber die Weltanschauung der Alternativen sei der Industriegesellschaft gegenüber grundsätzlich feindlich und halte sie für einen geschichtlichen Irrweg der Menschheit; sie setze das Ziel des Umweltschutzes als so absolut, daß es mit der Fortentwicklung einer industriellen Gesellschaft unvereinbar werde. Auf dem Papier könne man immer Kompromißformeln finden, die beiden Zielen gerecht würden. In der Praxis müsse man wieder und wieder ausufernde ökologische Forderungen im Interesse des Rechts auf Arbeit begrenzen.

Nach der Natur der Schichten – dies Löwenthals dritte These –, die die eine oder die andere der entgegengesetzten Positionen in dieser Streitfrage unterstützen, habe man häufig von einem Gegensatz zwischen industriellen Arbeitern, insbesondere Facharbeitern und Angehörigen der neuen »nachindustriellen« Schichten, vor allem Jugendlichen, gesprochen. Dies treffe die wirkliche Scheidelinie nicht. Auf der industriellen Seite finde sich die große Mehrheit aller in die Arbeitsteilung unserer Gesellschaft eingegliederten Berufstätigen, ob Arbeiter, Angestellter, Angehöriger des öffentlichen Dienstes oder Selbständiger, mit teilweiser Ausnahme solcher stark »ideologisch« ausgerichteter Berufe wie Lehrer oder Pfarrer. Auf der anderen Seite finde sich vor allem ein Teil der Jugendlichen, die oft ohne ihr Verschulden nicht in die berufliche Arbeitsteilung eingegliedert seien, oft aber auch sich gar nicht in diese eingliedern wollten – nicht weil sie faul wären, sondern weil sie die Freiheit wechselnder Beschäftigung einer beruflichen Festlegung vorzögen, die sie als Beschränkung ihrer Selbstbestimmung empfänden. Dabei seien freilich die frei gewählten Wechseltätigkeiten solcher »Aussteiger« meist nicht in der Lage, ihre wirtschaftliche Existenz zu sichern; sie bedürften der öffentlichen Unterstützung (etwa durch Bafög) oder der privaten (etwa durch Eltern). Sie handelten aus menschlich verständlichen altruistischen Motiven, aber sie lebten überwiegend auf Kosten der berufstätigen Mehrheit.

Diejenigen, sagt Löwenthal in seiner vierten These, die der Sozialdemokratie die Aufgabe einer Integration der neuen Welle »kritischer Jugend« stellen wollen, würden auf eine vermeintliche Gemeinschaft der grundlegenden Ziele verweisen. Das sei eine Fehleinschätzung. Es gebe in vielen Fällen eine Gemeinschaft humaner Motive und kritischer Anschauung zwischen Sozialdemokraten und »Aussteigern«, aber keine Gemeinschaft mit ihren politischen oder antipolitischen Zielen. Die Sozialdemokratie will die Industriegesellschaft fortentwickeln und vermenschlichen – sie will sie nicht verteufeln oder abbauen, da sie weiß, daß ohne ihre Leistungen die Milliardenbevölkerung unseres Planeten nicht existieren könnte. Die Sozialdemokratie mache aus statistischem Maximalwachstum keinen Fetisch, aber sie mache erst recht keinen Fetisch aus einem »Null-Wachstum«, das nie zum wirtschaftlichen Gleichgewicht, nur zur Dauerkrise aller Investitionsgüterindustrien mit den entsprechenden Folgen auf dem Arbeitsmarkt führe. Die Sozialdemokratie könne die gegenwärtige wirtschaftliche Stagnation nicht als einen Weg zur idyllischen Stabilität beschönigen, sondern müsse das Menschenmögliche tun, um sie zu überwinden.

Die Ablehnung der arbeitsteiligen Industriegesellschaft und der Rückzug auf Inseln der »Selbstverwirklichung«, stellt Richard Löwenthal in These fünf fest, führe logisch häufig auch zum Rückzug aus den Institutionen unserer Demokratie. Umweltschützerische Bürgerinitiativen und kommunalpolitische Mitarbeit von Grünen können Formen belebender demokratischer Partizipation sein, ob ihre Vorschläge im einzelnen vernünftig sind oder nicht. Das Ausspielen ihrer Forderungen gegen bereits rechtsgültige Mehrheitsentscheidungen der gewählten demokratischen Körperschaften aber beruhe auf einem Versuch der Abkapselung lokaler Interessen von den Bedürfnissen der Gesamtgesellschaft, die zur Nichtachtung unserer demokratischen Institutionen und häufig auch zur Nichtachtung der Rechtsordnung führe, die unsere Gesellschaft zusammenhalte.

Die Sozialdemokratie, urteilt Richard Löwenthal in seiner sechsten und letzten These, könne also die gegenwärtige Identitätskrise nur überwinden, wenn sie sich klar für die arbeitsteilige Industriegesellschaft und gegen ihre Verteufelung, für die große Mehrheit der Berufstätigen und gegen die Randgruppen der Aussteiger entscheide. Eine solche Entscheidung sei mit realistischen Maßstäben der Umweltpolitik, wie sie seit 1969 mit sichtbarem Erfolg stetig entwickelt worden, aber zum Teil zu wenig bekannt geworden sei, durchaus vereinbar. Wenn sie diese Politik sowohl in der Diskussion als auch vor allem in der Praxis eindeutig vertrete, könne sie sicher schließlich auch Teile der Aussteiger, die zum Lernen aus Erfahrung fähig seien, integrieren. Wenn die Partei um der Integrierung dieser Gruppen willen eine klare Entscheidung vermissen lasse, könne sie sich nur selbst desintegrieren.

Nicht nur die SPD sieht sich mit einem Wandel im Wählerverhalten konfrontiert; die Parteienlandschaft insgesamt erlebt einen sozialpsychologisch signifikanten Klimawechsel. Für Peter Gluchowski verweist das Wahlergebnis vom Januar 1987, auch wenn es auf den ersten Blick wenig Dramatik zu enthalten scheint, auf längerfristige Wandlungstendenzen, die sich unterschwellig in der Bevölkerung vollzogen hätten.[609] Seit Mitte der sechziger Jahre sei ein Wertewandel, insbesondere bei jüngeren Wählern, von traditionell-konservativen Pflicht- und Akzeptanzwerten hin zu fortschrittlich-gesellschaftskritischen Freiheits- und Entfaltungswerten festzustellen; das führte zu einer stärker politisch interessierten und involvierten Wählerschaft, die nicht mehr so stark nach gewachsenen Parteibindungen entscheidet, sondern zunehmend politische Themen und Lebensstile jenseits der traditionellen Weltanschauungen und sozialen Herkünfte zum Gegenstand ihrer Wahlentscheidungen mache. Die zunehmende Ausrichtung auf Lebensqualität und Lebensstil hat ihre Parallelen in der Abwendung von Themen der Wirtschaftsstabilität und der inneren und äußeren Sicherheit sowie der Hinwendung zu Themen der »neuen Politik«, wie z. B. Umweltschutz, Abrüstung, Entspannungspolitik und Verzicht auf Kernenergie. »Charakteristischerweise stammen die besonders freiheits- und entfaltungsorientierten jungen Menschen gerade aus Elternhäusern derjenigen neuen Mittelschichten, die den klassischen sozialen Spannungslinien ohnehin nicht mehr besonders stark verbunden sind.« Gluchowski spricht von neun Lebensstilgruppierungen:

– der aufstiegsorientierte jüngere Mensch (10%);
– der postmateriell-linksalternative jüngere Mensch (5%);
– der linksliberale integrierte Postmaterialist (10%);
– der unauffällige, eher passive Arbeitnehmer (13%);
– der pflichtorientierte, konventionsbestimmte Arbeitnehmer (11%);
– der aufgeschlossene und anpassungsfähige Normalbürger (25%);
– der gehobene Konservative (11%);
– der integrierte ältere Mensch (11%);
– der isolierte alte Mensch (4%).

Unter diesem Blickwinkel sei die Ausweitung des Stimmenanteils der Grünen bei der Bundestagswahl 1987 kein zufälliges Ergebnis: Die Grünen hätten vielmehr in der Gruppe der linksalternativen Postmaterialisten und auch in derjenigen der linksliberalen integrierten Postmaterialisten ein in Lebensstilen verankertes, sehr homogenes, auf neue gesellschaftliche Wertorientierungen ausgerichtetes Wählerpotential, das durch den fortlaufenden Eintritt junger Wähler in die Wählerschaft noch erweiterungsfähig scheine.

Hausinstandbesetzung in Berlin-Wilmersdorf (der Eingang wird im Beisein des Präsiden-
en der Hochschule der Künste, HDK, zugemauert), 1983

Der Dauerkonflikt in den Reihen der Grünen zwischen Realos und Fundis
signalisiert nicht nur Krisenerscheinungen in dieser Partei bzw. Bewegung,
sondern verweist generell auf ein Beben im politischen Wertekosmos.[610] Auf der
einen Seite politische Realisten (vertreten etwa durch Otto Schily und Joschka
Fischer[611]), die das Prinzip der parlamentarischen Demokratie bei all ihren
Schwächen und trotz all ihrer Skandale bejahen und die Bundesrepublik aufgrund ihrer bisherigen Entwicklung für reformfähig halten. Auf der anderen
Seite die Fundamentalisten (darunter Jutta Ditfurth und Thomas Ebermann), die
eine »Reparatur statt Utopie« ablehnen und eine radikale Systemveränderung
anstreben – auch wenn sie sich aus taktisch-strategischen Gründen von Fall zu
Fall aufs »System« einlassen. Beide Gruppierungen der Partei, deren Wähler zu
zwei Dritteln unter dreißig Jahre alt sind, wenden sich gegen Formalismus in der
Politik; die Bundesrepublik erweise sich im zunehmenden Maße als ein Staat, der

zwar formaldemokratisch funktioniere, dem aber in seiner bürokratischen und expertokratischen Erstarrung die Sensibilität für die Inhalte, vor allem für die bedeutsamen Lebens- und Sinnfragen, verlorengegangen sei.

Die Grünen, so Claus Offe, gehörten zu jenen neuartigen »Überschwemmungsphänomenen« in der Politik, die – wie die Bewegungen der Hausbesetzer und Baumbeschützer, der Frauen- und Friedensbesorgten, des AKW-Protest und der Alternativprojekte, der Bürgerinitiativen und des biologischen Landbaus – »Inhalte ohne Formen« verkörperten.[612] »Natur«, die Einheit von Leben und Politik (die Privatisierung des Politischen, die Politisierung des Privaten) ist gefragt. Der Anspruch der Grünen auf rigide Gesinnungsethik kommt dabei immer wieder in Kollision mit politischer Verantwortungsethik, die gerade dann, wenn es um Kompromiß und Koalition geht, das grüne Selbstverständnis bis an den Rand des Zerbrechens fraktioniert.[613]

Kein Politiker der Nachkriegszeit hat auf so persönlich-überzeugende Weise Gesinnungs- und Verantwortungsethik miteinander verbunden bzw. die Widersprüche zwischen idealtypisch-utopischem Denken und der Dreckarbeit der Reform, zwischen Wertorientierung und Praxisverwirklichung so offen und ehrlich »gelebt« wie Willy Brandt. Als er sich 1987, nach mehr als zweiundzwanzig Jahren im Amt des Vorsitzenden der Sozialdemokratischen Partei Deutschlands, aus der aktiven Politik zurückzog, nannte Claus Heinrich Meyer die Geschichte seines Lebens und seiner politischen Tätigkeit »eine Biographie zur Ehrenrettung des deutschen Namens«.[614] In einem Land, in dem vor allem die »Spätgeborenen« einen Politikertypus darstellen, der durch routinierte Glätte, pragmatisches Funktionieren, »sittenlose« Flexibilität bestimmt ist, verkörperte er das republikanische Gegenbild: Mut im Zögern, Kraft im Grübeln, Nähe aus der Distanz, »Mitte« als Austragungsort dialektischer Gegensätze.[615] Vor allem aber war Brandt aufgrund seiner Emigration im Dritten Reich ein Repräsentant des »anderen Deutschland«, der die Erinnerung an die deutsche Schuld genauso wachhielt wie an das sozialdemokratische Ringen um die Verwirklichung der Menschenrechte. In seiner Abschiedsrede, in der er eine gewisse Verbitterung über die Umstände seines vorzeitigen Abtretens – die Vertrauensbasis war morsch geworden – nicht verschwieg, meinte Brandt: »Nicht in bürokratischen Wucherungen und in der Machtvollkommenheit von Apparaten kann die Zukunft liegen, sondern sie muß liegen in der Mitentscheidung der Arbeitenden, der Verbraucher, zumal der Gemeindebürger. Für Freiheit gegen den Obrigkeitsstaat haben unsere Altvordern gekämpft. Sie, wir haben vor den Nazis und ihren mächtigen Helfern nicht kapituliert. Sie, wir haben uns durch die brutale Herausforderung aus dem Osten nicht unterkriegen lassen. So soll es bleiben. Deutsche Sozialdemokraten dürfen Kränkungen der Freiheit nie und nimmer hinnehmen. Im Zweifel für die Freiheit!«[616]

Stadt-Guerilla

Als die größte »Kränkung der Freiheit« wurde in den siebziger und achtziger Jahren der Terrorismus empfunden – getragen von einer kleinen militanten Gruppe, die, hinsichtlich der Zahl ihrer Mitglieder völlig bedeutungslos, mit Hilfe skrupelloser Gewaltverbrechen dem Staats- und Gesellschaftssystem der Bundesrepublik wie ihrer kulturellen Befindlichkeit traumatische Verletzungen zuzufügen vermochte. Sechs gegen sechzig Millionen, konstatierte Heinrich Böll, als sich die Baader-Meinhof-Gruppe herausgebildet hatte.

Der Vater von Andreas Baader war im Krieg gefallen; die Mutter hatte nicht wieder geheiratet; unterstützt von Großmutter und Tante, verwöhnte sie ihren Sohn. Bald lehnte er sich im Frauenhaushalt gegen die vielen Rituale auf; er stahl Motorräder, mit denen er durch den Englischen Garten in München raste; die Schule mußte er verlassen. »Nachts bewegte er sich dort, wo sich Münchner Schickeria, Halb- und Unterwelt und schöne Künste begegneten. Arrivierte Homosexuelle zeigten sich gern mit dem aggressiven und exotischen Burschen, der sie seinerseits mit bösartigem Spott bedachte. Er deutete oft eine geheimnisvolle Herkunft an, irgendwo warte eine phantastische Zukunft und ein großes Erbe auf ihn.« (Stefan Aust)[617] In den Cafés der »scene« traf er öfters den damals völlig unbekannten Rainer Werner Fassbinder; später meinte dieser: »Ich schmeiße keine Bomben. Ich mache Filme.« Baader spielte den edlen Briganten; zusammen mit der Pfarrerstochter Gudrun Ensslin, der Journalistin Ulrike Meinhof (Kolumnistin der Zeitschrift *konkret*, mit deren Herausgeber Klaus Rainer Röhl zunächst verheiratet) und dem Rechtsanwalt Horst Mahler versuchte er, den Zielen der zerfallenden Studentenbewegung mit Hilfe revolutionärer Gewalt einen neuen Impetus zu geben. Baader, Ensslin und andere Mittäter legten 1968 Brandsätze in zwei Frankfurter Kaufhäusern, offensichtlich »inspiriert« von einem Flugblatt der Kommunarden Rainer Langhans und Fritz Teufel, die nach einem Brüsseler Kaufhausbrand mit dreihundert Toten (1967) durch die Frage provoziert hatten: »Wann brennen die Berliner Kaufhäuser?« »Ein brennendes Kaufhaus mit brennenden Menschen vermittelt zum erstenmal in einer europäischen Großstadt jenes knisternde Vietnam-Gefühl [dabeizusein und mitzubrennen], das wir in Berlin bislang noch missen mußten . . .«

Nachdem die Täter gefaßt, aber bis zur Entscheidung über einen Revisionsantrag aus dem Gefängnis bedingt entlassen worden, dann aber untergetaucht waren, wurde Baader in Berlin erkannt und verhaftet. Im Mai 1970 wird er bei einem arrangierten Treffen mit Ulrike Meinhof in der Bibliothek des Zentralinstituts für soziale Fragen in Berlin-Dahlem befreit; es kommt zu einem Feuergefecht, bei dem ein Instituts-Angestellter schwer verletzt wird. Die Eskalation der Gewalthandlungen, die bis Ende der achtziger Jahre immer neue Opfer fordern, beginnt:

– 11. Mai 1972: Ein Bombenschlag auf das amerikanische Hauptquartier in Frankfurt fordert einen Toten.

– 19. Mai 1972: Bei einer Bombenexplosion im Springer-Hochhaus in Hamburg gibt es 17 Verletzte.

– 24. Mai 1972: Drei amerikanische Soldaten kommen bei einem Anschlag auf das Hauptquartier der US-Armee in Heidelberg ums Leben.

– Juni 1972 werden mit Andreas Baader, Holger Meins, Jan-Carl Raspe, Gudrun Ensslin und Ulrike Meinhof fast alle führenden Köpfe der Baader-Meinhof-Gruppe festgenommen.

– 10. November 1974: Der Westberliner Kammergerichtspräsident und höchster Richter der Stadt Günter von Drenkmann wird in seiner Wohnung ermordet.

– 27. Februar 1975: Entführung des Berliner CDU-Vorsitzenden Peter Lorenz durch die »Bewegung 2. Juni«; die Täter erpressen für seine Freilassung die Haftentlassung von sechs Terroristen.

– 24. April 1975: Eine Terrorgruppe besetzt die deutsche Botschaft in Stockholm und nimmt zwölf Botschaftsangehörige als Geiseln fest. Zwei Diplomaten und ein Terrorist werden getötet; ein zweiter stirbt später an seinen Verletzungen.

– 9. Mai 1976: In der Haftanstalt Stammheim verübt Ulrike Meinhof Selbstmord.[618]

– 7. April 1977: Generalbundesanwalt Siegfried Buback, sein Fahrer und eine Begleitperson werden in Karlsruhe auf offener Straße erschossen.

– 30. Juli 1977: Erschossen wird auch der Bankier Jürgen Ponto in seinem Haus in Oberursel bei Frankfurt.

– 5. September 1977: Entführung von Hanns Martin Schleyer, Präsident der Bundesvereinigung der Deutschen Arbeitgeberverbände in Köln; dabei werden sein Chauffeur und drei ihn begleitende Polizeibeamte erschossen.

– 13. Oktober 1977: Eine Maschine der Lufthansa wird auf dem Flug von Mallorca nach Frankfurt von Palästinensern entführt, der Pilot von den Terroristen ermordet; deren Forderung auf Freilassung von Baader und Genossen wird nicht erfüllt; nach der Befreiung der Insassen durch eine Sondereinheit (GSG 9) begehen Baader, Raspe und Ensslin in Stammheim Selbstmord; Schleyers Leiche wird am nächsten Tag im Elsaß aufgefunden.

Bis zum »deutschen Herbst« des Jahres 1977, der Peripetie des sinnlosen terroristischen Dramas, waren achtundzwanzig Menschen bei den Anschlägen oder Schußwechseln ums Leben gekommen. »17 Mitglieder der ›Stadtguerilla‹ fanden den Tod. Zwei gänzlich Unbeteiligte waren bei Fahndungsmaßnahmen versehentlich von der Polizei erschossen worden. 47 Tote. Das ist die Bilanz von sieben Jahren ›Untergrundkampf‹ in der Bundesrepublik Deutschland. Es waren sieben Jahre, die die Republik veränderten.« (Stefan Aust)[619]

Die RAF (»Rote Armee Fraktion«) hatte ihr Selbstverständnis und ihre Ziele in drei Kampfschriften dargelegt, die zwischen April 1971 und November 1972 herausgebracht wurden.[620] Im *Konzept Stadt-Guerilla* wurde der selbstgewählte Name »Rote Armee Fraktion« zum erstenmal öffentlich genannt. Ulrike Meinhof, die Verfasserin der Schrift, versucht eine Analyse der Bundesrepublik; sie wertet die studentische Bewegung, bekennt sich zu ihr als Vorgeschichte der Gruppe und erläutert die selbstgewählte Organisations- und Kampfform der

Schauplatz der Entführung von Hanns Martin Schleyer, September 1977

Stadt-Guerilla. In *Kollektiv RAF – über den bewaffneten Kampf in Westeuropa* werden von Horst Mahler Konsequenzen aus der Einsicht gefordert, daß eine Revolution ohne eine wissenschaftlich-revolutionäre Theorie nicht siegen könne. Die bewaffnete Phase des Klassenkampfs unter den gegebenen gesellschaftlichen Bedingungen sei unvermeidlich. Der »revolutionären Intelligenz« wird die Funktion der Avantgarde zugewiesen: »Nicht die Organisationen der Industriearbeiterschaft, sondern die revolutionären Teile der Studentenschaft sind heute Träger des zeitgenössischen Bewußtseins.«

»Den wichtigsten Teil seiner Schrift bilden die Abschnitte, in denen sich Mahler der ›jugendlichen Gesellschaft‹ zuwendet. Da die wirkliche Lage weder ›repressiv‹ noch ›revolutionär‹ ist, kann der einzelne dauerhaft für den bewaffneten Kampf nur gewonnen werden, wenn er außerhalb der Gesellschaft aktiv gegen die Gesetze handelt und damit zur Fortsetzung seiner kriminellen Aktionen gezwungen ist. Mahler hält junge Menschen für bereit und entschlossen, ihr persönliches Schicksal mit dem Schicksal der proletarischen Revolution zu verbinden und die Risiken des bewaffneten Kampfes auf sich zu nehmen: ›Haben sie erst einmal die Angst vor dem Staatsapparat überwunden, wird sie auch das Gezeter der Revolutionsliteraten und der Maulhelden nicht davon abhalten, diesen Weg weiterzugehen.‹ Mahler versucht, junge Menschen zu überreden, das Mittel des bewaffneten Kampfes praktisch zu entdecken. Entwöhnung vom

Gehorsam gegenüber der bürgerlichen Rechtsordnung ist für ihn ›wesentliche Voraussetzung für die Revolutionierung der Massen‹. Der ›eingeschliffene Gehorsamsreflex‹ muß durch wiederholte bewußte und praktische Normverletzung überwunden werden. Diese Schrift war prägend für die Nachfolgegenerationen der RAF. Daran hat auch die Tatsache nichts geändert, daß Horst Mahler während seiner Haftzeit aus der Gruppe ausschied und sich der KPD anschloß.« (Hans Josef Horchem)

Der Schrift *Stadt-Guerilla und Klassenkampf*, in Auszügen vom *Spiegel* 1972 veröffentlicht (der Text war der Redaktion durch die Post zugegangen), ist die Ausdeutung eines altchinesischen Dichterwortes durch Mao Tse-tung vorangestellt: »Der Tod eines sozialistischen Kämpfers ist gewichtiger als der Tai-Berg, der Tod eines Kapitalisten hat weniger Gewicht als Schwanenflaum.« Der Grundton des Papiers ist resignativ; die Beschäftigung mit der Frage des Verrats weist darauf hin, daß die Gruppe von Zerfallserscheinungen bedroht ist: »Verräter müssen aus den Reihen der Revolution ausgeschlossen werden. Toleranz gegenüber Verrätern produziert neuen Verrat . . . Von der Tatsache, daß sie arme Schweine sind, darf man sich nicht erpressen lassen. Das Kapital wird Menschen so lange zu armen Schweinen machen, bis wir seine Herrschaft abgeschafft haben. Wir sind für die Verbrechen des Kapitals nicht verantwortlich.«[621]

Daß der terroristischen Hydra über lange Jahre immer wieder neue Köpfe nachwuchsen, obwohl sich viele Täter im »Computernetz« verfingen, das der Präsident des Bundeskriminalamtes, Horst Herold, als souveräner Gegenspieler gespannt hatte, war auf drei Hauptgründe zurückzuführen:

Eine große Schar von »Sinndeutern« erhob die Banalität der Verbrechen (Bankraub, Entführung, Mord) auf die Metaebene revolutionären Engagements. Restaurative Kräfte dagegen interpretierten die angewandte Gewalt als Ausdruck linker Gesellschaftskritik; deren Vertreter wiederum sahen beim Terrorismus vielfach edle Briganten am Werk, die im total platten Lande des Wirtschaftswunders ums Gute und Wahre, wenn auch mit verfehlten Mitteln, kämpften. Täter aus verletzter Ehre. Von besonderer Signifikanz in diesem Zusammenhang erwies sich Heinrich Bölls rührend-hilfloser Versuch, in dem Essay *Will Ulrike Meinhof Gnade oder freies Geleit?* (1972), vor der Verhaftung der Meinhof verfaßt, die »Ballerideologie« der Baader-Meinhof-Gruppe (die zunehmend auch von linken Kreisen, soweit diese sich ihre kritische Souveränität erhalten und nicht einem Blutgruppen-Denken geopfert hatten, »Bande« genannt wurde) zu exkulpieren und die Springer-Presse zum eigentlichen Sündenbock zu stempeln: »Haben alle, die einmal verfolgt waren, von denen einige im Parlament sitzen, der eine oder andere in der Regierung, haben sie alle vergessen, was es bedeutet, verfolgt und gehetzt zu sein? Wer von ihnen weiß schon, was es bedeutet, in einem Rechtsstaat gehetzt zu werden von *Bild*, das eine weitaus höhere Auflage hat, als der *Stürmer* sie gehabt hat?«[622]

Recht hatte freilich Böll, wenn er – und dies erwies sich als der zweite Hauptgrund für die Bedeutung, die der Terrorismus in der Bundesrepublik gewinnen konnte – die von weiten Teilen der Öffentlichkeit hochgeputschte

Hysterie beschrieb, mit der man auf die terroristischen Verbrechen reagierte: »Die Bundesrepublik Deutschland hat 60 000 000 Einwohner. Die Gruppe um Meinhof mag zur Zeit ihrer größten Ausdehnung 30 Mitglieder gehabt haben. Das war ein Verhältnis von 1:2 000 000. Nimmt man an, daß die Gruppe inzwischen auf 6 Mitglieder geschrumpft ist, wird das Verhältnis noch gespenstischer: 1:10 000 000. Das ist tatsächlich eine äußerst bedrohliche Situation für die Bundesrepublik Deutschland. Es ist Zeit, den nationalen Notstand auszurufen. Den Notstand des öffentlichen Bewußtseins, das durch Publikationen wie *Bild* permanent gesteigert wird.«[623]

Indem Böll herausstellte, daß die Terroristen mit äußerster Gnadenlosigkeit verfolgt würden, während Kriegsverbrecher in der Bunderepublik außerordentlich »human« behandelt, vielfach überhaupt nicht gerichtlich belangt bzw., wenn rechtmäßig verurteilt, aus den Gefängnissen bald wieder entlassen würden, zeigt er ein auch tiefenpsychologisch wichtiges Phänomen auf: Konservative und reaktionäre Kreise, aber auch ein breites Mittelfeld von Mitläufern, hatten endlich wieder einmal die Möglichkeit, in Entrüstung über die Unmenschlichkeit anderer, sich als die eigentlichen Sachwalter staatlicher Ordnung auszuweisen und damit ein Demokratiebewußtsein zu demonstrieren, das in den Zeiten der Weimarer Republik und vor allem im Dritten Reich kläglich versagt hatte. Heinrich Bölls emotional aufgeladenes »Philosophieren« mit dem antifaschistischen Holzhammer war freilich wenig geeignet, den historisch fundierten und juristisch kaschierten Skandal des neuen Rechtsstaates zu dekuvrieren: »Die inzwischen längst nicht mehr so jungen Herren Pragmatiker, die allerorts in wichtigen beratenden Funktionen sitzen, manche von ihnen mitten in der politischen Verantwortung; sie, die gelegentlich Plattheit und Pragmatismus aufs gröblichste miteinander verwechseln; die so mühelos und schmerzlos vom Faschismus in die freiheitlich demokratische Grundordnung übergewechselt haben oder worden sind; sie waren bis 1945 zu gläubig oder zu dumm, um nachdenklich zu werden, im Jahre 1945 waren sie zu jung, um für schuldig gehalten zu werden. Sie waren ›desillusioniert‹, ein bißchen reumütig, sehr rasch bekehrt, und ihre Schmerzen waren nicht viel mehr als ein bißchen Hitlerjugendwehwehchen. Diese gelegentlich etwas glattzüngigen Mechaniker, die alles so gut und das meiste besser wissen und nun, im Vollgefühl ihrer Etabliertheit hin und wieder mit gelinder Wehmut sich nach Ideologie sehnen (wie nach einem Parfüm, das ihnen fehlt in ihrer absoluten Geruchlosigkeit), ist es ihnen nicht ein bißchen zu leicht geworden und gemacht worden, haben sie nicht ein bißchen zu wenig Ideologie, Weltanschauung, Metaphysik in Erinnerung, als daß sie begreifen könnten, was sie nie erfahren haben: was es bedeutet: verfolgt und gehetzt zu sein, ständig auf der Flucht? Als Politischer, als Krimineller, und als ›Krimineller‹?«[624]

Im Rückblick auf die bundesrepublikanische Hysterie angesichts der terroristischen Gewalthandlungen spricht Peter O. Chotjewitz von der Möglichkeit, daß in einiger Zukunft die siebziger Jahre als eine Art Nach-Metternich-Ära empfunden werden: reaktionären Kreisen sei die Entmündigung und Zerschlagung praktisch des gesamten linken Spektrums – von links-sozialdemokratisch (Jusos, die Abgeordneten Hansen und Coppik) über linkssektiererisch (K-Gruppen), linksautonomistisch, revisionistisch bis eben hin zur RAF – gelungen: Ein Sieg der Obrigkeit und des Staatsapparats auf der ganzen Linie. »Es war, als hätte ein Regisseur einen Staatsstreich von oben inszeniert, der schließlich seinen sichtbarsten Ausdruck im großen Krisenstab der Bundesregierung während der Schleyer-Entführung fand. Der große Krisenstab: Das war große Koalition mit äußersten Machtbefugnissen im verfassungsrechtlichen Niemandsland; die Ernstfallprobe für den nächsten Super-Gau, den nächsten Chemieunfall, der 20 Millionen Menschen vom Trinkwasser abschneidet, oder sonstwie entstehende soziale Unruhen. Die RAF als Vorwand, das Land praktisch unter Besatzungs-(un)recht zu stellen und wesentliche Grundrechtsgarantien außer Kraft zu setzen: Das war traditionsreiche Staatskunst. Uns das vorgeführt zu haben, dafür werden Willy und Schmidt wohl in die Geschichte eingehn müssen. Die obrigkeitliche Reaktion auf die RAF sollte man sich Schritt für Schritt zu Gemüte führen – die Gesetzesverschärfungen, die polizeiliche Aufrüstung, die Erforschung der weißen Folter, die Wiedereinführung der präventiven Todesstrafe, die Erprobung der psychologischen Kriegsführung gegen das eigene Volk. Es gibt einige Dutzend Bücher und unzählige Artikel darüber. Kein Staatsstreich ist je so ausführlich kritisch dokumentiert worden wie dieser.«[625]

Stammheim – der eigens für die Verwahrung der Terroristen und die entsprechenden Gerichtsverfahren gebaute Hochsicherheitstrakt bei Stuttgart – wurde zu einem Negativsymbol, das einerseits für ein übersteigertes Gewaltmonopol des Staates, andererseits für die Unsicherheit im Umgang mit dem Terrorismus stand. Anläßlich von Reinhard Hauffs filmischer Rekonstruktion *Stammheim – Baader-Meinhof vor Gericht* (1986), nach einem Drehbuch von Stefan Aust, schrieb Wolfram Schütte, daß der Prozeß von beiden Seiten »deutsch« geführt worden sei: als ein rigoros und erbarmungslos auf die gegenseitige Vernichtung zielender Krieg mit Worten, persönlichen Beleidigungen und juristischen Verfahrensmitteln. Die Bundesrepublik, so Peter Buchka, sei nach Stammheim nicht mehr dieselbe wie vorher gewesen. In der Kälte von Stammheim erschienen vor dem inneren Auge zwei Kleistsche Figuren: Michael Kohlhaas und der Dorfrichter Adam, die so konsequent waren, daß am Schluß vom Sinn ihrer Anstrengungen nichts mehr übrigblieb.[626]

Der dritte Grund für die Bedeutung des Terrorismus im Kontext der bundesrepublikanischen Entwicklung in den siebziger und achtziger Jahren dürfte darin zu sehen sein, daß nun in Form »direkter Brutalität« lange Zeit kaschierte oder verdrängte sozialpathologische Deformationen der Gesellschaft manifest wurden. Im terroristischen Psychogramm erwies sich als maßgebliche Komponente der Destruktionstrieb, der im Haß auf Staat und Gesellschaft die Erfahrung gesellschaftlicher Kälte und Härte zurückgab – nach dem bereits aus den frühen Tagen der Protestbewegung bekannten Motto: »Macht kaputt, was euch kaputt macht!«

Bei der gespenstischen Beisetzung von Baader, Ensslin und Raspe nach deren

Selbstmord habe sich, so die *Süddeutsche Zeitung* am 28. 10. 1977, kaum Trauer, wohl aber Wut auf Staat und Gesellschaft in makabren Szenen gezeigt: »Die meisten Teilnehmer der Trauerversammlung – sie waren aus Frankreich, Holland, England, der Schweiz, Österreich und dem ganzen Bundesgebiet gekommen – gaben kaum Leid und Betroffenheit zu erkennen wie die Angehörigen und einige nahe Bekannte der Verstorbenen. Erfüllt von Haß und Wut riefen sie vielmehr zum Kampf auf. ›Solidarität mit den Kämpfern aus der Guerilla, Gudrun, Andreas, Jan – in Stammheim gefoltert und ermordet‹, verkündete eines der Transparente, die während der Beisetzung vom Wall am Rande des Friedhofs aus die Menge überragten. Ihre Träger hatten ihre Gesichter mit Schals und Umhängetüchern verhüllt, um nicht erkannt zu werden. Gut die Hälfte der etwa 500 Teilnehmer hatte sich auf diese Weise vermummt und gab der Zusammenkunft an den Gräbern den Charakter einer Verschwörung.«[627]

Motivation des Terrorismus

Die Deutungsversuche des Phänomens Terrorismus spüren immer wieder den Biographien der einzelnen Terroristen nach, um von dort her Aufschlüsse über deren Beweggründe zu erhalten. Ein Ausspruch der 19jährigen Susanne Albrecht, einer Mittäterin bei der Ermordung von Jürgen Ponto, ihren Eltern gegenüber: »Ich habe die Kaviarfresserei satt!« verdeutlicht ein im Psychogramm der Terroristen häufig anzutreffendes Merkmal: nämlich den Ekel an der Wohlstandsgesellschaft, die nur an sich selbst denke und darüber die Not der anderen vergäße.[628] Daß dabei die »Töchter und Söhne aus gutem Hause«, die aufgrund der ihnen anerzogenen Sensibilität solches bemerkten und dagegen protestierten, selbst nicht in der Lage waren, narzißhaftes Verhalten zu überwinden, zeigt gerade der Terrorismus – als eine in die Aggressivität umgeschlagene Frustration. Man vermag die Vereitelung humaner Lebensziele nicht selbstkritisch in soziales Handeln umzusetzen, sondern flüchtet in die Abreaktion durch Gewalt.

Der nachgewachsenen, zweiten Terroristengeneration – so Karl-Heinz Janßen – seien die seelischen Belastungen der Nachkriegsgeneration erspart geblieben. Diese entlaufenen Kinder unserer Wohlstandsgesellschaft fühlten sich entweder angeekelt vom Materialismus ihrer groß- und kleinbürgerlichen Familien oder (als Aufsteiger aus minderbemittelten Schichten) enttäuscht in ihren Zukunftserwartungen, die von der Rezession beschnitten wurden. Werner Maihofer, der liberale Theoretiker, als Innenminister für die Bekämpfung des Terrorismus zuständig, habe eine plausible Begründung für das Verhalten dieser Jugendlichen: sie strebten nach einer besseren Welt, doch hätten sich ihre revolutionären Impulse nicht mehr rechtzeitig in ein reformerisches Engagement umsetzen lassen, weil ihnen die reale Politik zu schwerfällig erschien. So endeten sie denn in einer Sackgasse von Mord, Totschlag und gemeinem Bankraub.[629]

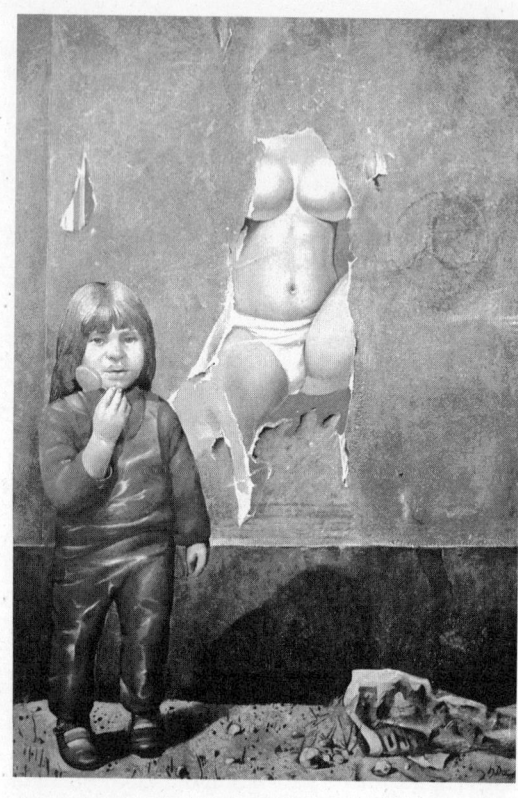

Harald Duwe, Ulrikes
Kindheit, 1967–1971

Die Permissivität der Wirtschaftswundergesellschaft wird als Ausfluß ihrer
»Vaterlosigkeit« verstanden. Dominant waren zunächst die autoritären Füh-
rungsstrukturen einer patriarchalischen Gesellschaft; dann kam – im Gegen-
schlag – die Orientierungslosigkeit der antiautoritären Bewegung. Die helfende,
erziehende Hand kompetenter Pädagogik fehlte. Die »Trümmerkinder«, die
inmitten einer feindlichen Umwelt Selbständigkeit des Denkens und Handelns
entwickelt hatten, wurden abgelöst durch eine Jugend, die nicht eine skeptische,
wohl aber eine gleichermaßen vernachlässigte wie unzugängliche Generation
war. Der Sprung in die Freiheit gelang den Söhnen und Töchtern von Coca-Cola
und Karl Marx nicht. Der Abschied vom Sozialismus (was immer man darunter
verstand) vollzog sich als aggressives Aufbäumen; Gewalt wurde zur schrecklichen »Ventilsitte«. Während die meisten APO-Führer der ersten Generation mit

ihren Visionen angesichts der Wirklichkeit hilflos resignierten, im »Rückzug« jedoch ihre eigene Identität stabilisierten, begaben sich andere auf eine ziellose Flucht. Rainer Langhans, Mitbegründer der »Kommune 1«, hat diesen Zustand wie folgt beschrieben: »Wir wollten wirklich herausfinden, was Leben ist. Die Bewegung ist nicht zusammengebrochen als utopische, sondern als sozialistische. Der Sozialismus, immer verfolgt, stellte für uns nur die Bilder bereit. Was wir wollten, war mehr. Wir haben das gedemütigte Subjekt immer draußen gesucht und hätten lernen müssen: Das gedemütigte Subjekt sind wir selber. Alles, alle Fehler haben mir weitergeholfen. Heute fühle ich mich viel radikaler als die anderen, die zu feige waren, bis zu sich selbst zu kommen. Halten Sie das für Flucht? Einfach ist es nicht. Was Fritz Teufel und Baader und Meinhof gemacht haben, ist viel eher Flucht.«[630]

Für den Psychiater Helm Stierlin stehen Familienterror und öffentlicher Terrorismus in enger Korrelation. Das Unheil sei schon in den Beziehungs- und Konfliktmustern der Familie angelegt; in einem Falle bleibe die negative Gegenseitigkeit gleichsam umfriedet; im anderen durchbreche sie die Umfriedung und ziehe viele andere in ihren Sog. Es vollziehe sich dann die »Explosion eines scheuen Charakters«. Stierlin sieht den potentiellen wirklichen Terroristen als jemanden, »der als Kind möglicherweise schwerwiegende Verluste erlitten hat und sowohl materiell verwöhnt (d. h. elterlichem ›Konsumterror‹ ausgesetzt) als auch seelisch depriviert und hinsichtlich dieser Deprivation im unklaren gelassen bzw. mystifiziert wurde. Solche ›Verwöhnung‹ verstärkte einerseits die genannte Anspruchs- und Erwartungshaltung, zum anderen machte sie ihn passiv: Somit fehlten ihm der Anreiz und das Erlebnis, durch eigenen Einsatz wirklich etwas zu ändern, zum Guten wenden zu können und dadurch selbst bestätigt zu werden. (Unter der Oberfläche der Passivität brodelt aber ein Aktionspotential, dessen Sprengkraft explosiv aufs Ganze zu gehen und sich gegen ›das System‹ überhaupt zu richten droht.)

Ich sehe dieses Kind auch als einen Delegierten, der zumindest von einem Elternteil, zumeist von der Mutter, verdeckt zu terroristischem oder quasi terroristischem Agieren ermutigt wurde – vielleicht, weil er dadurch einen elterlichen Nachholbedarf zu stillen, stellvertretend eine ungelebte Seite dieses Elternteils auszuleben oder dessen (gegen den anderen Elternteil oder die Gesellschaft gerichtete) Rachebedürfnisse zu befriedigen hatte.

Vor allem sehe ich dieses Kind als einen überforderten, in schwerste Auftrags- und Loyalitätskonflikte verwickelten Delegierten. Da bei diesem aber auch eine Störung der bezogenen Individuation vorliegt, fehlt ihm die Möglichkeit, seine Konflikte durch den verstehens- und versöhnungsbereiten Dialog mit den Eltern und der Familie zu bewältigen. Somit verstärkt sich bei diesem Kind das Gefühl, überfordert, ausgebeutet, ungerecht behandelt, in eine ausweglose Situation getrieben zu sein. Und es verstärken sich daher seine ohnmächtige Wut, seine Racheimpulse, seine ›gerechte Empörung‹ und sein Trotz, die sich zunehmend gegen das ganze korrupte, ausbeuterische, verfahrene und fixierte (Familien-)System richten.«[631]

Warum spielen Frauen eine so große Rolle innerhalb des Terrorismus? Mehr als 50 Prozent aller Straftaten auf dem Gebiet des Terrorismus gehen auf ihr Konto. Fast alle stammen »aus gutem Hause«. Aufgrund der Analyse von Lebensläufen Dutzender von Anarchistinnen kommt Gustav Naß zu dem Ergebnis, daß der junge Mensch, der noch nicht zwischen Ideal und Wirklichkeit, Wunschbild und Machbarem zu unterscheiden gelernt habe, den Zwiespalt zwischen der Welt der Ideen bzw. Ideologien und der realen Welt der etablierten Gesellschaft, ihren Herrschaftsstrukturen und ihrer Unvollkommenheit als Schock erlebe. Die Reaktion darauf sei bei einigen die Flucht in die Anarchie. Zwar bleibe stets die Entscheidungsfreiheit, die Möglichkeit, auch anders zu reagieren. Die Überwindung von Gewissen, Gesetz, Tatfolgen, familiären und gesellschaftlichen Verbindungen falle einem gefühlsmäßigen Verhalten leichter; deshalb seien Frauen als Führer der Anarcho-Szene besonders geeignet. Emanzipierte Frauen wollten den Männern an Brutalität und Kaltblütigkeit nicht nachstehen, sie eher übertreffen und damit ihr Emanzipationsdefizit in einem extremen Maße kompensieren.[632]

Nach Margarete Mitscherlich-Nielsen beweist eine solche Deutung lediglich, daß sie selbst dem gängigen Frauenbild folge – dem Vorurteil nämlich, Frauen seien emotionaler als Männer, ihre rationale Denkfähigkeit sei dementsprechend eingeschränkt. Die Folgerung, daß sie sich deshalb vernünftigen Argumenten als weniger zugänglich erwiesen, fanatisch an ihren Gefühlen und ihrer Überzeugung festhielten und brutaler und kaltblütiger als Männer sich gebärdeten, produziere Teile des patriarchalischen Ressentiments. Mitscherlich-Nielsen stellt demgegenüber fest, daß die Frauen unter den Terroristen mit ihrem Haß offensichtlich ihre Abhängigkeitsbedürfnisse von der Mutter im besonderen Maße abwehren müßten (ein Phänomen, das freilich auch für die Männer zuträfe). Das Spiel mit Mord und Selbstmord könne deswegen psychisch sehr wohl Ausdruck einer zutiefst ungelösten Beziehung zur Mutter sein. »Die Familien, aus denen diese jungen Frauen stammen, sind meist dadurch geprägt, daß der Vater als Vertreter der Gesellschaft der Bestimmende ist, nach dessen Wertvorstellungen man sich richtet. Innerhalb der Familie ist er aber nicht selten ein von der Mutter verwöhntes Kind. Diese tyrannisch-infantile Seite des Vaters wird aber gleichzeitig von der Mutter verachtet. Eine solche Mutter, die einerseits alles Männliche idealisiert, andererseits innerhalb der Familie die Starke ist und den Vater infantilisiert und untergründig verachtet, stellt für das heranwachsende Mädchen ein verwirrendes Vorbild dar. Viele der Haltungen und Funktionen ihrer Mutter hat sie im Laufe der Kindheit verinnerlicht: so übernimmt sie dann auch mit der Verachtung oder dem Gefühl der Zweitrangigkeit der eigenen Weiblichkeit die doppelgleisige Einstellung der Mutter zum Vater, zur Welt der Männer überhaupt. Das Gefühl eines eigenen Zerstörtseins kann sich in solcher Situation leicht entwickeln und läßt eine junge Frau begierig nach Bestätigung von außen greifen oder nach Sicherung durch eine Gruppe, die ihr Identität und neue Wertvorstellungen vermitteln kann.«[633]

Für Ilse Korte-Pucklitsch ist in keiner Schicht die Frauenverachtung so groß wie in der Oberschicht. Das dort herrschende Prinzip hochentwickelter »Sachlichkeit« bewirke, daß die Männer auch ihre Frauen wie Sachen sich zulegten und wie Sachen behandelten. Als Mann in Führungspositionen brauche man Frauen, die sich um den täglichen Kleinkram kümmerten, und man brauche Erben, um weitergeben zu können, was man erwirtschaftet hat. Außerdem möchte man in den Söhnen das eigene Werk fortgesetzt wissen. Frauen seien die Kinderproduzenten, sie gehörten zur Ausstaffierung, zu den notwendigen Accessoires. Der Dienst am Mann werde materiell entlohnt – und zwar reichlich mit Geld, Schmuck, teuren Kleidern, Pelzen, Reisen –, alles Dinge, für die man gern bezahle, da sie ihren Glanz noch auf den Spender würfen. Frauen hätten also – neben den häuslichen, sexuellen und reproduktiven – vor allem Prestige-Funktionen, gar nicht viel anders als die Wohnungen, die Autos, die Pferde. Nicht zu vergessen die Geliebten, die in dieser Schicht in dem Maße jünger würden wie ihre Liebhaber älter: sie hätten Virilität auszuweisen wie die Ehefrauen Solidität und Reichtum. »Das Abgleiten der großbürgerlichen Tochter in den Untergrund kann daher durch den Wunsch motiviert sein, aus ihrer Isolation – auch in ihrer eigenen Schicht, die ihr nach den universitären Erfahrungen höchst oberflächlich erscheinen muß – herauszukommen und Anschluß an eine Gruppe zu gewinnen, in der sie als Gleiche unter Gleichen akzeptiert, anerkannt, ja geliebt wird. Die terroristische Tat kann da ihre ›Feuerprobe‹ der Bewährung sein, der Ausweis ihrer Solidarität mit den anderen. Sie kann ihr außerdem die Illusion von Lebenssinn vermitteln: sich opfern für andere.«[634]

Die im Phänomen der »Angstlust«[635] zutage tretende Mischung von Sadismus, Masochismus, Frustration und Frustrationsaggressivität verweist auf eine Stimmungslage, die grundsätzlich bei unterdrückten Persönlichkeitsstrukturen anzutreffen ist. Wenn Frauen Minderwertigkeitsgefühle zu kompensieren versuchen, kann dies heißen, daß sie dies mit der Waffe, dem klassischen Symbol der Männlichkeit, tun. Sie produzieren sich dann, meint der Soziologe Erwin K. Scheuch, als weibliche Supermänner. »Die Knarre im Kosmetikkoffer – derlei markiere mithin den endgültigen ›Bruch mit der abgelehnten Weiblichkeit‹ (Scheuch). Tatsächlich war etwa für die RAF-Ideologin Ulrike Meinhof eines der bekämpfenswerten Prinzipien in der westlichen Gesellschaft die ›Spaltung des Volkes in Männer und Frauen‹. Und romantisches Amazonen-Verständnis von der Waffengleichheit der Geschlechter im Untergrund bezeugt auch Beate Sturm, das einstige BDM-Mädchen: ›Eines fand ich damals Klasse – daß man als Frau wirklich emanzipiert war, daß man manche Sache besser konnte als die Männer. Wir haben uns einfach stärker gefühlt.‹ Welche Frauen (aber auch Männer) besonders häufig in den Anziehungsbereich der Anarchos geraten, haben Wissenschaftler präzise ermittelt: Neun von zehn Guerilla-Führern, fand der US-Politologe Richard Clutterbuck heraus, haben eine überdurchschnittliche Ausbildung absolvieren dürfen; sie stammen aus Familien, die zumindest über Mittelklasse-Einkommen verfügen. Viele empfanden, so Clutterbuck, Schuldgefühle wegen ihres Wohlstands und ihrer Privilegien, die sie ohne eigenes Zutun erworben hatten.[636]

Die Lebensläufe der meisten westdeutschen Terroristinnen stützen die Clutterbucksche Aussage: Überrepräsentiert sind Frauen, deren Väter Manager sind (etwa Ingrid Schubert), Rechtsanwalt (Susanne Albrecht), Offizier (Margrit Schiller), Architekt (Astrid Proll) oder Kaufmann (Hanna Krabbe). Viele dieser Frauen nahmen während ihrer Studienzeit Kontakt zur Szene auf. ›Wenn man‹, sinniert Beate Sturm, ›mit 14 Jahren schon in der Fabrik steht und selber genug damit beschäftigt ist, sich seiner Haut zu wehren, dann ist es gar nicht so leicht, noch für andere einzutreten‹. Als Studentin indes rutsche man leichter ›in so etwas hinein‹.«[637]

Die deutschen Terroristen verglich Jillian Becker mit den Nationalsozialisten; sie seien »Hitler's children«.[638] Die kriminell gewordenen westdeutschen Anarcho-Versprengten werden so mit dem gleichen Verdacht belegt, unter den sie die westdeutsche Gesellschaft zu stellen versuchten: nämlich faschistisch zu sein. »Abgesehen von verschiedenen Analogien, die hier zwischen der kriminellen Energie der Baader-Meinhof-Leute und der Nazi-Ideologie gezogen werden, wird zum wichtigsten Argument des Buches der geistig-kulturelle Hintergrund, der Ulrike Meinhof und Gudrun Ensslin geprägt hat. In einem Gespräch hat Hans-Jürgen Krahl, der neben Rudi Dutschke einflußreichste SDS-Redner der späten sechziger Jahre, kurz vor seinem tödlichen Unfall einmal geäußert, daß eine Reihe von Leuten der Neuen Linken aus reaktionären, dumpf irrationalen oder nationalsozialistischen Elternhäusern stammten. Erst dieser Hintergrund habe ihnen die Augen geöffnet für die verkappt noch immer wirkenden faschistischen Elemente dieser Gesellschaft.«[639]

Doch dies sei – so Becker – kein wirkliches »Augenöffnen« gewesen; mit Hilfe des »Kampfes gegen den Faschismus« rationalisiere man den eigenen Faschismus. Beckers These ist, daß beide Gruppen, die Nazis und die Terroristen der siebziger Jahre, in vielen grundlegenden Aspekten übereinstimmten. Auf beide Gruppen träfen folgende dreizehn Aussagen zu:

»1. Die Mitglieder benutzten Gewalt und Terror, um anderen ihren Willen aufzuzwingen.

2. Sie bekannten sich offen zu ihrem Haß und Zerstörungswillen gegenüber jenen, die sie als Feinde klassifizierten und damit zu geeigneten Objekten für Einschüchterung, Freiheitsberaubung und Ausrottung machten.

3. Sie waren anti-parlamentarisch, anti-liberal, anti-demokratisch, anti-gewerkschaftlich und intolerant. Sie beanspruchten für sich selbst, eine Elite zu sein, fähig, eine Revolution mit der Masse und für sie zu führen, da die Masse selbst nicht wüßte, was für sie gut sei.

4. Ihre Führungsschicht bestand vorwiegend aus sozialen Außenseitern, verkrachten Existenzen und gescheiterten Intellektuellen.

5. Sie sprachen sich gegen die freie Wirtschaft und gegen den Privatbesitz an Industrie, Warenhäusern usw. aus.

6. Sie zerstörten, verstümmelten und mordeten ohne Rücksicht auf die Rechte des einzelnen und die Gesetze.

7. Sie vertraten die Theorie, die westlichen Staaten seien dekadent und ihre

Regierungen und Wirtschaftskreise bildeten eine Verschwörung gegen den Rest der Welt.

8. Sie gaben der vorherigen Generation die Schuld, die eigene Generation verraten zu haben.

9. Sie behaupteten, gegen ›materielle Werte‹ zu sein, lebten jedoch, soweit möglich, luxuriös und parasitär auf großem Fuße und erfreuten sich an kostspieligen Gütern, die sie auf unehrliche Weise an sich gebracht hatten.

10. Sie predigten: ›Taten zählen, nicht Worte.‹

11. Sie stellten die Legitimität der jeweiligen liberal-demokratischen Regierung in Frage, und sie versuchten, sie zu stürzen, mit der Behauptung, sie diene nicht den wahren Interessen des Volkes, das sie gewählt hatte.

12. Sie bedienten sich verbündeter Rechtsanwälte als Verteidiger, die vor Gericht Taktiken anwendeten, die nicht nur den juristischen Prozeß, sondern das Recht selbst in Verruf bringen sollten.

13. Sie zogen es vor, sich selbst als Werkzeuge übermenschlicher Gewalten, die die Geschicke der Menschheit bestimmen, zu verstehen, als persönlich die Verantwortung für ihre zerstörerischen Aktionen zu übernehmen.«[640]

Von sechs Denkfehlern des Terrorismus in der Bundesrepublik spricht Iring Fetscher; das sind:

1. der Irrtum, durch Terror werde die Bevölkerung für eine gewaltsame Revolution gewonnen;

2. der Irrtum, man könne ein »System« durch die Tötung von Menschen vermenschlichen;

3. der Irrtum, der Terrorismus in der Bundesrepublik könne den Befreiungskampf der kolonialen Völker unterstützen oder habe etwas mit »antifaschistischem Widerstand« zu tun;

4. die Mißachtung der Lehren der Geschichte der Arbeiterbewegung;

5. das Mißverständnis der eigenen theoretischen Haltung: abstrakter Idealismus und undialektischer Materialismus der Terroristen;

6. die Verletzung der für jeden politisch Handelnden geltenden Regeln der Verantwortungsethik und die irrelevante Berufung auf die »reine Gesinnung« oder die »beste Absicht«.[641]

Fetscher stellt fest, daß die Terroristen in ihrer moralischen Selbstgerechtigkeit vielfach den sentimentalen Kleinbürgern, denen sie doch einen erbitterten Kampf angesagt hätten, ähnelten. Den Psychoanalytiker würde es nicht wundern, wenn in diesem Haß auf den Spießer ein total nach außen projizierter Selbsthaß steckte. In seiner Auseinandersetzung mit Max Stirner hat Karl Marx eine ähnliche, wenn auch nur zur verbalen Abreaktion neigende Haltung treffend charakterisiert: »Die Einheit von Sentimentalität und Renommage«, schreibt er in der *Deutschen Ideologie*, »ist die Empörung. In ihrer Richtung nach Außen, gegen Andre, ist sie Renommage; in ihrer Richtung nach innen, als Knurren-in-sich, ist sie Sentimentalität. Sie ist der spezifische Ausdruck des ohnmächtigen Widerwillens des Philisters.«

Aus welchen Bedingungen entsteht Terrorismus? Für Gerhard Schmidtchen sind drei Bereiche der »Desorganisation« besonders auffällig. Zunächst die Verwilderung im religiösen Bereich. Mit dem Machtverlust der Kirchen sei ein Moment der Rationalität in der Behandlung des Religiösen verschwunden. Ein wesentlicher Aspekt dieser Rationalität des Religiösen bestünde in der Abwehr menschenfeindlicher Entwicklungen. Die große Zeit der destruktiven Sekten bräche an, die zum Schrecken der Eltern Heranwachsender würden.

Der zweite Bereich sei charakterisiert durch den Zerfall der gesellschaftlichen Moral. Man verzeichne nicht nur eine steigende Rate der Kriminalität, sondern auch eine Desorganisation der Alltagsmoral. Jemanden übers Ohr zu hauen sei schick; Moralität werde mehr und mehr als eine Form von Dummheit empfunden. Viele Menschen seien aggressiv bereit, anderen wegen kleiner Vorteile große Nachteile zuzufügen. Moralische Handlungskriterien würden weitgehend durch Effektivitätskriterien ersetzt. Die Verstärkungssysteme für ethisch wertvolles Verhalten schwächten sich ab. Unsere Erziehungssysteme scheinen unfähig, die Internalisierung von moralischen Normen zu erreichen.

Der dritte Bereich beträfe die Desorganisation der Persönlichkeitssysteme: Millionen Menschen sei es verwehrt, ein positives Selbstwertgefühl aufrechtzuerhalten. Depressive Störungen beziffern Psychiater auf ungefähr ein Drittel der Bevölkerung und auf 50 Prozent der jungen Leute an den Hochschulen. Mängel in der Selbstrealisierung manifestierten sich in Alkoholismus, Medikamentenmißbrauch, Tabakwarenkonsum, Gebrauch psychoaktiver Substanzen, in unsinniger Nahrungsmittelaufnahme. Erregend hoch seien die Zahlen für Alkoholismus und Drogenabhängigkeit unter Jugendlichen. »Die Armut an Optionen des Engagements ist der entscheidende Faktor.«[642]

Für Wolfgang Salewski und Peter Lanz sind die politischen Gewalttäter von heute nicht die »Kinder Hitlers«; nicht, was unter Hitler einmal getan worden sei, motiviere sie, sondern das Ausmaß kollektiver Verdrängung bei manchen Politikern, die Anmaßung, eine demokratisch verfaßte Gesellschaft so unbefangen zu repräsentieren, wie einmal eine faschistisch organisierte Gesellschaft repräsentiert wurde. Für sie sei außerdem seit dem Vietnamkrieg, dem Massaker von My Lai, und dem Einmarsch in Prag Gewalt als Mittel der Politik sichtbar geworden. Spätestens hier wäre die erträumte Einheit von Moral und Macht zerbrochen; eine enttäuschte Jugend habe sich auf die Suche nach einer eigenen Ideologie aufgemacht, die ihr, wie sie glaubte, diese Einheit zurückbringen könne.[643]

Die Zukunft der Arbeitsgesellschaft

Der größte »strukturelle Skandal« – nicht nur der achtziger Jahre, sondern bei unbewältigter Problemlage das sozialstaatliche Fundament der Bundesrepublik in Richtung auf das Jahr 2000 und darüber hinaus gefährdend – besteht in der politischen Phantasielosigkeit, mit der man die Arbeitslosigkeit, bewirkt durch

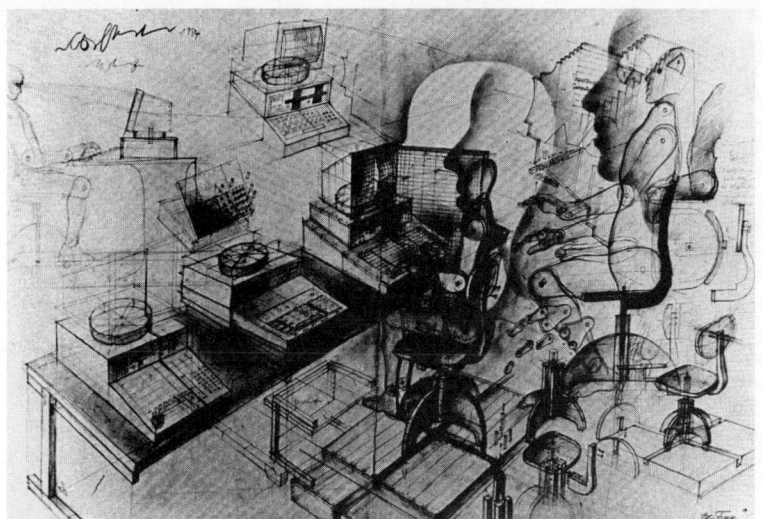

Peter Freese, Anpassungsfiguration, 1984

den Wandel der Produktionsverhältnisse und durch welt- wie binnenwirtschaft-
liche Veränderungen, hinnimmt.

Das klassische Industriezeitalter geht zu Ende; eine neue Epoche hat bereits
begonnen. Technischer Fortschritt hat mit dem Einzug der Mikroprozessoren in
die Fertigungstechnik eine völlig andere Qualität angenommen. Der Mensch ist
erstmals in die Lage versetzt, den unmittelbaren Prozeß der Herstellung von
Industriegütern, aber auch Planungs-, Konstruktions-, Dispositions- und Ver-
waltungsvorgänge, weitgehend der Maschine allein zu überlassen. »Jedes vom
Menschen entwickelte Gerät kann mit einem winzigen Rechner ausgerüstet
werden.« (A. King)[644] Die neuen Technologien (Mikroelektronik in Verbindung
mit der Entwicklung neuer Werkstoffe und Fertigungsverfahren, der Fortschritt
in der Meß- und Handhabungstechnologie, die systematische Verschränkung
betrieblicher Abläufe mit Hilfe der EDV, wobei CA, computer-aided . . ., zur
geradezu magischen Formel wird) machen Arbeitsproduktivität in den Unternehmen zunehmend unabhängiger von menschlicher Arbeitskraft und reduzieren damit das Beschäftigungsvolumen. »Freisetzungen« sind die Folge; es droht
strukturelle Arbeitslosigkeit. Dazu kommt, daß die immer komplexer und kom-
plizierter werdenden Arbeitsvorgänge besondere Qualifikationen notwendig
machen, die häufig nicht vorhanden sind, bzw. auch in langwierigen Umqualifi-
kationsmaßnahmen nicht erreicht werden.

In der modernen Industriegesellschaft entstünde ein Herr von »Substituierbaren«, so Klaus Haefner, die keine Chance mehr hätten, in den »Besitz« von Arbeit zu gelangen.[645] Will man die Zweidrittelgesellschaft – zwei Drittel arbeitend, ein Drittel arbeitslos (wobei demographische Tiefs, also die Auswirkungen des Geburtenrückgangs, sich nur zeitweilig mildernd auswirken dürften) –, will man diese tiefgreifende Gefährdung des demokratischen Sozialstaates verhindern, muß man sich zu radikalen Gegenmaßnahmen entschließen. Der damit verbundene Dirigismus gefährdet nicht die Freiheit, sondern ermöglicht sie erst wieder: nämlich als freier Zugang zur Arbeit für alle. Erinnert sei, daß der Bundestag als Ergebnis antizipatorischer Vernunft 1952 ein Lastenausgleichsgesetz verabschiedete mit dem Ziel, im Rahmen volkswirtschaftlicher Möglichkeiten Schäden und Verluste zu regulieren, die durch Zerstörung und Vertreibung in der Kriegs- und Nachkriegszeit entstanden waren. Bei allen Mängeln ermöglichte diese wohl bedeutendste soziale Tat der Nachkriegszeit die Integration von Millionen materiell wie mental Enteigneter und schuf so eine Basis für die Bemühungen um soziale Gerechtigkeit, die sonst keinen Boden unter die Füße bekommen hätte. Ein neuer Lastenausgleich tut not; nicht mehr als einmaliger Akt, sondern als Daueranstrengung, nämlich zwischen denjenigen, die im Besitz von Arbeit, und denjenigen, die arbeitslos sind.

Zur Lösung des Problems gibt es keinen Königsweg; weitgehend fehlt jedoch sozial-innovatorische Phantasie. Hermann Sallinger verweist darauf, daß die Lösung des Problems der Arbeitslosigkeit nicht nur ein rein ökonomisches, sondern vor allem auch ein gesamtgesellschaftliches und moralisches Problem sei. Deshalb dürften die Lasten der Arbeitslosigkeit nicht der kleinen Gruppe der jeweils aktuell nicht Beschäftigten oktroyiert werden, sondern müßten von der Gesamtgesellschaft in gerechter Weise getragen werden. Der Begriff der Gerechtigkeit stelle dabei ab auf die Notwendigkeit der Solidarität für die am härtesten Betroffenen; er schließe jedoch andererseits auch Unterschiede in der jeweils aktuell notwendigen Teilhabe an der gesamtgesellschaftlichen Belastung aufgrund erheblicher Unterschiede der Belastbarkeit und des bisherigen Solidarbeitrags mit ein.[646]

Beseitigung der Massenarbeitslosigkeit durch soziale Innovation: In einer umfassenden Studie hat Axel Bust-Bartels, unter Berücksichtigung der zu diesem Thema vorliegenden umfangreichen Literatur, Alternativen zur bisherigen Arbeitsmarktpolitik aufgezeigt – wobei pessimistisch zu konstatieren ist, daß Politiker, ständig durch Eiliges absorbiert und Wichtiges dadurch versäumend, solche und andere durchdachten Lösungskonzepte meist nicht einmal zur Kenntnis nehmen, geschweige denn gründlich diskutieren.[647]

1982 hat die Zahl der bei den Arbeitsämtern registrierten Arbeitslosen in der Bundesrepublik die Zweimillionengrenze überschritten. Trotz des 1983 einsetzenden kontinuierlichen Aufschwungs mit einer »Traumkonstellation der wirtschaftlichen Rahmenbedingungen« wurde dieser Sockel bis heute nicht abgebaut; alle ernstzunehmenden Untersuchungen rechnen mit einer Fortdauer der Massenarbeitslosigkeit bis weit über das Jahr 2000 hinaus. Bei 2,5 Prozent realem Wachstum steige Arbeitslosigkeit, einschließlich der stillen Reserve, von 3,6

Millionen Personen 1984 auf 4,3 Millionen 1990 und sinke mit 3,2 Millionen Personen im Jahr 2000 etwas unter das heutige Niveau. Von gewerkschaftlicher Seite werden die verschiedenen Voraussetzungen dieser Berechnung allerdings als noch viel zu optimistisch kritisiert.

Zwar bestünde ein breiter gesellschaftlicher Konsens, daß die Bekämpfung der Arbeitslosigkeit ein vorrangiges wirtschaftspolitisches Ziel sei (wobei freilich die Praxis der aktiven und passiven Verdrängung der Problematik, bis zum bewußten Verschweigen der Arbeitslosenzahlen und ihre Ersetzung durch die viel weniger aussagekräftige Zahl der Beschäftigten, zunehmend an Relevanz gewinne); die Wege zu diesem Ziel unterschieden sich jedoch. Grob ließen sich zwei Positionen unterscheiden: Die eine Position vertraue mehr auf die Kräfte des freien Marktes und versuche Vollbeschäftigung durch verschiedene Maßnahmen der Wachstumsförderung zu erreichen, vor allem durch Kostenentlastungen der Unternehmen, die zu höheren Gewinnen und damit angeblich zu mehr Investitionen führten; die andere Position fordere, die Entwicklung seit 1982 skeptisch beurteilend, die Arbeitslosigkeit vor allem über Beschäftigungsprogramme und Arbeitszeitverkürzungen zu bekämpfen. Bei eventuellen Konjunktur- und Beschäftigungsprogrammen, die in gigantische Ausmaße erreichenden Dimensionen vorgeschlagen werden, sei der zentrale Streitpunkt die Frage der Finanzierung. »Will die eine Position die Finanzierung über eine erhöhte Staatsverschuldung und eine Belastung der oberen Einkommensschichten ermöglichen, so hält die andere Position gerade dies für schädlich.« Ein Konsens müßte zunächst dahingehend erreicht werden, daß man statt Arbeitslosigkeit Arbeit finanziert, wozu eine gesamtgesellschaftlich wie sozialpsychologisch denkende Ökonomie rät. Bust-Bartels zeigt dann die Kosten der Arbeitslosigkeit und die Kosten einer Beschäftigungspolitik auf.

Für die gegenwärtige Arbeitslosigkeit müssen Staat, Bund, Länder, Kommunen und die Sozialversicherungsträger eine Menge zahlen. Das »Institut für Arbeitsmarkt- und Berufsforschung« bei der Bundesanstalt für Arbeit (IAB) argumentiert in seinen Berechnungen dazu nicht etwa mit dem Ausfall an Wertschöpfung für die Gesellschaft, der vermieden worden wäre, hätten die Arbeitslosen gearbeitet, nicht mit sozialen und gesundheitlichen Folgekosten der Arbeitslosigkeit, nicht mit der Vernichtung von Humankapital durch Verlust an beruflicher Qualifikation usw. – alles Elemente, die in eine vernünftige volkswirtschaftliche Kostenberechnung eigentlich eingehen müßten; das IAB klammert alle diese Kosten aus, weil sie schwer zu ermitteln sind; es geht damit faktisch von deren Nichtexistenz aus und beschränkt sich auf die direkt berechenbaren Kosten, die dem »Staat« an Mehrausgaben und Mindereinnahmen durch die registrierte Arbeitslosigkeit entstehen. Das sind im einzelnen: die Mehrausgaben durch die Zahlung von Arbeitslosengeld und Arbeitslosenhilfe, von Renten- und Krankenversicherungsbeiträgen für Arbeitslose, von Sozialhilfe und Wohngeld sowie die Mindereinnahmen bei Renten- und Krankenversicherung, bei der Bundesanstalt für Arbeit, bei der Einkommensteuer und bei den indirekten Steuern.

Diese Mehrausgaben und Mindereinnahmen betrugen 1984 für den Staat pro Arbeitslosengeldempfänger 29 700 DM, pro Arbeitslosenhilfeempfänger 27 500 DM und pro Arbeitslosen ohne Leistungsbezug 15 600 DM. Ausgehend von den Anteilen der drei Gruppen an der Gesamtzahl der registrierten Arbeitslosen von 37,9 Prozent, 26,4 Prozent und 35,7 Prozent ergeben sich für 1984 durchschnittlich gesamtfiskalische Kosten in Höhe von 23 900 DM pro Person und Jahr – d. h. bei 2,27 Millionen registrierten Arbeitslosen im Jahresdurchschnitt Gesamtkosten in Höhe von 54,1 Milliarden DM. 1985 sind diese Kosten aus verschiedenen Gründen auf 24 700 DM pro Person und Jahr oder insgesamt 57 Milliarden gestiegen. Von diesen Gesamtkosten entfielen 1984 nur knapp 30 Prozent auf Zahlungen von Arbeitslosengeld und Arbeitslosenhilfe (1985 nur noch 27 Prozent). Gut die Hälfte der Gesamtkosten besteht aus Mindereinnahmen, knapp die Hälfte aus Mehrausgaben. Stellt man diesen Kosten der Arbeitslosigkeit die Kosten einer Beschäftigung, etwa in einer tariflich bezahlten Arbeitsbeschaffungsmaßnahme (ABM), gegenüber, so ergibt sich nur eine geringe Differenz. Bezieht man lediglich die unmittelbaren Entlastungswirkungen ein, so finanzieren sich die ABM bereits zu 65 Prozent selbst; bezieht man zusätzlich mittelbare fiskalische Wirkungen ein, so erhöht sich die Selbstfinanzierungsquote auf 91 Prozent.

Den durchschnittlichen Kosten einer ABM-Beschäftigung im Jahre 1985 von 39 000 DM pro Person und Jahr stehen gesamtfiskalisch unmittelbare Entlastungen von über 25 000 DM gegenüber. »Nimmt man die durch Vorleistungs- und Einkommensmultiplikatoreffekte bedingten Arbeitsmarktentlastungswirkungen dazu, so erhöht sich die gesamtfiskalische Entlastung auf 35 000 DM.« Die auf diese Weise vermiedenen psychosozialen und gesundheitlichen Belastungen wie die so vermeidbare Dequalifizierung infolge von Arbeitslosigkeit sind in diesem Kostenvergleich nicht berücksichtigt; auch nicht der gesamtgesellschaftliche Nutzen, der die ermöglichten Arbeitsleistungen erbrächte (zumal diese vor allem auf dem Gebiet des Humansektors anzusiedeln wären).

Gesamtfiskalisch betrachtet betragen die Kosten der tariflich bezahlten Beschäftigung von zwei Millionen Arbeitslosen »für den Staat« also nur acht Milliarden DM mehr. Selbst wenn man ausschließlich von den unmittelbaren Entlastungen ausginge (d. h. ohne Vorleistungs- und Einkommensmultiplikatoreffekte zu berücksichtigen) – Bund, Länder, Gemeinden und die Sozialversicherungsträger also in den Genuß erheblicher »Gratiseffekte« kämen –, beliefen sich die Kosten der Beschäftigung von zwei Millionen Arbeitslosen zu tariflichen Bedingungen für den Bund nur auf 28 Millionen DM. Gemessen an den von der Bundesregierung 1988 beschlossenen Steuerentlastungen in Höhe von 44 Milliarden Mark und »gemessen an der Wichtigkeit, die verbal dem Problem der Beseitigung der Massenarbeitslosigkeit zugemessen wird, sind Kosten in dieser Höhe zur Beseitigung der Massenarbeitslosigkeit keine ökonomische Restriktion im engeren Sinne«.

Der globale Problemkreis »Arbeit« hat einen nicht minder großen und wichtigen Problemkreis zum Pendant: Er umfaßt die demographische Entwicklung.[648] Zwischen beiden besteht eine große Schnittfläche – im Sinne vielfältiger Interdependenz. Nicht nur die Mikroprozessoren sorgen dafür, daß die Erwerbsarbeit zurückgeht: Die »Überalterung« der Gesellschaft bewirkt ihrerseits ein hohes Maß an Arbeits-losigkeit. Die Geburtenzahlen sind drastisch zurückgegangen. Wenn in einer Stadt wie Heidelberg, Stichjahr 1985, die Zahl derjenigen, die damals 80 Jahre alt wurden (963), die Zahl der in diesem Jahr Geborenen (930) übertrifft, so zeigt dies exemplarisch den Umbau der Alterspyramide. Der ursprünglich breite jugendliche Sockel fehlt: die älteren Jahrgänge werden immer stärker: Für 2035 wird erwartet, daß die 80jährigen in ganz besonderem Maße dominieren; ihre Zahl hat sich in den beiden letzten Jahrzehnten verdoppelt und wird bis zum Jahre 1990 um ein weiteres Drittel zunehmen. Bemerkenswert auch die Zunahme der sehr alten Menschen. Lag die Zahl der Personen über 90 Jahre 1985 noch bei 165 000, so dürfte sie im Jahre 2030 bei 1 208 000 liegen.

1985 lebten 56,7 Millionen Deutsche in der Bundesrepublik; daneben waren etwa 4,4 Millionen Ausländer bei den Einwohnermeldeämtern registriert. (1973: 58,1 Millionen, 4,0 Millionen Ausländer.) Im Auftrag des Bundesinnenministers hat eine Arbeitsgruppe »Bevölkerungsfragen«, ausgehend vom Stand 1984, die Bevölkerungsentwicklung geschätzt. Orientiert an einem »mittleren Modell« (gleichbleibend niedriges Geburtenniveau, Rückgang der Sterblichkeit, positiver Wanderungssaldo und Einbürgerungen) kam sie zu dem Ergebnis, daß im Jahr 2030 in der Bundesrepublik nur noch 42,6 Millionen Deutsche leben werden; nimmt man an, daß die ausländische Bevölkerung im gleichen Zeitraum von 4,4 Millionen auf 5,8 Millionen steigt, so ergibt sich ein Absinken der Gesamtbevölkerung von 61,1 Millionen (1985) über 60,5 Millionen (2000) bis auf 48,4 Millionen (2030). Der Anteil der unter 20jährigen wird von 24 Prozent zum gegenwärtigen Zeitpunkt über 20 Prozent im Jahr 2000 auf 15 Prozent im Jahr 2030 sinken; gleichzeitig steigt der Anteil der über 59jährigen von 20 Prozent über 24 Prozent auf 38 Prozent; der Anteil der 20- bis 59jährigen, also der erwerbsfähigen Personen (heute 57 Prozent), erreicht nach dieser Schätzung knapp 60 Prozent im Jahr 1990, um dann bis 2030 auf 47 Prozent zurückzugehen.

Im Jahre 1985 hatten 100 Personen im erwerbsfähigen Alter 40 Jugendliche und etwa 36 ältere Menschen (also insgesamt 76 Personen) zu versorgen. In der Zukunft wird aufgrund der demographischen Entwicklung der »Jugendquotient« (das Verhältnis von Jugendlichen zu den Personen im erwerbsfähigen Alter) zunächst stark absinken und erst nach dem Jahr 2020 wieder leicht ansteigen. Der»Altenquotient« (das Verhältnis von Alten zu den Personen im erwerbsfähigen Alter) dürfte sich bis zum Jahr 2030 etwa verdoppeln. Der Gesamtquotient (die Addition von Altenquotient und Jugendquotient) sinkt bis zum Jahr 1990 auf etwa 70 und steigt bis zum Jahr 2020 leicht auf 86, danach kräftig auf 113 Personen je 100 Erwerbsfähige im Jahr 2030 an.

Die rapide Schrumpfung und Vergreisung – ein anderes Modell läßt im Jahre 2030 überhaupt nur noch 34 Millionen Deutsche übrig – bedeutet eine Verwandlung von weitreichenden Folgen: »In Zeitbegriffen gesellschaftlichen Wandels ist

Rolf Escher, Befragung, 1974 (Bleistift 28 × 18)

dies ein atemberaubender, wenn auch von den einzelnen nicht wahrgenommener Prozeß.« (Karl Otto Hondrich)

Die Volkswirtschaft kann zwar, solange sie Absatzmärkte außerhalb hat, aufgrund des technologischen Fortschritts mit geringerem Arbeitseinsatz prächtig gedeihen, ja aus der Not knapper Arbeitskräfte die Tugend weiterer innovatorischer Produktivitätssteigerung machen. Dabei müssen und können immer weniger Beschäftigte immer mehr Alte, Kinder, Studenten, Arbeitslose mitversorgen. Gefährlich ist jedoch, daß schrumpfende Gesellschaften, die sich menschenreichen gegenübersehen, auch Sicherheit in überlegenen Waffentechnologien suchen; die Abrüstungschance sinkt mit sinkender Bevölkerungszahl.

Das tiefere Problem alternder Gesellschaften liegt darin, daß ihre Selbstverwandlung unter der Hand den Kern ihrer soziokulturellen Bindekräfte, Traditionen und Hoffnungen angreift; Kinder und Jugendliche geraten überall in die Minderheit (im Straßenleben, in Fabriken und Büros, in Krankenhäusern, in der Politik, als Wähler). »Das Einzelkind ist den ungeteilten Gefühlsansprüchen und Besorgnissen der Eltern ausgesetzt und stellt Ansprüche, die es mit niemandem zu teilen braucht, so wie es später auch niemanden hat, mit dem es Sorge und Trost für alte Eltern teilen kann. Die Balance von Kooperation und Konflikt in einer Geschwisterkette braucht nicht mehr eingeübt und ausgehalten zu werden. In späteren Konflikten liegt es nahe, Kommunikation rasch abzubrechen und sich auf seine Einzigartigkeit zurückzuziehen.

Wo keine Kinder sind, bleiben Paare seltener zusammen, wenn die Liebe vorbei ist oder umdefiniert werden müßte. Auch die Interessen-Verbindung von Eltern zu Eltern über Spielplätze, Kindergärten, Schulen fällt weg – so wie Kindergärten und Schulen selbst geschlossen werden. Mit den Kindern schwindet das wichtigste Ferment örtlicher Integration und kommunalpolitischen Engagements. Allerdings treibt die Erosion der Solidarität auch Blüten – Blüten der Selbstbezogenheit. Vor dem explosiv anwachsenden Wissen der Gesellschaft stehen immer weniger junge Leute, die es aufnehmen, weitertragen und ihrerseits vermehren sollen. Der ›Rentenberg‹ ist ein Kinderspiel gegen den Berg des Wissens, der in Tradition und Neuerung verwandelt werden muß. Vielleicht findet die Minderheit der Nachgeborenen mittels Computer und Abstraktion einen Weg aus der Überforderung. Daß dabei mehr Tradition austrocknet als zuvor, ist unumgänglich.

Kneipen und Sportvereine, Schwimmbäder und Festhallen, Diskotheken und Museen, Experimentiertheater und Kinos werden sich leeren. Politische Demonstrationen bekommen Seltenheitswert. Das öffentliche Leben und die öffentliche Kultur, die weithin von der Wißbegierde und dem moralischen und ästhetischen Rigorismus der Jugend leben, verblassen. Wir werden uns an eine Gesellschaft gewöhnen, die bei aller ökonomischen Dynamik Impulsivität und Gespür für Neues einbüßt. Mit den Hoffnungsträgern schwinden Hoffnungen dahin. Dem läßt sich nicht durch eine gerontologisch stimulierte Alten-Seligkeit beikommen. Noch so viel Altensex und Altenkommerz können den Rhythmus des Altwerdens, die Verlangsamung und Verleidung des Lebens, den Rückzug in die privaten Räume und auf sich selbst, nicht aufhalten.

Die alternde Gesellschaft ist nicht nur eine Gesellschaft des Wohlstands, sondern auch des Wehleids, der Sorgen und des Selbstbezugs. Was die Alten heute den Jungen vorwerfen, ist weniger für diese als für die Gesellschaft charakteristisch, in der der Anteil der Jugendlichen kleiner wird. Noch, gerade noch verströmen übrigens die geburtenstarken Jahrgänge, die in Unternehmen und Universitäten drängen, eine Grundstimmung kollektiver Zuversicht – gegenläufig zur individuell niederdrückenden Arbeitslosigkeit. Wenn sich in den neunziger Jahren die Chancen am Arbeitsmarkt für die einzelnen verbessern (weil ihre Kohorten sich verkleinern), wird, paradoxerweise, die resignative Umstimmung der Gesellschaft, ihr Verlust an Jugend, stärker hervortreten.«[649]

Die zitierten Statistiken, die Arbeitslosigkeit wie die Vereinsamung betreffend, geben natürlich keinen Eindruck von der mentalen Verelendung, die sich als Folge der gesellschaftlichen Verwandlung eingestellt hat und immer mehr einstellen wird. Wo die »Ressource Sinn« spärlicher, ja kaum mehr fließt, nehmen die psychologischen, psychosomatischen, sozialpsychologischen und sozialpathologischen Probleme sprunghaft zu. Schon jetzt liegt die Zahl der Alkoholkranken so hoch wie die der Zuckerkranken, nämlich bei zwei bis drei Prozent der Bevölkerung (1,2-1,8 Millionen). Im Vergleich zu 1950 hat sich der Alkoholkonsum vervierfacht. Neben Alkoholismus und Drogenkonsum steigt der Arzneimittelmißbrauch weiter an; man spricht von 800 000 Medikamentenabhängigen. Auch Kinder und Jugendliche sind davon tiefgreifend betroffen. Peter Sichrovsky hat bereits 1984 darauf hingewiesen, daß den 9,1 Millionen Kindern im Alter zwischen Null und 12 Jahren, die in der Bundesrepublik leben, statistisch 51millionenmal pro Jahr ein Medikament verschrieben wird. Das dunkelste Kapitel innerhalb dieser Verschreibungspraxis stellt die Verordnung von Psychopharmaka dar. 1,4millionenmal erhalten Kinder diese »Arznei«; das sind 15,4 Prozent aller Verschreibungen. »36% der Eltern sind in der Bundesrepublik bereit, Schulprobleme mit Medikamenten zu behandeln. Nach einer amerikanischen Untersuchung, zu der es noch keine entsprechenden deutschen Zahlen gibt, sind es vorrangig Lehrer, die in Konfliktsituationen Schüler an medizinische Institutionen delegieren, oder den Eltern diesen Weg anraten. 12% der Schüler nehmen aus Nervosität vor Klassenarbeiten Medikamente, wobei die Selbstmedikamentation, der vom Arzt nicht kontrollierte Gebrauch von Medikamenten, bei Kindern und Jugendlichen in Nordrhein-Westfalen bei Beruhigungsmitteln dreimal so hoch ist wie bei Erwachsenen.« (Reinhard Voß)[650]

Es ist davon auszugehen, daß mindestens 30 Prozent aller Patienten, die den Arzt aufsuchen, an psychosomatischen Leiden erkrankt sind. Acht Millionen Arztbesuche erfolgen jährlich wegen psychisch bedinger Erkrankungen; rund zwei Prozent der Bevölkerung (eine Million) bedürften einer psychiatrischen oder einer psychotherapeutischen Behandlung; wegen psychischer Erkrankungen oder persönlicher Schwierigkeiten nahmen im Jahr 1978 ca. 600 000 Personen Kontakt mit Behandlungs- und Beratungsstellen auf. Relevant ist auch die Zahl der Obdachlosen (800 000-1 000 000), der Nichtseßhaften (60 000-80 000), der Landfahrer (30 000), da es sich bei diesen Gruppen vielfach um Menschen handelt, die aus psychosozialen Gründen »auf die schiefe Bahn« geraten sind. Alle diese Zahlen beschönigen noch die Situation – sind doch die Dunkelziffern außerordentlich hoch.[651]

Die häufigsten Erkrankungen im Alter sind Demenz und Depression; unter Demenz wird ein oft über viele Jahre hin fortschreitender Verlust von Gedächtnis, Intelligenz und Erlebnisfähigkeit verstanden, der auch zu körperlichen Behinderungen, etwa zum Verlust der Blasen- und Mastdarmkontrolle führt. Unter Depressionen leiden sieben bis acht Prozent der über 65jährigen, die noch im eigenen Haushalt leben; unter den Bewohnern von Alten- und Pflegeheimen sind 52 Prozent betroffen. Die Symptome depressiver Zustände reichen von vielfältigen Körperbeschwerden, Schlaf- und Eßstörungen, Niedergeschlagenheit und Resignation bis zur schweren Krankheit mit Schuldwahn, Verarmungswahn und Selbstmordimpulsen. Hoffnungslosigkeit und Apathie gehen häufig Hand in Hand mit Gleichgültigkeit gegenüber Gesundheitsbelastungen.

Die Psychogerontologie bzw. Psychogeriatrie hat aufgezeigt, wie viele dieser und anderer Krankheiten – neben den unbeeinflußbaren Alterungsprozessen des Organismus – durch eine andere Lebensführung bekämpft werden können. Entscheidend ist, daß die körperlichen und geistigen Fähigkeiten durch hinreichendes Training aufrechterhalten werden, durch Herausforderung die Resignation überwunden und sinnvolle Tätigkeit ausgeübt werden kann. Selbst Gedächtnisstörungen sind meist nicht die Folge der Zerebralsklerose, sondern Folge mangelnder Herausforderung.

Obwohl die Vergreisung der Gesellschaft als Gespenst vor uns steht (und zwar als kollektive Vergreisung aufgrund der veränderten Alterspyramide und als individuelle Vergreisung wegen des Entzugs von Arbeit) versucht man, die Symptome zu kurieren, statt die Wurzeln der Misere zu beseitigen. Die aufgrund des Arbeitslosen- und Rentnersyndroms entstehenden psychosomatischen Störungen werden mit Medikamenten bekämpft (sei es, um die Gehirnleistung zu steigern, die Durchblutung zu fördern oder die Ängste zu beruhigen). Man ist aber vor allem dann »geistig da«, man gewinnt vor allem dann Zuversicht, man erfährt vor allem dann die notwendige »Adrenalinausschüttung«, wenn man ein lebendiges Leben zu führen vermag und nicht gesellschaftlich zum »toten Leben« verurteilt wird.

Eine der wichtigsten politischen Aufgaben wird es sein, die gesellschaftlichen, ökonomischen, topographischen Voraussetzungen dafür zu schaffen, daß für jeden Menschen »lebendiges Leben« möglich wird (»statistisches Alter« durch gesellschaftspolitische Maßnahmen »verjüngt« wird). Kulturpolitik ist in diesem Sinne ästhetische Erziehung des Menschen, Tätigkeitspolitik. Ihre wichtigsten Aufgabenbereiche: die Ausbildung, Bildung, »Konditionierung« fürs Tätigsein-können (in jeder Altersstufe); die »Bereitstellung« von Beratern, Helfern, Ombudsleuten, Animateuren, die das Tätigsein zu initiieren, fördern, entwickeln helfen (vor allem auch, was die Hilfe zur Selbsthilfe betrifft); die Schaffung örtlicher Voraussetzungen fürs Tätigsein (städtische und ländliche Infrastruktur), mit der »Werk-statt« als zentralem Topos.

Der Problemkreis »Arbeit« im Sinne von Erwerbsarbeit und der Problemkreis »Demographische Entwicklung« konvergieren mit dem Problembereich »Freizeit«, wird doch Freizeit die Arbeitszeit »überholen«. Auch hier ist größte gesellschaftliche Besorgtheit angebracht.

Für Horst W. Opaschowsky wird spätestens im Jahre 2010 der Wandel von der Arbeits- zur Freizeit-Arbeitsgesellschaft vollzogen sein. Am Donnerstagabend geht die Arbeitswoche zu Ende, gleichzeitig fängt der Arbeitsstreß für die wachsende Zahl der Freizeitberufe an. 200 freien Tagen stehen nur mehr 165 Arbeitstage gegenüber. Und dennoch wird es die Freizeitgesellschaft nicht geben. Denn trotz deutlicher Reduzierung der Arbeitszeiten werden 400 Jahre

Arbeitsethos an den Menschen, den Strukturen und Institutionen der Gesellschaft nicht spurlos vorübergegangen sein. Arbeit als Symbol für sinnvolle menschliche Tätigkeit wird auch inmitten wachsender Freizeit ihren Wert behalten. Dies gilt ganz besonders für freiwillige Arbeiten und Eigenleistungen in der Freizeit.[652] Ralf Dahrendorf hat deutlich gemacht, daß Aristoteles wie Marx gesellschaftspolitischen »Irrtümern« unterlagen. »Waren für Aristoteles Tätigkeiten und Arbeit Merkmale verschiedener Klassen, so sind sie für Marx verschiedene Ebenen des Lebens und der sozialen Struktur, aber in der Weise, daß alle Gesellschaften in gewisser Hinsicht Arbeitsgesellschaften bleiben. Es ist ein analytisch zweifelhafter, normativ gefährlicher Gedanke: wer erst anfängt, sich mit der ›rationellen Regelung‹ wichtiger Lebensbereiche zufriedenzugeben, dem entgleitet das ›Reich der Freiheit‹, bevor er sich versieht.«[653] Heute sei die Arbeitsgesellschaft in der Lage, ihre eigenen Grenzen aufzuheben, Arbeit in Tätigkeit zu verwandeln. Gelingt die Humanisierung der Arbeitswelt, organisieren sich die Menschen in autonomen Selbsthilfegruppen, dann löst sich das Reich der Notwendigkeit langsam auf. Der traditionelle Begriff der Arbeit muß überführt werden in ein Verständnis sinnvoller Tätigkeit, das die Trennung zwischen Erwerbsarbeit und gesellschaftlicher Arbeit, zwischen privatem und öffentlichem Leben überwindet. Selbstbestimmte Tätigkeiten im Bereich der Freizeit, der Eigenarbeit und bestimmter Ehrenämter, der Nachbarschaftshilfe, Familienarbeit und genossenschaftlichen Kooperation müssen als gleichwertig neben die Erwerbsarbeit treten. In einem Gespräch wies André Gorz darauf hin, daß der Erfolg und die emanzipatorische Wirkung von Arbeitszeitverkürzung (ohne Lohnausfall) davon abhänge, ob die Gewerkschaften und Kommunen, die politischen Verbände und Kirchen usw. den Menschen in ihrer freigesetzten Zeit Möglichkeiten und Rahmenbedingungen zur Selbstgestaltung ihres Lebens und ihrer Lebenswelt, ihrer Umwelt und ihrer individuellen wie kollektiven Bedürfnisse und Bedürfnisbefriedigung zu bieten wüßten.[654] High-Tech – High-Culture: nicht Hochkultur kann damit gemeint sein, sondern die Totalität von Kultur (von höchster Umfänglichkeit, höchster Vielfalt, höchster Zugänglichkeit, höchster emanzipatorischer Qualität und – angesichts der Probleme der gesellschaftlichen Verwandlung – von höchster Dringlichkeit).

In einer Gesellschaft, die vorwiegend von Nützlichkeitserwägungen bestimmt ist, wird das Ästhetische mißachtet – oder nicht genügend in seiner politischen und sozialpolitischen Bedeutung gewürdigt. Die Sensibilisierung für Umwelt ist die eine Seite ästhetischer Erziehung, die Förderung kreativer Entfaltung die andere. Warenästhetik und Trivialmythen erschweren ichstarkes Leben; der spielende Mensch dagegen findet Enthebung und vermag sich der Stofflichkeit des Daseins gegenüber zu behaupten. Die Losung für den ästhetischen Staat bedeutet somit: Massenkultur – ohne Anführungszeichen! Jeder muß in der Lage sein, an Kultur teilzuhaben und schöpferisch tätig zu werden.

»Werkstatt« wird zu einem Schlüsselbegriff, Schlüsseltopos. In ihr vollzieht sich selbstbestimmte Tätigkeit als konkretes sinnvolles Tun.[655] Werkstatt bedeutet Ort jeglichen Handwerks; ferner »work-shop«: Geschichtswerkstatt, Sozialwerkstatt, Ort der Kreativität; Kommunikations- wie Sozialisationsort; Kooperative, Genossenschaft. Ein Topos, der Sinnerfüllung ermöglicht, der begreifende Handarbeit und sublimierende Geistes- wie Gefühlstätigkeit lokalisiert.

Werkstatt-Arbeit als Meta-Arbeit, als Arbeit im Sinne eines nicht mehr reduzierten, sondern wieder vieldimensional gewordenen Arbeitsbegriffs (als Tätigkeit eben), muß natürlich finanziert werden. Die mit Hilfe der Mikroelektronik und anderer Rationalisierungsmaßnahmen, also mit zunehmend geringer werdender menschlicher Arbeitskraft erzielten Rationalisierungsgewinne müssen in vertretbarem Umfang (ohne Ausschaltung des Konkurrenzprinzips als heilsamer Aktivitätsbelebung) dafür herangezogen werden – in Form einer »Tätigkeits-Steuer«. Ein garantiertes Mindesteinkommen, ein »staatsbürgerliches Grundgehalt«, hätte die ökonomischen Folgen des Verlustes von Arbeitsmöglichkeit (bzw. verkürzter Arbeitsmöglichkeit) mit auszugleichen. »Dabei geht es um ein ›abgestuftes‹ Mindesteinkommen: die staatlich zugesicherte Existenzsicherung verringert sich in Relation zum steigenden Arbeitseinkommen, so daß nur derjenige den vollen Satz des Mindesteinkommens erhält, der ohne jede bezahlte Arbeit ist. Das Einkommensrecht steht zwar jedem zu, die Abstufung soll aber bewirken, daß nicht alle die Arbeit aufgeben und dadurch die Reform unfinanzierbar machen.« In diesem Sinne plädieren Klaus-Uwe Gerhardt und Arndt Weber in dem von Thomas Schmid herausgegebenen Band *Befreiung von falscher Arbeit* für einen »libertären Umgang mit der Krise«. Es gehe nicht darum, die bestehenden Institutionen zu bekämpfen, sondern Alternativen zu fördern. Im Mittelpunkt müsse die Frage stehen, wie ein Leben ohne Lohnarbeit, aber mit beruflichen, außerhäuslichen Tätigkeiten vorbereitet werden könne und wie der Übergang zu Formen kollektiver sozialer und kultureller Selbstversorgung wie gegenseitiger Hilfe finanzierbar sei.[656]

Die Anthropologie der offenen Gesellschaft ist fundiert in der Kreativität des aufgeklärten Subjekts, das sich den Systemzwängen entgegenzustellen wagt – getragen von der Überzeugung, daß ohne »konjunktivische Anstrengung« Wirklichkeit unerlöst bleibt. Die Industriegesellschaft wird nur dann überleben, wenn sie an die Stelle »mechanischer« Extrapolation schöpferische Antizipation setzt, wenn sie mit Phantasie, die sowohl zum Alptraum wie zur Utopie fähig ist, ihre Möglichkeiten durchdenkt, kritisch durchspielt und diskursiv um Wahrheit sich bemüht.

Mit Joseph Huber kann man solche »selbstbezügliche Modernisierung« die »Selbstmodernisierung der Moderne« nennen.[657]

Der bisherige Systemaufbau im Kontext traditionaler Strukturen geht über in einen fortwährenden selbstbezüglichen Umbau im Kontext moderner Strukturen. Der »Übergang vom ökonomischen Aufbau zum sozialökologischen Umbau« impliziere sieben Herausforderungen:

– Neu zu klären sei, was fortschrittlich und was konservativ ist. »So kann es fortschrittlich sein, sich bewußter als früher auf Grundwerte der humanistischen Kultur zu beziehen. Dagegen drückt sich in einem unveränderten Festhalten an bisherigen Formen der Industrialisierung nicht mehr Fortschrittlichkeit aus, sondern ein Konservativismus neuer Art: Industrietraditionalismus.« Neben der »Konservativismusfalle« befinde sich die »Romantizismusfalle«, die darin bestehe, daß unter Berufung auf mythisch überhöhte Begriffe wie »Leben«, »Gemeinschaft« oder »Natur« Errungenschaften der Technik und mühsame Terraingewinne beim Aufbau demokratischer und sozialstaatlicher Institutionen leichtfertig preisgegeben würden.

– Mit dem Systemaufbau so wie bisher weiterzumachen, sei faktisch unhaltbar geworden. Mit der weltweiten Bevölkerungsexplosion, mit der Atombombe, der Atomenergie und der Erkenntnis, daß man bei einer industrietraditionalistischen Gangart an die Grenzen des Wachstums stoße und nicht mehr kontrollierbare Risiken schaffe, stehe die ökologische Frage von nun an auf der Tagesordnung. »Was die soziale Frage für die Epoche der traditionellen Modernisierung gewesen ist, ist die ökologische Frage für die Epoche des selbstmodernisierenden Umbaus.« Aus dem hoffnungslosen Dilemma, industrietraditionalistisch weiterzumachen oder neuromantizistisch aus dem Industriesystem aussteigen zu wollen, gebe es nur einen erfolgversprechenden Ausweg: den Weg einer ökologischen Modernisierung des Industriesystems. Ökologische Modernisierung erfordere hochstehende Wissenschaft und Technik; Computer- und Kommunikationstechnologie, elektronische Meß- und Regeltechnik, neueste Werkstoffe, Biotechnologie, biotechnologische Landwirtschaft, intelligentere und verantwortlichere Energietechnik – fast alles, was der hochtechnologische Fortschritt zu bieten habe, lasse sich in den Dienst des Projekts einer ökologischen Modernisierung stellen.

– Die heutige Gesellschaft im Umbau erweise sich als eine 90prozentige Arbeitnehmergesellschaft, ihre Ökonomie als eine der Arbeitgeber *und* der Arbeitnehmer. Wohl und Wehe der Ökonomie dürften nicht mehr alleinige Sache der Arbeitgeber sein; man könne nicht ein gleichberechtigter Staatsbürger und Wähler, ein arbeits- und sozialrechtlich geschützter und tarifvertraglich mitprofitierender Erwerbstätiger sein, in immer mehr Fragen mitbestimmen, Arbeitsplatz- und Einkommensgarantien beanspruchen, Arbeitsplatzsubvention beziehen und meinen, man habe mit all dem nichts zu tun. Das ausgeprägte nationalökonomische Gesamtinteresse mache aus der Nation keine formierte Volksgemeinschaft. »Im Gegenteil. Jede Gruppe hat ihre höchst eigenen, sehr differenzierten Sonderinteressen, und je nach Interessenlage handeln alle mit allen gegen alle andern.« Außerdem partizipiere man nicht nur als Erwerbstätiger, sondern auch als Nichterwerbstätiger bzw. Konsument. Diese Ökonomie sei nicht mehr bloß Produzentenökonomie, sondern ebensosehr Konsumentenökonomie. »Das zu erkennen und anzuerkennen, ist grundlegend gerade im Hinblick auf die ökologische Frage. Die Umweltprobleme sind ebensosehr konsumbedingt wie sie produktionsbedingt sind. Die Luftverschmutzung zum Beispiel kommt aus dem eigenen Schornstein so sehr wie aus den Fabrik- und Kraftwerkschloten, aus dem Privatauto so sehr wie aus dem Geschäftsauto; und Wasser zum Beispiel wird im Privathaushalt nicht weniger verbraucht und verschmutzt als in der chemischen oder Zellstoffindustrie.« Der doppelten

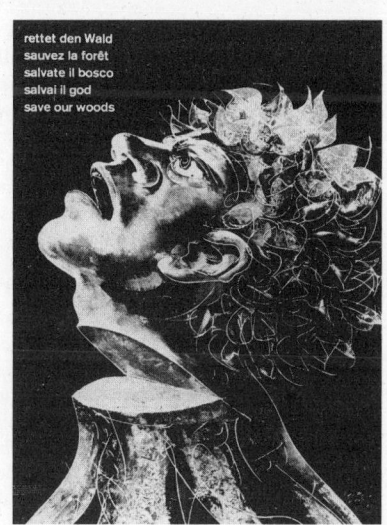

Hans Erni,
Rettet den Wald, 1983

Sexualmoral des früheren traditionellen Bürgertums entspräche heute eine doppelte Sozialmoral. Man trage eine häufig moralinsäuerliche Maske des Antiökonomismus und Antiindustrialismus vor sich her und sei gleichwohl und ganz unvermeidlicherweise – auch wenn man es leugne – Teil dieses Systems: ein Teilnehmer, der seinen Teil beitrage und seinen Teil abbekomme.

– Die traditionelle Industrialisierung bedeutete, Bauern und Handwerker durch Arbeiter zu ersetzen. Mit dem Übergang zur Selbstmodernisierung des Industriesystems träten an die Stelle von traditionellen Arbeitern und Bürokraten Fachkräfte neuer Art, vom Techniker bis zum Therapeuten. Der Anteil der Arbeiter an den Beschäftigten gehe kontinuierlich zurück; immer mehr von ihnen fielen dem Niedergang altindustrieller Sektoren (zum Beispiel in der Stahl-, Kohle- oder Werftindustrie) zum Opfer. Die neuen Arbeitnehmerschichten seien Mittelschichten – zwar keine nivellierten Mittelschichten, wie es die neokonservative Ideologie der fünfziger und sechziger Jahre postulierte, sondern nach wie vor Schichten auf unterschiedlichem Niveau. »Aber gemessen an ihrer Qualifikation, ihrem Einkommen, ihrem Lebensstil und ihrem Selbstverständnis sind es eben doch Mittelschichten. Besonders der Vergleich mit Entwicklungs- und Schwellenländer macht deutlich, daß die industriell fortgeschrittenen Länder die obere Welt-Mittelschicht bilden. In ihr überwiegen die mittleren und gehobeneren Arbeitnehmerschichten. Die Arbeitnehmergesellschaft ist also genauer gesagt eine Arbeitnehmer-Mittelschichtsgesellschaft.« Die Arbeitnehmer stellten mehrheitlich nicht mehr das dar, was man einmal »kleine Leute« nannte; sie sind keine »Masse«; es handle sich vielmehr um qualifizierte, mehr oder wenig gutverdienende Menschen mit einem mehr oder weniger bescheidenen Vermögen und mit gehobenen Ansprüchen an wen oder was auch immer. Diese Menschen lebten in differenzierten Milieus, seien als Individuen differenzierte Persönlichkeiten.

– Zwischen dem noch vorhandenen Wohlstand der meisten und der neuen Armut von im Augenblick noch verhältnismäßig wenigen bestehe eine tiefe Kluft. (Die sogenannte Zwei-Drittel-Gesellschaft ist zur Zeit noch eine Neun-Zehntel-Gesellschaft.) Nicht nur das Interesse des Kapitals, auch die Besitzstandsinteressen der Arbeitnehmerschaft verhinderten deren »Überbrückung«. Ein Ausgleich ist zu schaffen zwischen dem Bemühen um Besitzstandswahrung und Integration der neuen Randschichten.

– Der Gegensatz zwischen den Milieus der Technik-, Wirtschafts- und Verwaltungsberufe auf der einen Seite und den Milieus der Sozial- und Kulturberufe auf der anderen nehme zu. »Der Hauptunterschied dürfte in die Richtung gehen, daß Technik-, Verwaltungs- und Wirtschaftsberufe für betriebliche Belange und für die Erfordernisse des Marktes und der Wirtschaft eher größeres Verständnis aufbringen, während die Sozial- und Kulturbereiche dafür eher weniger Verständnis zeigen. Umgekehrt zeigen die Technik- und Wirtschaftsberufe wenig Enthusiasmus für die Staatsquote und den Sozialstaat, während die Sozial- und Kulturberufe (die in der Regel von Steuern und vom Sozialstaat leben) buchstäblich am Sozialstaat hängen und oft gar nicht verstehen mögen, welchen Sinn es haben könnte, außer Kindergärten, Schulen oder Krankenhäusern auch noch Satelliten- oder Glasfasernetze zu errichten.«

– In der Zeit des traditionellen Systemaufbaus drehte sich so gut wie alles um die Arbeit, die Arbeitsbedingungen, das Arbeitseinkommen. So wurde der Sozialstaat fast vollkommen um die Arbeit herum konstruiert. Auch wenn ein Ende der Arbeitsgesellschaft nicht zu erwarten sei, habe die Gewichtsverlagerung auf Nichtarbeitszeit und Nichterwerbstätigkeit zu weitreichenden Veränderungen innerhalb der traditionellen Lebenszusammenhänge geführt. Ein hohes Maß an persönlicher Freiheit und Emanzipation lockere die Gemeinschaftsbande, etwa im Familienbereich. »Erstens wird endgültig die traditionelle Arbeitsteilung zwischen Mann und Frau aufgelöst; zweitens löst sich das quasi naturwüchsige Familienband zwischen Jung und Alt. Die Geschlechterfrage und die Generationenfrage gewinnt eine Bedeutung, die den alten und neuen Klassenfragen in nichts nachsteht. Die Fragen der Arbeitswelt werden nicht weniger wichtig; aber Fragen der Lebenswelt werden immer wichtiger.«

Wenn es gelingt, die Arbeitszeit wesentlich zu verkürzen und Arbeit gerecht zu verteilen, also den Zugang zu dieser verbleibenden Arbeit allen zu ermöglichen (nicht zuletzt durch die intensive Vermittlung von Schlüsselqualifikationen),

– wenn es gelingt, soziale und kulturelle Kompetenz zu ermöglichen, so daß »freie Zeit« nicht zur Beute der Betrüger wird (also den Verführungsstrategien

der Warenästhetik und Kulturindustrie nicht widerstandslos überlassen bleibt),
– wenn es gelingt, den reduzierten Arbeitsbegriff auf »Tätigkeit« hin auszu-
weiten und die entsprechende Topographie zu schaffen (z. B. in Form von
Werkstätten und »vieldimensionalen« Lernorten),
könnte der Skandal der Arbeitslosigkeit, mit der Drohung der Zweidrittelgesellschaft, bewältigt werden.

Posthistoire

»Erneuerung« ohne Erinnerung war für Willy Brandt ein aussichtsloses Unter-
fangen: »Vorwärts – doch nichts vergessen!« In den achtziger Jahren wird ein
solches Geschichtsverständnis als Gefahr für nationale Identitätsbildung abgewertet. Die Chance und Verpflichtung der Deutschen, gerade weil sie Hitler und
Auschwitz erfahren haben, sich sehr ernsthaft »in die Katastrophe zurückzufra-
gen«, um so das unvollendete Projekt der Aufklärung entscheidend voranzubringen, wird zum Anlaß eines »Kulturkampfes«.[658] Denn um einen solchen handelt
es sich bei dem »Historikerstreit«; in ihm treten Standpunkte und Motive zutage,
die eine Veränderung im kollektiven Bewußtsein und Unterbewußtsein andeuten; blieben sie unaufgearbeitet, würde die Gefahr einer anderen Republik (mit
schwindendem Republikanismus) heraufbeschworen. Posthistoire als Pendant-
begriff zur Postmoderne umfaßt widersprüchliche Tendenzen der Auseinandersetzung mit Geschichte in den achtziger Jahren, die nebeneinander oder gegeneinander stehen:
– Zuwendung zum Ahistorischen, zum Augenblick, in Mißachtung der Erinnerung und unter Vernachlässigung der Antizipation;
– Refeudalisierung von Geschichte, die Minderwertigkeitsgefühle durch
Rückprojektion zu kompensieren trachtet;
– Geschichtsbetrachtung »von unten«, die in der Geschichte der »Leute«,
ihren Lebens- und Arbeitsformen, also im Alltag, Vorstufen demokratisch-repu-
blikanischer Identität zu entdecken glaubt;
– ein neuer Historismus, der unter »Objektivität« die Mißachtung moralischer Beurteilungskriterien versteht und dabei den Nationalsozialismus relativiert (durch »Vergleich« mit anderen Epochen existentieller Betroffenheit zu
entziehen trachtet);
– Weiterführung der Trauerarbeit mit der Hoffnung, daß der Blick auf den
geschichtlichen Abgrund das Engagement für den gerechten Staat und die
humane Gesellschaft zu stärken vermag.
Der von Gerd Bergfleth als Alt-Modernist bezeichnete Jürgen Habermas sieht
den Grund für die Auseinandersetzung um Geschichte in dem Versuch aufklä-
rungsfeindlicher, konterkulturrevolutionärer Geister, die er Neokonservative
nennt, die Moderne programmatisch zu verabschieden, sie für passé zu erklären:
wir hätten das rettende Ufer der Posthistoire, der Nachaufklärung oder der

Postmoderne in Wahrheit schon erreicht – nur die im dogmatischen Schlummer eines »Humanitarismus« befangenen Nachzügler wüßten das noch nicht.[659] Im Gegensatz zum aufklärerischen »Nachzügler« Habermas empfand Ernst Jünger – repräsentativer Vertreter einer durch Richtungswechsel zur postmodernen (antiaufklärerischen) Avantgarde umgruppierten Arrieregarde – das emanzipatorische Pathos und die nach Veränderung drängenden Parolen der Protestbewegung von 1968 als dubiose Verzerrungen: »Aktualisierung, Sozialisierung, Moralisierung der Geschichte, der Abscheu vor großen Männern, das heißt: Charaktere, die durch die Psychologen kastriert werden.« Dies seien Konsequenzen der Grundtatsache, daß Geschichte nicht mehr existiere. Eben deshalb träten Titanen, nicht aber im überlieferten Sinne »Große« auf. »Wir sind aus dem Rahmen der Geschichte entlassen und anderen Formen und Rechten als den historisch gewachsenen unterstellt. Die Formen bestehen, aber noch nicht das Reglement. Die historische Form wie ›der Krieg‹ oder ›der Frieden‹ wird zur klassischen Reminiszenz. Damit verbindet sich ein neues Heimweh nach der Geschichte, eine Trauer gleich der des Achilles an der Leiche des Patroklus.«[660]

In Jüngers Spätwerk *Eumeswil* (1977) wird eine im Sinne der Aufklärung »negative« Utopie vorgeführt.[661] Der Ich-Erzähler des Romans, ein junger Historiker, der als Nacht-Steward auf der Kasbah (Zitadelle) des fiktiven Stadtstaates, also im innersten Sperrkreis der Macht, beschäftigt ist, besitzt eine Art von Zeitmaschine, »Luminar« genannt; diese spielt ihm an Bildern und Informationen aus allen möglichen Vergangenheiten all das zu, was er zu sehen und zu wissen verlangt. Dargestellt wird eine mit allen äußeren Merkmalen der Geschichtlichkeit ausgestattete gesellschaftspolitische Situation, »die als geschichtlich virulent nicht mehr ernst genommen werden kann, weil in den Zeitgenossen das Vermögen, geschichtsfähig zu denken und zu handeln, geschichtlich zu *existieren*, erloschen ist«. Das Lagebewußtsein ist posthistorisch, die Perspektive epimetheisch (Epimetheus, der Bruder des Prometheus, steht für den zu spät Denkenden, für den erst Handelnden und dann Denkenden). Die Diagnose lautet, daß die »historische Substanz« verbraucht ist, daß die »großen«, einst geschichtlich produktiven Ideen steril geworden, die Traditionen erloschen sind, weil etwas wie eine »Querschnittslähmung« den »Nerv der Geschichte« durchtrennt hat.

In *Eumeswil* als Topos für Posthistoire sind die historischen Retro-Moden angesiedelt. Das Heimweh nach Geschichte wird durch raffinierte Inszenierungen bedient. In den achtziger Jahren initiiert Politik Großausstellungen und Museen, deren »Begründung« – im doppelten Wortsinne – vage, auch dubios bleibt. 1980 meinte Lenz Kriss-Rettenbeck: »Diese Großausstellungen werden ja nicht von Fachleuten, sei es in der Idee, sei es im Konzept entwickelt, sondern von interessierten Kreisen, vor allem von Politikern und von Staatsmännern, gefordert. Darin liegt schon das große Problem, weil nämlich hier Forderungen gestellt werden, die hinsichtlich ihrer Verwirklichbarkeit überhaupt nicht überprüft sind. Man geht offensichtlich davon aus, daß die Museumsleute und die Historiker zu jedem beliebigen Thema, zu jeder beliebigen Zeit eine perfekte

Deutung auf dem Tisch liegen haben mit perfekter Materialsammlung, die nun in Form eines großen Zirkus einem breiten Publikum vor Augen geführt wird . . . Die Großausstellungen sollen ja offensichtlich nicht so sehr der Information dienen als Ideologien aufbauen oder Meinungsbilder entwickeln helfen, und hierzu braucht man ja schließlich eine Überredungsgabe, die aber weniger mit Vernunft geführt wird als mit beeindruckenden Mitteln. Und wenn ich heute eine große Schau hinstelle, einen großen Zirkus aufbaue, dann ist der Besucher beeindruckt, dann ist die Population einer Region beeindruckt und hat das Gefühl, es ist etwas Großartiges, etwas Grandioses. Seht her, was sind wir für grandiose, sagen wir mal, Habsburger und Österreicher und Wittelsbacher und Bayern, und demnächst sind wir die großartigsten Preußen, die je gelebt haben. Aber mit Unterricht, mit Aufklärung, mit dem Entwickeln eines Geschichtsbildes haben diese Großausstellungen nichts zu tun. Es sind pure mimae pompae, es sind die modernen Triumphzüge der großen politischen Gladiatoren.«[662]

Historische Gleich-gültigkeit ist die Vorstufe von Gleichgültigkeit; die »Unmittelbarkeit« jeder Epoche (zu Gott oder dem Weltgeist) verhindert moralische »Einstufung«. Wenn »alles geht«, besitzt Erinnerungsarbeit keine Maßstäbe mehr. Sittliche Strukturierung hat keine Chance, wenn Geschichte unter dem Aspekt von Farbigkeitsbedarf konsumiert wird. Friedrich Meinecke hat kurz nach dem Zweiten Weltkrieg, auch angesichts seiner eigenen historiographischen Bemühungen, die Ursachen »dieser namenlosen Katastrophe« in einer weit zurückreichenden säkularen Entartung des deutschen Bürgertums und des deutschen Nationalgedankens gesehen. Und mit beidem war die deutsche Geschichtswissenschaft in ihrer überwältigenden Mehrheit stets eng verbunden gewesen. Sie mußte sich nun mit der Frage auseinandersetzen, wieso der Faschismus gerade in Deutschland, einer hochentwickelten und kulturell hochstehenden Nation, in seiner bösartigsten Spielart hatte zur Macht kommen und eine zwölfjährige Herrschaft über die Deutschen, zu guten Teilen mit deren Billigung, ausüben können. Das Ausweichen vor den Konsequenzen einer solchen Fragestellung führte immer wieder zu einem »Unbehagen an der Geschichte«, zu einem »Verlust von Geschichte«. Neue Wege wurden daher gesucht, um den drohenden totalen Kontinuitätsabriß im historischen Bewußtsein abzufangen.

Einer der wichtigsten bestand darin, daß an die Stelle eines Historismus, der sich zur Apotheose der eigenen Nationalgeschichte verengt hatte, eine moralorientierte, kritisch-wertende Geschichtsschreibung trat, die auch den Mut aufbrachte, Trauerarbeit mit Anklage zu verbinden. Die Genealogie des Nationalsozialismus wurde aufgezeigt; man nahm nicht nur die Rückständigkeit und die strukturellen Mängel des Verfassungssystems des Kaiserreiches und der Weimarer Republik, sondern auch seine gesellschaftlichen Grundlagen in den Blick. Erkannt wurde die Notwendigkeit sozialhistorischer und sozialpsychologischer Untersuchungen.[663]

Im Zuge der Auseinandersetzung der Neuen Linken mit der affirmativen Kultur verstärkte sich der Trend einer ideologiekritischen, gesellschaftsrelevanten Geschichtsbetrachtung – freilich oft sehr stark auf abstrakte Modelle abgehoben, so daß eine begriffliche Stereotypie sich einstellte, die sich ihrerseits vielfach undifferenzierter ideologischer Versatzstücke (»Spätkapitalismus«) bediente. Die »Tendenzwende« brachte wieder konservative Positionen zur Geltung: »Im Gegenzug gegen die Verdammung des Historismus durch die Vertreter einer ›kritischen‹, d. h. im Eigenverständnis ›progressiven‹ Geschichtswissenschaft wird neuerdings auf die Gefahren hingewiesen, die eine Vernachlässigung der klassisch methodischen Postulate des Historismus, namentlich der Methode des einfühlenden Verstehens und der individualisierenden Analyse, die die Handelnden selbst habe zu Wort kommen lassen, nach sich ziehen könne.«[664]

Wenn Heiko Obermann dafür plädiert, daß die Geschichtswissenschaft wieder in die Funktion des Suchens nach dem ganz Anderen, nach dem uns Fremden, dem uns Verlorengegangenen oder auch nach dem Geschick der Verlierer eintreten solle, so läßt sich diese Formulierung sehr gut zur Charakterisierung der Aufgabe einer sozialwissenschaftlich orientierten Historiographie heranziehen. Für einen solchen »Auftrag« kann das Wort eines Nichthistorikers Leitmotiv sein: »Wenn Geschichte nicht verwechselt wird mit bloß Gewesenem; wenn Geschichte aktiviertes Gedächtnis ist, eingeholte Vergangenheit; wenn Geschichte betreiben heißt, eine Sache aus ihren Voraussetzungen verstehen und in ihren Folgen; wenn, mit einem Wort, Geschichte als Unterbau der jeweiligen Gegenwart verstanden wird; als Chance, aus Vergangenem das Gegenwärtige zu begreifen und das Künftige zu vermuten: dann ist Geschichte die redlichste Schutzwehr gegen die Verführung durch plakative Illusion und penetrante Ideologie, gegen die Suggestion der heillosen Heilsversprechung.« (Peter Wapnewski)[665]

Geschichte werde nur dann zu sich selbst und damit zu ihrer Position im Gesamtsystem der geistigen und politischen Kultur finden, meint Theodor Schieder, wenn sie ein Zentrum der Erkenntnis erhält, von dem aus die Widersprüche und Kontraste des geschichtlichen Wesens wieder miteinander verknüpft werden könnten. Dazu gehöre kritisches Vermögen, d. h. die Fähigkeit, die Irrtümer, Fehler, ja Verbrechen in menschlichen Entscheidungen der Vergangenheit zu erkennen, *und* eine Gesinnung, die frei ist von Menschenfurcht, aber auch die Kraft zum Mitleiden besitzt, die den Historiker als Menschen mit seinem ›Objekt‹, dem handelnden Menschen, verbinden sollte.[666] Dies bedeutet Absage an Herrschaftsgeschichte – den Versuch, Universalgeschichte zu rekonstituieren.

»Was heißt und zu welchem Ende studiert man Universalgeschichte?« fragte Friedrich Schiller in seiner Antrittsvorlesung als Professor der Geschichte in Jena 1789. Er war von dem Glauben bestimmt, daß die Bruchstücke des historischen Wissens sich zum System, zu einem vernunftmäßig zusammenhängenden Ganzen ordnen ließen; die vorangegangenen Zeitalter hätten sich, ohne es zu wissen oder zu erzielen, angestrengt, »unser menschliches Jahrhundert« herbeizuführen. Das Studium der Weltgeschichte würde eine ebenso anziehende wie nützliche Beschäftigung gewähren: »Licht wird sie in Ihrem Verstande und eine wohltätige Begeisterung in Ihrem Herzen entzünden. Sie wird Ihren Geist von der gemeinen und kleinlichen Ansicht moralischer Dinge entwöhnen, und indem sie vor Ihren Augen das große Gemälde der Zeiten und Völker auseinander- breitet, wird sie die vorschnellen Entscheidungen des Augenblicks und die beschränkten Urteile der Selbstsucht verbessern. Indem sie den Menschen ge- wöhnt, sich mit der ganzen Vergangenheit zusammenzufassen und mit seinen Schlüssen in die ferne Zukunft vorauszueilen: so verbirgt sie die Grenzen von Geburt und Tod, die das Leben des Menschen so eng und so drückend umschlie- ßen, so breitet sie optisch täuschend sein kurzes Dasein in einen unendlichen Raum aus und führt das Individuum unvermerkt in die Gattung hinüber.« Unser seien alle Schätze, welche Fleiß und Genie, Vernunft und Erfahrung im langen Alter der Welt heimgebracht hätten. Aus der Geschichte erst würde man lernen, einen Wert auf die *Güter* zu legen, denen Gewohnheit und unangefochtener Besitz so gern unsere Dankbarkeit rauben – kostbare teure Güter, an denen das Blut der Besten und Edelsten klebe, die durch die schwere Arbeit so vieler Generationen errungen wurden. Ein solcher Text als Charakterisierung von »Universalgeschichte« läßt sich sehr gut auch auf die Alltagsgeschichte anwen- den. Das große Gemälde der Zeiten und Völker erscheint dann als ein solches, das sich aus unendlichem Detail zusammensetzt. Mit der *ganzen* Vergangenheit sich beschäftigen, führt eben unser kurzes Dasein in einen »unendlichen Raum« und das Individuum unvermerkt in die Gattung hinüber. Die kostbarsten teuren Güter sind jene, an denen das Leiden und die Sehnsucht, die Arbeit und die Mühe, die Hoffnung und die Trauer, der Stolz und die Dankbarkeit so vieler kleben. Zur Identität der demokratisch-republikanischen Gesellschaft können wir alle etwas dazusteuern, wenn wir die Konfigurationen aus allgemeinen und individuellen Fakten wie Erfahrungen ernst nehmen und durch Spurensicherung eine menschenwürdige Geschichtsschreibung betreiben.[667]

Ob geschichtlicher »Idealismus«, unweigerlich mit eschatologischem »Opti- mismus« verknüpft, nach Auschwitz noch berechtigt ist, bleibt gerade auch die Frage für eine Geschichtsarbeit, die in der Alltagsgeschichte die Spuren einer humaneren Lebens- und Gesellschaftsgestaltung zu entdecken hofft. »Ich glaube«, meinte 1970 der damalige Bundespräsident Gustav Heinemann, »daß wir einen ungehobenen Schatz an Vorgängen besitzen, der es verdient, ans Licht gebracht und weit stärker als bisher im Bewußtsein unseres Volkes verankert zu werden. Nichts kann uns daran hindern, in der Geschichte unseres Volkes nach jenen Kräften zu spüren und ihnen Gerechtigkeit widerfahren zu lassen, die dafür gekämpft und gelebt haben, daß das deutsche Volk politisch mündig und mora- lisch verantwortlich sein Leben und seine Ordnung selbst gestalten kann.«[668]

Alltagsgeschichte

Das Wort charakterisiert und antizipiert den mit den siebziger Jahren einsetzenden historiographischen Perspektivenwechsel. »Man denkt sich nicht mehr so leicht in die Pupille Gottes oder des Weltgeistes hinein . . . Wir beginnen uns vielmehr für uns selbst und für die Herkunft der eigenen Lebensbedingungen, Verhaltensweisen, Deutungsmuster und Handlungsmöglichkeiten zu interessieren: Wie etwa haben sich Leistungsnormen in unseren Körper eingeschrieben? Welche Arbeits- und Besitzverhältnisse haben welche Familienkonstellation herbeigeführt? Welche Verhaltens- und Denkveränderungen hat der Übergang vom Land zur Stadt erzwungen? Wie konnten Arbeiter ihre Lohnverhältnisse konkret verbessern? . . . In dieser Dimension des Alltäglichen, deren schon äußere Geschichte nur mühsam und mit methodischer Phantasie zu erschließen ist, wird nach der Subjektivität derer gefragt, die wir als Objekte der Geschichte zu sehen gelernt haben, nach ihren Erfahrungen, ihren Wünschen, ihrer Widerstandskraft, ihrem schöpferischen Vermögen, ihren Leiden. Mit solchen Fragen stoßen wir, je weiter wir in der sozialen Schichtung nach unten vordringen, auf immer größere Dokumentations- und Überlieferungsschwierigkeiten, die wenigstens für die Generation der Mitlebenden durch Nachfrage im Interview bekämpft werden können. Sie eröffnen aber auch neue Ausblicke: Von unten betrachtet wird das ›Politische‹ seines verdinglichten Selbstwerts als Staat oder das, was sich durchgesetzt hat, entkleidet und erscheint eher als ein Medium der Auseinandersetzung und Gestaltung. Andererseits zerbröseln abstrakte gesellschaftliche Kategorien und vorschnelle politische Erwartungen, sobald man sich auf die Subjekte und ihre Lebensgeschichten einläßt, deren Verläufe und Haltungen allemal komplexer sind, als es die meisten unserer theoretischen Hypothesen vorsehen. Daraus kann man sich induktive Schübe für komplexere historische Theorien erhoffen.« (Lutz Niethammer)[669]

Eine solche Geschichtswissenschaft basiert auf einem Begriff vom Menschen, der diesen nicht auf *einen* Begriff festlegt. Der Relativismus von Aufklärung bedeutet Skepsis gegenüber der Endgültigkeit von Vernunftwahrheiten, jenseits des vernünftig-humanen Grundkonsenses der liberalen Demokratie über die Form unseres Miteinanderlebens, bedeutet also ein Bewußtsein von der Fragwürdigkeit, Endlichkeit, Fehlbarkeit, Widersprüchlichkeit unseres Wissens wie unseres Tuns: »Geschichte als Aufklärung ist vom Geist solcher aufgeklärten Skepsis methodisch und substantiell getragen. Geschichte als Aufklärung hat von der Übermacht der Traditionen befreit und hält uns davon frei. Geschichte als Aufklärung hat uns von der Geschichte der Sieger und der Geschichte der Herrschenden befreit und hält uns davon frei. Geschichte als Aufklärung befreit uns heute von der neuen Macht, von Ideologien und Utopien, die Vernunfts- und Zukunftsziele setzen und monopolisieren wollen, ihre Werte und Parteinahme mit dem Anspruch der Wissenschaft durchsetzen wollen, und danach ein Bild der Geschichte präsentieren . . . Geschichte durchbricht die Gehäuse, die wir uns immer bauen, indem sie Vergangenheit unbefangen und unverzerrt vor Augen bringt . . . In diesem Sinne kann Geschichte heute Aufklärung sein.«[670]

Die dergestalt von Thomas Nipperdey herausgestellten aufklärerischen Grundsätze dürfen freilich nicht – darauf hat Jürgen Kocka in einer Replik hingewiesen – als wissenschaftliche »Gegenkritik« ausgespielt werden: »Nicht zwischen wertfreier, desinteressierter, reiner Wissenschaft einerseits und gesellschaftlich und politisch engagierter Wissenschaft andererseits verläuft also die theoretisch wie politisch interessante Linie, sondern zwischen einer Wissenschaft, die bei allem Engagement (übrigens für denkbar verschiedene Zielsetzungen) die wissenschaftlichen Regeln (›Aufklärung als Methode‹) respektiert, und einer Wissenschaft, die dies aufgrund ihres Engagements (oder aus anderen Gründen) nicht tut und deshalb letztlich unwissenschaftlich und anti-aufklärerisch zugleich ist.«[671]

Eine demokratische Geschichtswissenschaft bedürfe der Aufklärung als Methode; sie bleibe aber nicht auf die *Methode* von Aufklärung beschränkt. Der Historiker müsse seine Arbeit auch ausdrücklich und bewußt in Themenwahl, Begriffsbildung und Urteilskriterien an aufklärerischen *Zielen* orientieren, an der Erhaltung und Vermehrung von Freizeit, Demokratie und sozialer Gerechtigkeit zum Beispiel. Daß er dies *soll*, lasse sich allerdings nur zum Teil wissenschaftsimmanent begründen: nämlich soweit es sich um die Erhaltung und Herstellung jener gesellschaftlich-politischen Grundbedingungen handle, die die Geschichtswissenschaft brauche, um zu leben und zu gedeihen; in Diktaturen gehe es ihr nämlich regelmäßig schlecht; doch darüber hinaus müsse man politisch für aufklärerisches Engagement gerade unter Historikern werben können, die gewissermaßen professionell zur Erinnerung an die Katastrophen der jüngeren deutschen Geschichte verpflichtet sind und auch die Hilflosigkeit der meisten ihrer Amtsvorgänger 1933-1945 nicht vergessen dürften.

Der vielfach konstatierte Mangel an Geschichtsbewußtsein hat unter diesen Aspekten folgende Gründe:
– einer sich in die Abstraktionen vorgegebener Objektivität zurückziehenden Wissenschaft, einer Wissenschaft ohne »Parteinahme«, fehlt die Relevanz für Leben und Gesellschaft;
– historistische Geschichtsbetrachtung überlagert die Möglichkeit, aus Vergangenheit für Gegenwart und Zukunft Folgerungen zu ziehen;
– strukturelle und institutionelle Einsichten beachten das Individuum zu wenig, der objektive Faktor Subjektivität wird vernachlässigt.

Wenn Geschichte sich zu sehr Herrschaftsfragen und Problemen politischer wie ökonomischer Strukturen zuwendet, wird sie einer demokratischen Gesellschaft kein wirkliches »Identitätsangebot« machen können; sie verstärkt die Ohnmachtsgefühle des einzelnen, der, im Netz von Ereignissen und Zwängen, Notwendigkeiten und Bedingtheiten gefangen, seine Ich-Stärke verlieren mag. Es geht nicht nur um die Frage, welche Bedeutung der einzelne, die Persönlichkeit in der Geschichte habe, es geht darum, ob Geschichte den breiten und tiefen »Unterbau« von Alltagserfahrung so zu durchleuchten und auszuleuchten vermag, daß eine Verengung der sozialgeschichtlichen Betrachtungsweise auf Strukturen und Institutionen und der politikgeschichtlichen Betrachtungsweise auf Machtkonstellationen vermieden wird.

Wenn Geschichte sich vor allem auf Theorien über den Gang der Gesellschaft stützt und die individuellen Motivationen der Handelnden selbst vernachlässigt, leistet sie einem reduktionistischen Geschichtsbild Vorschub, das den einzelnen Menschen als Täter *und* Opfer, als Subjekt *und* Objekt der Geschichte verkennt. Eine demokratische Geschichtsbetrachtung darf sich somit nicht »steriler Ableitungslogik« überantworten; sie sollte in der Gesellschaft einen »Wärmestrom« induzieren, wie er sich aus der Zuwendung zur Alltagserfahrung ergibt. Die »Kopfgeburten« objektivierter Einsicht sind notwendig; sie können Phänomene auf den Begriff bringen. Doch ist solche Einsicht immer wieder vom Kopf auf die Füße zu stellen; die Fülle empirischer Faktizität ist zudem an individueller Eigenart »festzumachen«.

Das bedeutet z. B. – und damit bewegt man sich zwar »auf ebener Erde«, aber nicht parterre –, daß man aus Geschichten für Geschichte lernt, daß man den Wert mündlicher Überlieferung (»oral history«) begreift und diese entsprechend nutzt, daß man das Themenspektrum, etwa im Rahmen von »Heimatkunde« und Stadtgeschichte, wesentlich erweitert. Freilich bringt die Zuwendung der Geschichtswissenschaft zu den »Beherrschten« auch neue Gefahren mit sich: »Zum einen die Gefahr, diejenigen, die von früheren gesellschaftlichen Machtverhältnissen als Objekte definiert wurden, in ihrem Objektstatus zu belassen, anstatt ihre Subjektivität zu rekonstruieren. In einem tieferen und in die Zukunft weisenden Sinn würde dadurch die Geschichte der Herrschenden verlängert. Auf der anderen Seite mag uns der Ärger über unsere Ohnmacht dazu verführen, die Blindstellen der Subjektivität mit geschichtsphilosophischen Konstruktionen oder sonst willkürlichen Postulaten aufzufüllen, was unsere Erkenntnis der Wirklichkeit vorschnell verstellen, den Subjekten auf benevolente Weise erneut Gewalt antun und unsere Kommunikation mit den Angehörigen solcher Gruppen in der Gegenwart durch die Zuschreibung einer Geschichte, in der sie ihre spezifischen Traditionen nicht wiederzuerkennen vermögen, belasten muß.«[672]

Dem Alltag auf der Spur: diesen neuen Typus der Geschichtsschreibung nennt Hannelore Schlaffer treffend »Kulturphysiognomie«: »Im Unterschied zur Kulturgeschichtsschreibung des neunzehnten Jahrhunderts, die sich auf markante Ereignisse und hervorragende philosophische oder ästhetische Leistungen berief, um den Gang des Geistes durch die Zeiten zu beschreiben, meinen die Autoren der neuen Kulturgeschichte, in der Vergangenheit verborgene Spuren entdeckt zu haben, die hinter die oberflächliche Selbstauslegung einer Epoche führen: aus unscheinbaren Verrichtungen des Alltags, aus dem Formenwandel belangloser Gebrauchsgegenstände, aus den Moden des Vergnügungs- und Freizeitlebens lesen sie den Charakter einer Gesellschaft heraus, wie man das geheime Wesen eines Menschen aus den unbeachteten Zügen, den winzigen Falten und unwillkürlichen Mienen seiner Physiognomie errät. Diese Methode verlangt eine hohe Aufmerksamkeit aufs Detail ... Zur Physiognomik der

Kultur gehört es, daß man die Geschichte eines Phänomens bis in alle Bereiche des Lebens hinein verfolgt. Gesten, Tagesordnungen, die Einrichtung von Räumen, Redensarten, lexikalische Bestimmungen, etymologische Ableitungen, die Fama und die Anekdote müssen herhalten, um die immergleiche Grundform zu präzisieren.«[673]

Wer dem Alltag unserer unmittelbaren Vergangenheit auf der Spur ist, der befindet sich auf einer besonders existentiellen Fährte. Hier begegnet das »breite Publikum« sich selbst und hat keine besonderen Schwierigkeiten, die Werke und Dokumente der Vergangenheit zu verstehen; denn diese ist in der Familienerinnerung noch präsent. »Industriekultur« erweist sich als eine zugleich vergangene wie weiterwirkende Epoche. Die Grenzen des Wachstums lassen uns nach den Ursprüngen des Wachstums fragen; die Angst vor der Zukunft fordert die Überprüfung der Glückserwartung von damals. Mit der Industriekultur beginnt »unsere« Geschichte: »Was vor der industriellen, sozialen und politischen Revolution liegt, ist graue Vorzeit, ferner Mythos, gleich weit wie Assur oder Babylon. Allein der Wissenschaftler vermag sich diese entlegenen Welten noch zu erschließen, aber er kann sich einer breiten Öffentlichkeit, die historisch zu denken verlernte, nur unter großen Schwierigkeiten noch verständlich machen. Die Erinnerungen, die für den heutigen Menschen von Belang sind, die ihn, ganz unabhängig von gelehrter Erklärung, unmittelbar berühren, eben weil sie seine eigenen sind, reichen nicht weiter als bis in das neunzehnte Jahrhundert . . . Die nostalgische Rückbesinnung auf das vergangene Jahrhundert ist deshalb ein ganz natürliches Phänomen, durchaus begrüßenswert, da ein kurzes Gedächtnis immer noch besser ist als gar keines. Der Rückschau auf die fast unmittelbare Vergangenheit liegt das ernst zu nehmende Bedürfnis zugrunde, das fliehende Dasein dennoch locker zu verfestigen.« (Eberhard Straub)[674]

Es geht um eine konkrete »Sozialgeschichtsschreibung von unten«. Die guten Absichten der Hinwendung zum Volk seien, so kritisiert Detlev Puls mit Recht, bislang meist Theorieprojekte geblieben. Die Lieblosigkeit der wissenschaftlichen Forscherattitüde sei zu beklagen; einem derartig kalten, abstrahierenden Blick erschienen die Unterschichten bisher als bloße Objekte der Geschichte, die zu eigenständigen Erkenntnis- und Phantasieleistungen nicht in der Lage seien und deren Handeln nur danach beurteilt werde, ob sie auf die wie auch immer definierten jeweiligen Verhaltensanforderungen »richtig« reagieren, wobei das Beurteilungskriterium im Ausmaß der durchgesetzten Forderungen gesehen werde.[675] Auch die gesellschaftskritische Soziologie hat die Situation der Leute in ihrer konkreten Geschichtlichkeit vernachlässigt. Peter Gstettner spricht von einer »methodologischen Betretenheit«, die sich innerhalb der Sozialwissenschaften in letzter Zeit ausbreite; diese sei mehr als bloße Verunsicherung – sie signalisiere schuldhafte Betroffenheit. Aus ihr erwachse jedoch auch der Versuch, zu einem historisch bewußteren Selbstverständnis zu gelangen: »Die Fragestellung, die den Reflexionen zugrunde liegt, heißt: Wie kam es, daß Sozialwissenschaft bisher kaum etwas anderes getan hat, als Machtstrukturen in Forschungsmethoden abzubilden und wissenschaftliche ›Objektivität‹ gegen subjektbildende Identitätsprozesse auszuspielen? Es ist wahrscheinlich kein Zufall, wenn diese schuldhafte Betroffenheit gerade von jenen Sozialwissenschaftlern artikuliert wird, die darangehen, subjektive Bildungs- und Entwicklungsgeschichten als erkenntnisrelevante Forschungsquellen wiederzuentdecken.«[676]

Im theoretischen Teil einer an sich selbst »vorgeführten« »politischen Autobiographie« (*Geschichtetes Leben – gelebte Geschichte*) hat Hartmut von Hentig davon gesprochen, daß Zeitgeschichte dann vor allem dem künftigen Schreiben von Geschichte dienen könne, wenn sie den noch lebenden Menschen so viel subjektive Erinnerungen abfrage, wie diese herzugeben bereit und in der Lage seien. Die Zeugnisse, Dokumente, Akten müsse man zwar studieren, ihnen aber zugleich systematisch mißtrauen; es seien »Ablagerungen« von Bewußtsein, das es als Erinnerung noch lebendig, sperrig, von Bildern erfüllt, mit Lust und Leid getränkt, gebe. Die Unstetheit der Wahrnehmung, der Urteile, der Selbst-Deutung als kostbaren Stoff müsse man annehmen und aufheben, diese nicht gleich auf eindeutige Ursachen, widerspruchslose Theoreme reduzieren.[677]

Wir müssen wieder lernen, aus den Eindrücken von »Abdrücken« individueller Subjektivität Geschichte abzulesen. Der »Erlebniskomplex« verknüpft Bewußtes und Unbewußtes, Faktisches und Symbolisches, Stoffliches und Strukturelles. Gefährdet wird die Aneignung von Industriekultur durch Nostalgie: Als vermarkteter Erinnerungsromantizismus macht sie aus der vergangenen Zeit eine gute alte Zeit. »Trödelkultur«, Kultur aus der Boutique oder vom Flohmarkt; Kultur allein als sinnlicher Reiz, ohne Reflexion genossen, bringt keine Identität zuwege.

Zu solcher Nostalgie ist Gegensteuerung notwendig – und zwar wiederum durch Nostalgie, durch eine Nostalgie freilich, die den Begriff beim Wort nimmt: als Sehnsucht nach Heimat, so, wie sie Ernst Bloch beschreibt: »Der Mensch lebt noch überall in der Vorgeschichte, ja alles und jedes steht noch vor Erschaffung der Welt, als einer rechten. Die wirkliche Genesis ist nicht am Anfang, sondern am Ende, und sie beginnt erst anzufangen, wenn Gesellschaft und Dasein radikal werden, das heißt sich an der Wurzel fassen. Die Wurzel der Geschichte aber ist der arbeitende, schaffende, die Gegebenheiten umbildende und überholende Mensch. Hat er sich erfaßt und das Seine ohne Entäußerung und Entfremdung in realer Demokratie begründet, so entsteht in der Welt etwas, das allen in der Kindheit scheint und worin noch niemand war: Heimat.«[678]

Gegensteuerung ist auch notwendig gegenüber einer Alltagsgeschichts-Bewegung, die – lokalisiert in basisorientierten »Geschichtswerkstätten«, wie sie in vielen Gemeinden, vor allem kleineren Städten und in Dörfern von Initiativgruppen ins Leben gerufen wurden – vor lauter Konkretheit die »Strukturen« vernachlässigt oder mißachtet. Nicht nur Konservative schwelgen in der Befriedigung von Farbigkeitsbedarf; auch »progressives« Geschichtsverständnis verliert in der Fixierung an purer Stofflichkeit und in der Freude an narrativer Vielfalt seine emanzipatorische Dimension. Immer deutlicher, so Hans-Ulrich Wehler 1988 in einem Aufsatz über die »frischfröhlich erzählende Geschichtswissenschaft«[679], träten die Gefahren hervor, denen ein Großteil der Alltagsgeschichte zu erliegen drohe: »Um nur einige Beispiele zu nennen: Unverkennbar besteht eine gefährliche Tendenz, den westlichen Modernisierungsprozeß mit seiner historisch beispiellosen Verbesserung der Lebenschancen für die große Mehrheit, und keineswegs nur für ›die Herrschenden‹, zu einer düsteren Leidensgeschichte zu stilisieren. So notwendig es ist, die Ambivalenz des Wegs in die moderne Welt stärker zu betonen, so sehr verfehlt eine totale Verlustgeschichte die ganz überwiegend positiven Aspekte dieser Entwicklung. Die Liebe zum Detail, das ›small is beautiful‹, das auch die Alltagsgeschichte beherrscht, führt allzu häufig in eine Isolierung der ohnehin eng umgrenzten Gegenstandsbereiche von den großen, gesamtgesellschaftlichen Prozessen . . . Zur Überwindung der Isolierung gehört auch der Vergleich mit ähnlichen oder andersartigen Phänomenen, um durch diesen einzigen Ersatz, den die Geschichtswissenschaft für das naturwissenschaftliche Experiment besitzt, herauszufinden, ob es sich um einmalige oder verallgemeinerungsfähige Lebenserfahrungen handelt.

Unübersehbar ist auch in der Alltagsgeschichte eine neue Art von Sozialromantik am Werke, die Leben und Leiden der ›kleinen Leute‹ verklärt, aber nicht zu einem abgewogenen, distanzierten Urteil findet. So besteht häufig die Neigung, das Alltagsleben vor dem Eindringen des Agrar- und erst recht des Industriekapitalismus zu beschönigen, eine angeblich heile Welt gegen die kalte Zweckrationalität und Anonymität der von Großbetrieben und Großbürokratien beherrschten modernen Welt auszuspielen.

Solche Urteile verraten nicht nur eine erstaunliche historische Unkenntnis, sondern sie ignorieren den Aberglauben, die Brutalität, den Fremdenhaß, den Antisemitismus, die Rückwärtsgewandtheit vieler ›kleiner Leute‹, so daß ein realitätsfernes Bild von ihnen entsteht, obwohl es doch der Alltagsgeschichte um möglichst realistische Miniaturmalerei geht.

Viele Schwächen der derzeitigen Alltagsgeschichte hängen mit ihrer bornierten Theoriefeindschaft zusammen. Noch glauben offenbar die meisten Anhänger, es genüge, sich z. B. in das Leben der kleinen Belegschaft eines Eisenwerks verständnisvoll zu versenken, um darüber realitätsnah schreiben zu können. Manche falschen Propheten glauben sogar, man könne sich in das ›Innere‹ der Individuen hineinversetzen und dort die ihrem Selbstverständnis angemessene ›Theorie‹ entdecken, die man zur Interpretation letztlich braucht.

All diese bizarren Ideen übersehen, daß die Quellen nie allein von sich aus zum Historiker sprechen, daß sie nur auf präzise Fragen eine präzise Antwort geben. Die Fragen aber hängen vom theoretischen Vorverständnis, von gut begründeten Auswahlkriterien, von explizit gemachten Werturteilen und Interpretationsansätzen ab. Fragen und Deutungen werden immer nach dieser Vorklärung in einem hohen Maße an die Quellen, an die Vergangenheit herangetragen, nie ihr allein entnommen.«

Nationaler Identitätsbruch

Der Versuch, trotz des faktisch geteilten Deutschland geschichtliche Heimat in Form nationaler Identität auf die Idee einer deutschen Wiedervereinigung (in Frieden und Freiheit) zu projizieren, verlor in den siebziger und achtziger Jahren an Bedeutung. Die Politiker ließen zwar nicht ab, in Sonntagsreden derartige Illusionen zu fördern; der vor allem bei der Jugend ausgeprägte Realitätssinn wurde dadurch jedoch wenig beeindruckt. Konrad Adenauers Skepsis gegenüber der Wiedervereinigung, an der er wegen der dann befürchteten »preußischen« Hegemonie nicht interessiert war, dies freilich mit »Beteuerungsjargon« kaschierend, ist zunehmend kollektiv verinnerlicht worden. Symptomatisch, wenn der Historiker und Publizist Sebastian Haffner, früher ein »Wiedervereiniger«, in seinem historischen Rückblick *Von Bismarck zu Hitler* (1987) Adenauers Politik inzwischen für richtig hält; ungern und gewissermaßen gegen den eigenen Willen habe er sich im Laufe der letzten Jahre zu der Ansicht durchgerungen, daß eine Wiederherstellung des Deutschen Reiches weder für die Deutschen noch für ihre Nachbarn wünschenswert wäre. Wo Deutschland liegt – die Antwort lautet immer mehr: ubi bene, ibi patria (»Wo es mir gutgeht, da ist mein Vaterland«).

Günter Gaus, von 1974–1981 erster Leiter der Ständigen Vertretung der Bundesrepublik Deutschland in Ost-Berlin, zeigt in seiner »Ortsbestimmung« *Wo Deutschland liegt* ausführlich auf, daß der Unterschied zwischen den beiden Staatsgründungen sich auch dadurch verstärkte, daß das Beharrungsvermögen in der DDR gewaltig anstieg, während es sich in der BRD weitgehend verflüchtigte. Die DDR sei dementsprechend, unabhängig vom ideologischen Überbau, im kulturellen Erscheinungsbild »deutscher« geblieben; je tiefer man in das Land hineinfahre, desto deutlicher erfahre man den unverwechselbaren Charakter des »Ensemblespiels von Kleinstadt, Dorf und Landstraße, den ältere Deutsche gewohnt sind und der in Westdeutschland weitgehend verlorenging an Neonreklamen, Supermärkte, Umgehungsstraßen und jene Karawansereien mit Tankstellen, Imbißstuben, Plätzen für Gebrauchtwagen und Reparaturwerkstätten, zu denen unsere Ortsausfahrten geworden sind«.[680] Solcher »Erinnerungshauch« weht uns auch an aus den Gedichten der Sarah Kirsch (1935 geboren, 1977 aus der DDR in die Bundesrepublik übergesiedelt); ihre Lyrik evoziert – »das Versmaß elegisch / das Tempus Praeteritum« – die Freiräume einer Nischengesellschaft, die angesichts penetranter kleinbürgerlicher Politisierung den Weg in bald biedermeierlich-verklärte, bald chthonisch-resignative Geborgenheit sucht.

> »Dünnbesiedelt das Land.
> Trotz riesigen Feldern und Maschinen
> Liegen die Dörfer schläfrig
> In Buchsbaumgärten; die Katzen
> Trifft selten ein Steinwurf.

Im August fallen Sterne.
Im September bläst man die Jagd an.
Noch fliegt die Graugans, spaziert der Storch
Durch unvergiftete Wiesen. Ach, die Wolken
Wie Berge fliegen sie über die Wälder.

Wenn man hier keine Zeitung hält
Ist die Welt in Ordnung.
In Pflaumenmuskesseln
Spiegelt sich schön das eigne Gesicht und
Feuerrot leuchten die Felder.«[681]

Die Westdeuschen, so Gaus, vollzogen einen Identitätstausch. Was 1945 und in
den nächstfolgenden Jahren noch kein Preisgeben, sondern eine Öffnung war,
wurde in der Wirtschaftswunderzeit fester, praktikabler, im platten Sinne politischer: Die westdeutsche Mehrheit befriedigte damit die Überbau-Bedürfnisse der
wirtschaftlichen Explosion. Mit den herrschenden Idealen vom Tüchtigen, von
den Marktgesetzen, wie in den Konsumgewohnheiten wurden seit den fünfziger
Jahren viele Westdeutsche – wie häufig bei Konvertiten – sozusagen amerikanischer als die Amerikaner. Es war freilich weniger Wilders Amerika von *Unserer
kleinen Stadt* als das Babbitts, als das, dem heute Ronald Reagan präsidiere: das
Land der unbegrenzten Möglichkeiten, mit der riesigen Glückslotterie, die dort
eine Art Verfassungsrang hat und in der für jeden ein Los ist und die Nieten ein
Fingerzeig Gottes sind. »Die volle Anwendung solcher Freiheitsideale federten
die Westdeutschen zwar durch praktizierten Sozialdemokratismus ab – wer
immer regierte, solange es zu finanzieren war –, aber die Wertmaßstäbe und
Mentalitäten der USA, wie sie die hiesige Mehrheit begriff, wurden fast ohne
Hemmungen kopiert. Die jungen Westdeutschen, die drüben studiert hatten,
unternahmen wenig oder nichts, um ihr Amerika und dessen Tugenden im
öffentlichen Bewußtsein Westdeutschlands deutlich genug von den USA abzusetzen, in denen die Lobpreisung von Gewalt als der am stärksten betonte Teil
der jungen Entwicklungsgeschichte, eine missionarische Selbstüberzeugtheit,
die Zwänge und Eigenschaften einer (jeder) Weltmacht und der Kapitalismus
als Heilslehre eine Mischung eingegangen sind, die ebenso brisant ist, wie sie
von den tonangebenden Kräften der Bundesrepublik glorifiziert wird. Freilich
darf die Mischung nicht analysiert werden. Wer sie in ihre Bestandteile zerlegt,
etwa, um das andere Amerika von ihr zu unterscheiden, gilt als antiamerika-
nisch.«[682]

Die DDR-Autoren Helmut Hanke und Thomas Koch kommen in einer
Untersuchung über Probleme der kulturellen Identität (1985) zu dem Schluß,
daß »Ruhe, Festigkeit, Sicherheit der Lebenslage« (ein Zitat von Karl Marx) die
großen Errungenschaften der DDR-Ordnung seien, daß dies aber mit Langeweile bezahlt werden müsse; mit »Bewährungssituationen, Krisen und Konflikten«, wie sie in der Welt des Kapitals üblich seien, könne der Sozialismus nicht

aufwarten; sie berufen sich dabei auf Günter Gaus, der dem »Staatsvolk der kleinen Leute« eine »unverstellte Kleinbürgerlichkeit« attestierte, und sie entdecken darin einen »durchaus rationalen Kern«. Es sei eben tatsächlich so, daß »die arbeitenden Menschen« in der DDR den Ton angeben. »Eine im internationalen Vergleich – etwa mit vergleichbaren kapitalistischen Industrieländern – verhältnismäßig geringe soziale und kulturelle Differenzierung korrespondiert auf der einen Seite mit weniger ausgeprägten Vorstellungen von gesellschaftlichem Auf- oder Abstieg, der durch das Mithaltenkönnen mit einer bestimmten sozialen Schicht definiert wäre, auf der andern mit der selbstverständlichen Inanspruchnahme tendenziell aller vorhandenen Lebens- und Genußmöglichkeiten durch alle Gesellschaftsmitglieder.« Allerdings sprechen die beiden Autoren auch den wunden Punkt an, wenn sie feststellen: »Identität ist erreicht, wenn das Volk mit seiner sozialen und nationalen Lebensform einverstanden ist.«

Das genau, so Peter Merseburger, von 1982-1987 Leiter des ARD-Studios in Ost-Berlin, sei die Frage, welche die DDR daran hindern dürfte, schon bald ein zweites Österreich zu werden, das sich aus der deutschen Nation herauslöst und sich als eine neue, eigenständige bildet. »Es werde Jahrzehnte dauern, erklärte mir der SED-Historiker Walter Schmidt, ›wir sind ja keine Illusionisten, die verkürzten Perspektiven das Wort reden möchten. Aber wir sagen auch ganz deutlich: Das ist keine Zukunftsmusik mehr, sondern das sind real in Gang gesetzte historische Prozesse. Wir haben einen eigenen souveränen Staat, und der hat sein eigenes Territorium. Es entwickelt sich eine sozialistische Nationalkultur, eine sozialistische Lebensweise, und die sozialistische Gesellschaft verbindet sich auf diesem Territorium mit den überkommenen ethnischen Eigenschaften des Deutschen.‹ Die wichtigste Voraussetzung für die Bildung dieser sozialistischen deutschen Nation allerdings steht noch aus: Es ist die Anerkennung der DDR durch ihre eigenen Bürger, dadurch vollzogen und Tag für Tag praktiziert, daß sie frei, ohne Zwang und wie selbstverständlich diesen Staat akzeptieren und ihm die Treue halten – bei offenen Grenzen, die dann nicht mehr Festungscharakter haben müssen. Erst wenn die SED ihre DDR lebenswerter macht, wenn sie nach innen mehr Freiheit gewährt, dürfte aus ihr vielleicht so etwas wie ein zweites Österreich werden – kein neutrales, sondern ein sozialistisches, das im eigenen Lager verwurzelt bleibt. Erst mit einer solchen Demokratisierung der DDR nach innen hätte sich die deutsche Frage wirklich von selbst erledigt. Es ist noch ein weiter Weg dahin.«[683]

Der Anpassungsdruck, den die ostdeutsche Ideologie und Bürokratie ausüben, führt zu einem Erlahmen von künstlerischer Kreativität und Originalität. Nur wenigen gelingt noch die Aufhellung des Grauschleiers, der über der Kulturlandschaft der DDR liegt. Diejenigen, die wegen ihrer internationalen Bedeutung tabu sind oder als erfolgreiche, wenn auch unbequeme Exportartikel Devisen erbringen – wie etwa die Schriftsteller Stefan Heym, Christa Wolf, Heiner Müller, Peter Hacks, Rolf Schneider –, finden als Wanderer zwischen zwei Welten ihre Identität in der Ambivalenz ihrer Existenz. Die weniger Arrivierten versuchen zu emigrieren oder zu »überwintern«. »Alles was ich bin, darf ich nicht sein«, meinte die Schriftstellerin Monika Maron bei ihrem »vorläufigen Abschied von der DDR«.[684]

Das Juste-milieu, dominierend in beiden Staaten, erweist sich als »gesamtdeutsches« Phänomen; geistige Auseinandersetzung – Nähe über diskursive Distanz bewirkend – hat da wenig Bedeutung. Er glaube nicht, meinte Stefan Heym in einem Gespräch mit Günter Grass[685], daß sich die deutsche Frage von der Kultur her aufdröseln lasse. »Und zwar glaube ich das deshalb nicht, weil bei uns in der DDR die Kultur als ein Teil des ideologischen Überbaus und der Ideologie angesehen wird, die bekanntlich das Monopol der Leute ist, die bei uns die Macht haben. Und da werden die Blockierungen auftreten, wenn Sie da kommen und wollen, daß von der Kultur her eine gewisse Einheit oder Vereinheitlichung geschaffen wird.«

Die Schwierigkeit, über Kultur einen Nationbegriff zu definieren, läge – meinte Günter Grass – auch daran, daß beide deutsche Staaten in ihrer Art der Neugründung nach 1945 in erster Linie vulgärmaterialistisch ausgerichtet seien. Die Kultur spielte entweder eine bestätigende oder eine schmückende Rolle, oder solle jeweils diese Rolle spielen. »Es kann allerdings sein, daß wir durch eine ganz andere Entwicklung noch einmal auf die Kultur zurückgreifen müssen. Das betrifft übrigens nicht nur die beiden deutschen Staaten. Wenn wir sehen, daß sich menschliche Existenz bei zunehmender Arbeitslosigkeit aus einem Strukturwandel heraus nicht mehr ausschließlich durch Arbeit definieren läßt, als sei nur die Arbeit dazu geeignet, den Menschen zu realisieren, dann wird die Frage nach dem zweiten Bein gestellt werden müssen. Und es könnte sich herausstellen, daß die Kultur in einem neuen Verständnis dieses Bein sein könnte, und somit also ein neues Kulturverständnis entstünde, das jenseits von diesen schmückenden oder bestätigenden Postulaten in Deutschland vertreten wird.«

Offener kultureller Diskurs könnte zu einem Nationverständnis beitragen, das »Einheit« (jenseits von »Vereinigung«) in der Vielfalt sieht. Dies entspräche auf nationaler Ebene der Aufgabe, die Jürgen Habermas insgesamt der Kultur als identitätsstiftender Kraft in komplexen Gesellschaften zuweist: »Wenn in komplexen Gesellschaften eine kollektive Identität sich bilden würde, hätte sie die Gestalt einer inhaltlich kaum präjudizierten, von bestimmten Organisationen unabhängigen Identität einer Gemeinschaft derer, die ihr identitätsbezogenes Wissen über konkurrierende Identitätsprojektionen, also: in kritischer Erinnerung der Tradition oder angeregt durch Wissenschaft, Philosophie und Kunst diskursiv und experimentell ausbilden.«[686]

Denken nach Auschwitz

Als Primo Levi, einer der wenigen Überlebenden von Auschwitz, nach der Befreiung, gegen Ende einer langen Odyssee zurück in die italienische Heimat, im Oktober 1945 durch München kommt, notiert er: »Während ich durch Münchens trümmerübersäte Straßen irrte, in der Gegend des Bahnhofs, wo unser Zug wieder einmal festlag, war mir, als bewege ich mich unter einer Schar zahlungsunfähiger Schuldner, als sei jeder einzelne mir etwas schuldig und weigere sich, es zu bezahlen. Ich war unter ihnen, im Lager des Agramante, unter dem Herrenvolk; aber es gab nur wenig Männer, viele von ihnen waren Krüppel, viele trugen Fetzen am Leibe wie wir. Mir war, als müsse jeder uns Fragen stellen, uns an den Gesichtern ablesen, wer wir waren, demütig unseren Bericht anhören. Aber niemand sah uns in die Augen, niemand nahm die Herausforderung an: sie waren taub, blind und stumm, eingeschlossen in ihre Ruinen wie in eine Festung gewollter Unwissenheit, noch immer stark, noch immer fähig zu hassen und zu verachten, noch immer Gefangene der alten Fesseln von Überheblichkeit und Schuld. Ich überraschte mich dabei, wie ich unter der anonymen Menge versiegelter Gesichter andere, wohlbekannte, oft mit Namen versehene Gesichter suchte: solche, die unmöglich nicht wissen, sich nicht erinnern, nicht Rede und Antwort stehen konnten, solche, die befohlen und gehorcht, getötet, erniedrigt und korrumpiert hatten – törichter und nutzloser Versuch: denn nicht sie, sondern die wenigen Gerechten hätten an ihrer Statt geantwortet.«[687]

Levi, der in *Ist das ein Mensch? Die Atempause* die nationalsozialistische Menschenvernichtungsaktion unter dem Eindruck furchtbarer persönlicher Erfahrung, zugleich aber auch mit distanziert-analytischer Schärfe beschreibt, hat in seiner Münchner Impression eine Mentalität festgehalten, die sich auch Ende der achtziger Jahre als nicht wesentlich verändert darstellt. Viele der Mörder und Mittäter, der Anpeitscher und Sympathisanten leben zwar nicht mehr; die Gleichgültigkeit dem Dritten Reich gegenüber hat sich jedoch fortgesetzt. Ralph Giordano spricht 1987 von der »zweiten Schuld«: der Verdrängung und Verleugnung der ersten nach 1945; sie habe die politische Kultur der Bundesrepublik bis auf den heutigen Tag wesentlich mitgeprägt, eine Hypothek, an der noch lange zu tragen sein werde. Die Hitler-Generation, also jene, die von ihrem Lebensalter her für das Dritte Reich verantwortlich oder mitverantwortlich waren, werden alle eines Tages ausgestorben sein. Der leugnenden und verdrängenden Mehrheit ist es aber gelungen, mit ihrer großen Lebenslüge einen Teil der nachgewachsenen bundesdeutschen Gesellschaft dahingehend zu beeinflussen, daß diese insgesamt so lebt, denkt, fühlt und handelt, als habe sich Auschwitz nicht ereignet. Die zweite Schuld hat sich tief in den Gesellschaftskörper der zweiten deutschen Demokratie eingefressen. Kern des Übels ist der »große Frieden mit den Tätern« – ihre kalte Amnestierung durch Bundesgesetze und durch die nahezu restlose soziale, politische und wirtschaftliche Eingliederung während der ersten zehn Jahre der neuen Staatsgeschichte. »Das zweite Codewort, gleichsam der rote

Felix Nussbaum,
Selbstbildnis mit Judenpaß,
um 1943

Faden von der ersten bis zur letzten Seite, ist der ›Verlust der humanen Orientierung‹, ein tief aus der Geschichte des Deutschen Reiches bis hinein in unsere
Gegenwart wirkendes Defizit. Beide Codewörter – der große Frieden mit den
Tätern und der Verlust der humanen Orientierung – korrespondieren miteinander . . . Hauptschauplatz ist die Bundesrepublik Deutschland, obwohl sich bestimmte Abläufe der zweiten Schuld auch auf die Deutsche Demokratische
Republik übertragen ließen.«[688]

Die »kalte Amnestie«, von der Jörg Friedrich feststellt, daß sie die größten
geschichtsbekannten Verbrechen mit dem »größten Resozialisationswerk« abgeschlossen habe, ist Ergebnis fehlender Trauerarbeit; die Notwendigkeit von
Schuld und Sühne wird verdrängt; mit einer jedem Gerechtigkeitssinn hohnspre-
chenden Oberflächlichkeit und Interesselosigkeit erfolgte die schamlose Integration, Rehabilitierung und Exkulpation der Täter.[689] Statt Abrechnung Verschonung, statt Aufklärung Vergeßlichkeit. Schon 1966 hatte Jean Améry in seinem
Buch *Jenseits von Schuld und Sühne. Bewältigungsversuche eines Überwältigten* die
Durchsetzungskraft revisionistisch-historistischer Strömungen vorausgesehen:
»Das Reich Hitlers wird zunächst weiter als ein geschichtlicher Betriebsunfall
gelten. Schließlich aber wird es Geschichte schlechthin sein, nicht besser und

nicht übler als es dramatische historische Epochen nun einmal sind, blutbefleckt vielleicht, aber doch auch ein Reich, das seinen Familienalltag hatte. Das Bild des Urgroßvaters in SS-Uniform wird in der guten Stube hängen, und die Kinder in den Schulen werden weniger von den Selektionsrampen erfahren als von einem erstaunlichen Triumph über allgemeine Arbeitslosigkeit. Hitler, Himmler, Heydrich, Kaltenbrunner, das werden Namen sein wie Napoleon, Fouché, Robespierre und Saint-Just. Schon heute lese ich ja in einem Buch, das sich ›Über Deutschland‹ nennt und imaginäre Dialoge eines deutschen Vaters mit seinem sehr jungen Sohn enthält, daß in des Sohnes Auge kein Unterschied springt zwischen Bolschewismus und Nazismus. Was 1933 bis 1945 in Deutschland geschah, so wird man lehren und sagen, hätte sich unter ähnlichen Voraussetzungen überall ereignen können – und wird nicht weiter insistieren auf der Bagatelle, daß es sich eben gerade in Deutschland ereignet hat und nicht anderswo.«[690]

Der große Friede mit dem Massenmord und den Massenmördern – zwei- bis dreihunderttausend Täter dürften direkt und aktiv an der »Endlösung« (etwa sechs Millionen Opfer), der Tötung von Kriegsgefangenen (etwa drei Millionen Opfer), dem praktizierten Justizmord (etwa 30 000 Opfer) und der Euthanasie beteiligt gewesen sein –, die in ihrer Gleichgültigkeit kaum zu überbietende moralische Saturiertheit, überschattet die Farbigkeit kultureller Entfaltung in der Bundesrepublik. Die Unbekümmertheit, mit der etwa spätgeborene Politiker zugunsten nationaler Identität politische Moral mißachten, versetzt in tiefes Erschrecken. Der geschichtliche »Entsorgungsprozeß«, der in der zweiten Hälfte der achtziger Jahre verstärkt in Erscheinung tritt, zielt darauf, das Dritte Reich als »Episode« im Rahmen einer langen und mit Stolz zu betrachtenden Epochenabfolge zu relativieren. Über deutsche Geschichte gebe es viel bemerkenswert Gutes, nur gelegentlich auch Schlechtes zu berichten. Die deutsche Geschichte, so Franz Josef Strauß auf dem Parteitag der Christlich-Sozialen Union in München, November 1986, sei mehr als nur eine Kette von Fehlern, Irrtümern, Katastrophen, Skandalen, Zusammenbrüchen; die deutsche Politik habe in diesem Jahrhundert sicherlich schreckliche Fehler begangen, Fehler bis in den Bereich des Verbrecherischen hinein. Zur deutschen Geschichte gehörten aber auch die großen Gestalten der mittelalterlichen Kaiserzeit, ein Mann wie Martin Luther; die großen Geister des Humanismus, der Renaissance, der Aufklärung. Zur deutschen Geschichte gehörten die großen Gestalten der deutschen Freiheitskriege am Anfang des 19. Jahrhunderts und zur deutschen Geschichte gehöre auch Otto von Bismarck. Und Adenauer gehöre zur deutschen Geschichte. »Das ist unsere Geschichte, bei der wir uns der Tiefen bewußt sein müssen, aber auch der Höhen uns nicht schämen dürfen.« Spricht Ralph Giordano von der Last, ein Deutscher zu sein, so stellt Strauß emphatisch fest: »Ich bin stolz, ein Deutscher zu sein!« Schrittweise, Meile um Meile, müsse man einen Weg zurücklegen, bei dem die Vergangenheit »allmählich bewältigt und in der Versenkung, oder Versunkenheit besser gesagt, verschwindet. Denn die ewige Vergangenheitsbewältigung als gesellschaftspolitische Dauerbüßeraufgabe lähmt ein Volk!«[691]

Franz Josef Strauß, der bei seinem Tod Oktober 1988 ohne Bedenken ins republikanische Pantheon aufgenommen wurde, während er bestenfalls eine demokratisch zwiespältige, freilich charismatische Persönlichkeit gewesen war – mit dem historischen Verdienst, das weitere Abdriften restaurativer und reaktionärer Kräfte nach rechts durch deren emotionale Bindung an seine Person und Politik verhindert zu haben –, dieser maßlose, aber nie mittelmäßige Politiker verkörperte in ganz besonderem Maße den Aufstieg nationalen Selbstbewußtseins, das sich über den Abgrund der jüngsten deutschen Geschichte mit Alibifloskeln und Verbrüderungspathos hinwegsetzte. Dazu kam eine verquaste »Versöhnungsäquilibristik«, vorgeführt von Bundeskanzler Helmut Kohl, der etwa beim Besuch des amerikanischen Präsidenten Ronald Reagan 1985 zunächst in Bergen-Belsen im Gedenken an die KZ-Opfer und dann auf dem Soldatenfriedhof Bitburg vor den Gräbern von SS-Soldaten im Beliebigkeitsjargon historische Vergeßlichkeit zelebrierte. Die Gnade der späten Geburt, unter der die Jahrgänge um 1930 lebten, habe diese, meinte Günter Gaus, vielfach davon abgehalten, nationalistisch zu werden: sie waren zu jung, um den Versuchungen des Nationalsozialismus widerstehen zu müssen; alt genug, um die letzte Kriegszeit und die Besinnungsjahre danach bewußt aufzunehmen.[692] Der Neokonservativismus mißbraucht dagegen die »Gnade der späten Geburt«, um den in Trauerarbeit sich bewährenden, gerade auch moralische Maßstäbe bei geschichtlicher Betrachtung setzenden kategorischen Imperativ loszuwerden. Die Chance der Spät- und Nachgeborenen, befreit von persönlicher Verflochtenheit ins NS-Regime, aus dem Schatten der Geschichte herauszutreten und das geschehene Unheil bis zu den Wurzeln aufzudecken (auszuleuchten), ist in Gefahr. Identität wird nicht in einer besonderen Sensibilität gegenüber dem Furchtbaren gesehen, sondern in der Mediokrität als geistig-seelischer Abschottung vor existentiellen Zweifeln und geschichtlicher Verunsicherung gesucht. »Der deutsche Mensch lebt allerdings nicht vom Brot und vom Export allein, und so ist er jüngst dahintergekommen, daß ihm zu seinem Glück noch etwas fehlt, etwas Immaterielles. Er möchte sich gerne fühlen wir ein Franzose, so wie er sich vorstellt, daß sich ein Franzose fühlt, wenn er nicht gerade an die schlechte französische Handelsbilanz denkt. Er möchte, wie es ihm übrigens auch der amerikanische Botschafter Richard Burt ans Herz gelegt hat, ein bißchen stolz sein dürfen auf seine Nation und deren Geschichte. Nur wer mit sich selbst einig ist, so lautete die Botschaftertheorie, kann sich auch mit anderen einig werden, etwa in Sachen Verteidigung. Der deutsche Mensch möge zu diesem Zweck aufhören, sich ›die Tragödie der Zeit von 1933 bis 1945‹ immerfort zu Herzen zu nehmen. Und der deutsche Mensch, ob er nun den Namen Kohl, [Michael] Stürmer oder Strauß trägt, hat die Botschaft aufgenommen, die ein noch besseres Leben verspricht. ›Deshalb darf unsere Scham über die Verbrechen, die eine Unrechtsherrschaft in deutschem Namen verübt hat, deshalb darf unser Blick zurück nicht zu einem alles hemmenden Zweifel und einer moralischen Selbstlähmung führen‹, schrieb Franz Josef Strauß im *Bayernkurier* aus Anlaß der Ankunft des israelischen Staatspräsidenten Chaim Herzog in der Bundesrepublik im April 1987.« (Lothar Baier)[693]

Was die Politik plakativ, mit populistischem Erfolg demonstrierte – die Stärkung nationalen Selbstbewußtseins auf Kosten einer durch historische Erfahrung geläuterten politischen Moral –, diese postmoderne Verachtung ethischer Eindeutigkeit hatte auf der geisteswissenschaftlichen Ebene im »Historikerstreit« ihr Pendant. Ein Geschichtsverständnis, das in Form einer Art Schadensabwicklung Sperriges und Aufrüttelndes aus dem Raum öffentlicher Wirksamkeit zu verdrängen suche, um dadurch den Platz freizumachen für den Aufbau nationaler Identität, widerspräche dem Verfassungspatriotismus, so Jürgen Habermas in seinem Juli 1987 veröffentlichten Aufsatz *Eine Art Schadensabwicklung. Apologetische Tendenzen in der deutschen Zeitgeschichtsschreibung*, der die Kontroverse auslöste. Eine in Überzeugungen verankerte Bindung an universalistische Verfassungsprinzipien habe sich bisher in der Kulturnation der Deutschen erst nach – und durch – Auschwitz ausbilden können. »Wer uns mit einer Floskel wie ›Schuldbesessenheit‹ . . . die Schamröte über dieses Faktum austreiben will, wer die Deutschen zu einer konventionellen Form ihrer nationalen Identität zurückrufen will, zerstört die einzig verläßliche Basis unserer Bindung an den Westen.«[694] Mit besonderem Nachdruck wandte sich Habermas gegen den Historiker Ernst Nolte, der die »Singularität der Judenvernichtung« auf den »technischen Vorgang der Vergasung« zu reduzieren versuche und den GULag in heideggerisierendem Sprachstil für »ursprünglicher« als Auschwitz erkläre.

In einer Zwischenbilanz des »Historikerstreits«, dessen publizistischer Umfang das Ausmaß aller bisherigen bundesrepublikanischen Kontroversen überbot, meinte Hans-Ulrich Wehler, daß die Verteidigung des kritischen Selbstverständnisses der Bundesrepublik gegenüber revisionistischer Umwertungsabsicht insgesamt erfolgreich gewesen sei. Da die Wachsamkeit und das kritische Urteil der liberalen Öffentlichkeit wie der engagierten Historiker den Erfolg erstritten hätten, habe sich zugleich eben jene vielzitierte politische Kultur bewährt, deren Gefährdung so oft prophezeit worden war. Das berechtige zu der Hoffnung, daß auch künftig die besseren Argumente derjenigen, die im »Historikerstreit« die Kritik am Revisionismus verfochten, die Oberhand behielten. »Ihre Wachsamkeit und entschiedene Intervention bleiben auch weiterhin unentbehrlich, denn die Versuchung, die nationalapologetische Entsorgung der deutschen Vergangenheit trotz des erfolgreichen Widerstandes erneut voranzutreiben, wird so bald nicht nachlassen.«[695]

Ein solcher republikanischer Optimismus kann sich darin bestätigt sehen, daß der seit 1984 amtierende Bundespräsident Richard von Weizsäcker seine unbestrittene moralische und politische Integrität vor allem auch der Eindeutigkeit verdankt, mit der er, als höchster Repräsentant der Bundesrepublik, der Historisierung des Dritten Reiches und der damit verbundenen Schuldminderung, Schuldabwälzung oder Schuldverdrängung entgegentritt. Nirgends wurde dies deutlicher als in seiner Ansprache am 8. Mai 1985 in der Gedenkstunde im Plenarsaal des Deutschen Bundestages anläßlich des 40. Jahrestages der Beendigung des Krieges in Europa und der nationalsozialistischen Gewaltherrschaft. In dieser Rede, die in kurzer Zeit in 1,2 Millionen Exemplaren und 60 000 Schallplatten bzw. Tonbandkassetten verbreitet war und große Zustimmung fand, heißt es:

»Die meisten Deutschen hatten geglaubt, für die gute Sache des eigenen Landes zu kämpfen und zu leiden. Und nun sollte sich herausstellen: Das alles war nicht nur vergeblich und sinnlos, sondern es hatte den unmenschlichen Zielen einer verbrecherischen Führung gedient. Erschöpfung, Ratlosigkeit und neue Sorgen kennzeichneten die Gefühle der meisten. Würde man noch eigene Angehörige finden? Hatte ein Neuaufbau in diesen Ruinen überhaupt Sinn?

Der Blick ging zurück in einen dunklen Abgrund der Vergangenheit und nach vorn in eine ungewisse, dunkle Zukunft.

Und dennoch wurde von Tag zu Tag klarer, was es heute für uns alle gemeinsam zu sagen gilt: Der 8. Mai war ein Tag der Befreiung. Er hat uns alle befreit von dem menschenverachtenden System der nationalsozialistischen Gewaltherrschaft.

Niemand wird um dieser Befreiung willen vergessen, welche schweren Leiden für viele Menschen mit dem 8. Mai erst begannen und danach folgten. Aber wir dürfen nicht im Ende des Krieges die Ursache für Flucht, Vertreibung und Unfreiheit sehen. Sie liegt vielmehr in seinem Anfang und im Beginn jener Gewaltherrschaft, die zum Krieg führte.

Wir dürfen den 8. Mai 1945 nicht vom 30. Januar 1933 trennen.

Wir haben wahrlich keinen Grund, uns am heutigen Tag an Siegesfesten zu beteiligen. Aber wir haben allen Grund, den 8. Mai 1945 als das Ende eines Irrweges deutscher Geschichte zu erkennen, das den Keim der Hoffnung auf eine bessere Zukunft barg.«[696]

Der Erfolg der Rede zeigte freilich auch, als wie wenig selbstverständlich das Demokratisch-Selbstverständliche in dieser Republik empfunden wird. Nach fast fünfundvierzig Jahren geistiger Auseinandersetzung und kultureller Entfaltung erregten Gedanken Aufsehen, die die Fähigkeit zu trauern bekundeten – was e contrario das ungeheure und ungeheuerliche Defizit an Trauerarbeit nun wiederum deutlich machte. Auf dem 37. Deutschen Historikertag 1988 sagte von Weizsäcker, daß die Verbrechen der NS-Zeit nicht durch historische Vergleiche relativiert werden dürften. »Auschwitz bleibt singulär. Es geschah im deutschen Namen durch Deutsche. Diese Wahrheit ist unumstößlich. Und sie wird nicht vergessen. Auschwitz bleibt uns vertraut, so hat Siegfried Lenz vor ein paar Tagen gesagt, es gehört zu uns, so, wie uns die übrige eigene Geschichte gehört. Historische Verantwortung bedeutet, Geschichte als die eigene auf sich zu nehmen. Der Zeitablauf verändert dies nicht. Was in Auschwitz geschehen ist, hat an Gewicht im Bewußtsein der Menschheit in den Jahrzehnten seit Kriegsende eher zugenommen. Aber etwas anderes ist ebenfalls gewachsen: Eine Demokratie, zu der wir uns mit Überzeugung bekennen. Es ist eine Demokratie, die sich seit 40 Jahren bewährt, nicht zuletzt in der Offenheit gegenüber ihrer Geschichte. Daß wir dies leisten können und immer wieder lernen, ermöglicht uns in des Wortes wahrer Bedeutung Selbstbewußtsein. Das ist Befreiung.«[697]

Solchen Optimismus zu teilen, fällt schwer. Denn von einer breiten Öffentlichkeit wird der »Zivilisationsbruch«, den Auschwitz darstellt, noch genauso negiert wie im Oktober 1945, als Primo Levi in München erstmals auf bedrückende Weise von »deutscher Verdrängung« erfuhr.

Das Denken nach Auschwitz sieht sich, moralisch fassungslos, an einem nicht mehr auslotbaren geschichtlichen Endpunkt angelangt: »Das Ereignis Auschwitz rührt an Schichten zivilisatorischer Gewißheit, die zu den Grundvoraussetzungen zwischenmenschlichen Verhaltens gehören. Die bürokratisch organisierte und industriell durchgeführte Massenvernichtung bedeutet so etwas wie die Widerlegung einer Zivilisation, deren Denken und Handeln einer Rationalität folgt, die ein Mindestmaß antizipatorischen Vertrauens voraussetzt; ein utilitaristisch geprägtes Vertrauen, das eine gleichsam grundlose Massentötung, gar noch in Gestalt rationaler Organisation, schon aus Gründen von Interessenkalkül und Selbsterhaltung der Täter ausschließt. Ein sozial gewachsenes Vertrauen in Leben und Überleben bedingende gesellschaftliche Regelhaftigkeit wurden ins Gegenteil verkehrt: Regelhaft war die Massenvernichtung – Überleben hingegen dem bloßen Zufall geschuldet.« (Dan Diner)[698]

Auschwitz hat Welt-Vertrauen und Lebens-Sicherheit der Absurdität überführt. Der individuelle Alptraum, »mich mit Deportierten in einem Güterwagen befindend – Richtung Auschwitz«[699], müßte, wenn nicht verdrängt, ein Menschheitstrauma bewirken.

Wie läßt sich das Prinzip Hoffnung noch »beglaubigen«, nachdem der Nationalsozialismus deutlich gemacht hat, daß die Allmacht des Terrors fast jede Persönlichkeitsstruktur auszulöschen vermag? Das Lagersystem war darauf angelegt, alle sozialen Bindungen in den Opfern zu zerstören und ihr geistiges Leben auf den angsterfüllten Wunsch zu reduzieren, ihr Überleben hinauszuzögern, sei es nur für einen Tag, für eine Stunde. Dieser Kampf verwandelte den humanen Menschen ins Rohmaterial zurück; »Kadavergehorsam« war keine Metapher, sondern Realität.[700] Aus den letzten Tagen in Auschwitz, kurz vor der Befreiung durch die sowjetrussische Armee, berichtet Primo Levi von der Hinrichtung eines Häftlings – eine »Episode«, die solche Zerstörung jeder individuellen wie kollektiven, in der Würde der Persönlichkeit Halt findenden Menschlichkeit beschreibt:

»Dieser Mensch, der heute vor unseren Augen sterben wird, hat sich in irgendeiner Weise an der Revolte beteiligt. Man sagt, er habe Verbindungen zu den Aufständischen von Birkenau gehabt, er habe Waffen in unser Lager gebracht, er habe zur gleichen Zeit eine Meuterei auch unter uns anstiften wollen. Heute wird er vor unseren Augen sterben: Und vielleicht werden die Deutschen nicht begreifen, daß ihm der einsame Tod, der Tod als Mensch, der ihm vorbehalten wurde, Ruhm und nicht Schande einbringen wird.

Als des Deutschen Rede, die keiner verstehen konnte, zu Ende ist, erhebt sich wieder die erste, heisere Stimme: ›Habt ihr verstanden?‹

Wer antwortete mit ›Jawohl‹? Alle und keiner: Es war, als habe unsere verfluchte Resignation Gestalt angenommen und sei über unsern Häuptern kollektive Stimme geworden. Aber alle hörten den Schrei des Sterbenden, er drang durch die starken alten Barrieren von Trägheit und Unterwürfigkeit, rüttelte an dem nackten Lebensnerv eines jeden von uns: ›Kameraden, ich bin der letzte!‹

Könnte ich doch berichten, daß sich aus uns verworfner Herde eine Stimme erhoben hätte, ein Murmeln, eine Äußerung von Einverständnis. Nichts geschah. Wir blieben stehen, gebeugt und grau und gesenkten Hauptes, und wir nahmen unsere Kopfbedeckung erst ab, als der Deutsche es uns befahl. Die Fallgrube öffnete sich, jener Körper zuckte furchtbar; die Kapelle setzte wieder ein, und wir, von neuem zur Marschkolonne geordnet, zogen am letzten Beben des Sterbenden vorbei.

Am Fuße des Galgens sehen die SS-Leute teilnahmslos auf unsern Vorbeimarsch; ihr Werk ist vollbracht, es ist gut vollbracht. Nun können die Russen kommen: es gibt keine starken Menschen mehr unter uns, der letzte hängt über unsern Köpfen, für die andern haben ein paar Stricke genügt. Die Russen können kommen: nur uns Gebändigte werden sie finden, uns Erloschene, die wir nunmehr den wehrlosen Tod verdienen, der auf uns wartet.

Den Menschen zu vernichten ist fast ebensoschwer wie ihn zu schaffen: Es war nicht leicht, es ging auch nicht schnell, aber ihr Deutschen habt das fertiggebracht. Da sind wir nun, willfährig unter euern Augen. Von uns habt ihr nichts mehr zu fürchten. Keinen Akt der Auflehnung, kein Wort der Herausforderung, nicht einmal einen richtenden Blick.«[701]

»›Ich denke an Auschwitz‹ muß alle meine Vorstellungen begleiten können«, so hat Theodor W. Adorno den kategorischen Imperativ neu formuliert; nach Auschwitz ein Gedicht zu schreiben, sei barbarisch.[702] Das trifft den Kulturbetrieb ins Herz, denn eigentlich ist dann nichts mehr möglich. In einer Passage *Weit vom Schuß* aus dem Herbst 1944 (in den *Minima moralia*) heißt es: »Der Gedanke, daß nach diesem Krieg das Leben ›normal‹ weitergehen oder gar die Kultur ›wiederaufgebaut‹ werden könnte – als wäre nicht der Wiederaufbau von Kultur allein schon deren Negation –, ist idiotisch. Millionen Juden sind ermordet worden, und das soll ein Zwischenspiel sein und nicht die Katastrophe selbst. Worauf wartet diese Kultur eigentlich noch?«[703]

Bald ging alles wieder; die Kultur wartete nur darauf, eine solche und nichts anderes zu sein. Unter Ausgrenzung kritischen Bewußtseins ließ sie die Toten ruhen, Auschwitz auf sich beruhen.

Zehn Jahre später notierte Adorno: »Die Beziehung zur geistigen Vergangenheit in der falsch auferstandenen Kultur ist vergiftet.«[704] Gilt das Diktum auch oder erneut für die unmittelbare Gegenwart? Muß man es für das bevorstehende Fin de siècle wieder-holen? Das »Leben« schwebt über den Massengräbern dahin; in seinem Sog löst sich unglückliches Bewußtsein auf. Bewußtloses Glück droht. Daß Auschwitz sich nicht mehr ereignen darf, ist der verzweifelte Weckruf für eine politische Moral und ethische Kultur, die mit der Anstrengung des Begriffs Aufklärung weiterzuführen trachtet. Und für die Arbeit des Erinnerns.

Die Kultur der Bundesrepublik ist in ihren besten Phasen antinomisches Wagnis eingegangen, hat aporetischen Mut bewiesen – im Sinne des Adorno-

Wortes: »Erfahrung wäre die Einheit von Tradition und offener Sehnsucht nach dem Fremden. Aber ihre Möglichkeit ist selber gefährdet.«[705] Von den Bedingungen und Ergebnissen kultureller Erfahrung wurde in drei Bänden gesprochen. Auschwitz hätte nichts unberührt lassen dürfen. Hat unberührt davon die postmoderne Zukunft begonnen?

Nach dem 9. November 1989
– ein Nachwort

Posthistoire impliziert das Gefühl bzw. die Überzeugung, daß von Geschichte eigentlich nichts mehr zu erwarten sei; in sich geschlossene Kreisläufe funktionierten weiter, Veränderung aber erscheine unwahrscheinlich; man richte sich im festgefügten Gegebenen ein. Otto K. Werckmeister spricht von »Zitadellenkultur«: Grandiose Darstellungen der Selbstempfindung erfüllten die katastrophenträchtige Szenerie eines geschichtsvergessenen Bewußtseins, in dem ästhetischer Jammer und politische Apathie einander bedingten und steigerten. Zitadellenkultur »hält den Widerspruch zwischen Wohlstand und Leiden in einer tragischen Collageform bewußt, die ihn der rationalen Klärung enthebt und der Frage seiner politischen Lösung ausweicht. So illuminiert die Zitadellenkultur die vollständige, aber entscheidungslose Informations- und Meinungsfreiheit, die in den demokratischen Industriestaaten erreicht ist.«[706]

Die demokratisch-westliche Informations- und Meinungsfreiheit hat jedoch wesentlich dazu beigetragen, daß die erstarrte, schon Geschichte gewordene Situation des Ost-West-Gegensatzes im letzten Drittel des Jahres 1989 ins Tanzen geriet und trennende Barrieren abgebaut wurden. Mit einer sich geradezu überschlagenden Rasanz, bewirkt von Michail Gorbatschows antistalinistischem Umbau der sowjetischen Gesellschaft und seinem außenpolitischen Nichteinmischungsprinzip, eingeleitet von einer seit längerem in Polen vor sich gehenden Umstellung, befreiten sich die osteuropäischen Völker, bislang von nach- oder neostalinistischen kommunistischen Führungskadern unterdrückt, von der Gewaltherrschaft.

Am 9. November 1989 öffnete die DDR-Übergangsregierung die Grenzen zur Bundesrepublik; die Mauer fiel. »›Det is Geschichte, Mann!‹ sagte ein Deutscher am Brandenburger Tor und hatte die Formel für diese Tage in Deutschland gefunden: alles war erstaunlich, unglaublich, ein Einbruch in alle Resignationen des Posthistoire. Was an dieser überwältigenden Renaissance der Unmittelbarkeit besonders in Erinnerung bleibt, sind neben den ergreifenden Gesten des Volkes in Berlin die Gesten derjenigen, denen man sie nicht mehr zugetraut hatte: die Reden westdeutscher Politiker angesichts der Berliner Menge; aber auch die plötzliche Eingebung der Bonner Abgeordneten, überwältigt von Freude, dieser Freude durch das Singen der Nationalhymne Ausdruck zu geben. Das längst zum Verschwinden Verurteilte kam zurück. Den Deutschen gelang es, eine einmalige historische Situation emotionell und symbolisch glückhaft zu beantworten. Diese Worte und Gesten haben angezeigt, daß die jahrzehntelang fortschreitende Tabuisierung des Nationalen innerhalb der politischen Klasse und innerhalb der Intelligenz nunmehr sich aufzulösen beginnt.«[707] Ob die dergestalt von Karl Heinz Bohrer emotional beschworene Rekonstituierung eines gemeinsamen deutschen Nationalgefühls – im Gefolge einer für die deutsche Geschichte einmalig friedlichen und erfolgreichen demokratischen Revolution – zukunftsträchtig ist oder auf einen inzwischen von der europäischen Entwicklung überholten Zustand nationalstaatlicher Identität regrediert, kann bis zu diesem Augenblick, da der dreibändigen Taschenbuchausgabe der *Kulturgeschichte der Bundesrepublik Deutschland* dieses Nachwort hinzugefügt wird, nicht beurteilt werden.

Antizipatorische Vernunft, gestützt auf historische Erfahrung, legt es durchaus nahe, vor gesamtdeutscher Euphorie zu warnen. In der *Kurzen Rede eines vaterlandslosen Gesellen* hat Günter Grass seine Furcht vor dem aus zwei Staaten zu einem Staat vereinfachten Deutschland ausgesprochen; er wäre erleichtert, wenn dieser – sei es durch deutsche Einsicht, sei es durch Einspruch der Nachbarn – nicht zustande käme. Die Gefahr drohe, daß in Leipzig und Dresden, in Rostock und Ost-Berlin nicht das Volk der DDR, sondern auf ganzer Linie der westliche Kapitalismus siege.[708]

Die berechtigte Begeisterung, die die Menschen in der DDR und BRD zunächst wegen der Beseitigung des ostdeutschen korrupten Regimes ergriff, zielte freilich immer mehr auf nationale Selbstbestimmung. Der Tag, da das Brandenburger Tor in Berlin wieder geöffnet wurde (am 22. Februar 1990), erschien vielen als Morgendämmerung für ein einig und eilig Vaterland – nach einer langen Nacht, in der die deutsche Nation schon untergegangen schien; und das Wahlergebnis vom 18. März 1990 bestätigte voll diesen Trend. *Der Spiegel*, dessen Herausgeber Rudolf Augstein in einem Streitgespräch Günter Grass der Realitätsblindheit bezichtigt hatte (»Der Zug ist abgefahren« – auch Auschwitz werde eines Tages durch die Geschichte relativiert)[709], stellte bereits in seiner Titelstory vom 12. März 1990 in richtiger Einschätzung des unaufhaltsamen Aufstiegs des neugeeinten Deutschland fest: Das Ende der Bundesrepublik Deutschland ist gekommen. In der gleichen Nummer kommentierte der inzwischen 68 Jahre alt gewordene linke Publizist und Protagonist der 68er Bewegung Walter Boehlich: »40 Jahre haben wir traumlos gelebt, denn das geeinte Europa, in das wir uns geflüchtet hatten, war alles andere als ein Traum, es war ein ökonomischer Zweckverband, der alles mögliche in Bewegung setzen konnte, nur keine nationalen Phantasien. Von Wirtschaft kann man nicht träumen, und mehr als Wirtschaft spielt in diesem nüchternen Europa keine Rolle. Es wird von Warenordnungen beherrscht und von Marktordnungen, nicht von müßigen Sehnsüchten nach dem Glanz der Vergangenheit, nach Karl dem Großen, Friedrich Barbarossa oder Wilhelm dem Holzhacker. Der Schein hat getrogen, die Deutschen erwachen wieder einmal, diesseits und jenseits der Elbe, aus unterschiedlichen Gründen, aber um eines gemeinsamen Zieles willen. Es ist die Art des Erwachens, die Angst machen muß, seine Besinnungslosigkeit und seine Bewußtlosigkeit, in der jede Vernunft untergeht, in der geredet und geredet, aber nicht gedacht wird, für die es nur das eine gibt, die Einheit, ohne die alles verloren wäre.«[710]

Als dieser dritte Band abgeschlossen wurde, war zwar erkennbar, daß die Kultur der Republik im Zeichen der Postmoderne eine wesentliche Wandlung erfahren hatte, doch nicht vorauszusehen, daß die Kulturgeschichte der Bundesrepublik damit zu Ende gehen würde. In Zukunft wird eine getrennte Betrachtung der beiden Kulturen nicht mehr möglich und notwendig sein. Zudem besteht die Hoffnung, daß das gemeinsame Nachdenken über die durch höchst unterschiedliche Genealogien geprägte, nun wieder gemeinsame Kultur – als deutsch-deutscher Diskurs – politischer Einseitigkeit entgegenzutreten vermag. »Wenn ich von deutscher Kulturnation rede«, so der DDR-Schriftsteller Günter de Bruyn, »drücke ich damit aus, daß ich, erstens, kulturelle Bindungen für stabiler als staatliche halte, und, zweitens, daß mir Kultur verehrungswürdiger und wichtiger ist als der Staat.« Der Begriff der »Kulturnation« sei sozusagen metapolitisch zu verstehen: er verdeutliche, daß die Deutschen (durch Kultur und Geschichte bedingt) zusammengehörten; doch besage er nichts über Grenzen, Verfassungsgrundsätze und Souveränitätsrechte. »Als ein Dach für eine deutsche Gemeinschaft, in der jeder die Empfindlichkeiten und verletzlichen Stellen des anderen achtet und das Aufkommen von Verstörtheit bei den Anrainern vermeidet, wäre er also dazu geeignet, und es ließe sich mit ihm alles regeln, was im weitesten Sinne zur Kultur und Geschichte gehört.«[711]

Angesichts der Notwendigkeit eines sehr differenzierten föderativen Systems – ein nationalstaatlicher Monismus wäre eine gefährliche Entwicklung, die den Bau des »europäischen Hauses« erheblich behindern oder gar unmöglich machen könnte –, gilt mehr denn je die auch auf das deutsch-deutsche Verhältnis zu übertragende Feststellung von Jürgen Habermas, daß komplexe Gesellschaften eine kollektive Identität vor allem via Kultur herzustellen vermögen. Die unzweifelhaft großen demokratischen und kulturellen Errungenschaften der Bundesrepublik, vor allem was die Freiheit wie Autonomie des Geistes und die Verwirklichung des Pluralismus betrifft, sind nicht nur auf Ostdeutschland »übertragbar«, sondern für jeden Kulturstaat lebenswichtig. Dabei ist jedoch jede missionarische Überheblichkeit unangebracht; es besteht dafür allein schon deshalb kein Grund, weil die positive Entwicklung in der BRD unmittelbar nach 1945 einen glücklichen Zufall darstellt: weitgehend nicht aus eigener Kraft entwickelt wurde, sondern dem Wohlwollen und der Klugheit der alliierten westlichen Besatzungsmächte zu danken war – was die demokratische Aufbauleistung der Emigranten, Verfolgten und Widerstandskämpfer, auch der Angehörigen der »inneren Emigration« und all jener, die »dazulernten«, erst ermöglichte. Bundesrepublikanische Bescheidenheit ist ferner angebracht, da hier das Freiheitlich-Erreichte immer wieder durch Opportunismus, durch vorauseilenden Gehorsam (bei manchen Linken durch nachhinkenden Gratismut) und durch die »Unfähigkeit zu trauern« gefährdet gewesen ist.

In der Verachtung, die wir den DDR-Sklaven entgegenbrächten – so Walter Boehlich – verachteten wir uns selber. Auch wir hätten ja 40 Jahre lang mit Lebenslügen gelebt und uns nach der Decke gestreckt, unter die uns andere gebettet haben; »und wenn wir mechanisch fragen: Warum habt ihr das mit euch machen lassen, fragen wir uns unbewußt selber, warum wir die Garantien des Grundgesetzes immer wieder zur Farce haben verkommen lassen und an kaum einer politischen Untat, an kaum einer Korruptionsaffäre so ernsthaften Anstoß genommen haben, daß wir eine Änderung erzwungen hätten.«

Wenn Wendehälse Wendehälse Wendehälse schelten und überhebliche Spätgeborene im Bund mit ewig Gestrigen sich stolz an die hohle Brust schlagen (wie weit man es doch demokratisch gebracht habe), so ist dies eine schlechte Voraussetzung für deutsch-deutsche Verständigung, die von einer gegenseitigen Empathie getragen sein müßte und kurzschlüssigen Beurteilungen sich entziehen sollte. Mit Recht betont Günter de Bruyn, daß das östliche Deutschland als Ganzes zur kulturellen Vielfalt einen nicht unbeträchtlichen Beitrag leisten könne; denn die vierzig Jahre andersgearteten politischen Lebens in Unterdrückung und Mangel, in sozialer Sicherheit und Unmündigkeit hätten das sich als beständig erwiesene Nationale doch in spezieller, nicht nur unguter Weise geprägt. »Literatur, Musik oder Sozialempfinden haben in dieser Zeit eigene Töne bekommen, deren Mitwirkung in einem künftigen deutschen Konzert man sich wünscht. Dieses sollte aber, da alles Kulturelle Zeit braucht, zum Reifen, nicht zu früh und zu heftig einsetzen, damit leise Töne darin nicht verloren gehen. Denn so günstig auch einheitliche Märkte und Verkehrsordnungen sein mögen, so schlecht sind Einebnungen im Kulturellen – eine Regel, die natürlich nicht nur für Deutschland, sondern auch für ein einheitliches Europa gilt.« Dazu kommt, daß die DDR-Kultur in hohem Maße, wenn auch lange Zeit vergeblich (was zu immer neuem Exodus führte), dazu beitrug, daß das geist- und menschenverachtende Regime schließlich gestürzt werden konnte. Im Gegensatz zur postmodernen, in die »Zitadelle« flüchtenden, bald sich egozentrischer Larmoyanz, bald entleertem Ästhetizismus hingebenden, vor den Marktgesetzen der Kulturindustrie moralischen Widerstand aufgebenden »Westkultur« hat die Ostkultur, neben der Qualität des Handwerklichen, durch ihre Existenz freiheitliche Essenz bewahrt. Daß sich das Volk schließlich als »Wir-sind-das Volk« artikulieren und konstituieren konnte, war den beharrlichen, vielfach nur kleinen »Abweichungen« vieler Künstler und Intellektueller von der Parteilinie zu danken.

Die Geschichte der DDR-Kultur verweist allerdings auch erneut auf die Verführbarkeit des Geistes und die Korruptionsanfälligkeit ästhetischer Moral. Zwischen dem Chefkommentator des DDR-Fernsehens Karl-Eduard von Schnitzler und dem langjährigen Präsidenten des DDR-Schriftstellerverbandes Hermann Kant erstreckt sich ein weites Spektrum von heuchlerischem und obrigkeitsfrommem Verhalten, das dem aus dem Dritten Reich schlimm genug bekannten Verhalten deutscher Künstler und Intellektueller entspricht. Die Grenzen zwischen zynischem Aktionismus, perfidem Opportunismus, tumbem Mitläufertum und zwielichtigem Doppelleben sind dabei fließend. Die Frage, wie er sich die in der DDR in den letzten Jahren erkennbare Heiner-Müller-Welle interpretiere, beantwortete der Dramatiker: »Diese Welle war eigentlich eher ein Versuch, mich im Sinne repressiver Toleranz unschädlich zu machen. Das hat zum Teil auch funktioniert; ich rechne jetzt aber durchaus damit, daß ich für ein paar Jahre hier, in der DDR, eher nicht ›in‹ bin. Das finde ich auch völlig normal. Schon wenn das Wort Sozialismus in einem Text vorkommt, schalten jetzt sehr viele Leute einfach ab.«[712]

Beim »Abschalten« gegenüber der in Verruf geratenen DDR-Kultur (noch mehr bei dem Versuch einer Abrechnung) wird man gesamtdeutsche Gerechtigkeit noch unter einem anderen Aspekt üben müssen. Das Grundübel, aus dem über die Jahrzehnte hin fast alle anderen Übel des DDR-Staates hervorgegangen sind: den Stalinismus[713], haben westdeutsche Linksintellektuelle, nicht nur Marxisten, lange Zeit mit großem Gleichmut hingenommen, dabei auch die Erfahrungen »übersehen«, die ältere und dann abtrünnig gewordene Kommunisten einbrachten. Mit berechtigter Schärfe den westlichen Antikommunismus geißelnd, versagte ihre kritische Einstellung gegenüber dem kommunistischen Totalitarismus. Auch der politische und gesellschaftliche Umbau in der Sowjetunion, von Michail Gorbatschow auf geschichtlich einmalige Weise eingeleitet und betrieben, führte, zunächst zumindest, keineswegs zu jener Begeisterung, die doch gerade bei Linken die Wiederherstellung von Menschenrechten hervorrufen müßte. »Für einige der bundesdeutschen Linken bricht jetzt, da in der Sowjetunion Menschen beginnen, über ihre Vergangenheit offen zu sprechen, ihr Haus aus Selbsttäuschung zusammen, denn es legt die eigenen Defizite bloß, etwa: Denken ohne Widersprüche, mangelnde Toleranz, die Vorstellung von Führern und Geführten. Es war nicht allein der Schrecken des Faschismus, der Deutschen den Mund verschloß, als ihre sowjetischen Genossinnen und Genossen ›verschwanden‹. Es war auch die eigene Duldsamkeit, die eigene abstrakte Sehnsucht nach disziplinierten Arbeitermassen und nach einem durch Weisheit von oben gelenkten Staat, nach einer verstaatlichten Gesellschaft.«[714]

In Ost wie West wurde von der marxistischen bzw. mit dem Marxismus sympathisierenden Linken immer wieder verkannt, daß – wie es Wolfgang Bialas auf einem Peter-Weiss-Kongreß 1989 formulierte – der gefeierte antifaschistische Widerstand der Kommunisten nicht nur als Rechtfertigung stalinistischer Untaten mißbraucht, sondern zuvor schon durch seine totalitäre Praxis korrumpiert worden sei. Bialas meinte sogar, es würde sich lohnen, noch einmal in den fast vergessenen Historikerstreit einzutreten und ernsthaft wie selbstkritisch jene Thesen Ernst Noltes zu prüfen, der behauptet hatte, daß sich Bolschewismus und Faschismus gegenseitig gerechtfertigt hätten.[715]

Der deutsch-deutsche Diskurs über Perestroika und Glasnost kann jedenfalls linke Trauerarbeit befördern und – in Ernüchterung über den »real existierenden Sozialismus« (der in Wirklichkeit ein vorgetäuschter, eben real nicht existierender Sozialismus gewesen war) – in Widersprüchen sich entwickelnde kulturelle Identität, Verunsicherung von positioneller und ideologischer Überheblichkeit, festigen helfen.

Die Kulturgeschichte der Bundesrepublik Deutschland wie der DDR hat mit dem Jahr 1990 ihr Ende in dem Sinne gefunden, daß die beiden bisherigen Staaten nun wieder als Gesamtkultur mit starker Evidenz in Erscheinung treten werden. Für das Erblühen dieser Kultur – so auch Walter Janka, der frühere Leiter des Aufbau-Verlages (von Walter Ulbricht verfolgt, schließlich 1989 rehabilitiert)[716] – ist aber ein ausgeprägter Föderalismus mit kultureller Dezentralität notwendig – einschließlich der »öffentlichen Finanzierung« von Kultur durch Städte und Gemeinden, damit staatlichen Dirigismus und wirtschaftliche Abhängigkeit vermeidend. Die deutsche »Kulturnation« wird sich dann nicht verfehlen, wenn sie auf eine europäische und weltweite Kultur transzendiert, also im europäischen Haus nicht Hausmeister oder gar »Hauswart« zu spielen beabsichtigt, sondern auf »Wohngemeinschaft« sich einrichtet – in Begegnung mit allen Einwohnern das Eigene verunsichert erfahrend, zugleich sein Eigenes, mit Freude am anderen, den Fremden als Angebot für Aneignung darbringend: Kultur-austausch.

Anhang

Anmerkungen

1 Peter Schneider: Lenz. Eine Erzählung. Berlin 1982 (1973), S. 31 f., 37 ff.

2 Ralf Schnell: Die Literatur der Bundesrepublik. Autoren, Geschichte, Literaturbetrieb. Stuttgart 1986, S. 286.

3 Vgl. Hermann Korte: Eine Gesellschaft im Aufbruch. Die Bundesrepublik Deutschland in den sechziger Jahren. Frankfurt am Main 1987, S. 25.

4 Zit. nach Korte; a.a.O., S. 31.

5 Günter Grass: Hundejahre. Neuwied/Berlin 1963, S. 501.

6 Klaus Hildebrand: Von Erhard zur Großen Koalition. 1963-1969. Karl Dietrich Bracher/Theodor Eschenburg/Joachim C. Fest/Eberhard Jäckel (Hrsg.): Geschichte der Bundesrepublik Deutschland. Band 4. Stuttgart/Wiesbaden 1984, S. 238.

7 Theodor W. Adorno: Jargon der Eigentlichkeit. Zur deutschen Ideologie. Frankfurt am Main 1964.

8 Herbert Marcuse: Über den affirmativen Charakter der Kultur. In: Kultur und Gesellschaft I. Frankfurt am Main 1965, S. 66, 63.

9 R. D. Brinkmann/R. R. Rygulla (Hrsg.): ACID. Neue amerikanische Szene. Darmstadt 1969, S. 11.

10 R. D. Brinkmann; a.a.O., S. 398.

11 Vgl. Hermann Glaser (Hrsg.): Jugend-Stil. Stil der Jugend. Thesen und Aspekte. München 1971. Uwe Schmitt: Die Blumenkinder sind lange verblüht. Woodstock – die Suche nach einer Legende. In: Frankfurter Allgemeine Zeitung, 7. 5. 1986.

12 Dieter Baacke: Untergrund. Einblick und Ausblick. In: Merkur, Heft 266/1970, S. 528.

13 Vgl. Heinz Bude: Deutsche Karrieren. Lebenskonstruktionen sozialer Aufsteiger aus der Flakhelfer-Generation. Frankfurt am Main 1987, S. 58 ff.

14 Karl Markus Michel: Die sprachlose Intelligenz II. In: Kursbuch 4/1966, S. 167 f.

15 Hans Magnus Enzensberger: Berliner Gemeinplätze. In: Kursbuch 11/1968, S. 157 f.

16 Bernward Vesper: Die Reise. Frankfurt am Main 1977, S. 10.

17 Genia Schulz: Brandblasen der Seele. Zur frühen Prosa und späten Lyrik Rolf Dieter Brinkmanns. In: Merkur, Heft 441/1985, S. 1016.

18 Rolf Dieter Brinkmann: Erkundungen für die Präzisierung des Gefühls für einen Aufstand: Träume. Aufstände/Gewalt/Morde. Reinbek bei Hamburg 1987, S. 275. Vgl. auch Gert Ueding: Schrille Stimme. Rolf Dieter Brinkmanns Erzählungen. In: Frankfurter Allgemeine Zeitung, 29. 6. 1985. Frank Schirrmacher: Blick in ein Gehirnalbum. Nachgelassene Tagebücher Rolf Dieter Brinkmanns. In: Frankfurter Allgemeine Zeitung, 25. 7. 1987.

19 Klaus Hildebrand: Von Erhard zur Großen Koalition; a.a.O., S. 260 f.

20 Hermann Korte: Eine Gesellschaft im Aufbruch; a.a.O., S. 41.

21 Karl Jaspers: Wohin treibt die Bundesrepublik? München 1966, S. 157 ff. Vgl. auch Michael Schneider: Der Konflikt um die Notstandsgesetze: Sozialdemokratie, Gewerkschaften und intellektueller Protest (1958-1968). Bonn 1988.

22 Gerhard Szczesny: Offener Brief. In: Martin Walser (Hrsg.): Die Alternative oder Brauchen wir eine neue Regierung? Reinbek bei Hamburg 1961. Ferner: Als Bürgerrechtler gegen einen Cäsar im neuen Gewande. Jürgen Seifert zum 25jährigen Bestehen der Humanistischen Union. Wider die Tendenz zur autoritären Demokratie. In: Frankfurter Rundschau, 30. 10. 1986.

23 Vgl. Wilfried Röhrich: Die Demokratie der Westdeutschen. Geschichte und politisches Klima einer Republik. München 1988, S. 70 ff.

24 Zit. nach Wilfried Röhrich; a.a.O., S. 76.

25 Karl Jaspers: Die Verantwortlichkeit der Universitäten. In: Neue Zeitung, 16. 5. 1947.

26 Vgl. Reinhold Oberlercher: Zweitausend Studenten als harter Kern wollten 1968 das System aushebeln. Erst Ironie und Ideologie, dann Action und Aktion. In: Rheinischer Merkur/Christ und Welt, 8. 4. 1988.

27 Heinrich Albertz: Erinnerungen an den 2. Juni. In: Eckhard Siepmann (Hrsg.): Heiß und kalt. Die Jahre 1945-69. Berlin 1986, S. 572.

28 Vgl. Hartmut von Hentig: Die große Beschwichtigung. Zum Aufstand der Studenten und Schüler. Rede beim Nürnberger Gespräch 1967. Überarbeitet in: Merkur, Heft 241/1968, S. 385 ff.

29 Zit. nach Wilfried Röhrich; a.a.O., S. 83 f.

30 Jürgen Habermas: Protestbewegung und Hochschulreform. Frankfurt am Main 1969, S. 14 ff., 34 ff.

31 Vgl. Alexander Mitscherlich: Auf dem Weg zur vaterlosen Gesellschaft. Ideen zur Sozialpsychologie. München 1963.

32 Herbert Marcuse: Triebstruktur und Gesellschaft. Ein philosophischer Beitrag zu Sigmund Freud. Frankfurt am Main 1965, vor allem S. 11, 40, 171 ff., 186.

33 Theodor W. Adorno: Die gegängelte Musik. In: Der Monat, Heft 56/1953, S. 182.

34 Ernst Bloch: Das Prinzip Hoffnung. 1. Band. Frankfurt am Main (1959) 1973, S. 107.

35 Peter Weiss: Hölderlin. Stück in zwei Akten. Neufassung. Frankfurt am Main 1971, S. 70, 191.

36 Hans Schwerte: Herakles und der Kentaur. Anmerkungen zu Peter Weiss. Die Ästhetik des Widerstands. In: Hans Höller (Hrsg.): Hinter jedem Wort die Gefahr des Verstummens. Sprachproblematik und literarische Tradition in der »Ästhetik des Widerstands« von Peter Weiss. Stuttgarter Arbeiten zur Germanistik, Nr. 201. Stuttgart 1988, S. 2.

37 Peter Weiss: Die Ästhetik des Widerstands. Frankfurt am Main 1986. Zit. nach Ralf Schnell: Die Literatur der Bundesrepublik; a.a.O., S. 343.

38 Karl Marx: Das Kapital. Band 3. In: Karl Marx/Friedrich Engels: Werke. Berlin-Ost 1970, S. 828.

39 Karl Marx: Auswahl und Einleitung von Franz Borkenau. Frankfurt am Main/Hamburg 1956, S. 56 f.

40 Theodor Ebert: Gewaltfreier Aufstand. Alternative zum Bürgerkrieg. Freiburg im Breisgau 1968.

41 Hartmut von Hentig: Die große Beschwichtigung. In: Das Nürnberger Gespräch 1968: Opposition in der Bundesrepublik. Freiburg im Breisgau 1968, S. 167 f.

42 Lothar Hack/Oskar Negt/Reimut Reiche: Protest und Politik. Frankfurt am Main 1968, S. 42.

43 Vgl. Hermann Glaser: Radikalität und Scheinradikalität. Zur Sozialpsychologie des jugendlichen Protests. München 1970, S. 60.

44 Spiegel-Spezial: Die wilden 68er. Die Spiegel-Serie über die Studentenrevolution. Hamburg 1988, S. 50.

45 Spiegel-Spezial: Die wilden 68er; a.a.O., S. 52.

46 Vgl. Christian Enzensberger: Versuch über den Schmutz. München 1968.

47 Reimut Reiche: Sexualität und Klassenkampf. Zur Abwehr repressiver Entsublimierung. Frankfurt am Main 1968.

48 Theodor W. Adorno: Jargon der Eigentlichkeit. Zur deutschen Ideologie. Frankfurt am Main 1964.

49 Zit. nach Hermann Korte: Eine Gesellschaft im Aufbruch; a.a.O., S. 47.

50 Theodor W. Adorno: Minima Moralia. Reflexionen aus dem beschädigten Leben. Berlin und Frankfurt (1951) 1984, S. 21.

51 Rolf Wiggershaus: Die Frankfurter Schule. Geschichte – Theoretische Entwicklung – Politische Bedeutung. München 1986. Vgl. auch Martin Lüdke: Horkheimer und die Kiste. »Die Frankfurter Schule«: Rolf Wiggershaus' eindrucksvolle Darstellung. In: Die Zeit, 9. 1. 1987.

52 Werner Post: Es gab keine einheitliche Theorie. Rolf Wiggershaus: Die Frankfurter Schule. In: Frankfurter Allgemeine Zeitung, 30. 9. 1986.

53 Theodor W. Adorno: Negative Dialektik. Frankfurt am Main 1970, S. 241. Keine Angst vor dem Elfenbeinturm. Spiegel-Gespräch mit Theodor W. Adorno. In: Der Spiegel, Nr. 19/1969, S. 204.

54 Max Horkheimer: Notizen 1950 bis 1969 und Dämmerung. Notizen in Deutschland. Hrsg. von Werner Brede. Frankfurt am Main 1974, S. 210. Vgl. auch Alfred Schmidt (Hrsg.): Max Horkheimer heute: Werk und Wirkung. Frankfurt am Main 1986.

55 Jean Améry: Jargon der Dialektik. In: Merkur, Heft 236/1967, S. 1055, 1058.

56 Vgl. Ulrich Chaussy: Die drei Leben des Rudi Dutschke. Eine Biographie. Darmstadt/Neuwied 1983. Ferner Jürgen Miermeister: Rudi Dutschke. Reinbek bei Hamburg 1986.

57 Harald Wieser über den APO-Führer Dutschke. Rudi, ein deutsches Märchen. In: Der Spiegel, Nr. 16/1988, S. 101.

58 Bernd Ulrich: Über »blinde Flecken«, Rituale und die Fußstapfen der Väter. »Die 68er oder: Wie eine Generation anfing, mir auf den Geist zu gehen«. In: Frankfurter Rundschau, 15. 4. 1988.

59 Spiegel-Spezial: Die wilden 68er; a.a.O., S. 61 f.

60 Karin Storch: Erziehung zum Ungehorsam als Aufgabe einer demokratischen Schule. In: Tribüne, Heft 24/1967, S. 2571, 2575. Hans Gehr: Was halten Sie denn von Sokrates? Entgegnung auf die Rede einer Abiturientin. Die Jugend sollte sich zur Mitarbeit bekennen. In: Christ und Welt, 26. 1. 1968. Ferner Hermann Glaser: Radikalität und Scheinradikalität; a.a.O., S. 124 f.

61 Hochschule im Umbruch. Teil IV: Die Krise (1964-1967). Ausgewählt und dokumentiert von Siegward Lönnendonker und Tilman Fichter. Berlin 1975, S. 432.

62 Hermann Korte: Eine Gesellschaft im Aufbruch; a.a.O., S. 72.

63 Vom Antifaschismus zur späten Geburt. Wolfgang Fritz Haug im Gespräch mit Claus Leggewie. In: Frankfurter Rundschau, 28. 5. 1988.

64 Hermann Lübbe: Der Mythos der »kritischen Generation«. Ein Rückblick. In: Aus Politik und Zeitgeschichte. Beilage zur Wochenzeitung Das Parlament. B 20/1988, S. 18.

65 Claus Leggewie: 1968. Ein Laboratorium der nachindustriellen Gesellschaft? Zur Tradition der antiautoritären Revolte seit den sechziger Jahren. In: Aus Politik und Zeitgeschichte. Beilage zur Wochenzeitung Das Parlament. B 20/1988, S. 10 f.

66 Vgl. Robert Jungk: Die Zukunft hat schon begonnen. Stuttgart (1952) o. J. Emil-Peter Müller: Antiamerikanismus in Deutschland. Zwischen Care-Paket und Cruise missile. Köln 1986.

67 Zit. nach Spiegel-Spezial; a.a.O., S. 29 f.

68 Vgl. Eckhard Siepmann: Vietnam – Der große Katalysator. In: Eckhard Siepmann (Hrsg.): Heiß und kalt; a.a.O., S. 579.

69 Zit. nach Eckhard Siepmann (Hrsg.): Heiß und kalt; a.a.O., S. 584.

70 Wilhelm Bittorf über die Jugendrevolution und Protestbewegung der sechziger Jahre. »Träume im Kopf, Sturm auf den Straßen«. In Spiegel-Spezial: Die wilden 68er; a.a.O., S. 5 f.

71 Zit. nach Eckhard Siepmann (Hrsg.): Heiß und kalt; a.a.O., S. 580.

72 Ralf Schnell: Die Literatur der Bundesrepublik; a.a.O., S. 34.

73 Zit. nach Ralf Schnell: Die Literatur der Bundesrepublik; a.a.O., S. 33.

74 Im Wortlaut: SPD und SDS. Ganze Generation verloren. In: Frankfurter Rundschau, Juni 1988. Vgl. auch Tilman Fichter: SDS und SPD. Opladen/Wiesbaden 1988.

75 Irene Lusk: Che lebt. In: Eckhard Siepmann: Heiß und kalt; a.a.O., S. 575.

76 Frantz Fanon: Die Verdammten dieser Erde. Frankfurt am Main 1966. Vgl. auch Frantz Fanon: Aspekte der Algerischen Revolution. Frankfurt am Main 1969. Frantz Fanon: Schwarze Haut, weiße Masken. Frankfurt am Main 1980. Renate Zahar: Kolonialismus und Entfremdung. Zur politischen Theorie Frantz Fanons. Frankfurt am Main 1969. David Daute: Frantz Fanon. München 1970. Detlev Claussen: List der Gewalt. Soziale Revolutionen und ihre Theorien. Frankfurt am Main 1982.

77 Worte des Vorsitzenden Mao Tse-Tung. Peking 1967, S. 14, 341 ff.

78 Hauke Brunkhorst: Zur Rolle der Intellektuellen in den kulturellen Wenden der westdeutschen Republik. In: Neue Rundschau, Heft 1/1988, S. 146 f.

79 Claus Leggewie: 1968: Ein Laboratorium der nachindustriellen Gesellschaft? a.a.O., S. 12.

80 Zit. nach Eckhard Siepmann: Heiß und kalt; a.a.O., S. 627.

81 Zit. nach Eckhard Siepmann: Heiß und kalt; a.a.O., S. 628.

82 Vgl. Eckhard Siepmann: Heiß und kalt; a.a.O., S. 516.

83 Karlheinz Stockhausen: Freibrief an die Jugend. In: Frankfurter Allgemeine Zeitung, 22. 8. 1968.

84 Jürgen Habermas: Strukturwandel der Öffentlichkeit. Untersuchungen zu einer Kategorie der bürgerlichen Gesellschaft. Neuwied 1962, S. 183, 193.

85 Max Horkheimer/Theodor W. Adorno: Dialektik der Aufklärung. Frankfurt am Main 1971, S. 108, 125, 139, 150.
86 Wolfgang Fritz Haug: Zur Kritik der Warenästhetik. In: Kursbuch 20/1970, S. 140.
87 Vgl. Roland Barthes: Mythen des Alltags. Frankfurt am Main 1964.
88 Urs Widmer: In uns und um uns und um uns herum. In: Renate Matthaei (Hrsg.): Trivialmythen. Frankfurt am Main 1970, S. 13 f.
89 Wolfgang Fritz Haug: Zur Kritik der Warenästhetik; a.a.O., S. 154.
90 Diethart Kerbs (Hrsg.): Das Ende der Höflichkeit. Für eine Revision der Anstandserziehung. München 1970.
91 Diethart Kerbs: Marat-Variante Nr. 327. In: Werk und Zeit 2/1969.
92 Karin Thomas: Zweimal deutsche Kunst nach 1945. 40 Jahre Nähe und Ferne. Köln 1985, S. 159 f. Ferner Doris Schmidt: Bildende Kunst. In: Wolfgang Benz (Hrsg.): Die Bundesrepublik Deutschland. Geschichte in vier Bänden. Band 4: Kultur. Frankfurt am Main 1989, S. 243 f.
93 Karin Thomas: Zweimal deutsche Kunst nach 1945; a.a.O., S. 160 f.
94 Vgl. Karl Ruhrberg: Die Gleichzeitigkeit des Gegensätzlichen. In: Hilmar Hoffmann/Heinrich Klotz: Die Sechziger. Die Kultur unseres Jahrhunderts. Düsseldorf/Wien/New York 1987, S. 149.
95 Vgl. Werner Hafmann: Malerei im 20. Jahrhundert. Eine Entwicklungsgeschichte. München 1979, S. 520.
96 Karin Thomas: Zweimal deutsche Kunst nach 1945; a.a.O., S. 114 f.
97 Werner Haftmann: Malerei im 20. Jahrhundert; a.a.O., S. 521
98 Werner Hofmann u. a. (Hrsg.): Kunst in Deutschland 1898-1973. Hamburg 1973. Blatt 1963.
99 Karin Thomas: Zweimal deutsche Kunst nach 1945; a.a.O., S. 130.
100 Ebd., S. 137 f.
101 Zit. nach Werner Hofmann u. a. (Hrsg.): Kunst in Deutschland 1898-1973; a.a.O., Blatt 1963
102 Karl Ruhrberg: Die Gleichzeitigkeit des Gegensätzlichen; a.a.O., S. 178
103 Gabriel Laub. Siebzig Stunden Filmstrapazen. Die 15. Westdeutschen Kurzfilmtage in Oberhausen. In: Die Zeit, Nr. 14/1969.
104 Vgl. Peter W. Jansen: Anatomie einer Provokation. Der Modellfall Oberhausen. In: Merkur, Heft 243/1968, S. 671.
105 Zit. nach Hilmar Hoffmann: Papas Kino stirbt. In: Hilmar Hoffmann/Heinrich Klotz: Die Sechziger; a.a.O., S. 195.
106 Zit. nach Hilmar Hoffmann: Papas Kino stirbt; a.a.O., S. 194
107 Vgl. Hilmar Hoffmann: Papas Kino stirbt; a.a.O., S. 189 f.
108 Hilmar Hoffmann: Papas Kino stirbt; a.a.O., S. 201
109 Dieter Krusche: Reclams Filmführer. Stuttgart 1977, S. 645.
110 Rainer Werner Fassbinder: Die Anarchie der Phantasie. Gespräche und Interviews. Hrsg. von Michael Töteberg. Frankfurt am Main 1986, S. 30. Vgl. auch Rainer Werner Fassbinder. Die Kinofilme 1 und 2. Hrsg. von Michael Töteberg. München 1987.
111 Dieter Krusche: Reclams Filmführer; a.a.O., S. 628.
112 Rainer Werner Fassbinder: Die Anarchie der Phantasie. Vorwort S. 9 f.
113 Zit. nach Jürgen Kolbe: Ist die Germanistik noch zu retten? In: Frankfurter Allgemeine Zeitung, 8. 2. 1969. Vgl. auch Jürgen Kolbe (Hrsg.): Neue Ansichten einer zukünftigen Germanistik. München 1973. Karl Otto Conrady: Literatur und Germanistik als Herausforderung. Frankfurt am Main 1974.
114 Peter Hamm, zit. nach Berhard Frank: Von den Schwierigkeiten zu handeln. Einige deutsche Literaten in der permanenten Revolution. In: Frankfurter Allgemeine Zeitung, Jg. 1968.
115 Peter Hamm: Engagierte Literatur – am Beispiel von Hans Magnus Enzensberger. In: Hermann Glaser/Karl Heinz Stahl (Hrsg.): Das Nürnberger Gespräch. Opposition in der Bundesrepublik. Freiburg im Breisgau 1968, S. 114 ff.
116 Peter Hamm: Die Großkritiker. In: Peter Hamm (Hrsg.): Kritik – von wem, für wen, wie. Eine Selbstdarstellung deutscher Kritiker. München 1968, S. 20 ff.
117 Vgl. Peter Hamm: Unsystematisches über uns Bürger. In: Die Zeit, 14. 3. 1969.
118 Vgl. Ralf Schnell: Die Literatur der Bundesrepublik; a.a.O., S. 174.

119 Peter Weiss: Enzensbergers Illusionen. In: Kursbuch 6/1966, S. 170.
120 Hans Magnus Enzensberger: Peter Weiss und andere. In: Kursbuch 6/1966, S. 176.
121 Günter Grass: Politische Landschaft. In: Ausgefragt. Neuwied/Berlin 1967, S. 72 f.
122 Günter Grass: Aus dem Tagebuch einer Schnecke. Neuwied/Darmstadt 1972, Einbandtext.
123 Hans Magnus Enzensberger: Der Papier-Truthahn. In: Gedichte 1955-1970. Frankfurt am Main 1971, S. 153.
124 Klaus Gurrek u. a.: Zerschlagt das bürgerliche Theater! In: Theater heute, Heft 2/1969, S. 30.
125 Michael Buselmeier: Festspiele für integrierte Arbeiter. Recklinghausen, eine Fiktion in ihrem 23. Jahr. In: Die Zeit, 23. 5. 1969.
126 Jerzy Grotowski: Für ein Armes Theater. Zürich 1986.
127 Jerzy Grotowski: Nacktheit auf dem Theater – sittlich oder obszön? In: Theater heute, Heft 8/1971, S. 1 ff.
128 Hans Daiber: Deutsches Theater seit 1945. Stuttgart 1976, S. 255 f.
129 Vgl. Helmut Olles (Hrsg.): Literaturlexikon 20. Jahrhundert. Band 2. Reinbek bei Hamburg 1971, S. 366 f.
130 Megan Terry: Vietrock. Bericht über den Krieg eines Volkes (1966). In: Theater heute, Jg. 1968.
131 Wilfried Floeck: Zwischen Absurdität und politischem Engagement. Tendenzen des französischen Theaters der fünfziger und sechziger Jahre. In: Universitas, Heft 6/1987, S. 576.
132 Georg Hensel: Spielplan. Schauspielführer von der Antike bis zur Gegenwart. Berlin 1986, S. 1524.
133 Zit. nach Hans Daiber: Deutsches Theater seit 1945; a.a.O., S. 257.
134 Erich Wendt über die Vierte Experimenta. Pfingsten, Fest der Rezipienten. In: Theater heute, Heft 7/1971, S. 32 f.
135 Günther Rühle: Theater in unserer Zeit. Frankfurt am Main 1976, S. 189 f.
136 Günther Rühle: Theater in unserer Zeit; a.a.O., S. 193.
137 Rolf Michaelis: Von den Barrikaden in den Elfenbeinturm. Aufbruch, Leerlauf, Stillstand: Die undeutschen Jahre. Schauspiel in der Bundesrepublik Deutschland zwischen 1967 und 1982. In: Theater. Schriftenreihe des Zentrums Bundesrepublik des Internationalen Theaterinstituts e. V., Band 2. Berlin 1983, S. 13.
138 Die neuen Konstellationen. Das deutsche Theater ändert sich. In: Theater heute. Jahressonderheft 1971, S. 41.
139 Zit. nach Rolf Michaelis: Von den Barrikaden in den Elfenbeinturm; a.a.O., S. 12.
140 Günther Rühle: Was an uns ist noch Peer? Zur Aufführung der Schaubühne. In: Theater heute. Jahressonderheft 1971, S. 29 ff. Vgl. auch Karl-Ernst Herrmann u. a.: Schaubühne. Am Halleschen Ufer. Am Lehniner Platz, 1962-1987. Frankfurt am Main/Berlin 1987.
141 Hans Mayer: Selbstbefreiung der normalisierten Welt. Peter Brückners Leben und Denken. In: Die Zeit, 23. 11. 1984.
142 Hans-Martin Lohmann: Ein deutsches Trauma. Erinnerungen an Peter Brückner und das, was er unter »Gewalt« verstand. In: Frankfurter Rundschau, 28. 3. 1987. Vgl. auch Peter Brückner: Das Abseits als sicherer Ort. Kindheit und Jugend zwischen 1933 und 1945. Berlin 1980. Peter Brückner: Zerstörung des Gehorsams. Aufsätze zur Politischen Psychologie. Hrsg. von Axel-R. Oestmann. Berlin 1983. Peter Brückner: Selbstbefreiung, Provokation und soziale Bewegung, Berlin 1983. Alfred Krovoza u. a. (Hrsg.): Zum Beispiel Peter Brückner. Treue zum Staat und kritische Wissenschaft. Frankfurt am Main 1981.
143 Hans-Martin Lohmann: Ein deutsches Trauma; a.a.O.
144 Alexander Mitscherlich: Auf dem Weg zur vaterlosen Gesellschaft. Ideen zur Sozialpsychologie. München 1963, S. 420 ff.
145 Alexander Mitscherlich: Ein Leben für die Psychoanalyse. Anmerkungen zu meiner Zeit. Frankfurt am Main 1980, S. 248.
146 Margarete Mitscherlich: Erinnerungsarbeit. Zur Psychoanalyse der Unfähigkeit zu trauern. Frankfurt am Main 1987, S. 40 f.
147 Vgl. z. B. Peter Faecke (Hrsg.): Über die allmähliche Entfernung aus dem Lande. Die Jahre 1968-1982. Düsseldorf 1983. Johano Strasser: Grenzen des Sozialstaates? Soziale Sicherung in

der Wachstumskrise. Köln 1983. Christel Neusüß: Die Kopfgeburten der Arbeiterbewegung oder Die Genossin Luxemburg bringt alles durcheinander. Hamburg 1985.

148 Vgl. Johannes Wendt: Zwischen Selbstprüfung und witzigen Anekdoten. Die SDS-Veteranen besinnen sich auf ihre Geschichte. In: Frankfurter Rundschau, 4. 7. 1985.

149 Berichtet von Frank Schirrmacher: Notgelage. Der SDS in Frankfurt. In: Frankfurter Allgemeine Zeitung, 25. 11. 1986.

150 Volker Zastrow: Ein Veteran der Revolte. In: Frankfurter Allgemeine Zeitung, 22. 8. 1987.

151 Daniel Cohn-Bendit: Wir haben sie so geliebt, die Revolution. Frankfurt am Main 1987. Dazu Rainer Erd: Keine Lust, die Gesellschaft zu verwalten? Daniel Cohn-Bendits deprimierende Aufarbeitung der 68er Bewegung. In: Frankfurter Rundschau, 7. 11. 1987.

152 Reden über das eigene Land: Deutschland. Herbert Achternbusch. Cordelia Edvardson. Daniel Cohn-Bendit. Stephan Hermlin. München 1986, S. 84.

153 Horst-Eberhard Richter: Die Chance des Gewissens. Erinnerungen und Assoziationen. Hamburg 1986, S. 194.

154 Für das Folgende vgl. Hans Georg Lehmann: Chronik der Bundesrepublik Deutschland. 1945/49 bis 1981. München 1981, S. 102 ff., 88 ff.

155 Wolfgang Jäger: Die Innenpolitik der sozial-liberalen Koalition 1969-1974. In: Karl Dietrich Bracher/Wolfgang Jäger/Werner Link: Republik im Wandel. 1969-1974. Die Ära Brandt. Geschichte der Bundesrepublik Deutschland in fünf Bänden. Hrsg. von Karl Dietrich Bracher/ Theodor Eschenburg/Joachim C. Fest/Eberhard Jäckel. Band 5/I. Stuttgart/Mannheim 1986, S. 24 f.

156 Zit. nach Günter Grass über Willy Brandt. »Draußen – Schriften während der Emigration«. In: Der Spiegel, Jg. 1966.

157 Zit. nach Gabriele Dietz u. a. (Hrsg.): Klamm, Heimlich & Freunde. Die Siebziger Jahre. Berlin 1987, S. 18.

158 Wolfgang Jäger: Die Innenpolitik der sozial-liberalen Koalition; a.a.O., S. 154.

159 Arnulf Baring: Ein Politiker auf der Suche nach seiner Heimat. Kritische Anmerkungen zu drei Biographien über Willy Brandt. In: Die Zeit, 5. 3. 1976. Ferner Carola Stern (in Zusammenarbeit mit Manfred Görtemaker): Willy Brandt. Reinbek bei Hamburg 1976.

160 Arnulf Baring: Machtwechsel. Die Ära Brandt-Scheel. Stuttgart 1982.

161 Wolfgang Jäger: Die Innenpolitik der sozial-liberalen Koalition; a.a.O., S. 160.

162 Wolfgang Fritz Haug: Zur Kritik der Warenästhetik. In: Kursbuch 20/1970, S. 140 ff. Vgl. auch Wolfgang Fritz Haug: Kritik der Warenästhetik. Frankfurt am Main 1971. Hans Magnus Enzensberger: Baukasten zu einer Theorie der Medien. In: Kursbuch 20/1970, S. 159 ff.

163 Martin Walser: Über die neueste Stimmung im Westen. In: Kursbuch 20/1970, S. 19 ff.

164 Martin Walser: Über die neueste Stimmung im Westen; a.a.O., S. 36.

165 Martin Walser: Die Gallistl'sche Krankheit. Frankfurt am Main 1972. Leseanweisung. Zit. nach Fritz J. Raddatz: Zur deutschen Literatur der Zeit. 2. Die Nachgeborenen. Leseerfahrungen mit zeitgenössischer Literatur. Reinbek bei Hamburg 1987, S. 146.

166 Volker Ludwig/Detlef Michel: Eine linke Geschichte. Theaterstück mit Kabarett. Textbuch. Berlin 1980, S. 107 f.

167 Volker Ludwig/Detlef Michel: Eine linke Geschichte; a.a.O., S. 109.

168 Edgar Morin zit. nach Jean Marcel Bourguereau: Die Krise des Mythos. Anmerkungen zur Neuen Linken in Frankreich und Italien. In: Kursbuch 48/1977, S. 1. Oskar Negt: Interesse gegen Partei. Über Identitätsprobleme der deutschen Linken. Ein Gespräch mit Harald Wieser. In: Kursbuch 48/1977, S. 176.

169 Jörg Bopp: Trauer-Power. Zur Jugendrevolte 1981. In: Kursbuch 65/1981, S. 155. Vgl. auch Gerd Koenen: Die großen Gesänge. Lenin, Stalin, Mao, Castro, Sozialistischer Personenkult und seine Sänger. Frankfurt am Main 1987.

170 Zit. nach W. D. Narr: Die Generation der Ausgeschlossenen. In: Die Zeit, 20. 1. 1978.

171 Johann August Schülein: Von der Studentenrevolte zur Tendenzwende oder der Rückzug ins Private. Eine sozial-psychologische Analyse. In: Kursbuch 48/1977, S. 101, 109 ff., 116 f.

172 Zit. nach Tagungsunterlagen Jugend-Festival der Jungen Union. Niedersachsen, 12. 12. 1981.

173 Michael Rutschky: Erfahrungshunger. Ein Essay über die siebziger Jahre. Köln 1980, S. 259 f.

174 Klaus Laermann: Kneipengerede. Zu einigen Verkehrsformen der Berliner »linken« Subkultur. In: Kursbuch 37/1974, S. 171, 173 f., 180. Ferner Franz Dröge/Thomas Krämer-Badoni: Die Kneipe. Zur Soziologie einer Kulturreform. Frankfurt am Main 1987.

175 Andi Bauer: Mit Hammer, Sichel und Gitarre. Linke Off-Kultur der Siebziger. In: Gabriele Dietz u. a. (Hrsg.): Klamm, Heimlich & Freunde. Die Siebziger Jahre. Berlin 1987, S. 68.

176 Vgl. Andi Bauer: Mit Hammer, Sichel und Gitarre; a.a.O., S. 66 ff.

177 Hans Bender (Hrsg.): In diesem Lande leben wir. Deutsche Gedichte der Gegenwart. Eine Anthologie in zehn Kapiteln. München 1978, S. 65 f.

178 Das Überleben sichern. Gemeinsame Interessen der Industrie- und Entwicklungsländer. Bericht der Nord-Süd-Kommission. Mit einer Einleitung des Vorsitzenden Willy Brandt. Köln 1980, S. 20 f.

179 Johano Strasser: Die 80er Jahre – Orwells Jahrzehnt? In: L'80, Heft 13/1980, S. 18 f.

180 Hartmut von Hentig: Die entmutigte Republik. Aufsätze zur politischen Kultur der Bundesrepublik. München 1980. Vorabdruck des Titelessays in: Süddeutsche Zeitung, 8./9. 3. 1980. Vgl. auch Universitas. Schwerpunkt Angst. Heft 11/1987. Rolf Schroers: Meine deutsche Frage. Politische und literarische Vermessungen 1961-1979. Stuttgart 1979.

181 Johannes Gross: Die Misere der öffentlichen Gefühle. Oder: Trübsinn würzt den Genuß des Wohlstands. In: Frankfurter Allgemeine Zeitung, 1. 3. 1980.

182 Dieter Forte: Ein Kommunikationstraining. In: Neue Rundschau, Heft 4/1981, S. 16 f.

183 Thomas Ziehe: Pubertät und Narzißmus. Sind Jugendliche entpolitisiert? Frankfurt am Main/Köln 1975, u. a. S. 117, 191. Ferner Thomas Ziehe: Worum geht es in der Narzißmus-Diskussion? In: Neue Sammlung, Heft 2/1981, S. 132 ff.

184 Vgl. Dieter Baacke: Beat. Die sprachlose Opposition. München 1970, S. 101 f.

185 Heiratsanzeige. In: Die Zeit, 18. 7. 1980.

186 Helmut Heißenbüttel: Das Ende der Alternative. Einfache Geschichten. Stuttgart 1980, S. 16.

187 Rolf Schneider: Die Grünen – ein Unglück. In: Der Spiegel, Nr. 13/1980, S. 38 f.

188 Peter Henkel: Nur noch 30 Prozent halten die Technik für einen Segen. In: Frankfurter Rundschau, 6. 3. 1982.

189 Hans Schuster: Der verrufene Fortschritt. In: Süddeutsche Zeitung, 2. 1. 1982.

190 Jörg Bopp: Wir machen es jetzt. Zur Moral der Jugendlichen. In: Kursbuch 60/1980, S. 30, 32.

191 Jörg Bopp: Wir machen es jetzt; a.a.O., S. 33 f.

192 Jörg Bopp: Wir machen es jetzt; a.a.O., S. 42.

193 Erhard Eppler: Wer Freiheit will, muß Freiheit riskieren. In: Frankfurter Rundschau, 24. 6. 1974.

194 Olaf Schwencke: Robert Jungk 75 Jahre. In: Kulturpolitische Mitteilungen, Nr. 41/1988, S. 7. Vgl. auch die Werke von Robert Jungk: Die Zukunft hat schon begonnen. Stuttgart 1952; Der Jahrtausendmensch. Bericht aus den Werkstätten der neuen Gesellschaft. München/Gütersloh/Wien 1973; Der Atomstaat. Vom Fortschritt in die Unmenschlichkeit, München 1977; Zukunftswerkstätten. Hamburg 1981; Ermutigung. Streitschrift wider die Resignation. Berlin 1987.

195 Dieter Baacke: Zukunft als moralische Aufgabe. In: Kulturpolitische Mitteilungen, Nr. 41/1988, S. 17.

196 Peter Schneider: Keine Lust aufs grüne Paradies. In: Kursbuch 74/1983, S. 181 f.

197 Joachim Raschke: Zum Begriff der sozialen Bewegung. In Roland Roth/Dieter Rucht (Hrsg.): Neue soziale Bewegungen in der Bundesrepublik Deutschland. Bonn 1987, S. 21 f. Vgl. auch Bürgerinitiativen/Bürgerprotest – eine neue Vierte Gewalt? In: Kursbuch 50/1977.

198 Vgl. Denis Meadows: Die Grenzen des Wachstums. Bericht des Club of Rome zur Lage der Menschheit. Stuttgart 1972.

199 Karl-Werner Brand: Kontinuität und Diskontinuität in den neuen sozialen Bewegungen. In: Roland Roth/Dieter Rucht (Hrsg.): Neue soziale Bewegung in der Bundesrepublik Deutschland. Bonn 1987, S. 31. Vgl. auch Wolfgang Hillenbrand/Burkhart Luner/Dieter Oelschlägel (Hrsg.): Jahrbuch Gemeinwesenarbeit 2: Neue soziale Bewegungen. München 1985.

200 Herbert Gruhl: Ein Planet wird geplündert. Schreckensbilder unserer Politik. Frankfurt am Main 1975.

201 Vgl. Erhard Eppler: Ende oder Wende? Von der Machbarkeit des Notwendigen. Stuttgart/ Berlin/Köln/Mainz 1975.

202 Vgl. Gerd Langguth: Der grüne Faktor. Von der Bewegung zur Partei? Zürich 1984, S. 36.

203 Wolfgang Pohrt: Alternative unter Verdacht. In: Konkret, Heft 10/1981, S. 45. Vgl. auch Kurt Sontheimer: Zeitenwende? Die Bundesrepublik zwischen alter und alternativer Politik. Hamburg 1983.

204 Helke Sander vor der Delegiertenkonferenz des Sozialistischen Deutschen Studentenbundes 1968. Zit. nach Leonore Knafla/Christine Kulke: 15 Jahre neue Frauenbewegung. Und sie bewegt sich noch! – Ein Rückblick nach vorn. In: Roland Roth/Dieter Rucht (Hrsg.): Neue soziale Bewegungen in der Bundesrepublik Deutschland; a.a.O., S. 91.

205 Alice Schwarzer: So fing es an! Die neue Frauenbewegung. München 1983, S. 24.

206 Marie-Luise Weinberger: Aufbruch zu neuen Ufern? Grün-Alternative zwischen Anspruch und Wirklichkeit. Bonn 1984, S. 45.

207 Marie-Luise Weinberger: Aufbruch zu neuen Ufern? a.a.O., S. 46.

208 Ossip K. Flechtheim: Wendezeiten oder Zeitwende. In: Natur, Nr. 10/1983. Zit. nach Marie-Luise Weinberger: Aufbruch zu neuen Ufern? a.a.O., S. 48.

209 Marielouise Janssen-Jurreit: Sexismus. Über die Abtreibung der Frauenfrage. München 1976, S. 718.

210 Richard Sennett: Die Tyrannei der Intimität. In: Merkur, Heft 411/1982, S. 857. Vgl. auch Richard Sennett: Die Tyrannei der Intimität. Entstehung und Verfall der öffentlichen Kultur. Frankfurt am Main 1982.

211 Richard Sennett: Die Tyrannei der Intimität; a.a.O., S. 859.

212 Botho Strauß: Paare, Passanten. München/Wien 1981, S. 25 f.

213 Vgl. Gertrud Höhler: Die Zukunftsgesellschaft. Düsseldorf 1986.

214 Vgl. Gunter Schmidt: Die Entstehung der modernen Sexualität oder Wie die Kleinfamilie das Leben sexualisierte. In: Frankfurter Rundschau, 22. 3. 1986. Ferner Gunter Schmidt: Das große DER DIE DAS – Über das Sexuelle. Herbstein 1986.

215 Brigitte Berger/Peter L. Berger: In: Verteidigung der bürgerlichen Familie. Frankfurt am Main 1984, S. 150. Ferner: Ferdinand Oeter: Die Zukunft der Familie. München/Basel 1986. Die Mütter. In: Kursbuch 76/1984. Die neuen Kinder. In: Kursbuch 72/1983.

216 Botho Strauß: Rumor. München, 1980, S. 47,

217 Nicolas Born: Die erdabgewandte Seite der Geschichte. Reinbek bei Hamburg 1979. Gerhard Roth: Winterreise. Frankfurt am Main 1978. Hannelies Taschau: Landfriede. Zürich/Köln 1978. Karin Struck: Trennung. Frankfurt am Main 1978. Peter Handke: Die linkshändige Frau. Frankfurt am Main 1976. Gabriele Wohmann: Abschied für länger. Neuwied/Darmstadt 1965. Gabriele Wohmann: Ernste Absicht. Neuwied/Darmstadt 1970. Martin Walser: Ein fliehendes Pferd. Frankfurt am Main 1978. Martin Walser: Jenseits der Liebe. Frankfurt am Main 1976. Martin Walser: Seelenarbeit. Frankfurt am Main 1979. Ferner Edgar Wilhelm: Das Ende von Beziehungen. Trennungsproblematik in der gegenwärtigen Literatur. In: Buch & Bibliothek, Nr. 4/1984, S. 321 ff.

218 Martin Koschorke: Zweitfamilien und Zweitpartnerschaften. Zur Struktur und Dynamik zusammengesetzter Beziehungssysteme. Referat zur Tagung der IUFO, Kommission für Ehe und Eheberatung. Stein bei Nürnberg, Juni 1983, S. 16.

219 Heinz-Günter Vester: Thanatos' Wiederkehr – AIDS. In: Universitas, Heft 4/1986, S. 371 ff. Georges Bataille: Der heilige Eros. Frankfurt am Main/Berlin 1974, S. 57. Zit. ebd. S. 378.

220 »Die Freunde ringsum sterben«. Rosa von Praunheim über Aids in New York. In: Der Spiegel, Nr. 7/1988, S. 182 ff.

221 Hubert Fichte: Hotel Garni. Frankfurt am Main 1987. Hubert Fichte: Homosexualität und Literatur 1. Frankfurt am Main 1987. Volker Hage: »Die Geschichte der Empfindlichkeit«. Hubert Fichte und sein monumentaler Romanzyklus: Der verborgene Selbstentblößer. In: Die Zeit, 9. 10. 1987

222 Horst-Eberhard Richter: Die große Verfolgung. Das Phänomen Aids stellt die Gesellschaft auf die Probe. In: Die Zeit, 1. 5. 1987. Ferner: Wilhelm Bottorf: »Die Lust ist da, aber ich verkneif's mir«. Geschlechtsliebe in den Zeiten von Aids. In: Der Spiegel, Nr. 11/1987, S. 238 ff. Heidrun

Graupner: Der unerträgliche Schock. Aids – die neue Seuche und die uralten Ängste. In: Süddeutsche Zeitung, 23./24. 7. 1988. August Wilhelm von Eiff/Johannes Gründel: Von Aids herausgefordert. Medizinisch-ethische Orientierungen. Freiburg 1987.

223 Horst-Eberhard Richter: Die große Verfolgung; a.a.O.

224 Cora Stephan: Das Gerede, die Gefühle, die Gefahr. Stalingrad in deutschen Betten? Weshalb die Debatte über Aids so beliebt ist. In: Die Zeit, 24. 4. 1987.

225 Erhard Eppler: Friedensbewegung. In: Walter Jens (Hrsg.): In letzter Stunde. Aufruf zum Frieden. München 1982, S. 144. Vgl. auch Ulrike C. Wasmuth: Die Entstehung und Entwicklung der Friedensbewegung der achtziger Jahre. Ihre geistigen Strömungen und ihre Beziehung zu den Ergebnissen der Friedensforschung. In Roland Roth/Dieter Rucht (Hrsg.): Neue soziale Bewegungen in der Bundesrepublik Deutschland; a.a.O., S. 109 ff. Ferner: Friedensbewegung. Geht es weiter? In: Frankfurter Hefte, Heft 1/1984.

226 Carl Friedrich von Weizsäcker: Die Zeit drängt. Eine Weltversammlung der Christen für Gerechtigkeit, Frieden und die Bewahrung der Schöpfung. München 1986, S. 115.

227 Vgl. Michail Gorbatschow: Perestroika. Die zweite russische Revolution. München 1987.

228 Johano Strasser: Einerseits – andererseits – Dualwirtschaft. In: Netzwerk-Rundbrief Nr. 23, S. 21. Zit. nach Marie-Luise Weinberger: Aufbruch zu neuen Ufern? a.a.O., S. 78.

229 Jürgen Matzat: »Identitätswerkstätten« zum (wieder) »leben lernen«. Mit den Anonymen Alkoholikern fing es an. Ursprung und Entwicklung der Selbsthilfegruppen. In: Das Parlament, 9./16. 5. 1987.

230 Fritz Vilmar/Brigitte Runge: Auf dem Weg zur Selbsthilfegesellschaft? 40 000 Selbsthilfegruppen. Gesamtüberblick. Politische Theorie und Handlungsvorschläge. Essen 1986. Zit. nach Fritz Vilmar/Brigitte Runge: Das Ghetto der beschränkten Privatsphäre wird überwunden. In: Frankfurter Rundschau, 21. 6. 1986.

231 Vgl. Johannes Schütte: Revolte und Verweigerung. Zur Politik und Sozialpsychologie der Spontibewegung. Gießen 1980.

232 Joseph Huber: Zukunftsfragen der Sozialdemokratie. In: Frankfurter Hefte, Heft 8/1987, S. 676 ff.

233 Fritjof Capra: Wendezeit. Bausteine für ein neues Weltbild. Bern/München/Wien 1986, S. 37. Vgl. auch Franz-Xaver Kaufmann: Religion und Modernität. In: Johannes Berger (Hrsg.): Die Moderne – Kontinuitäten und Zäsuren. Göttingen 1986, S. 305 f.

234 Willy Hochkeppel: Nebelwerfer als Aufklärer. In: Merkur, Heft 439/440/1985, S. 835, 938, 841 f. Vgl. auch Carlos Castaneda: Der Ring der Kraft. Der zweite Ring der Kraft. Das Feuer von innen. Die Kraft der Stille. Frankfurt am Main 1979-1986.

235 Vgl. hierzu Thomas Mann: Dr. Faustus. Das Leben des deutschen Tonsetzers Adrian Leverkühn erzählt von einem Freunde. Frankfurt am Main 1971, S. 92. Ferner Peter Jennrich: Die Okkupation des Willens. Macht und Methoden der neuen Kultbewegungen. Hamburg 1985. Sekten. In: Kursbuch 55/1979.

236 Jörg Bopp: Psycho-Kult – kleine Fluchten in die großen Worte. In: Kursbuch 82/1985, S. 64 ff., 73 f.

237 Angelina Hermanns: New Age – der neue Weg ins Frauenparadies? In: Frankfurter Hefte, Heft 7/1987, S. 618.

238 Angelina Hermanns: New Age; a.a.O., S. 618.

239 Renate Jäckle: Biotanz ins Jenseits. Der Einbruch der Esoterik in die Medizin. In: Kursbuch 88/1987, S. 35.

240 Renate Jäckle: Biotanz ins Jenseits; a.a.O., S. 46.

241 Adolf Holl: Wassermannzeit. In: Kursbuch 86/1986, S. 17.

242 Rudolf Bahro: Logik der Rettung. Wer kann die Apokalypse aufhalten? Ein Versuch über die Grundlagen ökologischer Politik. Stuttgart 1987.

243 Günther Schiwy: Auf der Suche nach der verlorenen Einheit. New Age-Spiritualität und Christentum. In: Buch & Bibliothek, Heft 40/1988, S. 186 ff.

244 Johann Baptist Metz: Theologie angesichts der späten Moderne. In: Merkur, Heft 422/1983, S. 904 f.

245 Vgl. auch Hans Küng: Unfehlbar? Eine Anfrage. Köln 1975.

246 Hans Küng: Die alte Inquisition ist tot, es lebe die neue. In: Die Zeit, 4. 10. 1985. Vgl. auch David Seeber: Die Abrechnung des Kardinals. Joseph Ratzingers provozierende Kritik an der Entwicklung der katholischen Kirche seit dem letzten Konzil. In: Süddeutsche Zeitung, 20./21. 7. 1985.

247 Hans Küng: Nicht heilige Herrschaft, sondern Dienst an den Menschen. In: Frankfurter Rundschau, 29. 4. 1987.

248 Hans-Martin Lohmann im Gespräch mit Hans Küng: Vom Fall Galilei nichts gelernt. In: Rheinischer Merkur/Christ und Welt, 18. 3. 1988. Vgl. auch Heinz-Joachim Fischer: Auf der Suche nach der katholischen Wahrheit. Abweichler vom römischen Hauptweg. Fünfundzwanzig Jahre nach dem Konzil. In: Frankfurter Allgemeine Zeitung, 10. 10. 1987. Hansjakob Stehle: Krise, katholisch: Bangemut nach dem Aufbruch. In: Die Zeit, 22. 11. 1985.

249 Hans-Ulrich Jörges: Aachen: ein Katholikentag der zwei Kulturen. Verhinderte Reise in die Innerlichkeit. In: Süddeutsche Zeitung, 13./14. 9. 1986.

250 Robert-Julius Nüsse: Zeitansage oder Markt. Ein Überblick über die Evangelischen Kirchentage. In: Frankfurter Rundschau, Beilage zum 22. Deutschen Evangelischen Kirchentag in Frankfurt am Main vom 17.-21. 6. 1987.

251 Vgl. Walter Schmidt: Sirenenklänge aus dem Pazifik. Die New Age-Bewegung und der Protestantismus. In: Rheinischer Merkur/Christ und Welt, 19. 6. 1987.

252 Dorothee Sölle: Ein Volk ohne Vision geht zugrunde. Wuppertal 1986. Dorothee Sölle: Atheistisch an Gott glauben. Beiträge zur Theologie. München (1983) 1986, S. 75 f. Ferner: Susanne Mayer: Unmöglich, wie wir leben. Eine radikale Christin. In: Die Zeit, 27. 11. 1987.

253 Renate Köcher: Wandel des religiösen Bewußtseins in der Bundesrepublik Deutschland. In: Gegenwartskunde, Sonderheft 5/1988, S. 154.

254 Renate Köcher: Wandel des religiösen Bewußtseins; a.a.O., S. 145, 151.

255 Vgl. Daniel Bell: Die Zukunft der westlichen Welt. Kultur und Technologie im Widerstreit. Frankfurt am Main 1976.

256 Carl Amery: Bitte keine Panik an den Notausgängen. Über den Glanz und die Gefahren des laufenden Fantasy-Booms. In: Titel, Heft 1/1985, S. 50.

257 Carl Amery: Bitte keine Panik; a.a.O., S. 51. Ferner Klaus Schadewinkel: Fantasy – Literatur, Mode oder was? In: Buch & Bibliothek, Heft 7/8/1986, S. 676 ff.

258 Vgl. Gundolf S. Freyermuth: Software Fantasy. In: Frankfurter Rundschau, 3. 3. 1984.

259 Jürgen Habermas (Hrsg.): Stichworte zur »Geistigen Situation der Zeit«. 1. Band: Nation und Republik. Frankfurt am Main 1979, S. 30 f.

260 Michael Ende: Momo oder Die seltsame Geschichte von den Zeit-Dieben und von dem Kind, das den Menschen die gestohlene Zeit zurückbrachte. München (1973) 1988, S. 256. Vgl. auch Alexander von Bormann: Kultbücher für Aussteiger? Michael Endes Märchenromane. In: Merkur, Heft 420/1983.

261 Michael Ende: Die unendliche Geschichte, Stuttgart 1979, S. 168.

262 Marieluise Christadler: Opfer oder Retter der Gesellschaft? Die Rolle des Kindes in der Jugendliteratur. In: Horst Rabe (Hrsg.): Jugend. Beiträge zum Verständnis und zur Bewertung der Jugendrevolten. Konstanz 1984, S. 125. Volker Hage: Vom märchenhaften Erfolg des Michael Ende. Wie »Momo« und »Die unendliche Geschichte« unter die Leute kamen. In: Frankfurter Allgemeine Zeitung, 31. 10. 1981.

263 Stefan Endrös: Treiben am Tee der eigenen Seele. Die neue Sehnsucht nach Innerlichkeit. In: Süddeutsche Zeitung, 7./8. 3. 1987.

264 Gert Friedrich Jonke: Geometrischer Heimatroman. München 1971, S. 85.

265 Christian Schultz-Gerstein: Rasende Mitläufer. Portraits, Essays, Reportagen, Glossen. Berlin 1987, S. 100.

266 Vgl. Alexander Mitscherlich: Thesen zur Stadt der Zukunft. Frankfurt am Main 1971.

267 John Kenneth Galbraith: Die Zukunft der Städte im modernen Industriesystem – Konzept der organischen Stadt. In: Rettet unsere Städte jetzt! Vorträge, Aussprachen und Ergebnisse der 16. Hauptversammlung des Deutschen Städtetages vom 25.-27. 5. 1971 in München. Stuttgart 1971, S. 13 ff.

268 Olaf Schwencke/Klaus H. Revermann/Alfons Spielhoff: Plädoyers für eine neue Kulturpolitik.

München 1974. Ferner: Hermann Glaser/Karl Heinz Stahl: Die Wiedergewinnung des Ästhetischen. München 1974. Hermann Glaser/Karl Heinz Stahl: Bürgerrecht Kultur. Aktualisierte und erweiterte Ausgabe. Frankfurt am Main/Berlin/Wien 1983. Ferner: Städtische Kulturpolitik. Empfehlungen, Richtlinien und Hinweise des Deutschen Städtetages zur Praxis städtischer Kulturpolitik 1946 bis 1970. Stuttgart 1971. Kultur in den Städten. Eine Bestandsaufnahme. Bearbeitet von Gerald Kreißig/Heidemarie Tressler/Jochen von Uslar. Stuttgart 1979. Stadt und Kultur. Arbeitshilfen des Deutschen Städtetages zur städtischen Kulturpolitik. Bearbeitet von Jürgen Grabbe. Stuttgart 1986. Kultur vor Ort. Hinweise und Materialien zur Förderung der offenen Kulturarbeit in den Städten. Von Gerald Kreißig und Jürgen Grabbe. Stuttgart 1987. Manfred Abelein: Die Kulturpolitik des Deutschen Reiches und der Bundesrepublik Deutschland. Köln/Opladen 1968. Wolfgang R. Langenbucher/Ralf Rytlewski/Bernd Weyergraf: Kulturpolitisches Wörterbuch. Bundesrepublik Deutschland/Deutsche Demokratische Republik im Vergleich. Stuttgart 1983. Erna Heckel/Horst Keßler/Dieter Ulle/Klaus Ziermann u. a.: Kulturpolitik in der Bundesrepublik von 1949 bis zur Gegenwart. Köln 1987.

269 Olaf Schwencke: Vorwort. In: Norbert Sievers: Neue Kulturpolitik. Programmatik und Verbandseinfluß am Beispiel der Kulturpolitischen Gesellschaft. Hagen 1988, S. 7.

270 Vgl. Norbert Sievers: Neue Kulturpolitik; a.a.O., S. 89 f.

271 Vgl. Karla Fohrbeck/Andreas Johannes Wiesand: Der Autorenreport. Reinbek bei Hamburg 1972. Karla Fohrbeck/Andreas Johannes Wiesand: Literatur und Öffentlichkeit in der Bundesrepublik Deutschland. München 1976. Andreas Johannes Wiesand (Hrsg.): Musikberufe im Wandel. Mainz 1984. Karla Fohrbeck: Renaissance der Mäzene? Köln 1989.

272 Hilmar Hoffmann: Kultur für alle. Perspektiven und Modelle. Frankfurt am Main 1979. Ferner Hilmar Hoffmann: Kultur für morgen. Frankfurt am Main 1985.

273 Vgl. Norbert Sievers: Neue Kulturpolitik; a.a.O., S. 75.

274 Bazon Brock: Ästhetik als Vermittlung. Arbeitsbiographie eines Generalisten. Hrsg. von Karla Fohrbeck. Köln 1977. Bazon Brock: Ästhetik gegen erzwungene Unmittelbarkeit: Die Gottsucherbande. Schriften 1978. 1986. In Zusammenarbeit mit dem Autor hrsg. von Nicola von Velsen. Köln 1987.

275 Bazon Brock: Ästhetik als Vermittlung; a.a.O., S. 28.

276 Vgl. Hilmar Hoffmann: Plädoyer für einen Aufstand der Künstler. Eine Annäherung an Bazon Brock. In: Frankfurter Rundschau, 27. 10. 1987.

277 Peter Gorsen: Was will und kann ein Generalist? Anmerkungen zur »Arbeitsbiographie« Bazon Brocks. In: Frankfurter Allgemeine Zeitung, 17. 12. 1977.

278 Bazon Brock: Ästhetik als Vermittlung; a.a.O., S. 162.

279 Odo Marquard: Verspätete Moralistik. Bemerkungen zur Unvermeidlichkeit der Geisteswissenschaften. In: Frankfurter Allgemeine Zeitung, 18. 3. 1987. Zit. nach: Wozu Geisteswissenschaften? In: Kursbuch 91/1988, S. 17.

280 Odo Marquard: Die Unvermeidlichkeit der Geisteswissenschaften. In: Universitas, Heft 1/1987, S. 21 ff.

281 Mathias Greffrath: Abschied von den Geisteswissenschaften. Was ist kulturelle Tradition? Moralanstalt, Alkoholersatz oder Widerstandsquelle? In: Die Zeit, 13. 5. 1988.

282 Michael Rutschky: Erfahrungshunger. Ein Essay über die siebziger Jahre. Köln 1980, S. 263. Vgl. auch Arnulf Baring: Schade, bei solchen Gaben. In: Frankfurter Allgemeine Zeitung, Jg. 1983.

283 Uwe Koch: Gelockerte Bindungen. Neue Kultur und neue Beweglichkeit. In: Gabriele Dietz u. a. (Hrsg.): Klamm, Heimlich & Freunde; a.a.O., S. 16.

284 Jörg Bopp: Wir machen es jetzt. Zur Moral der Jugendlichen. In: Kursbuch 60/1980, S. 29. Vgl. auch Ulrich Raschke: Frust und Maskerade satt. Das Zeitphänomen Diskothek. In: Frankfurter Rundschau, 10. 7. 1982.

285 Michael Rutschky: Wartezeit. Ein Sittenbild. Köln 1983, S. 227 ff.

286 Michael Rutschky: Wartezeit; a.a.O., S. 241.

287 Vgl. Dieter Baacke: Jugend und Jugendkulturen. Darstellung und Deutung. Weinheim/München 1987, S. 151 ff.

288 Dieter Baacke: Bewegung beweglich machen – Oder: Plädoyer für mehr Ironie. In: Dieter

Baacke u. a. (Hrsg.): Am Ende – postmodern? Next Wave in der Pädagogik. Weinheim/ München 1985, S. 197.

289 »Luise und Benni, die waren ja so progressiv.« Ein 21jähriger berichtet über seine Kindheit und seine 68er Eltern. In: Der Spiegel, Nr. 5/1988, S. 210. Vgl. Otto R. Gaier: »Manchmal mein' ich, ich hätt' auf der Welt nix verloren.« Hamburg 1988.

290 Matthias Horx: Das Ende der Alternativen oder: Die verlorene Unschuld der Radikalität. Ein Rechenschaftsbericht. München/Wien 1985, S. 5 f. Vgl. auch Matthias Horx: Die wilden Achtziger. Eine Zeitgeist-Reise durch die Bundesrepublik. München/Wien 1987. Ferner: Gertrud Höhler: Die Kinder der Freiheit. Träume von einer besseren Welt. Düsseldorf/Wien/New York 1983. »Verheizt, verarscht, ausgelutscht«. Spiegel-Reporter Jürgen Leinemann über Jung- wähler und ihr Verhältnis zu Staat und Parteien. In: Der Spiegel, Nr. 2/1987, S. 33 ff.

291 Vgl. Helmut Fritz: Das Gegenbild der Protestgeneration. Yuppies in Deutschland. In: Frankfur- ter Rundschau, 27. 12. 1986.

292 Marie-Luise Weinberger: Von der Müsli-Kultur zur Yuppie-Kultur. Über den sozialen Wandel in innerstädtischen Revieren von Ballungsgebieten. In: Die Neue Gesellschaft/Frankfurter Hefte, Heft 4/1987, S. 353 ff.

293 Claus Leggewie: Jeder sei mutig auf seinem Platz. Nicht Superstars und große Programme, nur ein neues akademisches Milieu kann die Universitäten noch beleben. In: Die Zeit, 20. 5. 1986.

294 Peter Glotz: Keine Fragen mehr? Spekulationen über das Elend der deutschen Universität. In: Die Zeit, 15. 4. 1988.

295 Vgl. Peter Glotz/Wolfgang Malanowski: Student heute. Angepaßt? Ausgestiegen? Reinbek bei Hamburg 1982. Dazu Jürgen Flettner: Die »sanfte Kohorte« hat resigniert. Zu der Studie »Student heute«. In: Frankfurter Rundschau, 8. 1. 1983.

296 Vgl. Axel Hacke: Aus der großen Reform ist nichts geworden. Bilanz der Gründerzeit. In: Süddeutsche Zeitung, 30. 4./1. 5. 1988.

297 Vgl. Bernd Erich Heptner: Als Hochsprache und Literatur verpönt waren. Geschichte eines Kulturkampfes. In: Frankfurter Allgemeine Zeitung, 9. 10. 1987.

298 ». . . der jugendfrohe Anfang der Tyrannis«. In: Schule & wir, Heft 6/1977.

299 Es geht gar nicht um Intellektuellenhatz. Eine Antwort des baden-württembergischen Minister- präsidenten Filbinger an Professor Wellmer. In: Frankfurter Rundschau, 26. 11. 1977.

300 Urs Jaeggi: Konservativ ist gefährlich. In: Die Zeit, 23. 12. 1977.

301 Zit. nach Thilo Castner: Emanzipatorische Erziehung und Autorität. In: Berufs- und Wirt- schaftspädagogik, Heft 9/1977, S. 655.

302 Vgl. Klaus Mollenhauer: Vergessene Zusammenhänge. Über Kultur und Erziehung. München 1983. Dazu Konrad Wünsche: Ideologiekritik und Emanzipation sind passé. Kultur erzieht sich selbst. Klaus Mollenhauer bricht mit seiner pädagogischen Vergangenheit. In: Die Zeit, 27. 1. 1984.

303 Jürgen Zimmer: Eine (fiktive) Berliner Kindheit. In: Psychosozial 17/1983, S. 7 ff. Jürgen Zimmer: Der lange Marsch. In: Die Zeit, 2. 3. 1984. Jürgen Zimmer: Die vermauerte Kindheit. Bemerkungen zum Verhältnis von Verschulung und Entschulung. Weinheim/Basel 1986.

304 Horst Rumpf: Die Bibel der Verschulung. Ein Rückblick auf das Gutachten des Deutschen Bildungsrates 1968. In: Kursbuch 80/1985, S. 119; vgl. auch S. 121 f., 127.

305 Vgl. Ekkehart von Braunmühl: Antipädagogik. Studien zur Abschaffung der Erziehung. Weinheim/Basel 1976. Ekkehart von Braunmühl: Zeit für Kinder. Frankfurt am Main 1978. Ferner: J. Oelkers/T. Lehmann: Antipädagogik. Herausforderung und Kritik. Braunschweig 1983. Michael Winkler: Stichworte zur Antipädagogik. Elemente einer historisch-systemati- schen Kritik. Stuttgart 1982.

306 Ekkehart von Braunmühl: Zeit für Kinder; a.a.O., Zit. nach: Die Zeit, 25. 7. 1986. Vgl. auch Horst Rumpf: Antipädagogik. Taufe und Wiedergeburt. Den missionarischen Eiferern folgen die Erziehungsgegner. In: Die Zeit, 25. 7. 1986.

307 Michael Winkler: Über das Pädagogische an der Antipädagogik. In: Zeitschrift für Pädagogik, Heft 1/1985, S. 75.

308 Konrad Adam: Wohlgeplantes Chaos. Wie die Pädagogik der Schule die eigene Ratlosigkeit aufdrängt. In: Frankfurter Allgemeine Zeitung, Jg. 1984. Vgl. auch Konrad Adam: Die

Rückkehr zur Erde. Die Pädagogik wird realistisch – und trivial. In: Frankfurter Allgemeine Zeitung, 19. 4. 1985. Ferner: Heinrich Kanz (Hrsg.): Deutsche Pädagogische Zeitgeschichte 1974-1979. Bildungs- und Erziehungsdokumente auf Bundesebene. Frankfurt am Main 1983. Heinrich Kanz: Deutsche Erziehungsgeschichte 1945-1985 in Quellen und Dokumenten – Pädagogische Chancen der Pluralen Demokratie. Frankfurt am Main 1987. Klaus Hüfner u. a.: Hochkonjunktur und Flaute: Bildungspolitik in der Bundesrepublik 1967-1980. Stuttgart 1986.

309 Schule & Reform. Bestandsaufnahme und Perspektiven. In: die horen, Heft 121/1981, S. 3.

310 Hartmut von Hentig: Die Dialektik der Reform. In: Merkur, Heft 396/1981, S. 511. Vgl. Hellmut Becker: Auf dem Weg zur lernenden Gesellschaft. Personen, Analysen, Vorschläge für die Zukunft. Stuttgart 1980.

311 Hartmut von Hentig: Die Menschen stärken, die Sachen klären. Ein Plädoyer für die Wiederherstellung der Aufklärung. Stuttgart 1985, S. 3, 13, 23, 173. Vgl. auch Silvio Vietta: Wozu erzogen werden sollte. Hartmut von Hentig: Die Menschen stärken, die Sachen klären. In: Frankfurter Allgemeine Zeitung, 13. 2. 1986.

312 Vgl. Jörg Ramseger: Lern-Oase oder Käseglocke? Eine Bilanz: Zehn Jahre Laborschule Bielefeld. In: Die Zeit, 24. 8. 1984. Ferner: Hartmut von Hentig: Aufgeräumte Erfahrung. Texte zur eigenen Person. München 1983. Abschied von der Wissenschaft oder: Ein Professor geht. Im Auditorium maximum hielt der Hochschullehrer Hartmut von Hentig einen Vortrag zum Thema Wissenschaft. Teil I, Teil II. In: Frankfurter Rundschau, 3./4. 6. 1988.

313 Vgl. Alarm in den Schulen: Die Computer kommen. Deutschlands Kultusminister und Lehrer stehen vor einem »notwendigen Abenteuer«. In: Der Spiegel, Nr. 47/1984, S. 97 ff.

314 Vgl. Hermann Röhrs (Hrsg.): Die Schulen der Reformpädagogik heute. Handbuch reformpädagogischer Schulideen und Schulwirklichkeit. Düsseldorf 1986.

315 Hans-Günter Rolff: Strukturen und Veränderungsnotwendigkeiten im Bildungssystem. Bildungspolitik nach der Wende. In: Neue Sammlung, Heft 1/1984, S. 54. Vgl. auch Klaus Klemm/Hans-Günter Rolff/Klaus-Jürgen Tillmann: Bildung für das Jahr 2000. Bilanz der Reform. Zukunft der Schule. Reinbek bei Hamburg 1985.

316 Erhard Schütz: Kultur. Kompensation, PR – oder Anstrengung? In: Revier-Kultur, Heft 3/4/1987, S. 9 f.

317 Ulla Hahn: Freudenfeuer. Gedichte. Stuttgart 1985, S. 97.

318 Die Werke von Ulla Hahn: Herz über Kopf. Stuttgart 1981. Spielende. Stuttgart 1983. Freudenfeuer. Stuttgart 1985. Unerhörte Nähe. Stuttgart 1988.

319 Andreas Kilb: Gesang von Amseln und alten Meistern. Über die Lyrikerin Ulla Hahn und den Zustand des deutschen Gedichts: Polemische Bemerkungen anläßlich des Bandes »Unerhörte Nähe«. In: Die Zeit, 25. 3. 1988. Vgl. auch Jörg Drews): Selbstbewimmerung. Ulla Hahns neuer Gedichtband »Unerhörte Nähe«. In: Süddeutsche Zeitung, Jg. 1988.

320 Pina Bausch. Theateranzgeschichten von Raimund Hoghe. Mit Fotos von Ulli Weiss. Frankfurt am Main 1986, S. 7.

321 Horst Koegler: Tanztheater. In: Ballett-Jahrbuch 1986. Vgl. auch Petra Schaeber: Flirten, Kokettieren, Anmachen, Aufreißen. Statt »Schwanensee« Geschlechterkampf. In: Vorwärts, 19. 1. 1985.

322 Zit. nach Wim Wenders/Sam Shepard: Paris, Texas. Drehbuch. Nördlingen 1985. Verlagsankündigung. Hans-Dieter Seidel: Ein Traum, was sonst. Endlich: »Paris, Texas« von Wim Wenders. In: Frankfurter Allgemeine Zeitung, 11. 1. 1985.

323 Peter Buchka: Wim Wenders triumphiert in Cannes. Sein Film »Paris, Texas« erschließt eine neue Dimension des Kinos. In: Süddeutsche Zeitung, 22. 5. 1984.

324 Reinhard Baumgart: Große Gefühle auf amerikanischen Highways – ein Märchen aus der Männer- und Frauenweltgeschichte. Der lange Film zum kurzen Abschied. »Paris, Texas« von Wim Wenders: endlich in Deutschland im Kino. In: Die Zeit, 11. 1. 1985. Wolfram Schütte: Wiedervereinigung, Trauerarbeit, Glücksfall. Wim Wenders »Paris, Texas« in den Kinos, Westgermany. In: Frankfurter Rundschau, 15. 1. 1985.

325 Dieter Wellershoff: Fromme Lügen. Zur Diskussion: Wim Wenders' »Paris, Texas«. In: Die Zeit, 15. 2. 1985. Vgl. auch Wim Wenders: Written in the West – Photographien aus dem amerikanischen Westen. München 1987.

371

326 Jörg von Uthmann: Zweischneidiges Lob. Wim Wenders im Spiegel amerikanischer Kritik. In: Frankfurter Allgemeine Zeitung, Jg. 1987. Vgl. auch Gerhard Bechtold: Der »Fall Wenders« oder: die Kolonialisierung der Gehirne? In: Filmfaust, Nr. 37/1984, S. 32 ff. Ferner: Peter Buchka: Augen kann man nicht kaufen. Wim Wenders und seine Filme. Frankfurt am Main 1985.

327 »Das Kino könnte der Engel sein.« André Müller spricht mit Wim Wenders über seinen Film »Der Himmel über Berlin«. In: Der Spiegel, Nr. 43/1987, S. 230 ff.

328 Norbert Grob: Alle Helden sind Engel. »Der Himmel über Berlin« und das Kino des Wim Wenders: Neue Räume, Erfahrungen und Geschichten – Stimmen und Bilder einer Stadt. In: Die Zeit, 30. 10. 1987. Vgl. auch Wim Wenders/Peter Handke: Der Himmel über Berlin – ein Filmbuch. Frankfurt am Main 1987.

329 Vgl. Ralf Schnell: Die Literatur der Bundesrepublik; a.a.O., S. 262.

330 Thomas Bernhard: Die Salzburger Stücke. Frankfurt am Main 1972, S. 40.

331 Thomas Bernhard: Auslöschung. Ein Zerfall. Frankfurt am Main 1986, S. 616.

332 Thomas Bernhard: Die Ursache. Eine Andeutung. München 1977, S. 82.

333 Thomas Bernhard: Der Keller. Eine Entziehung. München 1979, S. 118.

334 Thomas Bernhard: Auslöschung; a.a.O., S. 199.

335 Vgl. Rolf Michaelis: Vernichtungsjubel. Thomas Bernhards monumentales Prosawerk »Auslöschung – Ein Zerfall«. Politisches Pamphlet und Roman der Trauer. In: Die Zeit, 3. 10. 1986.

336 Zit. nach Nationalgalerie/Staatliche Museen/Preußischer Kulturbesitz: a. r. penck. Ausstellung und Katalog. Lucius Grisebach in Zusammenarbeit mit Thomas Kirchner und Toni Stooss. München 1988, S. 15, 23.

337 a. r. penck; a.a.O., S. 16.

338 Karin Thomas: Zweimal deutsche Kunst nach 1945; a.a.O., S. 98.

339 a. r. penck; a.a.O., S. 125.

340 a. r. penck; a.a.O., S. 9.

341 Sara Rogenhofer und Florian Rötzer sprachen mit A. R. Penck: »Kunst ist nie ein Gegen«. In: Frankfurter Rundschau, 25. 7. 1987.

342 Vgl. Heinz Bude: Deutsche Karrieren. Lebenskonstruktionen sozialer Aufsteiger aus der Flakhelfer-Generation. Frankfurt am Main 1987, S. 9.

343 Odo Marquard: Abschied vom Prinzipiellen. Philosophische Studien. Stuttgart 1981, S. 6 f.

344 Ebd., S. 10.

345 Ebd., S. 11.

346 Ebd., S. 14 f., 17 ff.

347 Ebd., S. 18 f.

348 Ebd., S. 98 f., 36.

349 Jürgen Habermas: Der philosophische Diskurs der Moderne. Zwölf Vorlesungen. Frankfurt am Main 1985, S. 106 f.

350 Ebd., S. 107 f.

351 Jürgen Habermas: Die Neue Unübersichtlichkeit. Frankfurt am Main 1985, S. 143.

352 Martin Seel: Eine zweite Moderne? Zu Jürgen Habermas' »Der philosophische Diskurs der Moderne«. In: Merkur, Heft 445/1986, S. 246.

353 Jürgen Habermas: Der philosophische Diskurs der Moderne; a.a.O., S. 70 f.

354 Ebd., S. 361 f.

355 Ebd., S. 395.

356 Peter Sloterdijk: Kritik der zynischen Vernunft. Erster Band. Frankfurt am Main 1983, S. 36 f.

357 Ebd., S. 40 f.

358 Helmut F. Spinner: Wissenschaft kommt nicht von Wissen, und Kunst kommt nicht vom Können, aber Wissenschaft ist trotzdem keine Kunst. In: Merkur, Heft 439/440/1985, S. 861 f.

359 Ebd., S. 863. Vgl. auch Peter Sloterdijk: Kopernikanische Mobilmachung und ptolemäische Abrüstung. Frankfurt am Main 1987.

360 Michael Rutschky: Über die Postmoderne. München und die Lebenskunst. Unterordnung der Wahrheit unter den Reiz. In: Frankfurter Rundschau, 28. 2. 1987.

361 Ebd. Ferner Jörg Bopp: Trauer-Power. In Jörg Bopp: Wir wollen keine neuen Herren. Streitschriften zur Jugend- und Psycho-Szene. Frankfurt am Main 1982, S. 43 ff.

362 Hugo von Hofmannsthal (Loris): Einleitung zu Arthur Schnitzlers »Anatol«. In: Arthur Schnitzler: Das dramatische Werk. Band 1. Frankfurt am Main 1977, S. 29.

363 Bernd Guggenberger: Sein oder Design. Die Dialektik der Abklärung. Berlin 1987, S. 10, 17 f.

364 Ebd., S. 29.

365 Niklas Luhmann: Liebe als Passion. Zur Codierung von Intimität. Frankfurt am Main 1982, S. 110.

366 Bernd Guggenberger: Sein oder Design; a.a.O., S. 28.

367 Jörg Bopp: Wir wollen keine neuen Herren; a.a.O., S. 106 f.

368 Ebd., S. 101 ff.

369 Ebd., S. 103.

370 Vgl. Reinhard Baumgart: Verfluchte Passanten-Welt. Erotik des Trauerns: »Paare, Passanten«. In: Die Zeit, 25. 9. 1981.

371 Botho Strauß: Paare, Passanten. München/Wien 1981, Einbandtext.

372 Botho Strauß: Niemand anderes. München/Wien 1987, S. 152.

373 Botho Strauß: Kalldewey Farce. München/Wien 1981, S. 50 f.

374 Vgl. Joachim Kaiser: Botho Strauß geht aufs Ganze. Wie sich der Autor vom dialektischen Denken freimacht. In: Süddeutsche Zeitung, 14. 10. 1981.

375 Botho Strauß: Paare, Passanten; a.a.O., S. 198 f.

376 Botho Strauß: Diese Erinnerung an einen, der nur einen Tag zu Gast war. Gedicht. München/ Wien 1985, S. 65.

377 Vgl. C. We.: Der Unbehauste. Zu dem umstrittenen Werk »Niemand anderes« des Botho Strauß. In: Nürnberger Nachrichten, 28./29. 5. 1987.

378 Marcel Reich-Ranicki: Manchmal wurde die Langeweile schier unerträglich. Der Roman »Der junge Mann« des erfolgreichen Autors Botho Strauß. In: Frankfurter Allgemeine Zeitung, 1. 12. 1984.

379 Henriette Herwig: »Romantischer ReflexionsRoman« oder erzählerisches Labyrinth? Zu: »Der junge Mann«. In: Michael Radix (Hrsg.): Strauß lesen. München 1987, S. 267, 281.

380 Thomas Anz: Die neue Überheblichkeit. Der Dichter als Priester und Prophet. Anmerkungen zu Botho Strauß und Peter Handke. In: Frankfurter Allgemeine Zeitung, 17. 4. 1982. Vgl. auch: Der neudeutsche Literaturstreit. In: Rowohlt Literatur Magazin 17/1986, S. 28 ff.

381 Zit. nach Thomas Anz: Die neue Überheblichkeit; a.a.O.

382 Vgl. Peter Handke: Phantasien der Wiederholung. Frankfurt am Main 1983.

383 Peter Handke: Die Stunde der wahren Empfindung. Frankfurt am Main 1975, S. 81.

384 Peter Handke: Über die Dörfer. Frankfurt am Main 1981, S. 120 f.

385 Benjamin Henrichs: Der Evangelimann. Glücksmärchen, Wanderpredigt, Lesefolter: »Die Wiederholung«. In: Die Zeit, 3. 10. 1986.

386 Peter Handke: Die Wiederholung. Frankfurt am Main 1986, S. 289 f.

387 Zit. nach Michael Rutschky: Schöner Reden. Das unerwartete Wiederauftauchen der Poesie. In: Frankfurter Rundschau, 23. 10. 1982.

388 Botho Strauß: Der Park. München 1983.

389 Peter Iden: So ist es – ist es so? Uraufführung von Botho Strauß' »Der Park« in Freiburg. In: Frankfurter Rundschau, 6. 10. 1984.

390 Vgl. Karl-Ernst Herrmann u. a. (Hrsg.): Schaubühne am Halleschen Ufer. Am Lehniner Platz. 1962-1987. Frankfurt am Main/Berlin 1987, S. 400 ff.

391 Vgl. Helmuth Plessner: Die verspätete Nation. Stuttgart 1959.

392 Vgl. Andreas Huyssen: Postmoderne – eine amerikanische Internationale? In: Andreas Huyssen/Klaus R. Scherpe (Hrsg.): Postmoderne. Zeichen eines kulturellen Wandels. Reinbek bei Hamburg 1986, S. 32, 33.

393 Ebd., S. 33 f.

394 Vgl. Jürg Altwegg/Aurel Schmidt: Französische Denker der Gegenwart. Zwanzig Porträts. München 1987, S. 19.

395 Ebd., S. 20.

396 Jean Baudrillard: Kool Killer oder Der Aufstand der Zeichen. Berlin 1978, S. 21 f.

397 Jean-François Lyotard: Das Erhabene und die Avantgarde. In: Merkur, Heft 424/1984, S. 152.

373

398 Helmut Holzhey: Technologisches Zeitalter oder Postmoderne? Eine philosophische Tagung in Braunschweig. In: Neue Zürcher Zeitung, 2. 10. 1986.

399 André Glucksmann: Der negative Humanismus. Eine neue Protestkultur in Frankreich. In: Frankfurter Allgemeine Zeitung, 11. 2. 1987.

400 Mathias Schreiber: Gibt es eine postmoderne Moral? Die Aufklärung, der Todes-Schock und die Umkehrung des Denkens. In: Frankfurter Allgemeine Zeitung, 22. 3. 1984.

401 Vgl. Luc Ferry/Alain Renaut: Antihumanistisches Denken. Gegen die französischen Meisterphilosophen. München 1987.

402 Zur postmodernen italienischen Theorie des »schwachen Denkens«. Gianni Vattimo: Ideologie oder Ethik. In: Nürnberger Blätter. Zeitung für Philosophie und Literatur, Februar 1987.

403 Konrad Adam: Die unbehagliche Moderne. In: Frankfurter Allgemeine Zeitung, 30. 10. 1985.

404 Umberto Eco: Über die Krise der Vernunft. In: Merkur, Heft 436/1985, S. 531 ff.

405 Vgl. Hans Jonas: Das Prinzip Verantwortung. Versuch einer Ethik für die technologische Zivilisation. Frankfurt am Main 1979.

406 Hans Jonas: Technik, Medizin, Ethik. Zur Praxis des Prinzips Verantwortung. Frankfurt am Main 1986.

407 Ulrich Beck: Entmündigung der Sinne – Egalisierung von Gefahren. In: Universitas, Heft 6/1987, S. 526. Ferner Ulrich Beck: Risikogesellschaft – Auf dem Weg in eine andere Moderne. Frankfurt am Main 1986.

408 Wolfgang de Boer: Das Versagen der Aufklärung. In: Universitas, Heft 2/1987, S. 116.

409 Vgl. Charles Percy Snow: Die zwei Kulturen. Stuttgart 1967.

410 Helmut F. Spinner: Die Doppelvernunft der Moderne im Spiegel der zwei Kulturen. Vortrag auf dem Marbacher Symposion »Literatur in einer industriellen Kultur«, Haus Steinheim, September 1987. Ferner Helmut F. Spinner: Der Rationalismus der Doppelvernunft. In: Merkur, Heft 11/1986, S. 923 ff.

411 Gotthold Ephraim Lessing: Die Erziehung des Menschengeschlechts. In: Lessings Werke. Fünfter Band. Leipzig 1896, S. 287 f.

412 Manfred Frank: Der kommende Gott. Vorlesungen über die Neue Mythologie. Frankfurt am Main 1982, S. 41.

413 Horst-Eberhard Richter: Der Gotteskomplex. Die Geburt und die Krise des Glaubens an der Allmacht des Menschen. Reinbek bei Hamburg 1979, S. 31. Manfred Frank: Der kommende Gott; a.a.O., S. 49 ff.

414 Leszek Kolakowski: Die Gegenwärtigkeit des Mythos. München 1973, S. 13.

415 Vgl. Rüdiger Bubner (Hrsg.): Das älteste Systemprogramm. Studien zur Frühgeschichte des deutschen Idealismus. Hegel-Studien, Beiheft 9. Bonn 1973. Zit. nach Manfred Frank: Der kommende Gott; a.a.O., S. 154.

416 Zit. nach Manfred Frank: Der kommende Gott; a.a.O., S. 189.

417 Zit. nach Manfred Frank: Der kommende Gott; a.a.O., S. 190.

418 Zit. nach Manfred Frank: Der kommende Gott; a.a.O., S. 194.

419 Friedrich Schiller: Über naive und sentimentalische Dichtung. In: Schillers Sämmtliche Werke in zwölf Bänden. 12. Band. Stuttgart und Tübingen 1838, S. 190 f.

420 Heinrich von Kleist: Über das Marionettentheater. In: Sämtliche Werke und Briefe. Hrsg. von Helmut Sembdner. 2. Band. München 1952, S. 338.

421 Umberto Eco: Nachschrift zum »Namen der Rose«. München/Wien 1984, S. 78 f.

422 Michael Schneider: Die Intellektuellen und der Katastrophismus. Wider den Kultus der Angst und die Rhetorik der Vergeblichkeit. In: Frankfurter Rundschau, 14. 7. 1984. Ferner: Michael Schneider: Nur tote Fische schwimmen mit dem Strom. Essays, Aphorismen und Polemiken. Köln 1984. Hans-Jürgen Heinrichs: Die katastrophale Moderne – Endzeitstimmung, Aussteigen, Ethnologie, Alltagsmagie. Frankfurt am Main 1984.

423 Michael Schneider: Die Intellektuellen und der Katastrophismus; a.a.O.

424 Frank Schirrmacher: Der neue Sündenfall. Das Bündnis von Katastrophenphilosophen und Ideologen. In: Frankfurter Allgemeine Zeitung, 11. 11. 1986.

425 Zit. nach Nürnberger Neue Lehrerzeitung, Heft 1/1986, S. 7.

426 Ulrich Horstmann: Nach uns der Mythos! Ein Aufruf an seine Verächter, Vernunft anzunehmen. In: Frankfurter Rundschau, 7. 6. 1986.

427 Vgl. Odo Marquard: Lob des Polytheismus. Über Monomythie und Polymythie. In: Odo Marquard: Abschied vom Prinzipiellen; a.a.O., S. 93 ff.

428 Vgl. Alexander von Bormann: Die Wiederkehr des Mythos (III). Wildes Denken: Die Aktualität des Mythos. Bayerischer Rundfunk. Sendemanuskript, 11. 12. 1986.

429 Christa Wolf: Voraussetzungen einer Erzählung: Kassandra. Frankfurt am Main 1983. Vgl. Heinz Govkel: Mythos und Angst. In: Universitas, Heft 11/1987, S. 1148 ff.

430 Jörg Bopp: Angst vor der Endzeit. In: Universitas, Heft 11/1987, S. 1150 ff.

431 Zit. nach Manfred Frank: Der kommende Gott; a.a.O., S. 194.

432 Susan Sontag: Kunst und Antikunst. Reinbek bei Hamburg 1968, S. 269 ff. Vgl. Dieter Baacke: Jugend und Jugendkulturen. Darstellung und Deutung. Weinheim/München 1987, S. 199 ff.

433 Dieter Baacke: Jugend und Jugendkulturen; a.a.O., S. 199.

434 Woody Allen: Der Stadtneurotiker. Zürich 1981, S. 45.

435 Odo Marquard: Die Unvermeidlichkeit der Geisteswissenschaften. In: Universitas, Heft 1/1987, S. 23.

436 Helmut F. Spinner: Wissenschaft kommt nicht von Wissen, und Kunst kommt nicht von Können, aber Wissenschaft ist trotzdem keine Kunst. In: Merkur, Heft 439/440/1985, S. 861 f.

437 Alfons Leitl: Erwägungen und Tatsachen zum deutschen Städte-Aufbau. In: Frankfurter Hefte, Heft 4/1946, S. 64.

438 Ebd., S. 64.

439 Vgl. Wolfgang Pehnt: Das Ende der Zuversicht. Architektur in diesem Jahrhundert. Berlin 1984.

440 Vittorio Magnago Lampugnani: Weder rein noch reaktionär. Die merkwürdigen Abenteuer der Architektur unter Hitler und Mussolini. In: Die Zeit, 27. 1. 1984.

441 Vgl. Werner Durth: Deutsche Architekten. Biographische Verflechtungen 1900-1970. Schriften des Deutschen Architekturmuseums zur Architekturgeschichte und Architekturtheorie. Braunschweig/Wiesbaden 1987. Ferner: Werner Durth/Niels Gutschow: Träume in Trümmern. Planung des Wiederaufbaus im Westen Deutschlands 1940-1950. Braunschweig/Wiesbaden 1988.

442 Vittorio Magnago Lampugnani: Weder rein noch reaktionär; a.a.O.

443 Jürgen Habermas: Moderne und postmoderne Architektur. In: Jürgen Habermas: Die Neue Unübersichtlichkeit; a.a.O., S. 14.

444 Urs Jaeggi: Grundrisse. Roman. Darmstadt/Neuwied 1981, S. 74.

445 Vgl. Gespräch mit Heinrich Klotz: In: Kunst und Kirche, Heft 2/1986. Ferner: Jahrbuch für Architektur 1985/1986. Braunschweig/Wiesbaden 1986.

446 Vgl. Horst Kurnitzky: Erlösung durch die Postmoderne. Das Wissenschaftszentrum in Berlin. In: Niemandsland, Heft 2/1987, S. 27.

447 Robert Venturi: Komplexität und Widerspruch in der Architektur. Braunschweig/Wiesbaden 1978. Vgl. auch Robert Venturi/Denise Scott Brown/Steven Izenour: Lernen von Las Vegas. Zur Ikonographie und Architektursymbolik der Geschäftsstadt. Braunschweig/Wiesbaden 1979. Stanislaus von Moos: Venturi, Rauch & Scott Brown. Bauten und Projekte. München 1987.

448 Kenneth Frampton: Kritischer Regionalismus. In: Andreas Huyssen/Klaus R. Scherpe (Hrsg.): Postmoderne; a.a.O., S. 151 ff. Ferner: Charles Moore: Bauten und Projekte 1949-1986. Stuttgart 1987.

449 Vgl. Peter Krauß: Oberflächliche Dekorspielereien. Frankfurt, Charles Moore und die postmoderne Architektur. In: Vorwärts, 20. 6. 1987.

450 Wolf Schön: Der Tanz der rechten Winkel. Bauhaus contra Postmoderne: Richard Meiers Frankfurter Museum für Kunsthandwerk. In: Rheinischer Merkur/Christ und Welt, 27. 4. 1985. Hanno Reuther: Das allerfliegendste Haus. In: Frankfurter Rundschau, 25. 4. 1985.

451 Dieter Bartetzko: Zwischen Bauwerk und Kulissenbau angesiedelt. Das Neue Frankfurt und seine Postmoderne. Gedanken zur Architektur am Main. In: Frankfurter Rundschau, 1. 6. 1984.

452 Manfred Sack: Das schöne Monster von München. Endlich vollendet: das Kulturzentrum am Gasteig. In: Die Zeit, Jg. 1985. Gottfried Knapp: Der Klotz am Berg. Gedanken zur Architektur des Kulturzentrums am Gasteig in München. In: Süddeutsche Zeitung, 9./10. 11. 1985.

453 Vgl. Halef: Ein Lager-Silo für die Kunst. Ein gelungener Präsentations-Bau. Das neue Wallraff-Richartz-Museum mit Museum Ludwig in Köln. In: Nürnberger Zeitung, 3. 9. 1986.

454 Vgl. Hanno-Walter Kruft: Das Kunstmuseum als Kunstwerk? Beobachtungen zum Museumsbau der letzten Jahre. In: Neue Zürcher Zeitung, 4./5. 4. 1987. Vgl. auch Manfred Sack: Das Zitatenmuseum. Von Schmäh- und Bravorufen hitzig untermalt, wurde in Stuttgart die neue Staatsgalerie gebaut: Ein postmodernes Monument für die moderne Kunst. In: Die Zeit, 9. 3. 1984.

455 Wolfgang Welsch: Nach welcher Moderne? Klärungsversuche im Feld von Architektur und Philosophie. In Peter Koslowski/Robert Spaemann/Reinhard Löw (Hrsg.): Moderne oder Postmoderne? Zur Signatur des gegenwärtigen Zeitalters. Heppenheim 1986, S. 248.

456 Eduard Beaucamp: Konstruktiver Pop. Die Eröffnung der Neuen Staatsgalerie in Stuttgart. In: Frankfurter Allgemeine Zeitung, 10. 3. 1984.

457 Charles Jencks: Die Sprache der postmodernen Architektur. Stuttgart 1980. Ferner: Charles Jencks: Postmoderne. Der neue Klassizismus in Kunst und Architektur. Stuttgart 1987.

458 Charles Jencks: Post-Modern und Spät-Modern. Einige grundlegende Definitionen. In: Peter Koslowski u. a.: Moderne oder Postmoderne? a.a.O., S. 210.

459 Manfred Durth: Die Inszenierung der Alltagswelt – gestern und heute. Vortragsmanuskript. Godesberger Gespräch des Bundes Deutscher Architekten, 1988. Ferner: Werner Durth: Die Inszenierung der Alltagswelt. Zur Kritik der Stadtgestaltung. Braunschweig/Wiesbaden 1977/1988.

460 Dieter Bartetzko: Sehnsucht ohne Angst. Postmoderne Stadtansichten. In: Merkur, Heft 472/1988, S. 522.

461 Vgl. Charles Jencks: Postmoderne; a.a.O.

462 Pierre Bourdieu: Die feinen Unterschiede. Kritik der gesellschaftlichen Urteilskraft. Frankfurt am Main 1987, S. 59 ff.

463 Jean-François Lyotard: Philosophie und Malerei im Zeitalter ihres Experimentierens. Berlin 1986, S. 69 ff.

464 Vgl. Karlheinz Schmid: Manfred Schneckenburger. In: Zeit-Magazin, Jg. 1987.

465 Vgl. Ulrich Wanner: Die 8. documenta in Kassel huldigt der Postmoderne: Kunst in schicken Räumen kitzelt und kalauert. Der Geist ist Schnickschnack. In: Nürnberger Zeitung, 15. 6. 1987. Laszlo Glozer: Bedeutungsschwanger bis unterhaltsam. Die documenta 8 präsentiert sich als bunte Stimmungspalette. In: Süddeutsche Zeitung, 13./14. 6. 1987.

466 Petra Kipphoff: Das hohe Fest der Beliebigkeit. In: Die Zeit, 19. 6. 1987.

467 Eduard Beaucamp: Daphne und Holocaust. Zur Eröffnung der achten documenta in Kassel. In: Frankfurter Allgemeine Zeitung, 13. 6. 1987.

468 Zit. nach Peter Iden/Mara Eggert: Zwischen Gottsuche und Tingeltangel. Im Garten der Lüste. Bilder von der Kasseler documenta 8. In: Frankfurter Rundschau, 18. 7. 1987.

469 Wolfgang Max Faust/Gerd de Vries: Hunger nach Bildern. Deutsche Malerei der Gegenwart. Köln 1982.

470 Karin Thomas: Zweimal deutsche Kunst nach 1945; a.a.O., S. 225.

471 Günther Gercken: Figurative Malerei nach 1960. In: Christos M. Joachimides/Norman Rosenthal/Wieland Schmied (Hrsg.): Deutsche Kunst im 20. Jahrhundert. Malerei und Plastik 1905-1985. München 1986, S. 468.

472 Georg Hensel: Bluff dich durch die Postmoderne. Schnellkurs als Party-Service: Brauchbare Sätze, Zitate, Namen, Redensarten. In: Frankfurter Allgemeine Zeitung, 6. 6. 1987.

473 Peter Niebaum: »All is pretty«:? – Vom Schwindel zwischen modern(d)en Einbahnstraßen und postmodernen Sackgassen. Nebst Bemerkungen über Aufklärungskrisen und Krisenaufklärung. In: Anschläge, Jg. 1987.

474 Florian Rötzer und Sara Rogenhofer sprachen mit Christa und Peter Bürger. Keinem künstlerischem Material kommt mehr historische Notwendigkeit zu. In: Frankfurter Rundschau, 11. 6. 1988.

475 Vgl. Heinrich Klotz: Die Neuen Wilden in Berlin. Stuttgart 1984.

476 Karin Thomas: Zweimal deutsche Kunst nach 1945; a.a.O., S. 71.

477 Ebd., S. 227.

478 Wieland Schmied: Die Barbaren kehren zurück. Das Werk ist sein Entstehungsprozeß. In: Die Zeit, 29. 5. 1987.

479 Vgl. Eduard Beaucamp: Robust und zerbrechlich. Die Zeichnungen von Georg Baselitz im Bonner Kunstmuseum. In: Frankfurter Allgemeine Zeitung, 21. 6. 1984. Vgl. auch Andreas Franzke: Georg Baselitz. München 1988.

480 Wieland Schmied: Ausgangspunkt und Verwandlung. In: Christos M. Joachimides u. a.: Deutsche Kunst im 20. Jahrhundert; a.a.O., S. 61 f.

481 Ebd., S. 62.

482 Eduard Beaucamp: Die verbrannte Geschichte. Anselm Kiefer und die deutschen Mythen. In: Frankfurter Allgemeine Zeitung, 11. 4. 1984.

483 Eduard Beaucamp: Die verbrannte Geschichte; a.a.O. Vgl. Petra Kipphoff: Verbrannte Erde und gestürzte Trommler. Zwei Künstler des deutschen Dilemmas. In: Die Zeit, 13. 4. 1984.

484 Florian Sattler: Kulturnotizen. Bayerischer Rundfunk. Manuskript, 24. 9. 1986.

485 Bazon Brock über Gerhard Merz. Zit. nach: Sara Rogenhofer und Florian Rötzer sprachen mit Gerhard Merz. Es gibt keine Selbstverwirklichung in der Kunst. In: Frankfurter Rundschau, 12. 12. 1987.

486 Vgl. Gottfried Helnwein: Selbstbildnisse. 1970-1987. Heidelberg 1988.

487 Vgl. Heiner Stachelhaus: Joseph Beuys. Köln 1987. Klaus Staeck (Hrsg.): Ohne die Rose tun wir's nicht. Für Joseph Beuys. Heidelberg 1986. Armin Zweite (Hrsg.): Beuys zu Ehren. München 1986. Götz Adriani/Winfried Konnertz/Karin Thomas: Joseph Beuys. Leben und Werk. Köln o. J.

488 Vgl. Hanno Reuther: Die Fraktion der Bewunderer und die Bank der Spötter. Ein Versuch über Joseph Beuys und seine Gemeinde(n). In: Frankfurter Rundschau, 17. 8. 1985.

489 Vgl. auch Wouter Kotte/Ursula Mildner: Das Kreuz als Universalzeichen bei Joseph Beuys; o. O. 1986.

490 Vgl. Peter-Klaus Schuster: Der Mensch als sein eigener Schöpfer. Dürer und Beuys – oder das Bekenntnis zur Kreativität. In: Süddeutsche Zeitung, 22./23. 6. 1985.

491 Doris Schmidt: Missionar der Gewaltlosigkeit. Joseph Beuys starb 64jährig an Herzversagen. In: Süddeutsche Zeitung, 25./26. 1. 1986.

492 Vgl. Peter-Klaus Schuster: Der Mensch als sein eigener Schöpfer; a.a.O.

493 Vgl. Hanno Reuther: Die Fraktion der Bewunderer und die Bank der Spötter; a.a.O.

494 Karin Thomas: Zweimal deutsche Kunst nach 1945; a.a.O., S. 156.

495 Peter Iden: Schönheit ist der Glanz des Wahren. Zum Tod von Joseph Beuys. In: Frankfurter Rundschau, 27. 1. 1986.

496 Walter Fenn: Der Künstler als Schamane. Zum Tode von Joseph Beuys. In: Nürnberger Nachrichten, 25./26. 1. 1986.

497 Vgl. Heiner Bastian: Joseph Beuys. Blitzschlag mit Lichtschein auf Hirsch. Bern 1988.

498 Peter Iden: Schönheit ist der Glanz des Wahren; a.a.O.

499 Hans Platschek: Entertainer für Schwärmer. In: Die Zeit (Zum Tod von Joseph Beuys. So viele Gegner und so viel Gefolgschaft hat kein anderer Künstler unserer Zeit provoziert: Joseph Beuys, der Künstler, der sagte, daß alle Menschen Künstler seien), 31. 1. 1986.

500 Günther Uecker: Menschenverbindendes Werk. In: Zum Tod von Joseph Beuys; a.a.O.

501 Roger Scruton: Auf der Suche nach Zuhörern. Eine Polemik gegen die musikalische Avantgarde. In: Frankfurter Allgemeine Zeitung, 2. 8. 1986.

502 Ein Gespräch zwischen Pierre Boulez und Michel Foucault über die zeitgenössische Musik und das Publikum. In geschlossenen Kreisen. In: Süddeutsche Zeitung, 1. 12. 1985.

503 Wolf-Eberhard von Lewinski: Die Kompositionslehrer und die Avantgarde. Der »Darmstädter Pluralismus« als Signal für die neueste Musik. In: Neue Zürcher Zeitung, 22./23. 11. 1986.

504 Hermann Danuser: Vier Kulturen der Musik. Paradigmen der Musikgeschichte des 20. Jahrhunderts. In: Neue Zürcher Zeitung, 19./20. 7. 1986.

505 Roger Scruton: Auf der Suche nach Zuhörern; a.a.O.

506 Hermann Danuser: Vier Kulturen der Musik; a.a.O.

507 Karlheinz Stockhausens Antworten auf einen Fragebogen der Unesco. Die globale Verschmutzung mit Abfallmusik. In: Frankfurter Allgemeine Zeitung, 29. 3. 1986.

508 Hans-Klaus Jungheinrich: Von Smokingherren dezent umschwärmt. Ein neues Stockhausen-Werk beim Metzer Musikfest. In: Frankfurter Rundschau, 2. 12. 1986.

509 Zit. nach Heinz Josef Herbort: Von Luzifer lernen. Eine Reportage, Anmerkungen und Teile eines Gesprächs. In: Die Zeit, Mai 1984.

510 Wolfgang Schreiber: Magische Kinderspiele mit Eva. Aus der Mailänder Scala: Stockhausens »Montag aus LICHT«. In: Süddeutsche Zeitung, 20. 5. 1988.

511 Gerhard R. Koch: Das Neue und die Heilsherrschaft. Karlheinz Stockhausen zum Sechzigsten. In: Frankfurter Allgemeine Zeitung, 22. 8. 1988.

512 Hermann Danuser: Vier Kulturen der Musik; a.a.O.

513 Gerhard R. Koch: Schrecken auf Entsetzen getürmt. Aribert Reimanns »Troades«. Uraufführung zur Eröffnung der Münchner Opernfestspiele. In: Frankfurter Allgemeine Zeitung, 9. 7. 1986.

514 Wolfgang Rihm: Musiktheater aus der Sicht des Komponisten. In: Neue Zürcher Zeitung, 22./23. 11. 1986. Vgl. auch Rolf Urs Ringger: Jovialität und Dissonanzen. Eine Begegnung mit dem Komponisten Wolfgang Rihm. In: Neue Zürcher Zeitung, 22./23. 11. 1986.

515 Hermann Danuser: Vier Kulturen der Musik; a.a.O.

516 Ursula Hübner: Musik ist ein Faktor der Kommunikation. Notizen nach einem Gespräch mit Hans Werner Henze. In: Neue Zürcher Zeitung, 16./17. 8. 1986.

517 Hans-Klaus Jungheinrich: Wie wir Tiere uns ansehen. Hans Werner Henzes neue Oper »Die englische Katze«. In: Frankfurter Rundschau, 4. 6. 1983.

518 Klaus Umbach über Krzysztof Penderecki und die Neue Musik. Mit Gloria und Glykol in den Rückwärtsgang. In: Der Spiegel, Nr. 2/1987, S. 142 ff.

519 Spiegel-Gespräch mit Krzysztof Penderecki. Ein Verlangen nach reinem Dur. In: Der Spiegel, Nr. 2/1987, S. 144 ff.

520 Klaus Umbach über Krzysztof Penderecki und die Neue Musik; a.a.O., S. 143.

521 Josef Häusler: 1970-1980. Das »gegenständliche« Jahrzehnt. In: Deutscher Musikrat: Zeitgenössische Musik in der Bundesrepublik Deutschland. 8: 1970-1980. Bonn 1983, S. 10.

522 Gerhard R. Koch: Von der neuen Lust am Alten. In: Deutscher Musikrat: Zeitgenössische Musik in der Bundesrepublik Deutschland. 9: 1970-1980, Bonn 1983, S. 9.

523 Wolfgang Schreiber: Tradition und Bearbeitung – Die Musik der 70er Jahre. In: Deutscher Musikrat: Zeitgenössische Musik in der Bundesrepublik Deutschland. 10: 1970-1980. Bonn 1983, S. 9.

524 Bernd Guggenberger: So tun als ob. Im Zeitalter der Simulation. In: Neue Rundschau, Heft 2/1988, S. 138.

525 Wolfgang Jäger: Die Innenpolitik der sozial-liberalen Koalition 1969-1974. In: Karl Dietrich Bracher/Wolfgang Jäger/Werner Link: Republik im Wandel. 1969-1974; a.a.O., S. 294 ff.

526 Hans Magnus Enzensberger: Die vollkommene Leere. Das Nullmedium Oder: Warum alle Klagen über das Fernsehen gegenstandslos sind. In: Der Spiegel 20/1988, S. 234 ff. Vgl. auch Claus Eurich/Gerd Würzberg: 30 Jahre Fernsehalltag. Wie das Fernsehen unser Leben verändert hat. Reinbek bei Hamburg 1983.

527 Neil Postman: Wir amüsieren uns zu Tode: Urteilsbildung im Zeitalter der Unterhaltungsindustrie. Frankfurt am Main 1985. Neil Postman: Das Verschwinden der Kindheit. Frankfurt am Main 1983. Neil Postman: Die Verweigerung der Hörigkeit. Frankfurt am Main 1988. Ferner: Joshua Meyrowitz: Die Fernseh-Gesellschaft. Wirklichkeit und Identität im Medienzeitalter. Weinheim/Basel 1987.

528 Vgl. Ien Ang: Das Gefühl Dallas. Zur Produktion des Trivialen. Bielefeld 1986.

529 Vgl. Edgar Reitz/Peter Steinbach: Heimat. Eine deutsche Chronik. Nördlingen 1985. Edgar Reitz: Heimat. Eine Chronik in Bildern. München/Luzern 1985. Edgar Reitz: Liebe zum Kino. Utopien und Gedanken zum Autorenfilm 1962-1983. Köln 1984.

530 Vgl. Heinz-Dietrich Fischer (Hrsg.): Fernsehmoderatoren in der Bundesrepublik Deutschland. Top-Medienprofis zwischen Programmauftrag und Politik. München 1983.

531 Vgl. Theodor W. Adorno: Über den Fetischcharakter in der Musik und die Regression des Hörens. In: Dieter Prokop (Hrsg.): Wünsche, Zielgruppen, Wirkungen. Frankfurt am Main 1985.

532 Oskar Negt: Lebendige Arbeit, enteignete Zeit. Politische und kulturelle Dimensionen des Kampfes um die Arbeitszeit. Frankfurt am Main/New York 1985, S. 148 f. Vgl. auch Horst Röper: Poker um Einfluß und Macht. Eine Analyse der Medienlandschaft. In: Die Zeit, 24. 10. 1986.

533 Bernd Guggenberger: Vor uns die Freizeit-Katastrophe? Vom Bürger zum Zerstreuungspatienten. In: Neue Rundschau 3/1987, S. 133 ff.

534 Vgl. Reinhold Krämer: Nachliterarische Zeiten? Schreiben und Lesen in der Computer- und Mediengesellschaft. In: Bertelsmann Briefe 121/1987, S. 14 ff. Otto B. Roegele (Hrsg.): Die Presse in der deutschen Medienlandschaft. Themenheft 6. Bundeszentrale für Politische Bildung. Bonn 1985, S. 13, 22, 25.

535 Heinrich Böll: Die verlorene Ehre der Katharina Blum oder: Wie Gewalt entsteht und wohin sie führen kann. Köln 1974.

536 Vgl. Georg Alexander Heussen: Medientaktik. Nach dem Geiseldrama. Über das Abwägen von Zielen. In: Frankfurter Allgemeine Zeitung, 22. 8. 1988.

537 Vgl. Janet K. King: Literarische Zeitschriften 1945-1970. Stuttgart 1974.

538 Zit. nach Jürgen Busche: Das Ende eines Anfangs. »Alternative« – Zur Einstellung einer Zeitschrift. In: Frankfurter Allgemeine Zeitung, 16. 12. 1982.

539 Thomas Garms: Ich mag Dich – Dein Wuschelbär. Deutsche Stadtmagazine. Stimmungsbarometer der »alternativen« Szene. In: Frankfurter Allgemeine Zeitung, 6. 3. 1984.

540 Andreas Proksa: taz. In: Criticon, Heft 107/1988, S. 120.

541 Vgl. Uwe Wittstock: Der Mut zu unbequemen Wahrheiten. Geldmangel und die Leser machen der »tageszeitung« zu schaffen. In: Frankfurter Allgemeine Zeitung, 30. 11. 1985. Michael Sontheimer: Blicke auf Teufels Traumfrau. Wie die Berliner »tageszeitung« nach fünf Jahren von ihren Liebhabern und Kritikern gesehen wird. In: Die Zeit, 13. 1. 1984.

542 Wolfgang R. Langenbucher, zit. nach Elisabeth Bauschmid: Abgehoben von der Erde. Rock, Regenbogenpresse und Pharmazie. Versuch einer Diskussion. In: Süddeutsche Zeitung, 13. 7. 1984.

543 Susanne Schaefer-Dieterle: Frauenpresse in der Bundesrepublik: Harter Verdrängungswettbewerb um 30 Millionen potentielle Käuferinnen. Kosmetik verdeckt Emanzipation. In: Das Parlament, 31. 5. 1986.

544 Vgl. Lutz Kuche: Strukturwandel auf dem Zeitschriftenmarkt. Harter Kampf um die Leser. In: Rheinischer Merkur/Christ und Welt, 3. 7. 1987.

545 Vgl. Bernd-Jürgen Martini: Tendenzwende auf dem Zeitschriftenmarkt. Die Titelflut ebbt langsam ab. In: Rheinischer Merkur/Christ und Welt, 15. 7. 1988.

546 Vgl. Hermann Kurzke: Die Dauerhaftigkeit der Kurzlebigen. Eine geht, eine kommt: Zur Lage der Kultur- und Literaturzeitschriften. In: Frankfurter Allgemeine Zeitung, 21. 3. 1988. Ferner Josef Quack: Ein notweniger Luxus. Zur Situation der Kulturzeitschriften. In: Frankfurter Allgemeine Zeitung, 6. 1. 1984.

547 Vgl. Frank Schirrmacher: Ein Ende. »Westermann's«, die Yuppies und die Kulturzeitschriften. In: Frankfurter Allgemeine Zeitung, 24. 1. 1987.

548 Peter Glotz: Der streitbare Linkskatholik. Zum Tode des politischen Publizisten Eugen Kogon. In: Frankfurter Allgemeine Zeitung, 30. 12. 1987.

549 Joachim C. Fest: Hitler. Eine Biographie. Frankfurt am Main/Berlin/Wien 1973.

550 Armin Mohler: FAZ. Konservatismus auf Sammetpfötchen. In: Criticon, Heft 107/1988, S. 115.

551 Christian Schultz-Gerstein: Rasende Mitläufer. Essays und Polemiken gegen Zeitgeister und Kulturplagen. Mit einem Vorwort von Wolfgang Pohrt. Berlin 1987.

552 Zit. nach Dieter Schröder: Der Anspruch einer Zeitung. Es lohnt sich, für die Freiheit zu streiten. In: Zeitgeschichte, Zeitungsgeschichten. Beilage der »Süddeutschen Zeitung« anläßlich der Ausstellung »40 Jahre Zeitgeschichte – 40 Jahre SZ«, 15. 11. 1985, S. 2.

553 Vgl. Peter Kutschke: Neue Erfolgskarriere für Helmut Schmidt. Ein Mann im »Unruhestand« zwischen Hamburg und Tokio. Zeitungsverleger und Weltreisender. In: Vorwärts, 15. 3. 1986.

554 m.s.: Der Fall Raddatz. In: Frankfurter Allgemeine Zeitung, 14. 10. 1985. Dietmar Bittrich: Von einem Fettnäpfchen ins andere. Wie der Kultur-Chef der »Zeit«, Fritz J. Raddatz, seit einem Vierteljahrhundert die Literatur-Szene unfreiwillig erheitert. In: Rheinischer Merkur/Christ und Welt, 19. 10. 1985.

555 Marion Gräfin Dönhoff: In eigener Sache. In: Die Zeit, 18. 10. 1985.
556 Vgl. Erich Kuby: Der Fall »Stern« und die Folgen. Hamburg 1983.
557 Vgl. Zeit-Dossier: Die Magazin-Maschine. Der »Spiegel« von innen. In: Die Zeit, 25. 9. 1987.
558 Erich Kuby: »Der Spiegel« im Spiegel. Das deutsche Nachrichten-Magazin – kritisch analysiert. München 1987, S. 154 f.
559 Martin Walser über Rudolf Augstein und den »Spiegel«. Mit keiner Seite dauerhaft befreundet. In: Der Spiegel, Nr. 8/1987, S. 248.
560 Theodor W. Adorno: Auferstehung der Kultur in Deutschland? In: Frankfurter Hefte, Heft 5/1950, S. 169 ff.
561 Vgl. Wolfram Schütte: Treue und Liebe, nicht Glauben. Selbstgespräch am Ultimo. Heinrich Bölls posthumer Roman »Frauen vor Flußlandschaft«. In: Frankfurter Rundschau, Jg. 1985.
562 Heinrich Böll: Frauen vor Flußlandschaft. Roman in Dialogen und Selbstgesprächen. Köln 1985, S. 7.
563 Wolfram Schütte: Treue und Liebe, nicht Glauben; a.a.O.
564 Leszek Kolakowski: Warum brauchen wir Kant? In: Merkur, Heft 400/1981, S. 915 ff.
565 Ebd., S. 920.
566 Peter Koslowski: Die Baustellen der Postmoderne. Wider den Vollendungszwang der Moderne. In: Neue Zürcher Zeitung, 12./13. 4. 1986.
567 Florian Rötzer (Hrsg.): Denken, das an der Zeit ist. Einleitung. Frankfurt am Main 1987, S. 9.
568 Ebd., S. 14.
569 Ebd., S. 15.
570 Klaus Laermann: Das rasende Gefasel der Gegenaufklärung. Dietmar Kamper als Symptom. In: Merkur, Heft 433/1985, S. 211 ff. Vgl. auch Dietmar Kamper: Zur Soziologie des Imaginären. München 1986. Dietmar Kamper: Macht und Ohnmacht der Phantasie. Darmstadt/Neuwied 1986.
571 Zit. nach Eckhard Nordhofen: In den Gärten der Erkenntnis. Über den Philosophen Hans Blumenberg. In: Die Zeit, 8. 8. 1986.
572 Vgl. Hans Blumenberg: Lebenszeit und Weltzeit. Frankfurt am Main 1986. Dazu Martin Meyer: Der Himmel der Erkenntnis. Hans Blumenbergs neues Buch »Lebenszeit und Weltzeit«. In: Neue Zürcher Zeitung, 22./23. 2. 1986.
573 Vgl. Hans Blumenberg: Schiffbruch mit Zuschauer. Paradigma mit Daseinsmetapher. Frankfurt am Main 1979. Hans Blumenberg: Wirklichkeiten, in denen wir leben. Stuttgart 1981. Ferner: Hans Blumenberg: Arbeit am Mythos. Frankfurt am Main 1979.
574 Vgl. Peter Sloterdijk: Kritik der zynischen Vernunft. 2 Bände. Frankfurt am Main 1983.
575 Vgl. Gerd Bergfleth (Hrsg.): Zur Kritik der palavernden Aufklärung. München 1984.
576 Ursula Homann: Wie Columbus, als er Amerika entdeckte. Oder: Was tut sich in der Philosophie? In: Buch & Bibliothek, Heft 3/1987, S. 262 ff. Dazu: Ulrich Horstmann: Das Untier. Frankfurt am Main 1985.
577 Jörn Rüsen/Eberhard Lämmert/Peter Glotz (Hrsg.): Die Zukunft der Aufklärung. Vorwort. Frankfurt am Main 1988, S. 9.
578 Peter Glotz: Politik und Aufklärung. In: Jörn Rüsen u. a. (Hrsg.): Die Zukunft der Aufklärung; a.a.O., S. 30.
579 Jürgen Seifert: Vom autoritären Verwaltungsstaat zurück zum demokratischen Verfassungsstaat. In Jörn Rüsen u. a. (Hrsg.): Die Zukunft der Aufklärung; a.a.O., S. 210.
580 Jürgen Habermas: Die neue Intimität zwischen Politik und Kultur. In: Jörn Rüsen u. a. (Hrsg.): Die Zukunft der Aufklärung; a.a.O., S. 65.
581 Zit. nach Stephan Wehowski: Wie Ratten im Labyrinth. Perspektiven der Soziologie: Die Provokationen im Werk von Niklas Luhmann. In: Süddeutsche Zeitung, 4./5. 6. 1988.
582 Niklas Luhmann: Entwicklungen in der Systemtheorie. In: Merkur, Heft 470/1988, S. 294. Vgl. Stefan Jensen: Systemtheorie. Stuttgart 1983.
583 Vgl. Jürgen Habermas: Legitimationsprobleme im Spätkapitalismus, Frankfurt am Main 1973. Vgl. auch Michael Theunissen: Die Gefährdung des Staates durch die Kultur. Jürgen Habermas' Entwurf »Legitimationsprobleme im Spätkapitalismus«. Die Auseinandersetzung mit Niklas Luhmann. In: Frankfurter Allgemeine Zeitung, Jg. 1973.

584 Heinrich Böll: Frauen vor Flußlandschaft; a.a.O., S. 42, 225.
585 Ebd., S. 125.
586 Theo Sommer: Kaufen und sich kaufen lassen. Die ehrenwerte Gesellschaft am Rhein: Wird Bonn doch Weimar? In: Die Zeit, 2. 11. 1984. Vgl. auch Wilfried Röhrich: Die verspätete Demokratie. Zur politischen Kultur der Bundesrepublik Deutschland. Köln 1983. Dirk Berg-Schlosser/Jakob Schissler (Hrsg.): Politische Kultur in Deutschland. Bilanz und Perspektiven der Forschung. Opladen 1987.
587 Vgl. Hermann Glaser: Fatale Liturgie im politischen Psychodrom. In: Heinz Ludwig Arnold (Hrsg.): Vom Verlust der Scham und dem allmählichen Verschwinden der Demokratie. Göttingen 1988, S. 80 ff. Ferner: Herbert Wessels: Ein politischer Fall. Uwe Barschel – die Hintergründe der Affäre. Weinheim 1988. Cordt Schnibben/Volker Skierka: Macht und Machenschaften. Die Wahrheitsfindung in der Barschel-Affäre. Ein Lehrstück. Hamburg 1988. Norbert F. Pötzl: Der Fall Barschel. Anatomie einer deutschen Karriere. Reinbek bei Hamburg 1988.
588 Vgl. Hermann Glaser: Fatale Liturgie; a.a.O., S. 82 f. »Nun ist Stoltenberg abgeschminkt«. Der Spiegel, 45/1987, S. 19 ff.
589 Michael Ende: Die unendliche Geschichte. Stuttgart 1979, S. 52 f.
590 Vgl. Hermann Glaser: Das Kohl-Syndrom, oder: Die Kunst, im Schaumteppich wieder festen Grund zu fassen. In: L'80, Heft 32/1984, S. 8.
591 Karl Heinz Bohrer: Die Unschuld an die Macht. In: Merkur, Heft 3/1984, S. 342 ff.
592 Ebd. S. 346.
593 Vgl. Michael Schneider: Den Kopf verkehrt aufgesetzt oder Die melancholische Linke. Neuwied/Darmstadt o. J.
594 Hans Magnus Enzensberger: schwierige arbeit. In: blindenschrift. Frankfurt am Main 1964, S. 58 f.
595 Vgl. Peter Glotz: Kampagne in Deutschland. Politisches Tagebuch 1981-1983. Hamburg 1986. Peter Glotz: Die Arbeit der Zuspitzung. Über die Organisation einer regierungsfähigen Linken. Berlin 1984.
596 Peter Glotz: Sprache und Politik oder Die Rückkehr der Mythen in die Sprache der Politik. In: Der Deutschunterricht, Heft 6/1984, S. 101 ff., 108 f., 111.
597 Vgl. Claus Leggewie: Der Geist denkt rechts. Wo Politik vorgedacht wird: Ein Streifzug durch die konservativen Denkfabriken der Bundesrepublik. In: Die Zeit, 16. 10. 1987.
598 Gert-Klaus Kaltenbrunner (Hrsg.): Plädoyer für die Vernunft. Signale einer Tendenzwende. Freiburg/Basel/Wien 1974, S. 8.
599 Johannes Gross: Die Misere der öffentlichen Gefühle. Oder Trübsinn würzt den Genuß des Wohlstands. In: Frankfurter Allgemeine Zeitung, 1. 3. 1980.
600 Helmut König: Von der Masse zur Individualisierung. Die Modernisierung des Konservatismus in der Bundesrepublik. In: Leviathan, Heft 2/1988, S. 269.
601 Der Marsch durch die Institutionen hat auch die CDU erreicht. Der Frankfurter Philosoph und Soziologe Jürgen Habermas im Gespräch mit Rainer Erd über die politische Kultur in der Bundesrepublik Deutschland nach 1968. In: Frankfurter Rundschau, 11. 3. 1988.
602 Hartmut von Hentig: Alles tun können, was anderen nicht schadet – oder: Der diskrete Charme des Liberalismus. In: Merkur, Heft 400/1981, S. 960 ff.
603 Hartmut von Hentig: Alles tun können; a.a.O., S. 976 f.
604 Ralf Dahrendorf: Das Elend der Sozialdemokratie. In: Merkur, Heft 466/1987, S. 1034.
605 Peter Glotz: Die Entdeckung des Individualismus von links. In: Rheinischer Merkur/Christ und Welt, 16. 11. 1984.
606 Vgl. Wolfgang Michel: Die SPD – staatstreu und jugendfrei. Reinbek bei Hamburg 1988.
607 Vgl. Oskar Lafontaine: Die Gesellschaft der Zukunft. Reformpolitik in einer veränderten Welt. Hamburg 1988.
608 Richard Löwenthal: Sechs Thesen. In: Frankfurter Rundschau, 30. 4. 1982.
609 Peter Gluchowski: Lebensstile und Wandel der Wählerschaft in der Bundesrepublik Deutschland. In: Aus Politik und Zeitgeschichte. Beilage zur Wochenzeitung Das Parlament, 21. 3. 1987, S. 18 ff., 32.
610 Vgl. Harro Honolka: Schwarzrotgrün. Die Bundesrepublik auf der Suche nach ihrer Identität.

München 1987. Günter Gaus: Die Welt der Westdeutschen. Kritische Betrachtungen. Köln 1986. Ferner Kurt Sontheimer: Zeitenwende? Die Bundesrepublik zwischen alter und alternativer Politik. Hamburg 1983.

611 Vgl. Joschka Fischer: Regieren geht über Studieren. Ein politisches Tagebuch. Frankfurt am Main 1987.

612 Zit. nach Bernd Guggenberger: Zwischen Feldküche und Familientreffen. Die Umweltpartei im Umbruch: Rigide Gesinnungsethik muß der Verantwortungsethik weichen. In: Die Zeit, 21. 6. 1985. Claus Offe: Zwischen Protest- und Parteipolitik. In: Die Zeit, 10. 10. 1986.

613 Vgl. Manfred Langner (Hrsg.): Die Grünen auf dem Prüfstand. Analyse einer Partei. Bergisch Gladbach 1987. Thomas Ebermann/Rainer Trampert: Die Zukunft der Grünen. Hamburg 1985. Gerd Langguth: Der Grüne Faktor. Zürich 1984. Anna Hallersleben: Von der Grünen Liste zur Grünen Partei. Göttingen 1984. Thomas Kluge: Grüne Politik. Frankfurt am Main 1984. Manon Maren-Grisebach: Philosophie der Grünen. München 1982.

614 Claus Heinrich Meyer: Willy Brandt zieht sich aus der aktiven Politik zurück. Eine Biographie zur Ehrenrettung des deutschen Namens. In: Süddeutsche Zeitung, 13./14. 6. 1987.

615 Vgl. Robert Leicht: Eines Deutschen Sonderweg. Willy Brandt – das bittere Ende eines großen politischen Lebens. In: Die Zeit, 27. 3. 1987.

616 Willy Brandt: Abschiedsrede auf dem außerordentlichen Parteitag der SPD am 14. Juni 1987. In: Vorwärts, 20. 6. 1987, S. 25.

617 Stefan Aust: Der Baader Meinhof Komplex. Hamburg 1985, S. 18 f. Vgl. auch Hermann Glaser: Jugend zwischen Aggression und Apathie. Diagnose der Terrorismus-Diskussion. Ein Dossier. Heidelberg/Karlsruhe 1980.

618 Vgl. Mario Krebs: Ulrike Meinhof. Ein Leben im Widerspruch. Reinbek bei Hamburg 1988.

619 Stefan Aust: Der Baader-Meinhof-Komplex; a.a.O., S. 592.

620 Vgl. Hans Josef Horchem: Fünfzehn Jahre Terrorismus in der Bundesrepublik Deutschland. In: Aus Politik und Zeitgeschichte. Beilage zur Wochenzeitung Das Parlament, 31. 1. 1987, S. 4 f.

621 Hans Josef Horchem: Fünfzehn Jahre Terrorismus; a.a.O., S. 5.

622 Heinrich Böll: Will Ulrike Meinhof Gnade oder freies Geleit? Zit. nach Gabriele Dietz u. a. (Hrsg.): Klamm, Heimlich & Freunde. Die Siebziger Jahre. Berlin 1987, S. 120.

623 Ebd., S. 119.

624 Ebd., S. 120.

625 Peter O. Chotjewitz: Pisacane und andere Erinnerungen. In: Gabriele Dietz u. a. (Hrsg.): Klamm, Heimlich & Freunde; a.a.O., S. 114.

626 Wolfram Schütte: Ideendrama an mehrfachem Tatort. »Stammheim«: Ein Film bricht ein Tabu. In: Frankfurter Rundschau, 30. 1. 1986. Peter Buchka: Ein sehr deutscher Prozeß. Reinhard Hauffs filmische Rekonstruktion »Stammheim« – Baader-Meinhof vor Gericht«. In: Süddeutsche Zeitung, 30. 1. 1986.

627 Süddeutsche Zeitung, 28. 10. 1977.

628 Vgl. Gerhard Mauz: Ein Phänomen der Verzweiflung. In: Der Spiegel, Nr. 33/1977.

629 Karl-Heinz Janßen: Die schrecklichen entlaufenen Wohlstandskinder. In: Die Zeit, 9. 9. 1977.

630 Zit. nach Dieter E. Zimmer: Der lange Marsch durch die eigenen Wesenheiten. In: Die Zeit, 17. 6. 1977.

631 Helm Stierling: Die Explosion eines scheuen Charakters. In: Deutsche Zeitung, 25. 8. 1978.

632 Vgl. W. Guthermut: Warum Frauen jetzt die Terrorszene beherrschen. In: Abendzeitung, 5. 8. 1977.

633 Margarete Mitscherlich-Nielsen: Gewalt gegen Frauen – Gewalt von Frauen. In: Frankfurter Allgemeine Zeitung, 12. 11. 1977. Vgl. auch Susanne von Paczenski: Frauen und Terror. Reinbek bei Hamburg 1978.

634 Ilse Korte-Pucklitsch: Warum werden Frauen zu Terroristen? In: Merkur, Heft 357/1978, S. 184 f.

635 Vgl. L. Baier: Angstlust. In: Kursbuch 49/1977.

636 Vgl. auch Günter Bartsch: Feminismus kontra Marxismus. In: Aus Politik und Zeitgeschichte. Beilage zur Wochenzeitung Das Parlament, B 48/1977, S. 27.

637 Frauen im Untergrund: Etwas Irrationales. In: Der Spiegel, Nr. 33/1977, S. 25 f.

638 Jillian Becker: Hitlers Kinder? Der Baader-Meinhof-Terrorismus. Frankfurt am Main 1978.

639 Karl Heinz Bohrer: Die Kinder Hitlers? In: Frankfurter Allgemeine Zeitung, 6. 9. 1977.

640 Jillian Becker: Hitlers Kinder? a.a.O., S. 277 f.

641 Iring Fetscher: Terrorismus und Reaktion. Köln/Frankfurt am Main 1977, S. 33 ff., 64. Vgl. auch Iring Fetscher u.a.: Jugend und Terrorismus. Ein Hearing des Bundesjugendkuratoriums. München 1979. Iring Fetscher/Günter Rohrmoser (Hrsg.): Analysen zum Terrorismus. Ideologien und Strategien. Opladen 1981.

642 Gerhard Schmidtchen: Der Weg in die Gewalt. In: Die Zeit, 9. 12. 1977.

643 Wolfgang Salewski/Peter Lanz: Die neue Gewalt und wie man ihr begegnet. München 1978. Ferner: Walter Laqueur (Hrsg.): Zeugnisse politischer Gewalt. Dokumente zur Geschichte des Terrorismus. Frankfurt am Main/Kronberg 1978.

644 Zit. nach Volker Gansow: Mikroelektronik und »Freizeit«. Politisch-kulturelle Folgen einer technischen Revolution. Berlin 1982, S. 7.

645 Klaus Haefner: Mensch und Computer im Jahre 2000. Ökonomie und Politik für eine human computerisierte Gesellschaft. Basel/Boston/Stuttgart 1984, S. 56 ff., 60 f.

646 Hermann Sallinger: Handikap-Punkte. Neue Wege aus der Arbeitslosigkeit. In: Universitas, Heft 10/1987, S. 1065 f.

647 Axel Bust-Bartels: Beseitigung der Massenarbeitslosigkeit durch soziale Innovation? Alternativen zur Arbeitsmarktpolitik. In: Aus Politk und Zeitgeschichte. Beilage zur Wochenzeitung Das Parlament, B 43/1987, S. 3 ff. Vgl. auch Bernd Reissert/Fritz W. Scharpf/Ronald Schetthat: Eine Strategie zur Beseitigung der Massenarbeitslosigkeit. In: Aus Politik und Zeitgeschichte. Beilage zur Wochenzeitung Das Parlament, B 23/1986. Rolf G. Heinze/Bodo Hombach/Henning Scherf (Hrsg.): Sozialstaat 2000. Auf dem Weg zu neuen Grundlagen der sozialen Sicherung. Bonn 1987.

648 Vgl. Klaus-Peter Möller/Erich Schasse: Überalterung der Bevölkerung in der Bundesrepublik Deutschland. In: Universitas, Heft 9/1985, S. 1003 ff. Ivar Cornelius u. a.: Bevölkerungsentwicklung und Bevölkerungspolitik in der Bundesrepublik. In: Der Bürger im Staat, Heft 3/1987, S. 133 ff. Ansgar Skriver: Zu viele Menschen? Perspektiven für die nächsten Generationen. München 1986.

649 Karl Otto Hondrich: Die Verwandlung. In: Der Spiegel, Nr. 50/1986, S. 218 f. Ferner Rainer Mackensen/Eberhard Umbach: Leben im Jahr 2000 und danach. Perspektiven für die nächsten Generationen. Berlin 1984.

650 Vgl. Peter Sichrovsky: Krankheit auf Rezept. Die Praktiken der Praxisärzte. Köln 1984. Reinhard Voß: Anpassung auf Rezept. Die fortschreitende Medizinisierung auffälligen Verhaltens von Kindern und Jugendlichen. Stuttgart 1987, S. 10 f.

651 Vgl. Oskar Negt: Lebendige Arbeit, enteignete Zeit. Politische und kulturelle Dimensionen des Kampfes um die Arbeitszeit. Frankfurt am Main/New York 1985, S. 64 ff.

652 Vgl. Horst W. Opaschowski: Wie leben wir nach dem Jahr 2000? Szenarien über die Zukunft von Arbeit und Freizeit. BAT Freizeit-Institut. Hamburg 1987.

653 Vgl. Ralf Dahrendorf: Die Chancen der Krise. Stuttgart 1982, S. 91.

654 Vgl. Streitgespräch zwischen André Gorz, Peter Glotz und Tilman Fichter: Kapitalistisches Konsummodell und Emanzipation. In: Die neue Gesellschaft/Frankfurter Hefte, Heft 5/1986, S. 393.

655 Vgl. Hermann Glaser: Das Verschwinden der Arbeit. Die Chancen der neuen Tätigkeitsgesellschaft. Düsseldorf/Wien/New York 1988.

656 Vgl. Thomas Schmid (Hrsg.): Befreiung von falscher Arbeit. Thesen zum garantierten Mindesteinkommen. Berlin 1984, u. a. S. 8 ff., 18 ff.

657 Joseph Huber: Zukunftsfragen der Sozialdemokratie. In: Frankfurter Hefte, Heft 8/1987, S. 676 ff. Ferner Joseph Huber: Die Regenbogengesellschaft. Ökologie und Sozialpolitik. Frankfurt am Main 1985.

658 Michael Theunissen, zit. nach Florian Rötzer: Denken, das an der Zeit ist; a.a.O., S. 28 f.

659 Jürgen Habermas: Die Kulturkritik der Neokonservativen in den USA und in der Bundesrepublik. In: Merkur, Heft 413/1982, S. 1047 ff. Vgl. auch für das Nachfolgende Hans Egon Holthusen: Heimweh nach Geschichte. Postmoderne und Posthistoire in der Literatur der Gegenwart. In: Merkur, Heft 430/1984, S. 902 ff.

660 Ernst Jünger, zit. nach Hans Egon Holthusen: Heimweh nach Geschichte; a.a.O., S. 916.
661 Vgl. Hans Egon Holthusen: Heimweh nach Geschichte; a.a.O., S. 915.
662 Zit. nach Museumskunde, Heft 2/1984, S. 98.
663 Wolfgang J. Mommsen: Gegenwärtige Tendenzen in der Geschichtsschreibung der Bundesrepublik. In: Geschichte und Gesellschaft, Heft 2/1981, S. 160.
664 Ebd., S. 183.
665 Peter Wapnewski: Rebell im Niemandsland. In: Die Zeit, 8. 7. 1977.
666 Theodor Schieder: Selbstverständnis und Lage der Geschichtswissenschaft heute. In: Universitas, Heft 3/1978, S. 251.
667 Friedrich Schiller: Sämtliche Werke. Aufgrund der Originaldrucke hrsg. von Gerhard Fricke und Herbert G. Göpfert. Band 4. München/Wien 1976, S. 756 ff.
668 Vgl. Hermann Glaser: Maschinenwelt und Alltagsleben. Industriekultur vom Biedermeier bis zur Weimarer Republik. Frankfurt am Main 1981.
669 Lutz Niethammer unter Mitarbeit von Werner Trapp (Hrsg.): Lebenserfahrung und kollektives Gedächtnis. Die Praxis der »Oral History«. Frankfurt am Main 1980, S. 9 f.
670 Thomas Nipperdey: Geschichte als Aufklärung. In: Die Zeit, 22. 2. 1980.
671 Jürgen Kocka: Legende, Aufklärung und Objektivität in der Geschichtswissenschaft. In: Geschichte und Wissenschaft, Heft 6/1980, S. 458 f.
672 Lutz Niethammer: Legende, Aufklärung und Objektivität; a.a.O., S. 7 f.
673 Hannelore Schlaffer: Dem Alltag auf der Spur. Ein neuer Typus der Geschichtsschreibung: die Kulturphysiognomik. In: Frankfurter Allgemeine Zeitung, 13. 7. 1981.
674 Eberhard Straub: Industrielle Massenkultur. In: Frankfurter Allgemeine Zeitung, 7. 7. 1979.
675 Detlev Puls (Hrsg.): Wahrnehmungsformen und Protestverhalten. Studien zur Lage der Unterschichten im 18. und 19. Jahrhundert. Frankfurt am Main 1979.
676 Peter Gstettner: Störungs-Analysen. Zur Reinterpretation entwicklungspsychologisch relevanter Tagebuchaufzeichnungen. In: Dieter Baacke/Th. Schulze (Hrsg.): Aus Geschichten lernen. Zur Einübung pädagogischen Verstehens. München 1979, S. 146.
677 Hartmut von Hentig: Geschichtetes Leben – gelebte Geschichte. In: Frankfurter Allgemeine Zeitung, 1. 9. 1979.
678 Ernst Bloch: Das Prinzip Hoffnung. 3. Band. Frankfurt am Main 1959. S. 1628.
679 Hans-Ulrich Wehler: Wider eine frischfröhlich erzählende Geschichtswissenschaft. In: Frankfurter Rundschau, 22. 8. 1988. Vgl. auch Hans-Ulrich Wehler: Aus der Geschichte lernen? München 1988. Ferner Ursula A. J. Becher/Klaus Bergmann (Hrsg.): Geschichte – Nutzen oder Nachteil für das Leben. Sammelband zum 10jährigen Bestehen der Zeitschrift »Geschichtsdidaktik«. Düsseldorf 1986. Gerhard Paul/Bernhard Schoßig (Hrsg.): Die andere Geschichte. Geschichte von unten. Spurensicherung – Ökologische Geschichte – Geschichtswerkstätten. Köln 1986.
680 Vgl. Sebastian Haffner: Von Bismarck zu Hitler. Ein Rückblick. München 1987. Ferner: Volker Zastrow: Ein Preuße mit britischem Paß. Sebastian Haffner wird achtzig Jahre alt. In: Frankfurter Allgemeine Zeitung, 24. 12. 1987. Günter Gaus: Wo Deutschland liegt. Eine Ortsbestimmung. Hamburg 1983, S. 171 ff.
681 Sarah Kirsch: Rückenwind. Ebenhausen bei München 1977, S. 18, 51.
682 Zit. nach Peter Merseburger: Grenzgänger. Innenansichten der anderen deutschen Republik. München 1988, S. 314.
683 Peter Merseburger: Grenzgänger; a.a.O., S. 314 f.
684 Karl-Heinz Baum: »Alles was ich bin, darf ich nicht sein.« Die Schriftstellerin Monika Maron und ihr langer vorläufiger Abschied von der DDR. In: Frankfurter Rundschau, 4. 6. 1988.
685 In einem Land zu leben, das sich selbst nicht definieren kann. Nachdenken über die Deutsche Frage. Ein Gespräch von Stefan Heym und Günter Grass. In: Frankfurter Rundschau, 7. 9. 1985.
686 Jürgen Habermas/Dieter Henrich: Zwei Reden. Aus Anlaß des Hegel-Preises. Frankfurt am Main 1974, S. 75.
687 Primo Levi: Ist das ein Mensch? Die Atempause. München 1988, S. 359 f.
688 Ralph Giordano: Die zweite Schuld oder Von der Last Deutscher zu sein. Hamburg 1987, S. 11 f.

689 Vgl. Jörg Friedrich: Die kalte Amnestie. NS-Täter in der Bundesrepublik. Frankfurt am Main 1985.

690 Jean Améry: Jenseits von Schuld und Sühne. Bewältigungsversuche eines Überwältigten. München 1966, S. 127. Vgl. auch W. G. Sebald: Mit den Augen des Nachtvogels. In: Frankfurter Rundschau, 3. 1. 1987.

691 Zit. nach Bayern-Kurier, November 1986: Konsequent für Deutschland. Die CSU am 21. und 22. November in München. Eine Dokumentation. Franz Josef Strauß: Mit Mut in die Entscheidung. Heute und morgen – der historische Auftrag der CSU.

692 Vgl. Günter Gaus: Wo Deutschland liegt; a.a.O., S. 275.

693 Lothar Baier: Selig sind die Schuldigen. Wie den Deutschen ihr schlechtes Gewissen zum Vorteil ausschlug. In: Die Zeit, 18. 9. 1987.

694 Jürgen Habermas: Eine Art Schadensabwicklung. Apologetische Tendenzen in der deutschen Zeitgeschichtsschreibung. In: Die Zeit, 11. 7. 1986.

695 Hans-Ulrich Wehler: Entsorgung der deutschen Vergangenheit? Ein polemischer Essay zum »Historikerstreit«. München 1988, S. 211.Ferner: »Historikerstreit«. Die Dokumentation der Kontroverse um die Einzigartigkeit der nationalsozialistischen Judenvernichtung. München/ Zürich 1987. Hilmar Hoffmann (Hrsg.): Gegen den Versuch, Vergangenheit zu verbiegen. Eine Diskussion um politische Kultur in der Bundesrepublik aus Anlaß der Frankfurter Römerberggespräche 1986. Frankfurt am Main 1987. Eike Henning: Zum Historikerstreit. Was heißt und zu welchem Ende studiert man Faschismus? Frankfurt am Main 1988.

696 Richard von Weizsäcker: Zum 40. Jahrestag der Beendigung des Krieges in Europa und der nationalsozialistischen Gewaltherrschaft. Ansprache am 8. Mai 1985 in der Gedenkstunde im Plenarsaal des Deutschen Bundestages. Bonn 1985, S. 1 f. Vgl. auch Rolf Grix/Wilhelm Knöll: Die Rede zum 8. Mai 1945. Oldenburg 1987. Ulrich Gill/Winfried Steffanie (Hrsg.): Eine Rede und ihre Wirkung. Die Rede des Bundespräsidenten Richard von Weizsäcker vom 8. Mai 1985 anläßlich des 40. Jahrestages der Beendigung des Zweiten Weltkrieges. Betroffene nehmen Stellung. Berlin 1986. Ferner Ingelore M. Winter: Unsere Bundespräsidenten. Von Theodor Heuss bis Richard von Weizsäcker. Sechs Porträts. Düsseldorf 1987.

697 Aus der Rede von Bundespräsident Weizsäcker bei der Eröffnung des Deutschen Historikertags in Bamberg: »Es gibt die Versuchung, wegzusehen oder zu vergessen. Auschwitz bleibt ›singulär‹, es geschah im deutschen Namen durch Deutsche. Diese Wahrheit ist unumstößlich.« In: Nürnberger Nachrichten, 13. 10. 1988

698 Dan Diner (Hrsg.): Zivilisationsbruch. Denken nach Auschwitz. Frankfurt am Main 1988, S. 7.

699 Leo Löwenthal; zit. nach: Dan Diner (Hrsg.): Zivilisationsbruch; a.a.O., S. 4.

700 Vgl. Leo Löwenthal: Individuum und Terror. In: Dan Diner (Hrsg.): Zivilisationsbruch; a.a.O., S. 17.

701 Primo Levi: Ist das ein Mensch? Die Atempause; a.a.O., S. 152 f.

702 Zit. nach Detlev Claussen: Nach Auschwitz. Ein Essay über die Aktualität Adornos. In: Dan Diner (Hrsg.): Zivilisationsbruch; a.a.O., S. 57.

703 Theodor Adorno: Minima Moralia. Reflexionen aus dem beschädigten Leben. Frankfurt am Main 1984, S. 65.

704 Zit. nach Detlev Claussen: Nach Auschwitz; a.a.O., S. 60.

705 Theodor W. Adorno: Zum Gedächtnis Eichendorffs. In Noten zur Literatur. Band 1. Frankfurt am Main 1958, S. 105.

706 Otto K. Werckmeister: Zitadellenkultur. Die schöne Kunst des Untergangs in der Kultur der achtziger Jahre. München 1989, S. 22, 18.

707 Karl Heinz Bohrer: Vorspann zu Merkur, Heft 490/1989, S. 1037.

708 Günter Grass: Kurze Rede eines vaterlandslosen Gesellen. In: Die Zeit, 9. 2. 1990.

709 Vgl. Elisabeth Bauschmid: Der deutsche Zug. Augstein contra Grass. In: Süddeutsche Zeitung, 16. 2. 1990.

710 Walter Boehlich: Deutschland erwacht. In: Der Spiegel, Nr. 11/1990, S. 34.

711 Günter de Bruyn: So viele Länder, Ströme und Sitten. Geschichte und künftige Möglichkeiten einer deutschen Kulturnation. In: Frankfurter Allgemeine Zeitung, 3. 1. 1990.

712 Jetzt geht es nur noch um die Qualität der Literatur. Ein Gespräch mit Heiner Müller über die

Entwicklung der Kultur in der DDR. In: Frankfurter Rundschau, 12. 12. 1989.

713 Vgl. Christa Wolf: Erklärung im Deutschen Theater. In: Frankfurter Allgemeine Zeitung, 7. 11. 1989.

714 Christiane Reymann. In Detlev Albers / Frank Deppe / Michael Stamm: Fernaufklärung. Köln 1989. Zit. nach Frankfurter Rundschau: Für manche Linke bricht ein Haus aus Selbsttäuschungen zusammen. Der demokratische Umbau in der Sowjetunion löst auch in der Bundesrepublik Diskussionen um linkes Selbstverständnis aus. 21. 10. 1989.

715 Vgl. Jens Jessen: Der Druck der Straße. Deutsche Marxisten auf einem Peter-Weiss-Kongress. In: Frankfurter Allgemeine Zeitung, Jgh. 1990.

716 Vgl. Walter Janka: Schwierigkeiten mit der Wahrheit. Reinbek 1989
Matthias Rüb: Furcht, Hoffnung und der Einheitsstaat. Nachdenken über die Lehren der Geschichte und der Gegenwart: Eine deutsche Szene in Tutzing. In: Frankfurter Allgemeine Zeitung, 6. 2. 1990.

Zeittafel

1967

»Sechs-Tage-Krieg« zwischen Israel und arabischen Staaten. Der amerikanische Präsident Lyndon B. Johnson trifft mit dem sowjetischen Ministerpräsidenten Alexej Kossygin in den USA zusammen.

Gründung der Kommune I in Berlin: Erste Zusammenkunft von Vertretern des Staates, der Tarifpartner und der Wissenschaft zu der von Bundeswirtschaftsminister Karl Schiller angeregten »Konzertierten Aktion«. Heinrich Albertz wird wieder Regierender Bürgermeister von Berlin. Es sterben Konrad Adenauer und Fritz Erler (Vorsitzender der SPD-Bundestagsfraktion). Besuch des iranischen Schahs Mohammed Resa Pahlawi in der Bundesrepublik und in Berlin; daraufhin Protestdemonstrationen, bei denen in Berlin der Student Benno Ohnesorg von einem Kriminalbeamten erschossen wird.

Für fünf Jahre wird Bremen zu einem Zentrum deutschen Theaterlebens: Kurt Hübner wechselt als Intendant des Stadttheaters Ulm in die Hansestadt; er verpflichtet u. a. Peter Zadek als Regisseur und Wilfried Minks als Bühnenbildner. »Kurt Hübner hat mehr in Bewegung gesetzt als jeder andere Theatermann im Deutschland der Nachkriegsjahre, in Ulm und Bremen hat er uns Theater neu sehen gelehrt, mit ihm begann die Ära der wichtigen Regisseure und Schauspieler, eines Stils, der mit den eingeschliffenen Vorstellungen der ersten Nachkriegsjahre (die in vielem eine Fortsetzung füherer Zeiten waren, gewiß von keiner ›Stunde Null‹ ausgingen), radikal brach.« (Roland H. Wiegenstein)

In den Münchner Kammerspielen werden Martin Sperrs *Landshuter Erzählungen* aufgeführt, der zweite Teil einer Trilogie, die an zwei mittelständischen Bauunternehmen die gesellschaftlich bedenkliche Entwicklung in der Bundesrepublik der Endfünfziger Jahre, verbunden mit einer Romeo-und-Julia-Geschichte, aufzeigt. Peter Stein reüssiert als Regisseur mit Edward Bonds *Gerettet* (in einer Münchner Vorstadt-Dialektfassung). Fritz Kortner inszeniert Martin Walsers gesellschaftskritisches Drama *Die Zimmerschlacht*. An der Freien Volksbühne in Berlin bringt Hans Schweikart Rolf Hochhuths *Soldaten* heraus.

Das vom Bundestag verabschiedete Filmförderungsgesetz will die Qualität des deutschen Films auf breiter Grundlage steigern; May Spils Erstlingsfilm *Zur Sache, Schätzchen* stellt einen Gammlertyp aus Schwabing in den Mittelpunkt.

1968

In Westberlin wird die neue Nationalgalerie nach einemEntwurf von Ludwig Mies van der Rohe eröffnet. In Ulm muß die Hochschule für Gestaltung wegen Streichung des Bundeszuschusses von 200 000 DM ihre selbständige Existenz aufgeben.

Unter der Regie von Peter Zadek wird Tankred Dorsts Stück *Toller*, das sich mit der Beteiligung des expressionistischen Dichters an der Münchner Räterepublik von 1919 beschäftigt, im Württemberger Staatstheater aufgeführt. Peter Handkes *Kaspar* erlebt seine Uraufführung am Frankfurter Theater am Turm u. in Oberhausen. Unter Verwendung pantomimischer Effekte wird die Geschichte eines Namen- und Sprachlosen erzählt, der langsam zur Sprache findet, aber dann, umstellt von gesellschaftlichen Sprachmechanismen, dem Echo vieler Kaspars, wieder ins Namenlose (nun »sprechender Anonymität«) zurückfällt. Die Identität ist nicht gefunden. »Ich: bin: nur: zufällig: ich.«

Das Hippie-Musical *Hair* wird ein halbes Jahr nach der New Yorker Weltpremiere in München gezeigt. Bei der Aufführung von Hans Werner Henzes Oratorium *Das Floß der Medusa* kommt es zu einem Skandal; als Studenten eine rote Fahne enthüllen, weigert sich der Chor zu singen.

Beginn der Tet-Offensive in Südvietnam. Militärische Intervention der Sowjetunion in der Tschechoslowakei. Das bemannte Raumschiff »Apollo 8« umkreist erstmalig den Mond. Höhepunkt der vorwiegend studentischen Mai-Unruhen in Paris. Brandanschläge auf zwei Frankfurter Kaufhäuser. Der SDS-Führer Rudi Dutschke wird bei einem Anschlag schwer verletzt.

1969

Richard M. Nixon neuer Präsident der USA. Rücktritt Charles de Gaulles, des Präsidenten der französischen Republik; Nachfolger Georges Pompidou. Erste Mondlandung durch die amerikanischen Astronauten Armstrong und Aldrin.

In Berlin wird Gustav Heinemann (SPD) von der Bundesversammlung zum neuen Bundespräsidenten gewählt. Nach den Wahlen zum 6. Deutschen Bundestag kommt es zu einer Koalition zwischen SPD und FDP; Willy Brandt wird neuer Bundeskanzler.

Der 1914 in Budapest geborene Regisseur George Tabori kommt nach vierzig Jahren der Emigration in die Bundesrepublik und inszeniert am Schiller-Theater in Berlin sein Stück *Die Kannibalen*. 1975 gründet er in Bremen ein Theater-Labor; später arbeitet er an den Münchner Kammerspielen und unter Claus Peymann in Bochum. 1987 übernimmt er in Wien ein kleines Theater, für das er den »theologischen Schwank« *Mein Kampf* schreibt und inszeniert: über eine fiktive Begegnung von Theodor Herzl mit Adolf Hitler im Wiener Männerasyl. »Über seinen Weg zu der Erkenntnis, daß die Kunst alles darf, ›besonders im Theater, wo das Undenkbare gedacht, das Unsagbare gesagt wird‹, hat Tabori in Texten Auskunft gegeben, die einem unter die Haut gehen, weil sie das ›Undenkbare‹ und ›Unsagbare‹ in unserer Zeit, die Verwandlung von Menschen in Unmenschen, mit der gleichen Selbstverständlichkeit gestalten oder wortlos einbeziehen, mit der Kafka diese Wirklichkeit in seiner ›Strafkolonie‹ vorwegnahm.« (Erwin Leiser)

Bei der konstituierenden Sitzung des Verbandes Deutscher Schriftsteller (VS) hält Heinrich Böll eine Rede, in der er angesichts der schlechten sozialen Lage der Schriftsteller das »Ende der Bescheidenheit« verkündet. Der Roman *Nachdenken über Christa T.* der DDR-Autorin Christa Wolf handelt von einer Frau, die an Leukämie stirbt; der Arzt stellt fest: »Todeswunsch als Krankheit, Neurose als mangelnde Anpassungsfähigkeit an gegebene Umstände.« Aus ihren Aufzeichnungen, aus Mitteilungen von Bekannten geht hervor, daß sie »anders als andere«, »wirklichkeitsfremd«, »unzeitgemäß«, »ein bißchen anfällig für Überirdisches« gewesen war. SED-Kreise kritisieren den Roman, da er zu individualistisch ausgerichtet sei.

In Basel stirbt der Philosoph Karl Jaspers, in Frankfurt Theodor W. Adorno. Rainer Werner Fassbinder präsentiert bei den Mannheimer Filmwochen seinen zweiten Film *Katzelmacher*. Premiere des Films *Die Artisten in der Zirkuskuppel: ratlos* von Alexander Kluge. Der Sänger Heintje erfreut sich besonderer Beliebtheit.

1970

Für auswärtige Kulturpolitik wird eine Enquête-Kommission eingesetzt. Bundeskanzler Brandt und der Vorsitzende des Ministerrats der DDR, Willi Stoph, treffen sich in Erfurt und dann in Kassel zu Gesprächen über die Beziehungen der beiden deutschen Staaten. Verwaltungsabkommen über die Einrichtung einer Bund-Länder-Kommission für Bildungsplanung. Unterzeichnung des deutsch-sowjetischen Vertrags. Unterzeichnung des deutsch-polnischen Vertrags (Warschauer Vertrag).

Die Stadt Hannover startet eine »Aktion der Straßenkunst«, die bis 1973 dauert. »Es soll versucht werden, das Lebensgefühl in einem zunächst begrenzten Stadtbereich durch intensive Einbeziehung von Kunstwerken und Kunstaktionen in den öffentlichen Straßenraum zu verändern und zu steigern. Es soll ferner festgestellt werden, ob die in ihrer Mehrheit im Umgang mit moderner Kunst ungewohnten Bürger und Besucher der Stadt nach Ablauf des Programms die dauernde Einbeziehung von Kunstwerken und -ereignissen in den öffentlichen Stadtbereich als zusätzliche Erlebnisdimension befürworten oder ablehnen.« (Oberstadtdirektor Martin Neuffer)

Hans Magnus Enzensbergers Dokumentarspiel *Das Verhör von Habana* (über Aussagen der Soldaten, die bei der von der CIA geplanten Schweinebucht-Invasion auf Kuba beteiligt waren) wird beim »jungen Forum« in Recklinghausen uraufgeführt. Dieter Forte demontiert mit seinem Stück *Martin Luther & Thomas Münzner oder Die Einführung der Buchhaltung* die Lutherlegende.

Beim Orgien-Mysterien-Theater des Hermann Nitsch werden notgeschlachtete Lämmer unter rythmischen Schreien zerfetzt, »um eine regression in richtung zu frühzuständen des menschlichen« zu erreichen.

Rosa von Praunheim wendet sich mit dem Film *Nicht der Homosexuelle ist pervers, sondern die Situation, in der er lebt* gegen bürgerliche Heuchelei. »Die Strömungen, die in den siebziger Jahren gegen die ›verkopfte‹ Linke eine ›neue Sinnlichkeit‹ entdeckt zu haben meinten, erkoren Rosa zu einem ihrer Propheten. Aber für die Seichtigkeiten dieses neuen Vitalismus, für die aufgewärmte Anthroposophie in den Köpfen der ›Softies‹ und Bauch-Apologeten ist er nicht verantwortlich zu machen. In Praunheims Reich der Sinne lauern Abgründe. Die Sprache der Körper, die in seinen Filmen agieren, ist eine verzerrte, rauhe Sprache, von Schreien aufgerissen, in Gestammel und Wimmern übergehend.« (Klaus Kreimeier)

Es erscheinen von Peter Handke: *Die Angst des Torwarts beim Elfmeter,* von Uwe Johnson: *Jahrestage. Aus dem Leben der Gesine Cressphal* (1. Band), von Arno Schmidt: *Zettels Traum.*

1971

In Nürnberg wird der 500. Geburtstag Albrecht Dürers gefeiert – mit einer großen Gedächtnisausstellung im Germanischen Nationalmuseum und der zweiten Nürnberger Biennale zeitgenössischer Kunst, die unter dem Motto »Was die Schönheit sei, das weiß ich nicht« Dürer gewidmet ist. Klaus Staeck versieht einen Plakataufdruck von Dürers *Mutter* mit der Unterschrift: »Würden Sie dieser Frau ein Zimmer vermieten?«

In Frankfurt wird aufgrund einer Initiative des Kulturdezernenten Hilmar Hoffmann das erste kommunale Kino der Bundesrepublik eröffnet; 150 solcher Einrichtungen folgen in den nächsten Jahren.

Unter der Regie von Peter Palitzsch wird in Stuttgart *Hölderlin* von Peter Weiss uraufgeführt.

Heinrich Bölls Roman *Gruppenbild mit Dame* handelt von der Tochter eines Kölner Bauunternehmers, die sich nicht anpassen will. Während des Krieges Hilfskraft in einer Friedhofsgärtnerei, verliebte sie sich in einen russischen Gefangenen, weshalb sie als Kommunisten-Hure verfolgt wurde; Jahre darauf, in der Demokratie, befreundet sie sich mit einem türkischen Gastarbeiter und begegnet den gleichen Aversionen und Vorurteilen.

15 Filmemacher gründen den Filmverlag der Autoren, darunter Hans W. Geissendörfer, Peter Lilienthal, Thomas Schamoni, Wim Wenders, Rainer Werner Fassbinder.

Das Bundesausbildungsgesetz (Bafög) tritt in Kraft. Friedensnobelpreis für Willy Brandt. Es stirbt Nikita Chruschtschow (bis 1964 Erster Sekretär des ZK und Ministerpräsident der UdSSR, dann aller Ämter enthoben).

Die Regierungschefs von Bund und Ländern verabschieden in einer Konferenz unter Leitung von Bundeskanzler Willy Brandt die »Grundsätze über die Mitgliedschaft von Beamten in extremen Organisationen« (»Extremisten-Beschluß«). Das von der CDU/CSU-Fraktion gegen Bundeskanzler Willy Brandt beantragte Konstruktive Mißtrauensvotum verfehlt die notwendige absolute Mehrheit um zwei Stimmen. Bombenanschlag auf das Springer-Hochhaus in Hamburg. Festnahme von führenden Mitgliedern der RAF (Andreas Baader, Jan-Carl Raspe, Gudrun Ensslin, Ulrike Meinhof). Die Terrororganisation »Schwarzer September« überfällt die israelische Mannschaft bei den Olympischen Spielen in München. Grundlagenvertrag zwischen der Bundesrepublik Deutschland und der DDR. Ausweitung der US-Luftangriffe auf Ziele in Nord-Vietnam.

Otl Aicher entwickelt 155 Piktogramme für das Olympiagelände in München. Als späte Nachfahren beispielsweise ägyptischer Hieroglyphen sind Aichers Bildsymbole »durch ihre funktionale und ästhetische Gestaltung nicht allein Zeichen der Verbindung von Zweckmäßigkeit und Stil; auf der Grundlage der Allgemeinverständlichkeit abstrahierend dargestellter Gegenstände und Situationen, enthalten die Piktogramme zugleich die Vorstellung einer die Sprachgrenzen überwindenden visuellen Kommunikation.« (Ekkehard Böhm) Peter Rühmkorf veröffentlicht *Die Jahre, die ihr kennt*; Max Frisch sein *Tagebuch 1966-1971*. Von Günter Grass erscheint *Aus dem Tagebuch einer Schnecke*; von Walter Kempowski (nach *Tadellöser & Wolf*) der zweite Band seiner Familienbiographie *Uns geht's ja noch gold*. Peter Handkes *Wunschloses Unglück* rekonstruiert autobiographisch-sozialkritisch die Lebensgeschichte seiner Mutter, die sich aus den Zwängen eines bäuerlichen Lebens nicht befreien kann. Auf dem Theater zeichnet sich eine neue Entwicklung ab: In Zusammenhang mit der Wiederentdeckung der Stücke von Marieluise Fleißer und Ödön von Horváth kommen in zunehmendem Maße Dialektstücke von Martin Sperr und Franz Xaver Kroetz auf die Bühne. Bei der Uraufführung von *Stallerhof* (Kroetz) im Malersaal des Deutschen Schauspielhauses Hamburg spielt Eva Mattes die Rolle der debilen Bauerntochter, die sich in einen alternden Knecht verliebt; ihre Liebe scheitert an der Inhumanität und Brutalität ihrer Umgebung. Kroetz hat »am tiefsten gegraben, und ich glaube, er hat am meisten gefunden und es um und um gedreht. Er hat das Eigentliche ›erkannt‹. Ich habe nachhaltig auf ihn gewirkt und bis ins Unterschwellige hinein. Das ist ein Vorgang, der mich beglückt. Ich sehe, daß hier was weitergeht von innen heraus.« (Marieluise Fleißer)

Heinrich Böll erhält den Nobelpreis für Literatur. In einem Spiegel-Essay fragt Joachim Fest: »Wozu das Theater?«; dieses sei Denkmal einer Schein-Kultur, das sich zudem von seinem Publikum entfremdet habe. Von den ohnehin nur rund neun Prozent der Bevölkerung, die als Theater-Besucher gelten, hätte in den zurückliegenden fünf Jahren jeder zehnte sein Interesse verloren; anhänglich bliebe vor allem das ältere bürgerliche Publikum, teils aus unverwüstlicher Neigung, teils aus Statusgründen. »Stirnrunzelnd, mit apathischer Geduld, verfolgt es die Spielpläne und das fremdartige Geschehen auf der Bühne. Sein Applaus ist eine Regung bürgerlicher Höflichkeit und hebt die stille Resistenz nicht auf, die es übt. Eine Umfrage in Frankfurt ergab, daß nur ein Prozent des Publikums die Werke einheimischer Zeitgenossen wie Grass, Handke oder Hochhuth sehen will.« Die abhanden gekommene Funktion des Theaters werde auch durch zunehmende Moralisierung der Bühne vertuscht; das Vergnügen sei verpönt, die Moral führe einen kalten Krieg gegen das Publikum. Wer könne heute noch eine Vorstellung verlassen, ohne allerlei einfältige Kalenderweisheiten als Wegzehrung zu erhalten: »Krieg ist schlimm!«, »Geld regiert die Welt!«, »Der kleine Mann zahlt immer«, oder knapp, in der Sentenz eines Stückes von Wolfgang Bauer: »Die Wölt is nämlich unhamlich schiach«. Weil das Theater in der bestehenden Form seinem Wesen nach eine bürgerliche Institution sei, »sind alle Anstalten gescheitert, die Jugend oder die Arbeiterschaft dafür zu gewinnen; die einen verwies der antibürgerliche Generationsaffekt auf theaterfremde Wege, die anderen blieben stets indolent gegenüber der bürgerlichen Kultur. Die Volksbühnenidee war ebenso ein Fehlschlag wie die Ruhrfestspiele oder Weskers ›Centre 42‹, das mit Unterstützung der englischen Gewerkschaften Arbeiterfestspiele in allen größeren Industriestädten organisierte und in gewaltigem Katzenjammer endete. Die Arbeiter, die einst schon ›Die lustige Witwe‹ den ›Webern‹ vorzogen, verzichten noch immer nicht auf den ›Zigeunerbaron‹ zugunsten eines Popanz aus Lusitanien oder sonstwoher. In Hildesheim plante der Intendant vor einiger Zeit Sondervorstellungen für Arbeiter und Angestellte. Aus 23, teilweise großen Betrieben meldeten sich 163 Interessenten, von 28 Betriebsratsvorsitzenden machten sechs von dem Angebot Gebrauch.« Vor solchem Hintergrund gewinne die Problematik der Subventionen einen neuen, schärferen Akzent; es erhebe sich die Frage, ob die Gesellschaft eine Institution stützen solle, die ihr weitgehend entfremdet sei, wobei sie freilich diese Fremdheit in eine besondere aufklärerische Sendung umstilisiere; mit dem Ende der bürgerlichen Ära, das die fortschrittlichen Theaterleute so lärmend proklamierten, sei auch das des bürgerlichen Theaters gekommen. »Man muß Abschied nehmen . . . Theater muß nicht sein.«

1973

Die Jahresheft von *Theater heute* erscheint unter dem Haupttitel *Ende der Krise: Der Theaterbesuch nimmt zu*. Siegfried Melchinger stellt fest, daß die erkennbare »Gegenwärtigkeit des Mythischen« für das Phänomen und die Existenz von Theater geradezu sinngebende Bedeutung habe. Zielgruppentheater erweise sich als Irrweg. »Es spricht, denke ich, für die ungebrochene Vitalität des Theaters, daß sich solche Entwicklungen einstellen, ohne daß dabei theoretische Postulate im Spiel wären. Sie ergeben sich gleichsam von selbst: aus der Praxis. Hinterher mag man dann darüber spekulieren. So zeichnen sich jetzt Symptome ab für eine neue Virulenz der Thematik Psychologie. Was bisher als ›privatistisch‹ diskreditiert war, drängt sich wieder vor, wenn auch in oft bizarren Verrenkungen: das Verhältnis der Geschlechter etwa, und zwar nicht mehr nur in der brutalisierten und meist infantilen Form der Provokation durch nackten Sex, sondern in den differenzierten und hintergründigen Perspektiven, in denen es ein Ibsen gesehen und dargestellt hat. Eine Bühne – Kassel – hat einen Ibsen-Zyklus begonnen. In Frankfurt hatte Hans Neuenfels spektakuläre Erfolge mit Ibsen-Inszenierungen. Wenn ich höre, daß sich eine Bühne vornimmt, das neunzehnte Jahrhundert kritisch zu behandeln, so frage ich mich, ob dabei das Thema noch mehr gereizt hat als die Kritik, einfach weil es die Möglichkeit bietet, ›privatistische‹ Probleme wieder auf die Bühne zu bringen.«

Unter Hinweis auf Klaus Michael Grüber, Hansgünther Heyme, Hans Hollmann, Hans Neuenfels, Peter Zadek, spricht Peter Iden von einem »Theater der Regisseure«. Er stellt fest, daß das Agitationstheater nichts erbracht habe und die Bühne sich wieder als Phantasieraum verstehe. Ein Theater der »eigenen Sehweise« könnte ein »Theater der neuen Aussichten werden: Aussichten öffnend«. Wo die Bühne abrücke von verbindlichen und verbindlich verantwortbaren Auskünften an ihr Publikum, bewege sie auf dieses sich im Gegenteil zu, handle sie in seinem Interesse.

Theater heute kommt zu dem Ergebnis, daß die Schaubühne am Halleschen Ufer in Berlin die qualitative Spitze des deutschen Theaters darstelle; den Gruppe um die Regisseure Peter Stein und Claus Peymann, mit Dieter Sturm als Dramaturg, den Schauspielerinnen und Schauspielern Edith Clever, Jutta Lampe, Bruno Ganz, Michael König, Werner Rehm und anderen, habe sich gefestigt und zusammengelebt.

Den Georg-Büchner-Preis der Deutschen Akademie für Sprache und Dichtung, der 1968 an Golo Mann, 1969 an Helmut Heißenbüttel, 1970 an Thomas Bernhard, 1971 an Uwe Johnson, 1972 an Elias Canetti verliehen worden war, erhält Peter Handke. Der Dichter, der bislang vor allem mit provokanten experimentellen Arbeiten hervorgetreten war (*Publikumsbeschimpfung*, 1966), hat eine Rückkehr zum Erzählen und neuer Subjektivität vollzogen. Vor allem nach der Veröffentlichung von *Wunschloses Unglück* (1972) ist eine auffällige Wende im Verhalten der Kritiker festzustellen. Diese beruht nicht allein auf einer von der Kritik konstatierten Öffnung Handkes zu einer realistischen Schreibweise, sondern zugleich auf einem Paradigmenwechsel in der Literatur. Rolf Michaelis' Bemerkung im *Stern* vom Oktober 1974, »Nun dichten sie wieder«, trifft diese Situation. »Dabei kann der literarische Wandel der Paradigmen unterschiedlich bewertet werden. Er ist sicher zu einem guten Teil aus einer Enttäuschung jener Hoffnungen zu erklären, welche die Studentenbewegung von 1968 auslöste. Er beruht aber andererseits darauf, daß in Handkes Stücken und Texten zunehmend eine utopische Dimension, der Modellcharakter von Kunst, erkannt und gewürdigt wird.« (Rolf Günter Renner)

Die USA stellen alle Kriegshandlungen gegen Nord-Vietnam ein; wenig später Abkommen über die Beendigung des Krieges und die Wiederherstellung des Friedens in Vietnam, von den USA und Nord-Vietnam paraphiert. Die Bundesrepublik wird in die Vereinten Nationen aufgenommen.

1974

Rücktritt des amerikanischen Präsidenten Richard M. Nixon wegen der »Watergate-Affäre« (Vertuschung der Beteiligung einiger seiner Mitarbeiter an einem Einbruch im Hauptquartier der Demokratischen Partei während des Wahlkampfes 1972).

Bundeskanzler Brandt erklärt wegen »Enttarnung« seines Mitarbeiters Günter Guillaume als DDR-Spion seinen Rücktritt; Helmut Schmidt wird Bundeskanzler. Walter Scheel zum Bundespräsidenten gewählt.

Heinrich Bölls *Die verlorene Ehre der Katharina Blum* handelt von einer Frau, die einen vermutlichen Terroristen beherbergt hat und deshalb in die Fänge der Boulevard-Presse gerät. Abgestempelt als »Mörderbraut« und »Kommunistensau« erschießt sie den ihr nachstellenden Reporter; dadurch hat sie endgültig ihre Ehre verloren, »weil nicht nur die ZEITUNG, auch andere Zeitungen tatsächlich den Mord an einem Journalisten als etwas besonders Schlimmes, Schreckliches, fast Feierliches . . . behandelten«. (1975 verfilmt von Volker Schlöndorff und Margarethe von Trotta mit Angela Winkler in der Hauptrolle.)

Joseph Beuys reist (zum zweiten Mal) in die Vereinigten Staaten; in New York läßt er sich, ganz in Filz gewickelt (den Blick auf Amerika »verstellt«), im Krankenwagen in eine Galerie transportieren, wo er, schamanistisch, in einem Raum eine Woche lang Tag und Nacht mit einem Kojoten verbringt. Wieder in Filz gehüllt, wird er zum Flugzeug zurückgebracht.

1975

Einheiten des Viet-Kong besetzen Saigon; die Macht geht auf eine provisorische Revolutionsregierung über. Tod des spanischen Staatschefs Francisco Franco.

Kernkraftgegner besetzen das Baugelände des geplanten Kernkraftwerkes Wyhl. Entführung des Vorsitzenden der Berliner CDU durch Terroristen der »Bewegung 2. Juni«; er wird nach Erfüllung der gestellten Bedingungen wieder freigelassen. In Stuttgart beginnt der Baader-Meinhof-Prozeß.

Mit dem Dokumentarfilm *Winifred Wagner und die Geschichte des Hauses Wahnfried von 1914-1975* leitet Hans-Jürgen Syberberg eine neue Phase der Hitlerforschung ein. »Nach der ersten Verdrängung und der folgenden kühlen Historikeranalyse folgt nun der neugierige Blick auf den Privatmann, auf den Brandstifter als Biedermann. ›Was ins Dunkel geht bei ihm ‹, so sagt Winifred Wagner, ›ich weiß, daß es existiert – aber für mich existiert es nicht.‹ Es ist die bezeichnende Sprachregelung jenes unseligen Zeitgeistes, der nicht nur in Bayreuth zu Hause war.« (Ekkehard Böhm)

Der Film *Falsche Bewegung* von Wim Wenders mit Hanna Schygulla und Rüdiger Vogeler, Drehbuch von Peter Handke (frei nach Goethes *Wilhelm Meisters Lehrjahre*), beschäftigt sich mit der hoffnungslosen Jugend im Deutschland der siebziger Jahre.

Unter der Regie von Niels-Peter Rudolf erfolgt am Württembergischen Staatstheater die Uraufführung von Botho Strauß' *Bekannte Gesichter, gemischte Gefühle*. Peter Stein inszeniert an der Schaubühne *Die Sommergäste* (nach Gorki, in einer Fassung von Peter Stein und Botho Strauß). »Die Form ist zugleich der Inhalt; diese klassische ästhetische Formel ist in ihrer Konsequenz, in ihrer gleichzeitigen Einfachheit und Schönheit kaum je derart sinnfällig auf dem gegenwärtigen Theater realisiert worden.« (Volker Canaris)

Tod des Vorsitzenden der Kommunistischen Partei Chinas, Mao Tse-Tung. Jimmy Carter wird Präsident der USA. Ulrike Meinhof begeht in ihrer Gefängniszelle in Stuttgart-Stammheim Selbstmord. Helmut Schmidt erneut Bundeskanzler einer SPD-FDP-Koalition.

Zur Biennale in Venedig veranstaltet der »Macher« H. A. Schult eine inoffizielle Aktion: Die 15 000 Quadratmeter zu Füßen des Campanile bedeckt er mit 15 Tonnen Zeitungspapier, die er mit 64 Helfern zerknüllt hat.

Dem Liedermacher Wolf Biermann wird während einer Tournee durch die Bundesrepublik »das Recht auf weiteren Aufenthalt in der DDR entzogen«. Rückblickend auf das Jahrzehnt nach der Biermann-Ausbürgerung schreibt Bernd Wagner, der 1986 von Ost- nach Westberlin übersiedelte, daß die Kluft zwischen den Deutschen beiderseits der Grenze in dem Maße wuchs, wie sich die Regierungen zu Tauschgeschäften bereitfanden. »Von der zunehmenden Unkenntnis und Ignoranz sind gerade die Intellektuellen nicht ausgeschlossen. Der nicht abreißende Zustrom von Schriftstellern, Malern, Theater- und Filmleuten mag den Eindruck erwecken, daß alle wichtigen kreativen Kräfte letztlich doch den Weg in den Westen finden, daß dieses merkwürdige Monstrum DDR nur noch Niemandsland ist, das dazu da ist, Talente zuzuliefern, die sich dann hier zu beweisen haben. Ein leergesaugtes Vakuum, das überraschenderweise immer noch etwas hergibt.

Das war nicht immer so. Solange die meisten Deutschen durch eine gemeinsame Vergangenheit verbunden waren, gab es auch tiefere Kontakte zwischen den Künstlern. Besonders Berlin war trotz Mauerbau noch lange der Ort, an dem Ideen und Erfahrungen aus beiden Systemen aufeinandertrafen. Bobrowski und seine Freunde fühlten sich eng verbunden mit dem Kreuzberger Dichterkreis um Günter Bruno Fuchs und Robert Wolfgang Schnell. Noch in den 70er Jahren trafen sich Grass, Buch, Born oder Delius mit ihren Ost-Berliner Kollegen zu Lesungen und Gesprächen in deren Wohnungen. Von diesem kontinuierlichen Austausch ist kaum etwas übriggeblieben. Wenn heute jemand aus der literarischen Welt des Westens im Ostteil der Stadt auftaucht, ist er entweder Textjäger auf der Suche nach Anthologiebeiträgen oder ein Vertreter der Journaille, der, von immer gleichen Quellen gespeist, das immer gleiche Bild der Prenzlauer Berg-Untergrundszene kolportiert.«

Es erscheinen von Jean Améry: *Hand an sich legen* (der Schriftsteller und Publizist begeht 1978 Selbstmord); von Peter Härtling: *Hölderlin*; von Peter Handke: *Die linkshändige Frau*; von Elisabeth Plessen: *Mitteilungen an den Adel*.

In Bayreuth inszeniert Patrice Chéreau Wagners *Ring des Nibelungen* (musikalische Leitung Pierre Boulez). Wagners Wahn-Welt wird in die Gründerzeit versetzt und damit ins Moderne »übersetzt«. Die im Gesamtkunstwerk »aufgehobene« Ambivalenz von Mythos und Modernität, die Einheit von Urzeit und Epochenzeit, stellt die kulturelle Leistung dieser Opernfolge dar. Wotan agiert meist in Weste und Gehrock, zuweilen in purpurnem Samt, bald im Göttermantel, bald im Schlafrock.

1977

In *Trilogie des Wiedersehens*, Uraufführung am Hamburger Schauspielhaus unter der Regie von Dieter Giesing, karikiert Botho Strauß den Kunst- und Kulturbetrieb.

In Klagenfurt wird der Wettbewerb um den Ingeborg-Bachmann-Preis eingerichtet. Der Show-Charakter der Veranstaltung ruft alljährlich Kritik hervor. Der Bachmann-Preis, so Marcel Reich-Ranicki, unterscheide sich von allen anderen Preisen und allen anderen ähnlichen Wettbewerben durch eine in Deutschland nie dagewesene Transparenz der Urteilsfindung und der Wertung. »Er stellt die einmalige Möglichkeit im literarischen Leben deutschsprachiger Länder dar, mitzuerleben (im Saal oder am Bildschirm), wie sich die Beurteilung kristallisiert, wie in der Diskussion ein Urteil über den gelesenen Text entsteht.«

Eine Reihe wichtiger Autoren werden durch den Bachmann-Wettbewerb bekannt bzw. bekannter: darunter Jurek Becker, Horst Bienek, Hermann Burger, Herbert Eisenreich, Ludwig Fels, Hans J. Fröhlich, Gert Hofmann, Gert Friedrich Jonke, Ursula Krechel, Brigitte Kronauer, Erich Loest, Gerhard Meier, Sten Nadolny, Ulrich Plenzdorf, Friederike Roth, Einar Schleef, Rolf Schneider, Guntram Vesper.

Der Vorsitzende der Stuttgarter CDU-Fraktion und spätere Ministerpräsident Lothar Späth fordert die sofortige Entlassung des Schauspieldirektor Claus Peymann; dieser hatte einen Bittbrief der Mutter von Gudrun Ensslin, in dem sie um finanzielle Unterstützung für eine kostspielige Zahnbehandlung ihrer in Stammheim einsitzenden Tochter bat, am Schwarzen Brett im Theater aufgehängt und selbst 100 DM gespendet.

Im Jahresheft von *Theater heute* spricht Benjamin Henrichs davon, daß sich das Regisseur-Theater verändere; gerade die angeblichen Regie-Monomanen hätten immer weniger Lust, monomanisch Regie zu führen; die Zeit der Regie-Despoten und des Despotismus von Regie-Konzeptionen gehe zu Ende; die Arbeit, vor allem die Phantasiearbeit des Schauspielers, werde wieder wichtiger. »Die Mitbestimmung kommt ein Stück voran: nicht in Vollversammlungen und Beiräten, sondern auf der Bühne selbst – die Probenarbeit verändert sich und mit ihr verändern sich die Produkte.« Als Kronzeugen zitiert Henrichs die Regisseure Peter Zadek, Peter Stein, Klaus Michael Grüber und als zunehmend bekannt werdende Neulinge Augusto Fernandez und Luc Bondy.

Michael Gielen übernimmt die künstlerische Leitung der Frankfurter Oper, die sich für zehn Jahre zu einem Zentrum progressiven Musiktheaters entwickelt. Aufgebaut und exemplarisch ausgestaltet wurde etwas, »was es noch niemals gab und schwerlich noch einmal so rasch in gleicher Kraft und Wucht wieder geben wird: entschiedene Befragung der Werke aus dem Geist der (auch philosophisch gegründeten) Aufklärung, der Tugenden der Moderne sowie der Leidenschaft und dem Perfektionsstreben kompromißloser Künstlerschaft.« (Hans-Klaus Jungheinrich)

Ruth Berghaus (als Regisseurin enfant terrible, »nicht unter Kontrolle zu bringen«, in ihrer DDR Heimat deshalb umstritten) inszeniert unter anderem die *Zauberflöte*, den *Parsifal* und den *Ring*. Mit dem *Ring* gelingt Gielen, was seinen Vorgängern, Peter Mußbach in Frankfurt, Stein/Grüber in Paris, Heyme in Nürnberg, Hollmann in Basel, auch der Berghaus in Ost-Berlin, versagt geblieben war: die Vollendung des Zyklus. Bei der Verleihung des Frankfurter Theodor W. Adorno-Preises an Gielen, 1986, hält Hans Neuenfels die Laudatio; als bedeutender Schauspiel-Regisseur hat er mit synästhetisch eindrucksvollen Inszenierungen wesentlich dazu beigetragen, daß die Oper revitalisiert wurde: *Troubadour* in Nürnberg, 1974: *Aida* in Frankfurt 1981: *Rigoletto* in Berlin 1986 – jeweils mit großen Theaterskandalen verbunden. In seiner Danksagung faßte Gielen seine künstlerischen Intentionen mit einem Adorno-Wort zusammen: »Das Neue als Kryptogramm ist das Bild des Untergangs; nur durch dessen absolute Negativität spricht Kunst das Unaussprechliche aus, die Utopie. In jenem Bild versammeln sich all die Stigmata des Abstoßenden und Abscheulichen in der neuen Kunst. Durch unversöhnliche Absage an den Schein von Versöhnung hält sie diese fest inmitten des Unversöhnten, richtiges Bewußtsein einer Epoche, darin die reale Möglichkeit von Utopie – daß die Erde, nach dem Stand der Produktivität, jetzt, hier, unmittelbar das Paradies sein könnte – auf einer äußersten Spitze mit der Möglichkeit der totalen Katastrophe sich vereint. In diesem Bild tritt der magische Zug der fernsten Vorzeit von Kunst unterm totalen Bann wieder hervor; als wollte sie die Katastrophe durch ihr Bild beschwörend verhindern.«

Heiner Müllers an Antonin Artauds »Theater der Grausamkeit« orientierte Dramaturgie erreicht ihren Zenit (und ihre Krise) mit der *Hamletmaschine*, »einer Phantasmagorie der Verzweiflung, einer von fiebrigen Visionen geschüttelten Absage an jedes vernunftorientierte Geschichtsmodell. Das Stück beschreibt die stetig sich fortpflanzende Gewalt als ein Motiv aus dem ›Familienalbum‹: Der Platz des vergifteten dänischen Königs wird von seinem Mörder eingenommen, den wiederum Hamlet töten soll, um daraufhin an dessen Stelle zu treten. Hamlet allerdings, der Repräsentant der Intellektuellen, durchschaut diesen Reigen der Attentate und verweigert sich dem absurden Blutvergießen: Der Morgen findet nicht mehr statt. ›Soll ich / weils Brauch ist ein Stück Eisen stecken in / das nächste Fleisch oder ins übernächste / mich dran zu halten weil die Welt sich dreht.‹ Doch Hamlet entzieht sich dem mörderischen Zirkel nicht als Revolutionär, sondern aus Überdruß: Seine Worte sind von Weltverachtung geprägt, nicht von utopischen Vorstellungen.« (Uwe Wittstock)

Müllers Figuren leiden nicht nur unter der inneren Zerrissenheit des Geschichtsprozesses, sondern sie werden regelrecht vor den Augen des Publikums zerrissen. »Er stellt wahre Blutorgien auf die Bühne, makabre Spektakel der Verstümmelung und der Folter, des Greuels und der Vergewaltigung, die den Zuschauern die Heillosigkeit der Historie vorführen sollen. Die amputierten Glieder, die zerstörten Körper werden zu einem Leitmotiv, in dem sich die zerstörte Lebensordnung ebenso widerspiegelt wie die unabweisbare Sehnsucht nach einer Rekonstruktion der Harmonie. Auch die Architektur seiner Texte verändert Müller tiefgreifend: Statt die Szenen zu verknüpfen, stellt er einzelne, knappe Momentaufnahmen – die inhaltlich oft unabhängig voneinander bleiben – gleichberechtigt nebeneinander. Doch zielt er damit nicht auf die flotte Beliebigkeit einer Revue oder die heitere Vielfalt eines Bilderbogens, sondern betont den Fragment-Charakter seiner Arbeit. Er produziert Bruch-Stücke, die das Panorama einer zerbrochenen Zeit entwerfen.« (Uwe Wittstock)

Generalbundesanwalt Siegfried Buback wird zusammen mit seinem Fahrer von Terroristen in Karlsruhe ermordet. In Oberursel wird Jürgen Ponto, Vorstandsvorsitzender der Dresdner Bank, ermordet. Entführung des Präsidenten der Bundesvereinigung der Deutschen Arbeitgeberverbände und des Bundesverbandes der Deutschen Industrie, Hanns Martin Schleyer, in Köln; sein Fahrer und drei Polizeibeamte werden erschossen. Die zu lebenslanger Freiheitsstrafe verurteilten Terroristen Baader, Ensslin und Raspe begehen in Stuttgart-Stammheim Selbstmord. Hanns Martin Schleyer wird in Mülhausen (Frankreich) ermordet aufgefunden.

1978

Druckerstreik wegen Einführung neuer elektronischer Textverarbeitung. Austritt von Herbert Gruhl aus der CDU/CSU; er gründet die Umweltschutzpartei »Grüne Aktion Zukunft«. Rücktritt des baden-württembergischen Ministerpräsidenten Hans Filbinger (CDU) wegen seiner früheren Tätigkeit als Marine-Richter im Dritten Reich; Lothar Späth wird sein Nachfolger. Neuer Ministerpräsident in Nordrhein-Westfalen wird Johannes Rau (SPD), in Bayern Franz Josef Strauß (CSU).

Günther Rühle, Feuilleton-Chef der *Frankfurter Allgemeinen Zeitung* stellt fest, daß sich ein »Rückzugsgefecht der Linken« abzeichne. Nur im deutschen Film, so scheine es, würden die aktuellen Themen direkt zu Ende gebracht – recht und schlecht. »»Deutschland im Herbst‹ war das Dokument, das die deutsche Linke von den ›letzten Ereignissen‹ herstellte (mit Baader- und Ensslin-Begräbnis), und Margarethe von Trottas Film ›Das zweite Erwachen der Christa Klages‹ sieht sich an wie der letzte Versuch einer Sympathie- und Verständniswerbung für die sich kriminalisierenden ›Idealisten‹. In der Konstruktion der Fabel (Banküberfall zur Finanzierung eines bedrohten Kinderhorts) spürt man die öffentlich gewordene Hemmung gegenüber dem wahren Stoff (Meinhof, Baader, Ensslin), im Augenaufschlag der Katharina Talbach am Schluß steht die Bitte um Verzicht auf Vergeltung, da das Erwachen der Bankräuberin (Tina Engel) zur Vernunft angezeigt ist.«

1979

Ayatollah Khomeini, iranischer Schiitenführer, kehrt aus seinem französischen Exil nach Iran zurück. Revolutionäre Umwandlung des Iran in eine islamische Republik. Abschluß eines ägyptisch-israelischen Friedensvertrages. Die Nato-Mitgliedstaaten beschließen die Nachrüstung im Bereich der Mittelstreckenwaffen in Westeuropa und unterbreiten zugleich ein Verhandlungsangebot an die UdSSR, 1000 amerikanische nukleare Gefechtsköpfe aus Europa abzuziehen (Nato-Doppelbeschluß). Die Sowjet-Union interveniert in Afghanistan. Massendemonstration von Kernkraftgegnern gegen das geplante nukleare Entsorgungszentrum in Gorleben (Niedersachsen). Karl Carstens wird neuer Bundespräsident. Der Bundestag beschließt, daß Völkermord und Mord nicht verjährbar sind. Tod des SPD-Politikers Carlo Schmid im Alter von 83 Jahren.

Vito von Eichborn gründet mit Matthias Kierzek einen Verlag, der sich verhältnismäßig rasch zu etablieren vermag; dieser orientiert sich mit seinen Büchern am Lebensgefühl der jungen Generation: die *Sponti-Sprüche* werden 600 000mal verkauft. Eichborn unterscheidet nicht zwischen U- und E-Literatur; ihm gefällt nahezu alles – »der reine Blödsinn wie der subversiv-anarchische Witz, die Literatur, wenn sie nicht blutleer ist, wie die nützliche Information, wenn sie zugleich unterhaltsam ist.«

Die amerikanische Fernsehserie *Holocaust* (über die nationalsozialistische Judenvernichtung) wird in den dritten Programmen ausgestrahlt und hinterläßt, vor allem bei jungen Menschen, nachhaltigen Eindruck.

Robert Wilson präsentiert an der Berliner Schaubühne *Death, Destruction & Detroit:* »Theater der Zukunft« oder »prätentiöser Bluff«? In einer Mischung aus psychotherapeutischem Heilverfahren und audiovisueller Kommunikation wird Zeit als solche zum Gegenstand der Erfahrung. Die konventionalisierte Theater-Zeit, in der ein gewisser Grad von Verdichtung und Raffung als »natürlich« empfunden wird, findet sich außer Kraft gesetzt. Wie der Raum wird bei Wilson umdefiniert. Wie die Zeit zerfällt, so konstituiert der Raum keine Einheit, er wird segmentiert. In scheinbar vollständiger Unabhängigkeit voneinander finden Ereignisse auf verschiedenen Ebenen des Bühnenraums statt, der gleichsam in Streifen zerlegt wird. Requisiten und Deplazierungen stellen unaufhörlich in Frage, ob ein Raum innen oder außen, Stadt oder Land, groß oder klein sei. Die Bewegungen, die diesen Raum genauer definieren könnten, weisen kaum je eine Tendenz auf den Zuschauer hin auf. Fast alles bewegt sich parallel zur Rampe, auch von oben nach unten (Möbelstücke, Zeitungen, Gewehre schweben herab oder herauf und entrealisieren den Raum noch mehr) oder, eine bevorzugte Figur Wilsons, in einer Diagonale. Der Mangel an Aggression kommt schon im Fehlen einer Bewegung auf den Zuschauer hin zum Ausdruck. Insgesamt könnte man von einem surreal verzauberten ›décor multiple‹ sprechen, der mit den modernsten technischen Mitteln die Brücke zu Bühnenformen der Renaissance schlägt. Das wichtigste Mittel dieser Art ist das Licht, der effektivste Baustoff in Wilsons Architektur. Er selbst formuliert mehrfach, daß er mit dem Licht in den Bühnenraum male wie der Maler mit Farbe auf die Leinwand. Wilsons grandioses Lichtdesign verleiht allen Vorgängen auf seiner Bühne die unbegreifliche Evidenz des Märchens: in diesem Licht ist alles möglich.« (Hans-Thies Lehmann)

Claus Peymann geht zusammen mit einer größeren Anzahl von Protagonisten des Stuttgarter Schauspiel-Ensembles ans Schauspielhaus Bochum, das damit wieder einmal seinen Ruf als wagemutigstes deutsches Stadttheater bestätigt. Bei seinem Ausscheiden (1986) meinte Peymann, daß das Ganze gelungen sei, man aber in letzter Zeit doch auch angesteckt worden sei von der schleichenden merkwürdigen Restauration, die innerhalb dieser Gesellschaft und damit auch in der Kunst stattfinde. »Denken Sie an unsere politischen Auseinandersetzungen mit der Stadt Bochum in den Anfangsjahren, vom alltäglichen Klein-klein bis hin zu prinzipiellen Fragen, etwa der Verlesung des Friedens-Appells der Schriftsteller Sarah Kirsch, Thomas Brasch, Günter Grass und Peter Schneider. Jetzt erleben wir, daß diese schwammig undeutliche, aber immer krasser werdende restaurative Politik auch das Theater erreicht. Dagegen hätten wir uns wohl entschiedener stemmen müssen. Mit unserer Lust am Spielen, am Gelächter, an der Phantasie haben wir in der letzten Zeit manchmal vergessen, daß Kunst immer wieder Gegenpositionen beziehen muß.«

1980

Auf der Biennale von Venedig dominieren neben Joseph Beuys die »Neuexpressionisten«, »Neuen Wilden« (Georg Baselitz, Anselm Kiefer); grell-bunt, aber auch düster, pathetisch, gewalttätigekstatisch; sie überraschten, so Eduard Beaucamp, eine zerredete und kopflastige Kunstszene damit, daß sie, von keiner Theorie getrübt, aus purer Selbstbehauptung weitermachten und den Ausbruch aus dem Zirkel im Handstreich probten. »Viele Ideen, welche die Moderne hervorbrachte und so großartig in eine, im Gegensatz zur monolithischen, historischen Kunst, völlig neue und offene, experimentelle Kunst umsetzte, standen im Zeichen eines expansiven Individualismus. Hierbei ging es um Steigerung der Erfahrung, um Befreiung und Entgrenzung, um stellvertretendes Erleben und Erleiden, um neue, vom Aufbruch der Wissenschaft und Technik beflügelte Raum- und Zeiterfahrungen . . . Doch es war vor allem eine tief veränderte, eine sich nicht mehr nach den Gesetzen der Geistesgeschichte und Ästhetik fortentwickelnde Geschichte, welche alle Fiktionen zusammenbrechen ließ. Der Weltgeist verflüchtigte sich. Er verabschiedete sich mit letzten Metamorphosen – mit sektiererischen Heilslehren und mit so paradoxen Entwürfen wie den ›individuellen Mythologien‹, bei denen sich nicht mehr verbergen ließ, daß sich der Mythos entzauberte, daß kein absolutes, sondern nur privates Bewußtsein zugrunde lag.« (Eduard Beaucamp)

Hans Magnus Enzensberger, der »Risiko-Spieler« – er suche immer das Gewitter, aber bevor der Blitz ihn treffen könne, sei er auf und davon (Ulrich Greiner) –, schreibt in seinem Gedichtband *Furie des Verschwindens:* »Eskapismus ruft ihr mir zu, / vorwurfsvoll. / Was denn sonst, antworte ich, / bei diesem Sauwetter! – / spanne den Regenschirm auf / und erhebe mich in die Lüfte.«

Aus Anlaß des 20jährigen Bestehens von *Theater heute* zieht der Gründer und Herausgeber Henning Rischbieter Bilanz: Mit Texten und Bildern aus 258 Heften:

»1960: Am Ende des repräsentativen Theaters?
1961: Wirklichkeit aufs Theater: ›Andorra‹, ›Die Geisel‹
1962: Wenn Theater wieder notwendig werden soll
1963: Gründgens stirbt / Hochhuth klagt den Papst an
1964: Weiss und Kipphardt theatralisieren Dokumente
1965: Zadek zeigt Jugend, Noelte Erstarrung
1966: Pop, Beat, Handke – Ist Opas Theater tot?
1967: Gewalt gegen Gewalt – auch auf dem Theater?
1968: Die Straße dringt ins Theater ein
1969: Gegen das bürgerliche Kindertheater / Die Stein-Truppe formiert sich
1970: Kortner stirbt / Die Schaubühne beginnt
1971: Die Schaubühne erzählt ›Peer Gynt‹ / Noeltes ›Todestanz‹
1972: Neue Intendanten-Generation / Die produktive Schaubühne
1973: Kämpfende Frauen, heftig hassende Männer
1974: Grübers ›Bakchen‹ / Zadeks ›Lear‹ / Steins ›Sommergäste‹
1975: In Stuttgart ist am meisten los
1976: Zadeks anarchistischer ›Othello‹ / Minetti spielt Minetti
1977: Die Lust am ›Faust‹ / Die Last der ›Winterreise‹
1978: Frauen – bei Botho Strauß, Pina Bausch u. a.
1979: Komödien, die keine Komödien sind.«

Gründungskongreß der Grünen in Karlsruhe. Tod des jugoslawischen Staats- und Parteichefs Josip Broz Tito. Streikwelle in Polen. Bei den Präsidentschaftswahlen in den USA besiegt der republikanische Kandidat Ronald Reagan den demokratischen Amtsinhaber Jimmy Carter.

1981

Hans-Jochen Vogel Regierender Bürgermeister in Berlin; er wird kurz darauf, nach Neuwahlen, durch Richard von Weizsäcker (CDU) abgelöst. Schwere Auseinandersetzungen in Berlin zwischen Hausbesetzern und der Polizei.

Neuer französischer Staatspräsident der Sozialist François Mitterrand, der Valéry Giscard d'Estaing ablöst. Der ägyptische Ministerpräsident Anwar as-Sadat wird ermordet. Der neue polnische Ministerpräsident General Jaruzelski kündigt ein Programm zur Überwindung der Krise und

Stabilisierung der Wirtschaft an; der von ihm geleitete »Militärische Rat der Nationalen Errettung« verhängt wenig später den Kriegszustand über das ganze Land.

Unter dem Motto »Ich widme dieses Buch niemandem. Mein Dank gilt dem Winter und einem einzigen Menschen« veröffentlicht Ludwig Fels den Roman *Ein Unding der Liebe*, der vom Leben in den Niederungen einer Gesellschaft handelt, »die sich oben erbarmungslos im Wohlstand eingerichtet hat«: »Auf die Plätze / an die Arbeit! / Die Zeit fehlt an der Uhr. / Schnell, schneller / sonst holt das Leben ein, sonst / muß der Tod zu lange warten. / Wer aus der Reihe tanzt, verliert / sein Gleichgewicht, stürzt ab von jener Leiter / die tief / im Schädel wurzelt. / Na los komm / ran an den Speck an die Mäuse!« /

Auf Initiative von Bernt Engelmann, dem Vorsitzenden des westdeutschen Schriftstellerverbandes, findet ein Treffen west- und ostdeutscher Schriftsteller statt; »die erste Begegnung dieser Art seit Jahrzehnten«. Von Stephan Heym erscheint *Ahasver:* die Legende vom Ewigen Juden als Gleichnis für die Dialektik der Revolution, die in neuem Dogmatismus endet. Die Schaubühne kann ein neues Domizil beziehen: ein mit 81 Millionen DM vom Senat der Stadt Berlin umgebautes Gebäude am Lehniner Platz – 1927 von dem Architekten Erich Mendelsohn als UFA-Premieren-Kino entworfen. John Neumeier richtet Johann Sebastian Bachs *Matthäuspassion* als Ballett ein. Der erste Teil von Karlheinz Stockhausens *Licht-Zyklus, Donnerstag,* wird in der Mailänder Scala uraufgeführt.

1982

Auf der documenta 7 setzt sich gegenüber der Objektkunst, die die documenta 1977 beherrscht hatte, das Tafelbild wieder durch (z. B. Gerhard Richter); dominant bleibt die Malerei der »Neuen Wilden«, mit Rainer Fetting, Helmut Middendorf, Bernd Zimmer, Wolfgang Cilarz (Künstlername »Salomé«). »Abschied von der documenta« nimmt Michael Rutschky im *Merkur;* früher sei dort schlechterdings Unglaubliches zu sehen gewesen: Kühnheiten, die den Blick in einer Weise erregten wie sonst nichts. Nun erweise sich die Ausstellung als eine Ansammlung von Trivialitäten, von Dingen, die man schon unzählige Male gesehen habe, die von sich aus keine Aufmerksamkeit mehr forderten, die man getrost übersehen dürfe: eine Kunst nach der Katastrophe, sei sie nun ökonomischer, politischer oder ökologischer Art, etwas hastig und unter den Bedingungen äußersten Mangels Zusammengescharrtes, technisch ganz unvollkommen.

Rainer Werner Fassbinders letzter Film *Querelle* – ein Mysterienspiel, nach einer Vorlage von Jean Genet – erweist sich als ein »Dokument des Scheiterns«: »Er hat der Mythologie Genets seine private Mythologie überstülpen wollen, er ist dabei auf halbem Wege steckengeblieben, hat sich in diesem Irrgarten der Lüste verlaufen. Dennoch: wenn Jeanne Moreau davon singt, daß die Männer die Dinge, die sie lieben, töten, ist dies eine Szene von solcher Empfindsamkeit, wie sie nur in den Filmen des Rainer Werner Fassbinder zu finden ist. Sein dreiundvierzigster Film war der letzte, doch gerade er hat nicht den ausgereiften, gelegentlich sterilen Gestus des Klassikers, jenen Hauch von frühvollendetem Genie. So war er ein Versprechen.« (Michael Schwarze)

Uraufgeführt werden von Botho Strauß *Kalldewey Farce* (Hamburg) und von Peter Handke *Über die Dörfer* (Salzburg). Dortmund will aus finanziellen Gründen sein Schauspiel schließen und nur noch die Oper erhalten; in einem offenen Brief schreibt der Nürnberger Kulturdezernent Hermann Glaser: »Ich will nicht die finanziellen Probleme, in denen sich heute die Städte befinden, verniedlichen. Ich will nicht leugnen, daß es Zwänge gibt. Aber gerade wer Einblick hat in das kommunale Innenleben, der weiß, daß die Auflösung eines Theaters keine Ultima ratio sein muß und sein darf. Republikanische Identität lebt nicht vom Brot alleine; wer verspielt, was selbst in schwerer Zeit aufgebaut oder erhalten wurde, der verliert seine demokratische Glaubwürdigkeit ... Es gilt die Verantwortlichen zu überzeugen, daß die Schließung des Dortmunder Schauspiels keine ›Umstrukturierung‹, sondern eine Kaputtsanierung ist. Ein solches Beispiel kann Schule machen. Wehret den Anfängen!«

In einem Gespräch über Theater und Gesellschaft zwischen Adolf Dresen, Hans Neuenfels, Ernst

Wendt, Peter von Becker, Peter Iden und Henning Rischbieter (»Hölderlins Traum von Deutschland weiterträumen oder Der Legitimationsdruck wächst«) stellt Iden fest, daß man – im Sinne Shakespeares – mit Spielen über die Mächtigen wahrscheinlich nicht mehr an die Mächtigen herankomme; wo das Theater interessant sei, habe es nicht explizit mit Politik, sondern mit Emotionalität zu tun. Rischbieter bemerkt: »Theater kann auch die Herstellung einer größeren Klarheit über Desintegrationswirkung sein. Wenn also die Stücke von Botho Strauß was geleistet haben, dann das: etwas klarer gemacht zu haben. Und das ist keine geringe Funktion, die die Theater haben. Genauso sehe ich das übrigens im Hinblick auf die berühmte Geschichtlichkeit, die da so vermißt wird. Ich finde, daß auch das Theater in den letzten anderthalb Jahrzehnten mit dazu beigetragen hat, daß wir geschichtliche Dimensionen, allerdings auch geschichtliche Brüche, Widersprüche, Kontinuitätsunterbrechungen, fragwürdige Verdrängung zur Kenntnis genommen haben.« Dresen meint: »Es gibt zwei Haltungen des Theaters zur Gesellschaft: eine passive, in der sich Tendenzen der Gesellschaft im Theater nur verlängern und im Theater ausdrücken; oder eine aktive Haltung des Theaters der Gesellschaft gegenüber, die dann ein utopisches Potential enthalten kann oder einen Gegenentwurf oder eine Gegenfront. Vieles, was ich hier beobachtet habe, scheint mir dafür zu sprechen, daß da ein Fortschritt stattfindet im Theater, der sich verselbständigt hat, der nur formal um des Neuen willen sich bewegt. Fortschritt ist inzwischen eine etwas zweischneidige Sache geworden. Es kann das auch ein Fortschreiten auf den Abgrund sein.«

Der konservative Kritiker Werner Ross konstatiert, daß die Schulen, breite Sphären von Universität, Rundfunk und Fernsehen geistig so verfettet seien, daß sie ihre Abgedroschenheiten noch immer für provokant und kritisch hielten. Bequemlichkeit regiere; bei der Jahrestagung des PEN in Erlangen »hoben sich zwar alle Hände, wenn die jeweiligen kritischen Resolutionen zu beschließen waren, als sich aber Schriftsteller melden sollten, die bereit zur Korrespondenz mit eingekerkerten Kollegen in diktatorischen Ländern wären, kamen nur acht Namen zusammen«. Am Ende des Reformzeitalters herrsche allgemeine Müdigkeit und Schwäche. Grass habe erklärt, er wende sich nun wieder der Bildhauerei zu, bleibe aber bei seiner politischen Rolle als Präsident der Berliner Akademie der Schönen Künste. »Er ist eine politische Größe geworden, so daß Schreiben sich für ihn erübrigt. Böll gibt ungedruckte Frühwerke im Kleinverlag heraus und beteiligt sich, soweit es seine Gesundheit zuläßt, an Friedensdemonstrationen. Wolfgang Hildesheimer hat den ›Stern‹ als Forum für seine Erklärungen gewählt, wegen drohenden Weltuntergangs und also ohne die Hoffnung auf literarischen Nachruhm werde er nicht mehr schreiben, nur noch Collagen herstellen. Ermattet sind witzige Sittenschilderer wie Martin Walser und Gabriele Wohmann; sie müßten das eigene Milieu aufs Korn nehmen, um ihren Sarkasmen eine neue Wendung zu geben. Uwe Johnson hat mit letzter Kraft den vierten Band seines Epos ›Jahrestage‹ geschafft, aber wer wird schon vier Bände eines Meisterwerks des Fleißes lesen, bei dem schon der zweite Band verstohlenes Gähnen heraufbeschwor? Auch die drei Bände von Peter Weiss' ›Ästhetik ist Widerstand‹ sind eine mühselige Lektüre.«

Schwere Ausschreitungen um den Bau der Startbahn West des Frankfurter Flughafens. *Der Spiegel* berichtet über einen Skandal bei der gewerkschaftseigenen Wohnungsbaugesellschaft »Neue Heimat«. Gegen Politiker der FDP, CDU und SPD sowie Manager des·Flick-Konzern werden von der Bonner Staatsanwaltschaft Ermittlungsverfahren wegen des Verdachts der Vorteilnahme bzw. Vorteilsgewährung eingeleitet. Bundeskanzler Helmut Schmidt wird durch ein Konstruktives Mißtrauensvotum gestürzt, Helmut Kohl zum neuen Bundeskanzler gewählt.

1983

Herbert Achternbuschs Film *Das Gespenst* erzählt von einem Christus, der in einem bayerischen Kloster vom Kreuz steigt und Welt wie Kirche nicht mehr versteht; zusammen mit der Oberin des Klosters zieht er als »Ober« durch die Lande und erlebt Wundersames. Der Film, so Hans Schwab-Felisch, enthalte geschmacklose, ärgerliche Passagen, aber auch ungemein poetische Bilder; er sei insgesamt »fromm«: Aus innerer Verletzbarkeit setze er sich provokant mit dem Anspruch des

Christentums einerseits und einer sich christlich nennenden Gesellschaft und ihrer Wirklichkeit andererseits auseinander.

Das von Heinar Kipphardt (gestorben 1982) nachgelassene Stück *Bruder Eichmann* hat in München Premiere. Eichmann ist kein der Hölle entwichener Bösewicht, sondern – analog zu Hannah Arendts These von der »Banalität des Bösen« – ein Biedermann, ein Jedermann. »Die Vergangenheit wird erst ruhen, wenn sie wirklich Vergangenheit geworden ist. Zur Stunde ist sie das nicht. Weder theoretisch noch praktisch. Wir werten unsere Vergangenheit wie eine unerklärliche Krankheit, die auf unerklärliche Weise ausgebrochen ist und uns Angst macht. Aber ihre Ursachen sind untersuchbar, die Erkrankung ist abwendbar, die Wiederholung vermeidbar, hier und an anderen Plätzen der Erde.« (Helge Drafz)

Auf einem Westberliner Symposion über »Theaterpolitik« werden das vorzeitige Altern neuer Lebens- und Regieentwürfe, die Rettung in Nischen für den Diskurs und das Scheitern der Mitbestimmung diskutiert. Im Zeichen des knappen Geldes und einer zunehmenden konservativen Grundströmung mit Rückenwind habe die Kunst nicht mehr die Kraft, Bildungsanspruch und Unterhaltung zu befriedigen. Die Regisseure der 68er Generation, einst Tabu-Brecher, Stilbildner, Polit-Ästhetiker, die das Theater zum Propheten der Gesellschaft stilisiert hätten, seien heute etabliert, hätten fast alle wichtige Intendanten-Positionen (Roland H. Wiegenstein).

Bei einem Vortrag in der Katholischen Akademie München stellt der an den Münchner Kammerspielen tätige Regisseur und Dramaturg Ernst Wendt fest, daß man in den Künsten seit langem die Perfektionierung eines Systems der Austauschbarkeit von ästhetischen Spielmarken betreibe; Valeurs, Effekte, Reize und Anti-Valeurs, Anti-Effekte und Anti-Reize würden zu immer neuem Patch-work aneinandergeflickt. Eulenspiegeleien und Bluffs seien meistens das Symptom einer umfassenden Krise, närrische Antworten auf katastrophale Situationen. Die Leitung der Münchner Kammerspiele übernimmt Dieter Dorn von Hans Reinhard Müller. Seine Inszenierungen, unter anderem von *Torquato Tasso*, *Was ihr wollt*, *Troilus und Cressida*, machen die Kammerspiele zu einem der erfolgreichsten und künstlerisch solidesten Theater der Republik. Franz Xaver Kroetz und Herbert Achternbusch finden hier ebenso eine künstlerische Heimat wie Gerhard Polt & Co., die mit ihrer Satire *München leuchtet* die feine Gesellschaft der bayerischen Hauptstadt attackieren.

In den »Reutlinger Drucken«, herausgegeben von Richard Salis, Betreiber einer der letzten Kleinverlage (eingestellt 1986), schlägt der Autor und Fernsehredakteur Jürgen Lodemann vor, unsere Epoche »Depressionismus« zu nennen. Zu den »neuen Wilden« und der »neuen Innerlichkeit« passe die »neue Weinerlichkeit«; man sei mit einem nie gekannten Maß an Untergangsbüchern konfrontiert. Die finale Stimmung im Westen nehme zu. »Günter Kunert hat ihr, wenn ich richtig sehe, die schwärzesten Gedichte und Reflexionen geschrieben (›Abtötungsverfahren‹), schon 73 konnte die Erde ›unbewohnbar wie der Mond‹ erscheinen (Zwerenz), vieles in der sogenannten Frauen-Literatur gehört hierher, auch die Bekenntnisse des Fritz Zorn, des Bernward Vesper, Schnurres ›Schattenfotograf‹, Borns ›Erdabgewandte Seite der Geschichte‹, Achternbuschs ›Stunde des Todes‹, Schädlichs ›Versuchte Nähe‹, natürlich Botho Strauß, sicherlich die Finsternisse des Thomas Bernhard, Jens' neuer Euripides (›Untergang‹), Enzensbergers Titanic-Untergang, Hermann Kinders fortwährende Übungen am Grund des Lochs, Heißenbüttels Endspiele (›Das Ende der Alternative‹), fast alle Klagenfurter Texte – KLAGENfurt! – ich will das Spiel der Beispiele nicht noch weitertreiben, die Namens-Idee ›Depressionismus‹ war nur so ein Vorschlag, der mir auch bei den eigenen Arbeiten kam, wo alles schon immer das schlimmstmögliche Ende nahm. Also ich meinte ja nur. Und ich fühle mich jetzt noch mal bestärkt, wenn ich in dem 1000-Seiten-Buch [Peter Sloterdijks *Kritik der zynischen Vernunft*], das viele für das des Jahrzehnts halten (aber wer muß schon den Kritikern glauben), lese: ›In Wahrheit ist mein Böses nur ein Teil der allgemeinen Wirklichkeit.‹«

In der von Hans Magnus Enzensberger mitinitiierten Zeitschrift *Transatlantic* wird »Extrembergsteiger« Reinhold Messner als exemplarischer Fall für all diejenigen gesehen, die seit der frühen Kindheit unerfüllte Bedürfnisse nach Respekt, Verständnis, Zuwendung, Akzeptanz mit sich herumtragen. »Als Antriebsmoment wird immer wieder die Angst deutlich, die ›wahnsinnige Angst . . . körperlich zu verkümmern‹ und seine Unfähigkeit, tatsächlich im Hier und Jetzt zu leben: ›Was mich lähmt, nicht genießen läßt, nicht leben, ist der Zwang, es mir, allen zu beweisen, daß der Mount Everest alleine zu besteigen ist!« (Andreas Meckel)

Immer deutlicher wird das Ausmaß der Umweltkatastrophe; die Bundesregierung stellt fest, daß

34 Prozent des Waldes geschädigt seien. Der Schwefelausstoß der Kraftwerke soll drastisch reduziert, die Reinerhaltung der Luft u. a. durch die Einführung von Kraftfahrzeugen mit Katalysatoren erreicht werden.

1984

In Indien wird Ministerpräsidentin Indira Gandhi ermordet. Die UdSSR und die USA vereinbaren neue Gespräche über Rüstungskontrolle. In Bhopal, Indien, ereignet sich eine Giftgaskatastrophe, bei der 2500 Menschen den Tod finden – verursacht durch ein Leck im Leitungssystem einer vom US-Konzern Union Carbide betriebenen Pestizidfabrik. In Mailand endet ein Prozeß gegen 112 Mitglieder der linksgerichteten Terror-Organisation »Rote Brigade«. Der Friedensnobelpreis geht an den gegen die Apartheid-Politik agierenden südafrikanischen Bischof Desmond Tutu. Der von dem englischen Architekten James Sterling entworfene postmoderne Neubau der Staatsgalerie in Stuttgart wird eröffnet.

Die Titelseite des *Spiegel* (Juli) gilt dem Thema: »Deutsch: ächz, würg. Eine Industrienation verlernt ihre Sprache.« Familiengespräch, gestaltet von Marie Marcks. Der Vater: »Wer oder was macht wen oder was an? Der Macker, Nominativ – die Tussi – Akkusativ. Schnall' das doch mal!« Das Kind: »Ich blick den Scheiß nich!« Die Mutter: »Hey, das's echt too much, motz den Kurzen nich so an, der rafft das heut' nich mehr.«

Neben der alarmierenden Verödung der politischen Sprache und der unaufhaltsamen Ausbreitung des Bürokratendeutsch wuchert epidemisch die tautologische Jugendsprache und der regressive Kneipenjargon. Man »bringt sich ein« oder wird »abgeblockt«; man »steht« zu seinen Gefühlen, Ängstlichkeiten, Verletzlichkeiten; ist »irgendwie betroffen«, kann mit »irgend etwas unheimlich viel« – oder nichts – anfangen. »Das leerste aller Leerwörter ist Beziehung. Mein Verhältnis zu jemand anderem kann sehr vieles sein: eines der Freundschaft, der Liebe, der Abhängigkeit, der Ehe, des Neids, des Hasses, des Mitleids, des Interesses. Immer ist es eine Beziehung. Das Wort Beziehung ist nie falsch, um den Preis, daß es auch nie etwas besagt. Es ist das Wort mit dem perfekten Pokergesicht. Es kompromittiert seinen Benutzer nie. Jemand kann meinen und eigentlich gern sagen wollen, daß er außer sich war vor Begierde, mit seiner Reisegefährtin zu schlafen – als geübter Psychodynamiker wird er ergriffen von der Beziehung zu seiner Partnerin sprechen und nichts verraten haben.« (Dieter E. Zimmer)

1985

Blutige Unruhen im Elendsviertel Crossroads bei Kapstadt. Der Golfkrieg zwischen Irak und Iran nimmt an Heftigkeit zu. Brasilien kehrt nach 21 Jahren Militärregierung zur Demokratie zurück. In der UdSSR leitet der neue Parteichef Michail Gorbatschow eine Kampagne gegen Korruption ein. Pol Pot, von 1975 bis 1979 Ministerpräsident in Kambodscha und verantwortlich für ein grausames Terrorregime (mit über 2 Millionen Opfern) wird als Oberkommandierender der gegen die vietnamesischen »Invasoren« im Untergrund kämpfenden Roten Khmer abgelöst.

In Gauting bei München erschießen Terroristen den Vorstandsvorsitzenden der Motoren- und Turbinen-Union Ernst Zimmermann. Bundespräsident Richard von Weizsäcker erklärt in einer Ansprache zum 40. Jahrestag der Beendigung des Zweiten Weltkriegs: »Der 8. Mai war ein Tag der Befreiung.« Bundeskanzler Helmut Kohl beruft die Dortmunder Pädagogikprofessorin Rita Süssmuth zur Bundesministerin für Jugend, Familie und Gesundheit.

Der von Franz Greno in Nördlingen gegründete Verlag – beraten von Hans Magnus Enzensberger – wird, vor allem mit seiner »Anderen Bibliothek«, deren Bücher in alter Technik hergestellt werden, zum buchhändlerischen Hit.

Alexander Kluge, »ein verschämter Aufklärer, ein verschmitzter Moralist, ein heimlicher Pathetiker, eine Doppel- und Mehrfachbegabung, eine Dreieinigkeit von Filmemacher, Jurist und Erzähler« (Norbert Jochum) – erhält den Kleist-Preis; in seiner Dankesrede heißt es: »In dem Zeitalter der neuen Medien – in dem ich nicht fürchte, was diese vermögen, ich fürchte ihr Unvermögen, mit dessen Zerstörungskraft sie die Köpfe füllen – sind wir Textschreiber die Wächter von letzten Resten von Grammatik, der Grammatik der Zeit, das heißt zum Beispiel des Unterschieds von Gegenwart, Zukunft, Vergangenheit, Wächter der Differenz.«

Kluges achtundzwanzigster Film *Der Angriff der Gegenwart auf die übrige Zeit* handelt in Form montierter Versatzstücke von der Ruhelosigkeit und Aggressivität, die das 20. Jahrhundert kennzeichnen. Drei große Themen werden variiert: Zeit, Kino, Stadt. »Von Städten erfahren wir, daß sie bewohnt und zugleich unbewohnt sind. Vom Kino, daß die wahren Bilder im Dunkel unserer Köpfe schlummern. Und von der Zeit, daß sie dauert und irgendwie doch nicht.« (*Der Spiegel*)

Anknüpfend an das Grimmsche Märchen vom *Brüderchen und Schwesterchen* – »Komm wir wollen miteinander in die weite Welt gehen« – erzählt Franz Xaver Kroetz in seinem Stück *Bauern sterben* eine Geschichte, die »irgendwo zwischen Landshut und Kalkutta« angesiedelt ist. »Dieses Leben ist der Tod« – ein Weg vom Elend des Landlebens (Rationalisierung und Mechanisierung haben jedem ruralen Idyll den Garaus gemacht) ins Elend des Stadtlebens – »Menschenviech auf da Schdraß, awa weimas Fleisch ned fressn ko, kriangs koa Fuada«. Die realistische Thematik wird in expressionistische Metaphysik gesteigert· Die Passion zweier Menschenkinder, die sich in der kalten Welt verirren, steht stellvertretend für die furchtbaren Geschehnisse im irdischen Jammertal. Am Ende erfolgt die Heimkehr ans Grab des Vaters. Der Schnee fällt. Die Eiszeit kommt.

Heinrich Böll stirbt. In der von Böll mitbegründeten und herausgegebenen, 1988 eingestellten Zeitschrift *L'80* (Redaktion Johano Strasser) zieht Gerhard Köpf (hervorgetreten mit den Romanen *Immerfern*, 1983 und *Die Strecke*, 1985) ein lyrisches Resümee:

». . . Sein Tod / ein Medienereignis / Seht her / er ist unser / deutscher Heinrich / und Botschafter in aller Herren Länder / bei dem können wir uns sehen lassen / bei Bedarf / vielleicht sogar / der letzte Heilige der Literatur / wird vermutet / um sogleich die Rede zu bringen / aufs Raucherbein und von dort weiter / zur Frage / will Ulrike Gnade oder freies Geleit / Der Tod einer Instanz / denn es stirbt täglich Freiheit uns / ist zu lesen und Stabreime zuhauf / Poet und Prediger / Materialist und Träumer / Leiden und Größe / Singen und Sagen / ein reiches / ja überreiches Leben / ist zu lesen / Sinti und Roma / und nicht zu vergessen / die Bergpredigt / für den Anwalt anarchistischer Gangster / lese ich / den reinen Deut besser / als die geistigen Wegbereiter . . .«

Über Peter Handke und Botho Strauß kommt es zu einer heftigen Kritikerkontroverse, an der sich vor allem die *Frankfurter Allgemeine Zeitung*, die *Neue Zürcher Zeitung*, die *Süddeutsche Zeitung*, die *Frankfurter Rundschau* und *Der Spiegel* beteiligen. »In dem neudeutschen Literaturstreit ist keine literarische Kontroverse zu begrüßen, sondern ein altes Trauerspiel zu beklagen. Landauf, landab das gleiche Desaster. Der Grund des Übels liegt nicht bei dem bösen Buben. Eine Schwalbe macht noch keinen Sommer, ein Reich-Ranicki nicht die deutsche Literaturkritik. Der Fehler liegt im System. Und das System geht nicht auf in den Personen, ihren Ansichten und ihren Absichten, ihren Gefälligkeiten und ihren Gehässigkeiten, auch wenn der Betrieb davon weitgehend lebt. Auf solchem ›Niveau‹ lebt halt ›unser literarisches Leben‹. Der ›Fehler‹ läßt sich systematisch beschreiben.« (Martin Lüdke)

Als Günter Rühle, seit 1985 Leiter des Frankfurter Schauspiels, das Stück *Der Müll, die Stadt und der Tod* von Rainer Werner Fassbinder zur Aufführung bringen will, kommt es zu erbitterten Auseinandersetzungen; dem Text wird antisemitische Tendenz unterstellt. In einem Leserbrief fordert Peter Zadek, neuer Leiter des Schauspielhauses Hamburg: »Aufführen!« »Fassbinder hatte, meiner Meinung nach, große Schwierigkeiten mit Juden, und – ehrlich wie er war – hat er sie nicht versteckt. Ich habe ihn immer zu meinen Freunden gerechnet: ›Some of my best friends are antisemities.‹ Man kann, glaube ich, Juden nicht mögen, ohne gleich Gaskammern zu bauen. Man kann auch antideutsch sein, ohne gleich alle Deutschen als Nazis oder Neonazis an die Wand stellen zu wollen. Daß ›Maria Braun‹ ein unterschwellig antisemitischer (und dabei fabelhafter) Film war, ist auch offensichtlich. Ich müßte es ja wohl wissen, da der Film mir gewidmet worden war.«

Vor allem die *FAZ* wendet sich gegen die Aufführung, die dann nur vor geladenem Publikum stattfindet und wegen anhaltender Proteste abgebrochen werden muß: »Adorno, auf den sich Rühle gern beruft, hat einmal geschrieben: ›Nach Auschwitz ein Gedicht zu schreiben, ist barbarisch.‹ Ein Bühnenstück ist in der Regel noch weit öffentlicher als ein Poem. Adornos Warnung vor der Ästhetisierung des Grauens gilt hier erst recht. Das Fassbinder-Stück treibt mit Klischees, die tödlich waren, sein entsetzliches Dialog-Spiel. Es ungerührt, im Namen der Kunstfreiheit, auf einer deutschen Bühne aufführen zu wollen und die Verhinderung der Aufführung dann beinahe stolz als ästhetisch-intellektuelles Diskutier-Ereignis der Theatergeschichte vorzuzeigen heißt: die Barbarei Fassbinders fortzusetzen. Die Art, wie nun der Skandal zum ›Skandal‹ wird, ist wirklich skandalös. Bleibt zu hoffen, daß in all der Turbulenz die Frankfurter Bühnen nicht vergessen, Theater zu spielen.« (Mathias Schreiber)

1986

Erich Fried wird zum 65. Geburtstag in Wien, seiner Heimatstadt, die er als Jude 1938 verlassen mußte, durch den »Staatspreis für Verdienste um die österreichische Kultur im Ausland« geehrt. Henryk M. Broder rezensiert die Arbeiten des Schriftstellers im *Spiegel* als »Trauerarbeit vom lyrischen Fließband«. Vor allem seit 1969 folge Fried jedem Polittrend, wobei es sogar den Anschein habe, als ginge er ihm voraus; wozu er sich auch äußere, es spreche immer der Zeitgeist aus ihm. Seine Lyrik sei zu baldigem Verbrauch bestimmt, »das Verfallsdatum wird von der Zeitdauer der Abstände zwischen den Ereignissen diktiert, die er zu Versen bricht.« Anläßlich der Verleihung des Büchner-Preises 1987 an Fried lobt die *Neue Zürcher Zeitung* den Dichter als »Selbstdenker zwischen den Fronten« (Beatrice von Matt). In der *FAZ* bemerkt Gert Ueding, daß Frieds Gedichte uns lehrten, daß es kein Glück gebe, das nicht mit wenigstens einem Tropfen anarchischen Öls gesalbt sei, daß die Poesie das reguläre Medium des irregulären Lebenssinns und Liebe seine schönste Probe auf ihr verführerisches Exempel bleiben werde: »Es ist Unsinn / sagt die Vernunft / Es ist wie es ist / sagt die Liebe.« (Erich Fried stirbt 1988.)

Günter Grass veröffentlicht den Roman *Die Rättin*, eine apokalyptische Satire auf den Untergang unserer Welt. Wie sie die sinkenden Schiffe immer rechtzeitig verlassen haben, witterten die Ratten alles voraus. »Euch gab es mal!«, muß sich der Erzähler als »der letzte Mensch« von seiner Dialogpartnerin, der Rättin, sagen lassen.

Grass zieht für ein Jahr nach Indien (1988 erscheint sein Indienbericht *Zunge zeigen*). Das »postmoderne«, anti-aufklärerische Gewusele und Gefasele unter wendigen westdeutschen und Berliner Intellektuellen gehe ihm auf den Nerv. »Davon will Grass Abstand gewinnen – Abstand auch von der europäischen Perspektive, die sich dem Autor der ›Rättin‹ zunehmend verdunkelt hatte ... Grass bestreitet, daß ihn Tonfall und Rigidität der deutschen Kritik zum Verlassen der Bundesrepublik bestimmt hätten: sein Vorsatz habe schon früher festgestanden. Er fühle sich zwar von mancher Invektive verletzt und äußert auch die Vermutung, er sei eher persönlich und politisch für ›Die Rättin‹ belangt als literarisch verrissen worden; aber er meint, es sei für ihn jetzt einfach wichtig, einer drohenden ›Selbstversteinerung‹ und Verbitterung durch eine Ortsveränderung entgegenzuwirken.« (Wolfgang Schütte)

Für Günter Kunert bedeutet die Konfiguration des Mythischen im poetischen Text Unterschlupf bei einer letzten Wahrheit, »nachdem alle Irrtümer verbraucht sind« und einem »als letzter Gesellschafter das Nichts gegenübersitzt«. Mythos sei das poetische Sinnbild menschlichen Scheiterns; Hybris komme darin zu Fall, weil der kognitive Horizont des Menschen genetisch beschränkt sei. (So bei einer Autoren-Werkstatt über Literatur und Mythos des Turiner Goethe-Instituts.)

Die belanglose Kino-Komödie *Männer* von Doris Dörrie wird von Teilen der Kritik zu einer »Wende im Kino« hochstilisiert; der Film rührt an die postmodernen Sehnsüchte seiner Zuschauer. »Das Abenteuer (nicht allein das sexuelle) schreckt mittlerweile ab. Es lockt vielmehr das Bekannte und Bewährte – vorausgesetzt, die Ausstattung ist entsprechend luxuriös. Nicht auf Veränderung des

Vorhandenen sind die neudeutschen Trendsetter aus, sondern darauf, sich im Vorhandenen so angenehm wie möglich einzurichten. ›Yuppies‹ heißen die Modehelden der Stunde, und das ›Styling‹ steht im Mittelpunkt ihres Interesses. Was jenseits der Karriere geschieht, was sich unterhalb der gelackten Oberfläche abspielt, wird übergangen und verdrängt. Eben darauf läuft Doris Dörries ›Männer‹ Film hinaus. Er trägt das angedeutete Liebesdrama nicht aus oder versucht es gar zu lösen, sondern er begräbt es in aller Stille im komfortablen Eigenheim zwischen Ledersofa und Sektkelch, Modellkleid und ›Le Must de Cartier‹. Die Fassade der heilen Familie wird wiederhergestellt und nach dem seelischen Befinden der Beteiligten nicht weiter gefragt.« (Uwe Wittstock)

»Köln jubelt«: auf dem Dom-Hügel wird als kostspieliger Neubau (rund eine halbe Milliarde) ein Doppelmuseum mit Kulturzentrum, eröffnet – für die Bestände des Wallraff-Richartz-Museums und der Sammlung Ludwig. Neue Museen sind seit 1978 u. a. in Berlin, Bochum, Bottrop, Bremen, Darmstadt, Dortmund, Essen, Frankfurt, Gelsenkirchen, Hannover, Ludwigshafen, Mannheim, Mönchengladbach, München und Stuttgart entstanden.

Die amerikanische Raumfähre Challenger explodiert kurz nach dem Start. Auf den Philippinen muß unter innen- und außenpolitischem Druck der Diktator Marcos zurücktreten und das Land verlassen. Der schwedische Ministerpräsident Olof Palme wird ermordet. Im Atomkraftwerk von Tschernobyl bei Kiew ereignet sich der erste »Größte Anzunehmende Unfall« (GAU) in der Geschichte der friedlichen Nutzung der Kernenergie. Der wegen seiner NS-Vergangenheit umstrittene frühere UN-Generalsekretär Kurt Waldheim wird österreichischer Bundespräsident.

Etwa 50 000 Menschen demonstrieren in Wackersdorf gegen die geplante atomare Wiederaufbereitungsanlage. Großdemonstrationen auch in Brokdorf. Das Vorstandsmitglied der Siemens AG, Karl Heinz Beckurts und sein Fahrer werden in Straßlach bei München von Terroristen durch ferngesteuerte Sprengkörper ermordet. Von Terroristen wird auch Gerold von Braunmühl, Ministerialdirektor im Auswärtigen Amt, erschossen. »Blockade-Herbst« in Mutlangen gegen die Atomrüstung bzw. Stationierung atomarer Sprengkörper.

1987

Führungswechsel in China mit Verstärkung des Reformkurses. In der UdSSR fordert KP-Generalsekretär Michail Gorbatschow tiefgreifende Veränderungen in Wirtschaft und Gesellschaft; die Begriffe »Glasnost« (Offenheit) und »Perestrojka« (Umgestaltung) wecken große Erwartungen. Gipfeltreffen von Präsident Reagan und Gorbatschow, bei dem sie den Vertrag über die weltweite Beseitigung der landgestützten Mittelstreckenwaffen unterzeichnen. Nach den Bundestagswahlen wird unter Fortführung der CDU/CSU/FDP-Koalition Helmut Kohl wieder zum Bundeskanzler gewählt. Willy Brandt tritt nach 23 Jahren vom Parteivorsitz der SPD zurück. In Berlin wird die 750-Jahr-Feier zum Bestehen der Stadt gefeiert. Der schleswig-holsteinische Ministerpräsident Uwe Barschel bewirkt einen politischen Skandal und begeht Selbstmord; auf seine Veranlassung bzw. unter seinem Mitwissen war der SPD-Gegenkandidat Björn Engholm mit dem Ziel moralischer Rufschädigung bespitzelt und verleumdet worden.

Günter Wallraff soll keines seiner Bücher selbst geschrieben haben: Hermann L. Gremliza, Herausgeber der Monatszeitschrift konkret, behauptet unter anderem, auch Wallraffs Buch Der Aufmacher (über die Bild-Zeitung, 1977) von der ersten bis zur letzten Zeile, auf der Grundlage der von Wallraff in der Hannoveraner Bild-Redaktion gesammelten Informationen, geschrieben zu haben; er wolle nicht länger mit ansehen, wie da einer als großer Schriftsteller gefeiert werde, der gar keiner sei. Wallraff gibt zu, verschiedentlich Redigierhilfe bekommen zu haben.

Das auf der documenta ausgestellte mehrteilige Bronze-Objekt (Blitzschlag mit Lichtschein auf Hirsch) von Joseph Beuys erwirbt die Stadt Frankfurt für 2,5 Millionen DM. Die documenta 8, die die Rückkehr der Kunst in die soziale Dimension verkündet, wird von der Mehrzahl der Kritiker als nicht ernst zu nehmendes Spektakel empfunden – als »hohes Fest der Beliebigkeit«. Der Tendenz zur Vereinnahmung der Kunst als luxuriöses Konsumgut werde Vorschub geleistet; der Drang zur

Pointe, zum Aparten um jeden Preis, zu oft plattester Willkür grassiere. Auf dem amerikanischen Kunstmarkt in New York werden Markus Lüpertz und Jörg Immendorff hoch gehandelt. Von der spirituellen Verwaltung der Sachlichkeit habe sich die bildende Kunst, ähnlich wie Architektur und Soziologie, dem Parlando, der Kommunikation, zugewandt. »Gegen ihre eigenen ikonoklastischen, revolutionär-utopischen Antriebe hat sie sich als ein soziales System stabilisiert und domestiziert. Sie hat sich zum Bleiben entschlossen, sich mit den Mächten dieser Welt arrangiert und ein Haus gebaut, in dem sie sich selbst historisch verwaltet. Sie läuft also Gefahr, sich mit der Verfügbarkeit über sich selbst in einer technischen Selbstverwaltung zu erschöpfen, ihre eigene Sachlichkeit rhetorisch zu funktionalisieren und dabei als soziales System durch gesellschaftliche Inbetriebnahme verschlissen zu werden; als Lieferant für Kommunikation über Kunst, als Hersteller, Indikator und Verstärker von Stil, Mode und Lebensgefühl, als ernstes, melancholisches Gesellschaftsspiel der gegenseitigen Beobachtung, wer zu welchem Zeitpunkt welche neue Kunst wahrnimmt und welchen Stil pflegt, als Innenausstattung einer postmodernen Salonkultur und Dekor, mit der Großstädte untereinander als Kulturmetropolen konkurrieren.« (Hannes Böhringer)

»Im Wald erklingt selige Musik«: Rolf Liebermanns neue Oper *Der Wald*, nach der gleichnamigen Komödie von Alexander N. Ostrowski (in Genf uraufgeführt, dann auch bei den Schwetzinger Festspielen 1988), wird als gefällige postmoderne Oper mit eklektischer »Fassadenschönheit« vom Publikum gefeiert.

Wolfgang Rihms Oper *Hamletmaschine* (nach Heiner Müller) wird in Mannheim und Freiburg aufgeführt. »Nichts, aber auch gar nichts nimmt es uns ab, eine eigene Sprache finden zu müssen. Der Nostalgierummel in all seiner Larmoyanz hat gezeigt, wie schnell der Versuch scheitert, sich der Geschichte zu versichern, wenn man an sie anknüpft mit einem Faden, den sie schon einmal gesponnen hat.«

Laut Theaterstatistik des Deutschen Bühnenvereins sind in der Spielzeit 1986/87 die meistgespielten Autoren Shakespeare, Dario Fo/Franca Rame, Brecht, Molière, Schiller, Goethe, Büchner und Flatow. Die *Drei-Groschen-Oper* von Brecht, *Romeo mit grauen Schläfen* von Flatow und *Der Diener zweier Herren* von Goldoni erweisen sich als die Schauspielwerke mit den höchsten Besucherzahlen. Die höchsten Inszenierungszahlen erreichen Dario Fo/Franca Rame mit *Offene Zweierbeziehung* und Patrick Süskind mit *Der Kontrabaß*.

Peter Stein, der 1984 die Leitung der Schaubühne abgegeben hatte, kehrt als Gastregisseur nach Berlin zurück.

Bei der Jahreshauptversammlung des Deutschen Bühnenvereins beklagt Bundespräsident Richard von Weizsäcker, daß die Theater vor allem auch finanziell einem ständigen Rechtfertigungsdruck ausgesetzt seien: »Immer wieder müssen sie nicht nur ihre sachliche Arbeit und ihre Kosten, sondern auch ihre Existenz schlechthin aufs neue legitimieren. Wir brauchen Theater für unser Leben. Wir brauchen es nicht nur in den großen Metropolen. Es sollte möglichst von jedem Ort aus erreichbar sein. Der Besuch einer Theateraufführung sollte nicht teurer werden als der Kauf eines Buches. Die Vielfalt unserer Theaterlandschaft ist das vielleicht kostbarste Vermächtnis historischer deutscher Kleinstaaterei. Sie macht Kontinuität, Artenreichtum, Regelmäßigkeit im Programm unserer Bühnen möglich. Sie allein erlaubt es, Repertoires aufzubauen und dauerhafte Ensembles zu bilden. In aller Welt bewundert und beneidet man uns darum. Eine Region, eine größere oder mittlere Stadt, könnte ihre Identität verlieren, wenn man sie nötigt, ihr Theater aufzugeben. Wollten wir die Traditionen und Regionen unserer vielfältig gewachsenen Theaterlandschaft mißachten, wollten wir dafür den Grundsatz öffentlicher Finanzierung unserer Theater preisgeben, dann wären wir mit unserer Kultur und unserem Menschenbegriff am Ende.«

Fünfundzwanzig Jahre nach dem Oberhauser Manifest wird dem deutschen Film eine neue Krise attestiert. Alexaner Kluge und Edgar Reitz bemängeln die Verführung, sich am Großfilm zu orientieren; die Jungen seien fasziniert vom »großen Budget«. Ein Aufbegehren nach Oberhausener Vorbild hält Reitz künftig weniger im Film- als vielmehr im Fernsehbereich für möglich; bei wachsenden Zwängen in den öffentlich-rechtlichen Anstalten kann sich der Vater des TV-Welterfolges *Heimat* den Nachwuchs-Protestruf »Papas Fernsehen ist tot« durchaus vorstellen. Auch Alexander Kluge, Kopf der Arbeitsgemeinschaft Neuer Deutscher Spielfilmproduzenten, in der sich viele Oberhausener zusammengefunden haben, kündigt »neue Gründerjahre« für Film und Fernsehen an. Alles dränge zum Aufbruch »gegen den Apparat« und gegen filmische »Fast-Food«.

Amerikanische Show-Perfektion zeigt die Sängerin und Tänzerin Ute Lemper auf ihrer Tournee durch die Bundesrepublik: »Ihren Erfolg verdankt sie auch der Bildwirkung ihres einprägsamen Gesichts. Sie ist ein Typus, der in seiner Besonderheit zugleich etwas Allgemeines repräsentiert: eine irisierende Melange aus skandinavischem Teint und slawisch harten Zügen, die zwischen mädchenhafter Unschuld und androgyner Souveränität die Spannung hält. Selbst wenn sie nicht tanzen und singen könnte, gäbe allein ihr Porträt eine ideale Projektionsfläche für fast sämtliche deutsche Schönheitsideale ab; das Phlegma einer Schygulla, der Sex einer Rudnik, die Härte einer Knef, die Souveränität der Dietrich. Man huldigt ihr auch aus Eigenliebe, weil sie Ähnlichkeit mit vertrauten Gesichtern verspricht und dennoch in unerreichbarer Höhe bleibt, auch gegenüber erotischen Zudringlichkeiten: Ihr Sex ist der einer beseelten Gliederpuppe.« (Michael Mönninger)

Auf Erfolgstournee auch Udo Lindenberg: »Meine Lieder sind gegen die Kalten Kriege auf beiden Seiten. Gegen die Leute, die sagen: Gut, daß wir die Mauer haben, gut, daß wir die Grenze haben, gut, daß wir da nicht so viel miteinander zu tun haben.«

Die 1986 im Grips-Theater Berlin uraufgeführte Musikrevue *Linie 1* (Text Volker Ludwig, Musik Birger Heymann) ist überall, wo sie nachgespielt wird, ausverkauft (verfilmt von Reinhard Hauff).

Anselm Kiefer – »ein deutsches Wunder, ein ästhetischer Moses, berufen, die Elite aus den Niederungen schlechter Kunst und historischer Ignoranz zu führen« *(Los Angeles Times)* wird zum Idol der amerikanischen New-Age-Schickeria, die im Hunger nach Mythen auch reaktionäre Stoffe *(Notung, Brünnhilde schläft, Die Hermannsschlacht, Märkischer Sand, Kyffhäuser)* goutiert.

Am Projekt der Aufklärung hält dagegen Alfred Hrdlicka fest. Wie schon bei seinem Antikriegs-Denkmal am Dammtor in Hamburg 1985, wird in Wien sein Mahnmal gegen den Krieg und Faschismus, noch vor seiner Fertig- und Aufstellung, zum Thema heftiger Diskussion. Unsinnliche Kunst existiert für ihn nicht, deshalb tendiert er auch zum sogenannten Anstößigen. »Er ruft die Geister der Nachtseiten an, die Schatten, er hebt die Röcke und öffnet die Hosen der feinen Damen und edlen Herren«, schreibt Walter Schurian, der Herausgeber des Hrdlicka-Bandes *Von Robespierre zu Hitler.*

In Emden wird eine große Horst-Janssen-Ausstellung gezeigt. Mit Hilfe eines extremen Subjektivismus, der auch den bislang erschienenen ersten Band seiner Autobiographie bestimmt, versucht der Künstler, mit dem Elend einer Spätzeit fertig zu werden. »Nie sitzen wir allein vor dem Objekt; die ganze Gesellschaft längst verstorbener Zeiten sitzt dir im Nacken.«

Nach konzertanten Aufführungen in Berlin, Metz und Köln wird an der Mailänder Scala der *Montag* aus Karlheinz Stockhausens Opern-Zyklus *Licht* szenisch aufgeführt.

Zum ersten Mal veranstaltet München ein »Internationales Festival für neues Musiktheater« als Biennale – nach einer Idee des Komponisten Hans Werner Henze, der die künstlerische Leitung übernimmt. »Die Komponisten haben eine gesellschaftliche Aufgabe. Zu der gehören Anstrengungen, daß die Musiksprache unserer Zeit nicht im Experimentierraum irgendwo, im – ich mag den Ausdruck eigentlich nicht benützen – Elfenbeinturm, im Laboratorium verbleibt, sondern sich entfalten lernt an einem Konflikt oder einem Konsens mit dem Publikum. Und das Wagnis, mit neuen, gewiß auch komplizierten musikalischen und künstlerischen Inhalten auf ein veritables, bürgerliches Publikum zuzugehen, das scheint mir kühner und abenteuerlicher als dies permanente Verharren im alten, verbiesterten Mono-Trip.«

Die UdSSR zieht sich aus Afghanistan zurück. Gorbatschow übernimmt das Amt des Staatspräsidenten. In den USA wird der Republikaner George Bush zum Nachfolger Ronald Reagans gewählt. In Pakistan übernimmt Benazir Bhutto nach ihrem Wahlsieg die Regierungsführung; erstmals steht damit eine Frau an der Spitze eines islamischen Staates. Katastrophale Erdbeben im Westen Armeniens.

Im Januar demonstrieren tschechoslowakische Bürgerrechtler auf dem Prager Wenzelplatz für Meinungsfreiheit; der Schriftsteller Václav Havel und weitere 55 Personen werden verhaftet. Nach umfangreichen Protestdemonstrationen beschließt Ende November das Parlament die Führungsrolle der Kommunistischen Partei aus der Verfassung zu streichen; Havel wird im Rahmen einer insgesamt friedlichen Revolution Staatspräsident.

Im Februar beginnen in Polen am »Runden Tisch« Gespräche zwischen der kommunistischen Regierung und der um die Gewerkschaft *Solidarität* gruppierten Opposition. Nach Parlamentswahlen im Juni wird Polen »bürgerlich« (unter dem Ministerpräsidenten Mazowiecki) regiert.

Ajatollah Chomeini ruft die Muslims auf, Salman Rushdie, den Autor des Buches *Satanische Verse*, zu ermorden; Chomeini stirbt im Juni.

Nach mehr als neun Jahren zieht sich die Sowjetunion aus Afghanistan zurück; etwa 1,2 Millionen Afghanen und 15000 Rotarmisten haben in dem Krieg ihr Leben verloren.

Im März fallen in der Sowjetunion bei den Wahlen zum neu geschaffenen Kongreß der Volksdeputierten rund 20 Prozent der von der KPdSU aufgestellten Kandidaten durch. Unter den gewählten nicht-kommunistischen Reformern befindet sich der lange Jahre verbannte Bürgerrechtler und Atomphysiker Sacharow.

Studentendemonstrationen in Peking und in anderen Teilen des Landes. Die chinesische »Volksbefreiungsarmee« beendet im Juni die Demonstrationen mit einem Massaker auf dem Platz des Himmlischen Friedens (Peking); Schauprozesse und Hinrichtungen folgen.

In Ungarn setzen sich die Reformkräfte voll durch. Tausende DDR-Urlauber fliehen über Ungarn nach Österreich und in die BRD. Im September öffnet die ungarische Regierung die Grenze für alle DDR-Bürger; bis Ende Oktober verlassen über 50000 Menschen das Land.

Am 7. Oktober begeht die DDR mit Aufmärschen und einer Militärparade den vierzigsten Jahrestag ihrer Gründung. Gorbatschow als Gast mahnt Reformen an; (»Wer zu spät kommt, den bestraft das Leben«). In der DDR nehmen die Demonstrationen (von Leipzig ausgehend) zu; »Wir sind das Volk – keine Gewalt«. Am 18. Oktober wird Erich Honecker von allen Funktionen in Partei und Staat entbunden. Weitere Spitzenfunktionäre verlieren ihr Amt. Egon Krenz wird übergangsweise Generalsekretär der SED. Im November übernimmt Hans Modrow das Amt des Ministerpräsidenten; er beruft aus dem »Runden Tisch« (einer Einrichtung der ehemaligen Blockparteien und neuen Oppositionsgruppen) unabhängige Minister in die Regierung. Die ersten freien Wahlen in der DDR finden am 18. März 1990 statt; sie erbringen einen großen Sieg der konservativen »Allianz für Deutschland«.

Der rumänische Staats- und Parteichef Ceaucescu wird am 22. Dezember gestürzt und kurz darauf mit seiner Frau hingerichtet.

Personenregister

Quellennachweis der Abbildungen